수학이
좋아지는
스탠퍼드
마인드셋

* 이 책은 《스탠퍼드 수학공부법》(2017)의 개정판입니다.

수학이 좋아지는 스탠퍼드 마인드셋

MATHEMATICAL MINDSETS

숨겨진 수학머리를 깨우는 진짜 수학 공부

$V = \frac{1}{3} a^2 h$

$V = a^3$

$y = f(x)$

$\tan(x) = \frac{5}{\cos c}$

$B = \frac{3\sqrt{3}}{2} a^2$

최신 연구 결과와 사례 전면 업데이트

조 볼러 지음
송명진, 박종하 옮김

와이즈베리
WISEBERRY

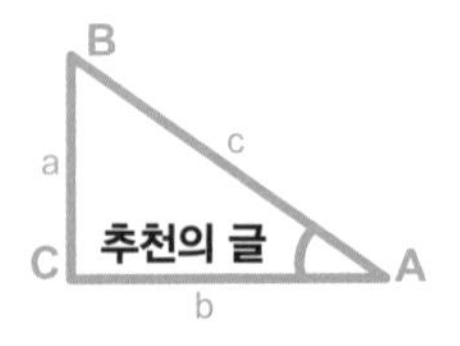

"나는 수학이 적성에 맞아!"라고 말할 수 있도록

뉴욕시 사우스브롱크스는 정부 지원이 충분치 않아 학업 성취도가 뒤처지는 소외된 학생들이 많은 지역이다. 스탠퍼드 대학교 제자 중 하나가 그곳에서 4학년 학생을 가르치고 있다. 그 학생들의 예전 성적을 봤다면, 그 지역의 다른 학생들과 마찬가지로 그들 역시 수학 성적이 나쁠 거로 생각했을 것이다. 그런데 1년 후 제자가 가르친 4학년 학급은 뉴욕주 전체에서 최고 성적을 거두었다. 학급 전원이 주에서 시행한 수학 시험을 통과했고, 90퍼센트 이상이 최고 점수를 받았다. 이것은 모든 학생이 수학을 잘할 수 있다는 것을 보여주는 수많은 사례 중 하나에 불과하다.

원래 수학을 못하는 아이들이 있다는 생각, 수학을 잘하는 아이는 따로 있고 그런 아이들이 '똑똑하다'는 생각, 적절한 조건과 환경을 갖추지 못한 아이들이 수학을 잘하기에는 이미 늦었다는 생각 때문에 많은 학생이 지레 수학을 포기하고 싫어하게 된다. 실제로 많은 교사가 누구나 다 수학을 잘할 수는 없으니 수학을 못해도 상심하지 말라는 말로 학생들의 길을 가로막고 있다. 이처럼 학부모와 교사는 아이들이 수학 공부를 시작하기도 전에 포기해도 된다고 눈감아준다. 또한 '나는 수학이 적성에 맞지 않아요'라는 한마디로 낮은 성적을 쉽게 변명해 버리는 학생들이 적지 않다. 학부모와 교사, 학생들은 수학이 특별한 사람이 하는 과목이라는 생각을 어떻게 가지게 되었을까? 이러한 생각이 수학 분야에 깊이 뿌리박혀 있다는 것이 새로운 연구를 통해 밝혀졌다. 미국 대학교의 여러 학문 분야 학자에게 다음 질문을 던졌다. "자신이 일하는 분야에서 노력과 헌신, 학습과는 반대되는, 즉 배움으로 얻어지지 않는 타고난 능력이 성공에 얼마나 기여한다고 생각하는가?" 과학, 기술, 공학, 수학 분야 중 수학 분야의 학자들이 극단적일 정도로 타고난 능력을 강조했다(Leslie, Cimpian, Meyer & Freeland, 2015). 또 다른 연구에서는 많은 수학 강사가 강의를 시작하면서 재능 있는 학생과 그렇지 않은 학생이 있다고 언급한다는 사실이 밝혀졌다. 한 강사가 대학 강의 첫날, 다음과 같은 말을 했다고 한다. "이 강의가 쉽지 않다면, 당신은 이 분야에 적성이 없는 사람일 겁니다"(Murphy, Garcia & Zirkel, in prep). 이 메시지가 세대에서 세대로 전달되면, 수학이 쉽지 않은 학생들은 당연히 자신은 수학이 적성에 맞지 않는다는 결론을 내린다.

그러나 이 책을 통해 대부분 학생(아마도 거의 모든 학생)이 수학을 즐기고 수학에서 우수한 성적을 거둘 수 있다는 것을 알게 되면, 더 이상 많은 학생이 수학을 포기하고 싫어하는 것을 당연하게 받아들이지 않게 된다. 그렇다면 모든 학생이 수학을 잘하려면 어떻게 해야 할까? 어떻게 하면 교사와 학생들이 수학 능력을 계발할 수 있다고 믿을까? 평소에도 이런 신념을 지닐 수 있는 수업 방법에는 어떤 것이 있을까? 이것이 바로 이 책에서 다루고자 하는 내용이다.

이 책에는 조 볼러의 수년에 걸친 경험과 실질적인 조언들이 담겨있다. 수학 과제를 어떻게 제시할 것인지, 수학 문제를 어떻게 만들 것인지, 학생들이 수학 문제를 푸는 동안 교사는 학생들을 어떻게 이끌 것인지, 학생들이 '성장 마인드셋'을 가지고 그것을 계속 유지하려면 어떤 방식으로 피드백을 주어야 하는지 구체적이고 정확하게 제시한다. 볼러는 위대한 수업 비법을 알고 있을 뿐 아니라 다른 사람에게 그것을 어떻게 알려주어야 할지 알고 있는 뛰어난 교육자다. 볼러에게 배운 수천 명의 교사가 다음과 같이 이야기한다.

"학창 시절 내내, 스스로 수학을 못하는 바보라고 생각했습니다. 내가 수학을 더 잘할 수 있다는 것을 알았을 때 이루 말할 수 없는 안도감을 느꼈습니다. 이제 학생들에게 너희도 할 수 있다고 가르칠 수 있습니다."

"교과과정 위주의 수업에서 학생들이 수학을 좋아하고 호기심을 가지려면 어떻게 수업해야 할지 생각하게 되었습니다."

"수학을 싫어하는 학생들이 수학을 즐길 수 있는 학습 과정을 찾고 있었습니다. 이 강좌가 바로 내가 필요로 하는 것입니다."

학생들이 즐겁게 어려운 수학 문제에 몰두하는 모습을 상상해 보라. 학생들이 자신의 실수에 대해 학급 친구들과 토론하겠다고 하는 모습을 상상해 보라. 학생들이 "나는 수학이 적성에 맞아!"라고 말하는 모습을 상상해 보라. 이러한 이상적인 비전이 전 세계 교실에서 일어나고 있다. 이 책의 조언을 따른다면, 당신의 교실에서도 이런 일이 일어날 것이다.

캐럴 드웩Carol Dweck

스탠퍼드 대학교 심리학과 교수, 《마인드셋》 저자

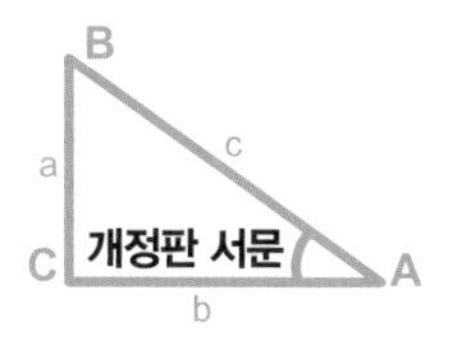

수학을 잘하기 위한 가장 좋은 방법을 찾아서

어느새 《수학이 좋아지는 스탠퍼드 마인드셋》(원제: *Mathematical Mindsets*)의 초판 원고를 쓴 지 6년이 지났다. 정말 놀라운 6년이었다! 이 글을 쓰고 있는 현재, 세계는 유례없던 전염병 유행의 터널에서 벗어나고 있다. 끝나지 않을 것 같던 고통의 시간이었지만 역설적으로 이전 어느 때보다도 교사의 역량이 확장되는 시간이었다. 학생들의 얼굴을 직접 대하지 못한 채 온라인 교육을 할 수밖에 없는 상황 속에서도 여전히 수학을 아름답고 흥미로운 과목으로 만드는 교사들의 노력과 창의성은 놀라웠다. 나의 사명은 늘 교사의 일을 돕는 것이다. 이를 위해 이 책과 같은 책을 집필하고 웹사이트 유큐브드(youcubed.org)에서 자료를 공유하고 있다. 《수학이 좋아지는 스탠퍼드 마인드셋》의 초판이 국제적인 베스트셀러가 되었고, 여덟 개 언어로 번역되어 많은 사람에게 호평받았다는 사실에 매우 기뻤다. 출판사에서 개정판을 써 달라고 요청했을 때, 나는 지난 6년 동안 쌓아온 새로운 지식과 아이디어를 되돌아보고 이제 책이 다시 나올 때가 왔다고 생각했다.

《수학이 좋아지는 스탠퍼드 마인드셋》을 쓴 이유 중 하나는 당시에 떠오르고 있던 신경과학에 관한 내용을 공유하는 것이었다. 교육계에서 일하는 모든 분과 학생, 학부모에게 내가 알고 있던 정말 중요한 내용을 알리고자 하는 마음이 컸다. 초판에 실었던 신경과학적 근거는 현재도 여전히 중요하다. 개정판에는 여기에 더해 신경과학의 새로운 연구를 교사들이 유용하게 사용할 수 있는 아이디어로 바꾸어 실었다. 운 좋게도 스탠퍼드의 신경과학자와 공동 연구할 기회가 있었는데, 초판 집필 이후에 완료된 연구 성과의 일부를 개정판에 실어 공유하고자 한다. 그 내용 중에는 초등 1학년 학생을 가르치는 일도 포함된다! 중등 수학 교사인 나에게 초등 1학년 학생들의 학습을 관찰하는 것은 정말 흥미롭고 재미있는 일이었다.

《수학이 좋아지는 스탠퍼드 마인드셋》의 초판 집필 당시, 유큐브드를 막 시작하고 있었다. 당시 첫 번째 온라인 강좌를 마쳤고 선생님들로부터 다음 과정이 언제 열릴지에 대한 문의 메일이 쇄도했다. 캐시 윌리엄스Cathy Williams와 나는 상상도 못했던 웹사이트(youcubed.org)를 만들기로 했고, 6년 후에는 사이트 방문자가 5천만 명에 이르게 되었다. 우리 리소스를 정기적으로 사용하는 교사들이 스스로를 유큐비안Youcubians이라고 부르는 것은 나에게 큰 기쁨이다. 지난 몇 년 동안 많은 교사를 만나고 그들과 즐겁게 일했다. 함께 일하는 캐시의 표현을 따르면, 전문성 개발 워크숍을 위해 교사들과 모이는 자리에는 늘 '수학 파티'가 열린다.

초판이 나온 이후, 공평한 그룹 과제를 어떻게 만들 것인가에 대해 정말 신중하게 생각해 볼 기회도 가졌다. 훌륭한 교사들은 항상 학생들이 함께 공부할 수 있는 기회를 만들고 모든 학생이 참여하는 공평한 그룹 토론을 만드는 데 관심을 둔다는 것을 나는 알고 있다. 개정판에서는 그룹 과제에 대한 권장 사항을 좀 더 발전된 형태로 실었다. 특별히 캘리포니아의 유큐브드 여름 캠프에서 중학생들과 가졌던 수업에서 얻은 경험이 반영되었다.

개정판에 실은 그룹 과제에 대한 권장 사항은 캘리포니아 캠프 운영에서 얻은 경험은 물론이고 유큐브드 사이트를 이용하는 여러 교사가 미국 전역과 스코틀랜드, 브라질에서 열었던 캠프 운영 경험도 반영했다. 여러 캠프 운영을 통해 주의 깊게 연구된 결과는 매우 놀라웠다.

학교에 다닐 때부터 수학 교육에 관심이 있던 나는 런던 도심에 있는 공립학교에서 수학 교사로 교직을 시작했다. 이 학교에서 매우 다양한 문화적 배경을 가진 11~18세의 학생들을 가르치면서 수학 교육에 다시 매료되었다. 수학 교육에 관한 연구 내용에 대해 더 많이 알고 싶었던 나는 킹스칼리지 런던에서 석사학위 공부를 했다. 낮에는 하버스톡 스쿨Haverstock School에서 교사로서 수업하고, 저녁에는 대학원생이 되어 수업을 들었다. 런던 북쪽에서 남쪽에 자리 잡은 킹스칼리지까지 가느라 바쁜 하루의 수업을 마치고 저녁에 지하철로 런던을 가로지르던 기억이 생생하다. 내가 처음으로 폴 블랙Paul Black 경과 함께 연구했던 건 바로 그 시절이었다. '학습 평가'를 창안한 폴 블랙 경은 후에 나의 박사학위 지도교수가 되어 주었다.

나와 함께 일했거나 내 온라인 강좌를 수강한 사람들은 알 것이다. 내가 'math' 대신 'maths'를 쓴다는 것을 말이다. 내가 영국 출신이기 때문이기도 하지만(영국식 영어에서는 'maths'를 사용함_역자 주) 수학이라는 단어를 복수 명사로 쓰는 것을 더 좋아하기 때문이다. 수학Mathematics은 원래 복수 명사로, 이를 줄여 Maths라고 쓴다. 수학 자체가 다양한 분야로 이루어져 있고, 다양한 방식으로 접근할 수 있음을 반영하기 위해 복수 명사가 선택되었다. 'Math'라고 하면 내가 느끼기에는 좁은 의미의 수학만을 가리키는 것 같다. 흔히 "do the math(수학을 하다)"는 "계산한다"는 뜻이다. 개인적으로 수학을 'Maths'라고 쓰면 수학은 다차원적이고 다양한 주제를 가지고 있고, 다양하고 여러 다른 모습의 수학이 존재한다는 생각을 갖는 데 도움이 된다. 하지만 책을 쓸 때는 일반적인 단어 'math'를 쓰기로 했다. 물론 내 머릿속에서는 'maths'로 쓰는 경우에도 말이다.

석사학위를 마친 나는 박사 과정 역시 킹스칼리지 런던에서 공부했다. 박사학위에서 가장 중요한 것은 연구 과제다. 내가 고른 과제는 영국 전역에서 수년간 논의되었던 문제, "수학을 가르치는 가장 좋은 방법은 무엇인가?"였다. 이 문제의 답을 찾기 위해 나는 4년간 연구했다. 나는 전통적인 수학 수업 방식과 새로운 방식을 비교하기로 했다. 전통적인 방식은 전 세계 교실에서 흔히 볼 수 있는 방식으로, 교사가 문제 풀이 방법을 설명하고 학생들은 교과서 문제를 푸는 식으로 진행된다. 이에 비해 새로운 방식은 교사가 학생들에게 보다 개방적인 과제 및 프로젝트를 제시하고 이에 학생들을 참여시키는 방식이다. 특히 새로운 수업 방식을 통해 학생들이 수학적 관계성을 어떻게 발전시켜 나가는지 알고 싶었다. 이 두 가지 방식의 효율성을 비교하기 위해 3년에 걸쳐 다양한 형태의 자료를 수집했다. 이 책 뒷부분에는 그 자료 중 일부를 실었다. 이 연구로 나는 영국 교육학 분야에서 최우수 박사학위 논문상을 받았고, 스탠퍼드 대학교 교수 심사 위원회의 관심을 받게 되었다. 덕분에 런던에서 캘리포니아로 거주지와 근무지를 옮기게 되었다.

스탠퍼드 교육대학원 교수로서 함께 일하는 선생님과 학생, 유큐브드 팀, 함께 협력하는 수학자, 과학자, 엔지니어, 신경과학자 등 다양한 사람으로부터 배울 수 있다는 점은 큰 행운이다. 이를 통해 학습과 뇌에 관한 최신 연구와 이 놀라운 사람들이 만들어내는 혁신적인 아이디어를 꾸준히 접할 수 있다. 나는 초임 교사, 스탠퍼드 학부생, 박사 과정 학생을 가르치고 경험이 풍부한 베테랑 교사들과 정기적으로 만나 공동 작업을 한다. 이러한 다양한 기회는 이 책에 담긴 아이디어를 발전시키는 데 도움이 되었다. 내게 가르침을 준 모든 이들, 특히 이 책 전체에서 강조했던 교사들에게 깊은 감사를 드린다.

이 책을 펼친 여러분이 이미 유큐브드의 리소스를 이용하고 있든지, 아니면 개방적 과제 및 프로젝트에 관한 아이디어를 처음 접했든지 전혀 상관없다. 개정판으로 나온 이 책을 즐겁게 읽어주길 바란다. 가장 바라는 것은 이 책에 담긴 아이디어가 학생들의 무한한 잠재력을 일깨우고 발휘되는 데 도움이 되는 것이다. 언제나 그렇듯, 나는 여러분이 우리의 아이디어를 바탕으로 어떻게 수업하고 있는지 듣고 싶다. 직접 또는 소셜미디어(@joboaler)를 통해 여러분의 의견을 들려주길 바란다. Viva la Revolution!

조 볼러 Jo Boaler

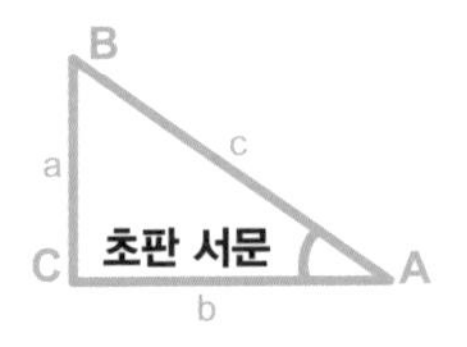

수학에 대한 고정관념을 타파하는 마인드셋

어느 가을 오후, 학장실에서 학장과 마주 앉아 매우 중요한 회의가 열리기를 기다리던 기억이 생생하다. 당시 나는 영국에서 수학 교육계의 퀴리 부인으로 대접받다가 스탠퍼드 대학교로 돌아온 지 얼마 되지 않았을 때였다. 영국 서식스 해안에서 3년 동안 늘 회색빛 흐린 하늘만 보다가 거의 매일 캠퍼스에 내리쬐는 햇살에 적응하는 중이었다. 그날 나는 캐럴 드웩 학장을 처음 만나게 될 거라는 기대감에 부푼 마음으로 학장실에 들어섰다. 마인드셋에 관한 저서로 유럽과 미국의 많은 사람의 삶에 혁신을 일으키고 정부, 학교, 학부모, 심지어 유수의 스포츠 팀까지 삶과 학습에 대한 접근 방식을 달리하도록 움직인 유명한 연구자를 만나게 되어 살짝 긴장한 상태였다.

캐럴과 그녀의 연구 팀은 수년에 걸쳐 모든 사람이 학습 방식에 대한 핵심적인 믿음인 사고방식을 가지고 있다는 분명한 사실을 뒷받침하는 자료를 수집했다(Dweck, 2006b). 성장 마인드셋을 가진 사람들은 열심히 노력하면 지능이 향상된다고 믿는다. 반면 고정 마인드셋을 가진 사람들은 무언가를 배울 수는 있지만, 기본적인 지능 수준은 바꿀 수 없다고 믿는다. 연구 결과에 따르면 사고방식에 따라 학습 행동이 달라지고, 결과적으로 학생의 학습 성과가 달라진다는 사실이 밝혀졌기 때문에 사고방식은 매우 중요하다. 사람들이 사고방식을 바꾸고 높은 수준의 학습을 할 수 있다고 믿기 시작하면 학습 경로가 바뀌고(Blackwell, Trzesniewski & Dweck, 2007), 더 높은 수준의 성취를 이룰 수 있다. 이와 관련해 구체적인 사례를 공유하고자 한다.

그날 함께 대화를 나누면서 나는 캐럴에게 학생들뿐만 아니라 수학 교사들과도 함께 일할 생각이 있는지 물었다. 학생들의 학습에 지속해서 깊은 영향을 주는 수학 교사의 마인드셋을 바꾸면 더 큰 성과를 기대할 수 있기 때문이다. 캐럴은 내 제안에 열정적으로 반응했고, 마인드셋의 쇄신이 가장 필요한 과목이 수학이라는 나의 주장에 동의했다. 이때부터 4년간 수학 교사들과 공동 연구 프로젝트를 진행하고 워크숍에서 연구 결과와 아이디어를 발표하는 등 즐거운 대화와 협업이 이어졌다. 최근 몇 년 동안 마인드셋과 수학에 관한 연구를 하면서 학생들에게 일반적인 수학이 아닌 수학 내부의 마인드셋에 대해 가르쳐야 할 필요가 있음을 깊이 인식하게 되었다. 학생들의 머릿속에는 수학에 대한 고정관념이 강하게 뿌리박혀 있다. 수학을 잘하는 사람과 그렇지 않은 사람이 정해져 있다고 믿는 것이다. 심지어 자신에 대한 부정적인 생각이 더해져 인생의 다른 모든 부분에서는 성공할 수 있어도 수학은 결코 잘할 수 없다고 생각하기도 한다. 이러한 잘못된 믿음을 바꾸기 위해서는 학생들이 수학적 마인드셋을 계발해야 하며, 이 책에 이를 장려하는 방법을 담았다.

많은 사람이 수학에 대해 가지고 있는 고정 마인드셋은 종종 수학에 대한 다른 부정적인 믿음과 결합해 파괴적인 영향을 가져온다. 그래서 이 책에서 제시하는 수학과 학습에 대한 새로운 지식을 학습자들과 공유하는 것이 매우 중요하다.

지난 몇 년 동안 다양한 온라인 강좌를 개설해 강의하고 정보를 공유했다. 학생과 학부모를 위해 개설한 무료 온라인 강좌(www.youcubed.org/online-student-course)는 현재 약 50만 명이 수강했다. 또한 세 개의 교사 대상 강좌를 열어 공평하고 높은 성취도를 끌어내는 아이디어를 활용하는 수학 교수법을 공유하고 있다. 나는 강좌를 통해 사람들과 교류하면서 얼마나 많은 사람이 수학으로 상처받았는지 깨닫게 되었다. 트라우마가 얼마나 광범위하게 퍼져있는지 알게 되었을 뿐만 아니라, 트라우마는 수학과 지능에 대한 잘못된 믿음으로 발생한다는 것을 알 수 있었다. 수학 트라우마와 수학 불안은 이러한 잘못된 믿음이 전 세계 여러 나라에 널리 퍼져 사회에 스며들고 사람들의 내면에 계속 남아있다.

학부모와 교사를 위한 첫 책으로 《수학 따위가 뭐라고? *What's Math Got to Have It?*》를 미국에서 출간하고, 영국에서 《교실의 코끼리 *The Elephant in the Classroom*》를 출간한 후 수학으로 인한 상처가 얼마나 깊은지 처음으로 알게 되었다. 이 책에서는 수학을 좀 더 즐겁고 성취할 만한 것으로 만들어줄 수업 방법과 교육 태도에 관해 자세히 설명했다. 책을 내고 난 뒤 미국과 영국의 수많은 라디오 방송에 초대되어 진행자들과 수학 학습에 관해 이야기를 나누었다.

나는 우선 사람들 대부분이 가지고 있는 수학 트라우마를 지적하면서 우리에게 필요한 변화를 이야기했다. 그러면 진행자는 긴장을 풀고 편안해했고, 그중 많은 사람이 마음을 열고 수학과 관련된 자신의 상처를 털어놓았다. 박학다식한 전문가인 진행자들이 보통은 단 한 명의 수학 교사가 했던 말이나 행동으로 수학 트라우마가 생겼다고 털어놓으면서, 인터뷰의 나머지 시간은 정신과 상담 치료 시간과 다를 바 없이 진행되었다. 아직도 기억나는 진행자는 위스콘신의 키티 던이다. 그녀는 학창 시절 대수학책 이름이 자기 머릿속에 화상 자국처럼 새겨져 있다고 이야기하면서, 수학에 대해 얼마나 부정적인 생각을 하고 있는지 고백했다. 영국 BBC 방송에서 만난 제인 가비는 수학을 너무 두려워한 나머지 나를 인터뷰하는 것조차 꺼렸다고 했다. 더구나 두 딸에게 자기가 학창 시절에 수학을 끔찍하게 못했다고 말한 적이 있다고 했다(나중에 설명하겠지만 절대로 아이들에게 이렇게 말해서는 안 된다). 수학에 대해 이렇게 심각한 정도로 부정적인 생각을 하는 사람들을 흔히 볼 수 있다. 수학은 다른 어떤 과목보다 학생들의 영혼을 부수고, 많은 성인이 학교에서의 수학 경험이 부정적일 경우 그 경험에서 벗어나지 못한다. 학생들은 일단 자신이 수학을 못한다고 생각하면, 나머지 인생에서도 수학하고는 관계가 멀어질 가능성이 크다.

예술이나 엔터테인먼트 직업에 종사하는 사람들에게만 수학 트라우마가 있는 것은 아니다. 책을 출간하면서 유명 인사들을 많이 만났는데, 그중 가장 흥미로운 사람이 비비언 페리 박사였다. 비비언은 영국 최고의 과학자로 최근 영국 여왕이 수여하는 영국 최고의 영예인 대영제국훈장을 받았다. 그녀는 유니버시티칼리지 런던의 평의회 부의장, 의학 연구위원회 위원, BBC TV 과학 프로그램의 진행자이기도 하다. 과학 관련 이력이 화려한데도 비비언은 자신이 수학을 너무 두려워한 나머지 집에서 세무 서류를 작성할 때 백분율을 계산하지 못한다고 방송에서 공개적으로 이야기했다. 영국을 떠나 스탠퍼드로 돌아오기 몇 달 전, 런던 왕립연구소에서 발표할 기회를 얻게 되었다. 1825년 물리학자 마이클 패러데이가 처음으로 시작한 영국 왕립연구소의 크리스마스 강의는 매년 TV로

방송되는데, 저명한 과학자들이 자신의 연구 성과를 대중과 공유하는 자리다. 비비언은 나를 소개하기 전에 청중에게 어릴 때 자신이 구구단 7단을 외우지 못해 수학 선생님이었던 글래스 부인이 교실 구석에 세워두었다는 이야기를 먼저 꺼냈다. 그 이야기가 BBC 방송에 나가는 중에 그 선생님이 박스버리 학교의 글래스 부인 아니냐고 묻는 전화가 여섯 통이나 왔다는 그녀의 말에 청중은 크게 웃음보를 터뜨렸다.

다행히 비비언이 겪었던 열악한 교육 관행은 거의 사라졌고, 나는 함께 일하는 많은 수학 교사의 헌신과 노력에서 영감을 얻고 있다. 하지만 여전히 부정적이고 파괴적인 메시지가 매일 학생들에게 전달되고 있음을 알고 있다. 의도적으로 해를 입히려 하지 않았겠지만, 이런 메시지는 학생들에게 상처를 주고, 수학을 배우는 내내 학생들은 그 상처로 고통받는다. 이러한 학습 방법이 바뀌지 않으면 향후 모든 수학 관련 일에 영향을 끼친다. 안타깝게도 학생들이 받는 수학에 관한 메시지는 단지 교사와 학부모가 사용하는 단어를 바꾼다고 해서 달라질 수 있는 게 아니다. 또한 학생들은 수학 수업에서 다루는 문제, 피드백, 반 편성 방식 등을 통해 간접적인 메시지를 받는다. 따라서 수학 교육의 여러 가지 측면에 관해 이 책에서 함께 깊이 생각해 볼 것이다.

비비언은 자신이 수학을 잘하지 못하는 난산증dyscalculia이라는 뇌 질환을 앓고 있다고 확신한다. 그러나 하나의 경험이나 메시지가 학생의 모든 것을 바꿀 수 있다(Cohen & Garcia, 2014). 비비언이 매일 겪고 있는 수학 불안감의 근본적인 원인은 수학에 대한 부정적 경험 때문일 가능성이 크다. 천만다행으로 비비언은 수학에 대한 부정적인 경험에도 불구하고 수학이 많이 쓰이는 정량적인 분야에서 성공했다. 하지만 사람들 대부분은 그녀처럼 운이 좋지 않다. 어린 시절 수학으로 입은 상처로 평생 수학 수학 과목 수강이 중요하다. 수학 수업을 많이 들을수록 10년 후 소득이 높아진다는 연구 결과가 있다. 고등학교 졸업 후 고급 수학 과목을 수강하면 연봉이 19.5%까지 상승할 것으로 예측된다(Rose & Betts, 2004). 또한 연구에 따르면 고급 수학을 수강하는 학생들은 추론하고 논리적으로 사고하는 방법, 특히 업무 생산성을 높이는 방법을 배운다고 한다. 고급 수학을 수강하는 학생들은 수학적 상황에 접근하는 방법을 배우기 때문에 취업 후 수학을 고급 수준으로 배우지 않은 학생들보다 더 까다롭고 높은 보수를 받는 직책으로 승진할 수 있다(Rose & Betts, 2004). 영국 학교에서의 연구 결과에 따르면, 고등학교에서 프로젝트 기반 접근 방식을 통해 수학을 배운 학생들이 더 높은 직급으로 승진해 더 높은 임금을 받았다(Boaler, 2005; Boaler & Selling, 2017). 프로젝트 기반 접근 방식은 이 책의 뒷부분에서 다룰 것이다.

에 대해 문을 닫아 버린다.

우리는 수학 트라우마가 실제로 있고, 그것이 사람들을 무기력하게 만든다는 것을 알고 있다. 수학 불안이라는 주제와 이를 극복하는 데 도움이 되는 방법을 다룬 수많은 책이 출간되어 있다(Tobias, 1978). 잘못된 수학 교육으로 피해를 본 사람이 매우 많다. 하지만 수학에 대한 부정적인 생각은 잘못된 교육 관행에서만 비롯된 것은 아니다. 부정적인 생각은 하나의 신념에서 비롯되는데, 사회 전반에 강력하게 퍼져있는 이 신념은 수학에 실패하게 하는 원인이다. 바로 일부 특별한 사람만이 수학을 잘할 수 있다는 믿음이다. 전 세계에 널리 퍼져있는 수학 실패의 원인은 상당 부분 수학은 하나의 '재능'이며, 그러한 재능을 가진 사람이 따로 있다는 믿음 때문이다.

그렇다면 많은 사람에게 상처를 입히는 이런 신념은 어디서 나왔을까? 중국, 일본과 같이 수학 성취도에서 세계 상위권을 차지하는 나라에는 이런 신념이 자리 잡고 있지 않다. 두 딸이 어렸을 때 나는 TV 프로그램 〈트위니스〉를 아이들 어깨너머로 매회 꼬박꼬박 챙겨봤다. 그런데 하루도 빠짐없이 수학에 대한 부정적인 견해가 나와서 걱정이었다. 수학은 재미없고, 접근하기 어렵고, '괴짜'만이 할 수 있는 어려운 과목으로 표현되고 있었다. 그 프로그램에서 말하는 수학은 멋지거나 매력적이지 않고, 여자아이들에게 맞는 과목도 아니었다. 이러니 많은 학생이 수학을 포기하고 자기는 수학을 잘할 수 없다고 믿는 것도 당연하다.

미국과 영국 사람의 머릿속에는 일부 특별한 사람만이 수학을 잘할 수 있다는 생각이 깊이 뿌리박혀 있다. 다른 과목은 그렇게 생각하지 않으면서 말이다. 많은 사람이 수학은 정답과 오답이 있는 과목이기 때문에 다르다고 말하지만, 이는 잘못된 생각이다. 우리에게 필요한 변화는 수학에 대한 인식의 변화다. 창조적이고 자연을 설명하는 수학의 본질을 인식해야 한다. 수학은 추론, 창의성, 연결 짓기, 방법의 해석이 있어야 하는 매우 광범위하고 다차원적인 과목이자, 세상을 밝히는 데 도움이 되는 아이디어의 집합으로, 끊임없이 변화하고 있다. 수학 문제는 사람들이 수학을 보는 다양한 방식과 문제 해결을 위해 택하는 다양한 경로를 장려하고 인정해야 한다. 이러한 변화가 일어날 때 학생들은 수학을 더 깊고 잘 이해하게 된다.

수학에 대한 또 다른 잘못된 오해는 수학을 잘하는 사람이 가장 똑똑하거나 영리한 사람이라는 생각이다. 이런 생각 때문에 학생들은 수학에 실패하면 자신이 똑똑하지 않다는 의미로 해석해 더 큰 상처를 받는다. 우리는 이런 잘못된 미신을 떨쳐버려야 한다. 수학 능력은 지능의 척도이고 수학은 재능이며, 재능이 없으면 수학을 못할 뿐만 아니라 똑똑하지도 않고 인생에서 잘할 수 없다는 잘못된 신념이 많은 어린아이에게 치명적인 상처를 입힌다.

이 책을 쓰면서 전 세계에서 마인드셋의 중요성에 대한 인식과 이해가 높아지고 있음을 실감했다. 캐럴 드웩의 《마인드셋*Mindset: The New Psychology of Success*》은 20개 이상의 언어로 번역되었으며, 마인드셋의 영향력에 관한 관심은 계속 증가하고 있다. 하지만 마인드셋에 대해 오해하고 있는 부분이 있는데, 정답과 모범답안이 있는 수학 문제를 고정 마인드셋으로 가르치면서 긍정적인 메시지를 공유함으로써 학생들에게 성장 마인드셋을 심어줄 수 있다는 생각이다. 교사는 수학에 대한 학생들의 생각을 바꾸는 게 매우 중요하며, 교사가 어떻게 그렇게 할 수 있는지가 이 책의 주제이다. 내가 교사 및 학부모와 공유하고 이 책에서 제시하는 아이디어에는 학생들이 수행하는 수학 문제와 과제, 교사와 학부모가 학생들을 격려하거나 채점하는 방식, 교실에서 사용되는 그룹화 형태, 실수를 처리하는 방식, 교실에서 만드는 규칙, 학생들에게 줄 수 있는 수학 메시지, 학생들이 수학에 접근하기 위해 배우는 전략, 즉 수학 교수 및 학습 경험 전체에 대한 주의를 기울이는 것이 포함된다. 이 새로운 지식을 공유하게 되어 기쁘게 생각하며, 수학을 가르치는 모든 이에게 도움이 될 것이라고 확신한다.

1장에서는 최근 몇 년 동안의 연구에서 나온 흥미롭고 중요한 아이디어 몇 가지를 설명할 것이다. 이어지는 8개의 장에서는 1, 2장에서 공유한 아이디어를 수학 수업과 가정에서 구현하기 위해 사용할 수 있는 전략에 초점을 맞출 것이다. 처음부터 끝까지 순차적으로 읽을 것을 강력히 권한다. 바탕이 되는 아이디어가 잘 이해되지 않는다고 해서 바로 써먹을 수 있는 전략 부분을 먼저 읽는 것은 크게 도움이 되지 않는다.

유큐브드를 시작하고 다양한 온라인 수업을 공개한 이후, 교실과 가정에서 일어난 변화와 이것이 학생들에게 미친 영향을 공유하는 사람들로부터 수천 통의 편지, 이메일, 기타 메시지를 받았다(Boaler, 2019 참조).

두뇌, 사고방식, 수학 학습에 대한 새로운 지식은 정말 혁명적이기 때문에 교육과 양육에서 비교적 작은 변화만으로도 학생들의 수학적 경로를 바꿀 수 있다. 이 책은 성장, 혁신, 창의성, 수학 잠재력의 실현을 핵심으로 하는 새로운 종류의 교육과 양육을 통해 수학적 마인드셋을 형성하는 것에 관한 책이다. 수학과의 관계를 영원히 바꿀 수 있는 길로 한 걸음 내디뎌준 여러분께 고마움을 전한다.

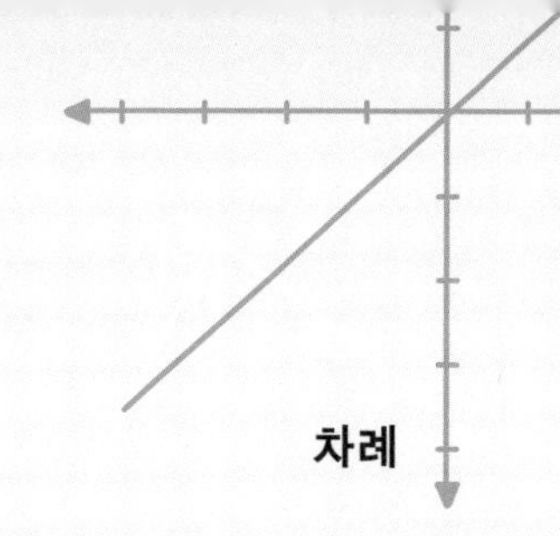

차례

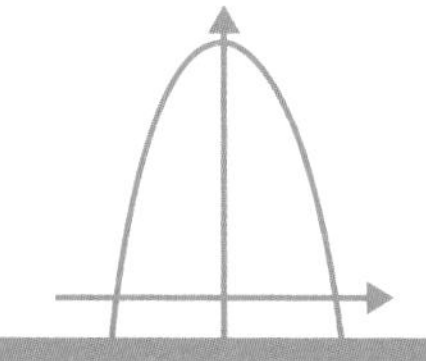

Chapter 1

수학 잘하는 뇌는 따로 없다

지난 수십 년 동안 과학기술의 발전으로 인류는 정신과 뇌가 어떻게 작용하는지 연구할 수 있게 되었다. 이제 과학자들은 어린이와 성인이 수학 문제를 풀 때 일어나는 두뇌 활동을 관찰할 수 있다. 두뇌 성장과 퇴화 과정을 관찰할 수 있으며, 다양한 감정 상태가 뇌 활동에 미치는 영향을 분석할 수도 있다. 최근 몇 년 동안 등장한 '두뇌 가소성' 분야는 과학자들을 놀라게 했다. 예전에는 사람이 타고난 두뇌는 바뀔 수 없다고 믿었지만, 이제 이 생각은 완전히 잘못된 것이라는 게 증명되었다. 거듭된 연구 끝에 두뇌는 매우 짧은 기간에 성장하고 변화하는, 믿기지 않을 만큼 놀라운 능력이 있음이 밝혀졌다(Abiola & Dhindsa, 2011; Maguire, Woollett & Spiers, 2006; Woollett & Maguire, 2011).

새로운 아이디어를 배울 때, 우리 두뇌에서 일어나는 일은 다음 세 가지 중 하나이다(그림 1.1 참조). 첫 번째는 뇌에 새로운 길이 생기기 시작한다. 더 깊이 배울수록 그 길은 더 뚜렷해진다. 두 번째는 이미 있던 길이 뚜렷해지고, 세 번째는 여러 길이 연결된다. 이런 두뇌 발달은 늘 일어나고 있다. 태어날 때 우리의 뇌에는 없던 길들이 학습 경험으로 만들어지고, 뚜렷해지고 서로 연결되는 것이다.

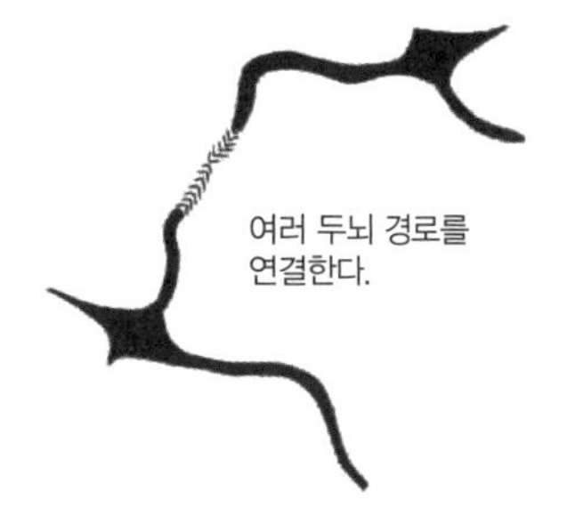

그림 1.1 두뇌는 새로운 경로를 형성하고 더 튼튼하게 만든다. 또한 여러 두뇌 경로를 연결한다.

모든 학생이 알았으면 하는 사실이 있다. 바로 수학을 배울 때, 두뇌가 바뀐다는 것이다. 신경과학자 노먼 도이지(Norman Doidge, 2007)는 매일 아침 일어나면 뇌가 전날과 다르다는 사실, 즉 매일 일어나는 뇌 성장과 변화의 정도를 청중과 공유하고 있다. 무언가를 깊이 배울 때 시냅스의 활동은 두뇌 안의 지속적인 연결을 만들고, 구조적인 경로를 형성한다. 그렇지만 어떤 생각을 겨우 한 번 하거나 피상적인 방식으로 하는 데 그친다면 시냅스의 연결은 모래 위에 만들어진 길처럼 '씻겨 사라져' 버릴 수 있다. 학습할 때 두뇌의 시냅스는 전기적 전류 신호를 보내는데, 여기서 학습은 교실 안에서 이루어지거나 독서하는 것만을 이야기하지 않는다. 사람들과 이야기를 나누고, 게임을 하거나 장난감으로 무언가를 만드는 등 매우 다양한 경험을 하는 과정 중에도 두뇌의 시냅스는 신호를 보낸다.

과학자들이 능력과 학습에 관한 생각을 바꾸게 된 시작은 런던의 블랙캡 택시 운전기사들이 보여준 두뇌 성장에 관한 연구에서부터였다. 잉글랜드 출신인 나는 여러 번 런던을 택시로 여행했다. 어렸을 때 집에서 몇 시간 거리에 있는 런던으로 가족들과 재미있게 다녀왔던 때가 기억난다. 어른이 되어 킹스칼리지 런던에서 공부하고 일할 때, 런던 근교를 택시로 둘러볼 기회가 여러 번 있었다. 런던 지역에는 다양한 종류의 택시들이 운행하고 있는데, 그중에서 최고는 '블랙 택시' 또는 '블랙캡'이라고 부르는 택시다(그림 1.2 참조).

블랙캡을 타고 런던을 숱하게 둘러봤지만, 이 택시 운전기사가 되기 위해서 얼마나 높은 자격 기준을 갖춰야 하는지는 몰랐다. 블랙캡 운전기사로 지원하는 사람은 런던 중앙부에서 25마일 반경 안에 있는 2만 5천 개의 거리명과 2만 개의 랜드마크를 모두 외워야 하는데, 대략 2년에서 4년 정도 걸린다고 한다. 런던과 그 주변의 도로를 익히는 일은 미국의 도시와 그 주변 도로를 익히는 일보다 훨씬 어렵다. 미국 도시의 도로는 격자 구조로 이루어져 있지만, 런던은 수천 개의 도로가 거미줄처럼 복잡하게 얽혀있기 때문이다(그림 1.3 참조).

수많은 관광지가 자리 잡은 런던의 도로를 외우는 훈련 기간이 끝나면 블랙캡 운전기사는 도로 상황을 제대로 파악하고 있는지 시험을 치러야 한다. 이 시험은 매우 단순하면서도 우아한 이름으로 불리는데, 바로 '지식The Knowledge'이다. 런던의 블랙캡을 타고 운전기사에게 이 시험에 관해 물어보면, 시험과 훈련 과정이 얼마나 어려운지 자세히 이야기해 줄 것이다. 블랙캡 운전기사가 치르는 이 시험은 세계에서 가장 까다로운 시험으로 알려져 있는데, 지원자는 평균 열두 번의 실패 끝에 이 시험을 통과한다고 한다.

2000년대 초반, 과학자들은 런던 블랙캡 운전기사를 대상으로 하는 연구를 시작했다. 과학자들은 운전기사들이 수년간 받은 공간 훈련으로 두뇌에 변화가 생길 것이라 예상하기는 했지만, 극적인 결과가 있을 것으

그림 1.2 런던의 택시 '블랙캡'

출처: Peter Fuchs/Shutterstock

그림 1.3 런던 지도

출처: jason cox/Shutterstock

로 기대하지는 않았다. 연구진은 훈련 기간이 끝날 무렵 운전기사의 두뇌 속 해마 부분이 현저히 커진 것을 발견했다(Maguire et al., 2006; Woollett & Maguire, 2011). 해마는 학습과 기억, 특히 공간 기억력에 가장 중요한 영역이다(그림 1.4 참조).

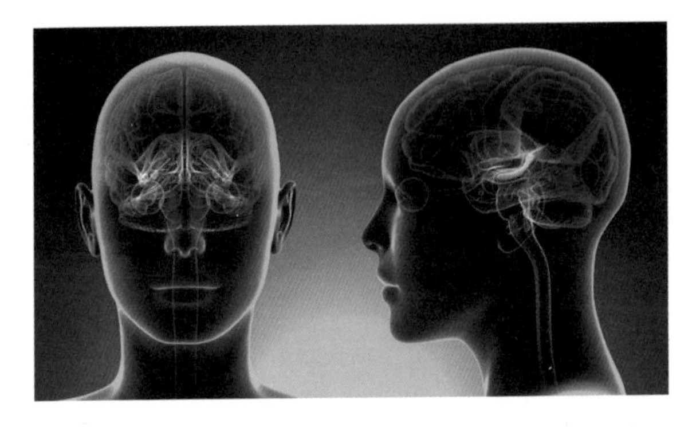

그림 1.4 해마

출처: decade3d/Shutterstock

블랙캡 운전기사와 런던 버스 운전기사의 두뇌 성장을 비교하는 연구도 진행되었다. 버스 운전기사는 단순히 버스 노선 하나만 익히면 되기 때문에 블랙캡 운전기사와 같은 정도의 두뇌 성장을 찾아볼 수 없었다(Maguire et al., 2006). 이 사실은 대단히 복잡한 훈련으로 블랙캡 운전기사의 두뇌가 놀라울 정도로 성장했다는 것을 보여준다. 이후 은퇴한 블랙캡 운전기사의 해마 크기를 확인한 결과 다시 줄어든 것을 발견했다(Woollett & Maguire, 2011). 그 이유는 노화가 아니라 블랙캡 운전 시 형성된 두뇌 경로를 쓰는 빈도가 줄어들었기 때문이다.

블랙캡 운전기사에 대한 여러 연구(Maguire et al., 2006; Woollett & Maguire, 2011)를 통해 놀랍게도 우리의 두뇌는 어느 정도 적응성, 즉 가소성을 가지고 있다는 사실이 알려졌다. 이전에는 이 연구 결과가 보여주는 정도로 두뇌가 성장할 것이라고는 생각하지 못했다. '두뇌 가소성'의 발견으로 학습과 '능력', 그리고 두뇌 변화와 성장 가능성에 대한 과학계의 생각이 바뀌게 되었다.

블랙캡 운전기사에 관한 연구가 새롭게 떠오르고 있던 시기에 과학계를 한층 더 동요시키는 사건이 일어났다. 캐머런 모트라는 이름의 아홉 살짜리 소녀에게는 당시의 의학으로는 제어할 수 없는 발작 증세가 있었다. 그녀의 주치의 조지 젤로George Jello 박사는 급진적인 치료 방법을 제안했다. 뇌의 절반, 좌반구 전체를 잘라내기로 한 것이다. 매우 혁신적인 이 수술은 궁극적으로는 성공했다. 수술 이후 캐머런은 반신불수가 되었다. 의사들은 좌반구가 신체 움직임을 제어하기 때문에 캐머런이 수년 동안 장애를 가질 것이라고 예상했다. 그러나 시간이 지나면서 캐머런의 신체 기능과 움직임이 회복되었다. 남은 우반구가 좌반구의 기능을 수행하는 데 필요한 연결을 만든 것이다. 의료진은 두뇌의 놀라운 적응성 덕분에 캐머런의 기능과 움직임이 회복되었고, 두뇌는 '재성장'한다는 결론을 내렸다. 캐머런의 새로운 뇌는 의사들이 가능할 것이라 예상했던 것보다 더 빠르게 성장했다.

이제 두뇌 절제술은 급진적인 치료 방법이 아니다. 다양한 환자가 이 수술을 받고 있다. 크리스티나 산트하우스는 여덟 살 때 뇌의 절반을 제거하는 수술을 받았다. 크리스티나는 우수한 성적으로 고등학교를 졸업하고 석사학위를 받은 뒤, 언어 병리학자가 되는 등 여러 주목할 만한 성과를 거두었다.

두뇌가 성장하고 적응하고 변화할 수 있다는 발견으로 신기술과 뇌 촬영 장비를 이용해 두뇌와 학습에 관한 새로운 연구가 시작됐다. 국립정신건강센터National Institute for Mental Health의 연구진들은 실험 대상자들에게 3주간 매일 10분씩 연습 문제를 풀게 하고, 연습 문제를 풀지 않은 사람들의 두뇌와 비교했다. 매일 몇 분간 연습 문제를 푼 사람들의 두뇌에는 구조적인 변화가 있었다. 주말을 제외한 주중에 15일간 매일 10분 동안 정신적인 과제를 수행한 실험 참가자의 뇌는 '재배선'되고 성장했다

(Karni et al., 1998).

수학 학습에 관한 또 다른 연구, 특히 스탠퍼드 의대 테레사 이우쿨라노Teresa Iuculano와 동료 연구진이 수행한 연구에서 매우 중요한 정보가 발견되었다. 연구진은 학습 장애 아동과 정상 발달 아동의 두 그룹으로 나누고, MRI 스캔을 사용해 수학 공부를 하는 아동들의 뇌를 관찰했다. 흥미롭게도 연구진은 수학 공부를 할 때 학습 장애 아동의 뇌에서 더 많은 영역이 활성화된다는 것을 발견했다. 이는 학습 장애 아동의 두뇌 활동이 더 적을 것이라는 직관에 어긋나는 결과였다. 연구진은 이 결과를 보고 학습 성취도를 이루는 것은 더 많은 두뇌 활동이 아니라 특정 영역에 집중된 두뇌 활동이라고 분석했다. 이후 연구진은 두 그룹의 아동 모두를 8주간의 수학 개인 교습 프로그램에 참여시켰다. 8주가 끝날 무렵, 두 그룹의 아동 모두 같은 정도의 성취도를 보였을 뿐만 아니라 정확히 동일한 뇌 영역이 활성화되었다(Iuculano et al., 2015).

교육 현장에서는 여전히 영리한 아이들과 우둔한 아이들, 또는 빨리 배우는 아이들과 느리게 배우는 아이들로 나눈다. 이는 두뇌와 학습에 대한 오랜 고정관념에서 비롯된 것이다. 앞에서 소개한 연구 결과는 이런 고정관념은 폐기되어야 한다는 걸 보여준다. 고작 8주간의 수학 개인 교습으로도 두뇌에 상당한 변화가 있었다. 흥미로운 과제(뒤에서 더 자세히 설명하겠다)와 학생 개개인의 잠재력과 가능성에 대한 긍정적인 메시지가 함께 주어지는 수학 수업을 1년간 지속한다면 학생들의 두뇌가 어떻게 변화할지 상상해 보라. 5장에서는 두뇌 성장을 위해 학생들이 반드시 수행해야 하는 수학 과제에 관해 설명하겠다.

두뇌 연구에서 얻어진 새로운 증거는 적절한 가르침과 메시지를 받는다면 누구나 수학을 잘할 수 있고 가장 높은 성취 단계에 이를 수 있다는 사실을 말해준다. 아주 특수한 교육이 필요한 아동은 극소수이고, 대부분 아동(적어도 95% 정도)은 학교 수학의 모든 단계를 충분히 배울 수 있다. 그리고 특수 교육이 필요한 아동의 두뇌 역시 보통 아동의 경우와 마찬가지로 성장과 변화의 강한 잠재력을 가지고 있다(Boaler & LaMar, 2019 참조). 오스트레일리아의 니콜라스 레치퍼드는 이런 사실을 잘 보여준다. 니콜라스는 자라면서 '학습 장애' 진단을 받았다. 니콜라스는 처음 학교에 들어간 1학년 때, IQ 테스트에서 매우 낮은 점수를 얻었고, 교사들은 그의 부모에게 니콜라스가 "20년 동안 가르친 아이 중 최악의 아이"라고 말했다. 학교에서 좋은 성적을 내는 데 필요한 일, 즉 집중하고, 연결하고, 읽고, 쓰는 일이 니콜라스에게는 어려웠다. 하지만 니콜라스의 어머니 로이스는 아들에게 붙은 '학습 장애'라는 낙인을 거부했고, 니콜라스와 함께 공부하면서 아들에게 집중하고, 연결하고, 읽고, 쓰는 방법을 가르쳤다. 그 결과 니콜라스는 수학 분야에서 이룰 수 있는 최고 수준에 도달했다. 2018년, 그는 응용수학 박사학위를 받아 옥스퍼드 대학교를 졸업했다(Letchford, 2018).

신경과학계의 두뇌 연구와 실제로 일어나는 사례를 통해 얻어지는 이런 정보를 학부모와 교사는 알아야 한다. 교사 연수회 등에서 이런 정보를 발표하면 듣는 교사들 대부분은 긍정적인 반응을 보인다. 하지만 모두가 그런 것은 아니다. 최근에 어느 고등학교 수학 교사가 내게 이런 질문을 했다. "그렇다면 우리 학교의 어떤 6학년 학생이라도 12학년에서 배우는 미적분을 배울 수 있다는 겁니까?" 나는 대답했다. "바로 그겁니다." 일부 교사들은 누구나 높은 수준의 수학을 배울 수 있다는 생각을 받아들이지 못한다. 특히 오랜 기간 수학을 할 수 있는 학생과 그렇지 않은 학생을 나눠온 교사는 더욱 그렇다. 물론 6학년 학생들은 그동안 앞으로 나가라는 격려보다 오히려 저지당하는 경험과 부정적인 메시지를 더 많이 받았을 것이다. 다른 학생보다 현저히 부족한 수학 지식을 가진 채 6학년이 된 학생도 있을 것이다. 하지만 그런 학생들이라고 해서 월반하거나 높은 수준의 수학을 배울 수 없는 것은 아니다. 양질의 교수법과 정서적 지지가 뒷받침된다면 누구라도 가능하다.

'모든 사람이 같은 뇌를 가지고 태어난다는 말인가?' 하는 질문을 자주 받는다. 내 대답은 '아니오'이다. 내가 말하고자 하는 바는 아이들이 타고난 두뇌의 차이는 그들이 평생 겪는 두뇌 성장 경험만큼 중요하지 않다는 것이다. 사람들은 천재성은 타고난다는 매우 강한 믿음을 가지고 있다. 알베르트 아인슈타인이나 루트비히 판 베토벤과 같은 천재들을 예로 들면서 말이다. 그러나 이제 과학자들은 출생 시 두뇌의 차이가 있더라도 이후의 학습 경험으로 그 차이는 아주 작아진다는 것을 알게 되었다 (Wexler in Thompson, 2014). 우리 두뇌 안에서는 매 순간 새로운 두뇌 경로가 만들어지고, 튼튼해지며, 여러 경로가 연결되고 있다. 긍정적인 메시지로 격려받으며 다양한 방식으로 수학적 경험을 한다면, 누구나 무엇이든 이루어낼 수 있다. 타고난 두뇌로 유리하게 시작할 수는 있겠지만, 오래가기는 힘들다. 타고난 천재들도 힘든 일이 있으면 스트레스를 받고 수많은 실수를 저지르기는 평범한 사람과 마찬가지다. 천재의 대명사로 여겨지는 아인슈타인은 아홉 살까지 글을 읽지 못했고, 고등학교와 대학교에서는 자신이 좋아하지 않는 과목에서는 낙제를 받는 등 그리 뛰어난 학생은 아니었다. 그를 천재 과학자의 자리에 오르게 한 연구 '상대성 이론'은 그가 대학교수로 근무하는 가운데 나오지 않았다. 대학교 성적이 좋지 못했던 아인슈타인은 학계에서 자리를 구하지 못해 친구의 도움으로 특허사무소 하급 심사관으로 일했는데, 근무 후 남는 시간을 쪼개어 연구에 몰두해 마침내 1905년 상대성이론을 발표하게 되었다. 연구 과정에서 수많은 실패를 겪었지만 포기하지 않고 버텨내는 끈기가 있었기에 과학계를 놀라게 한 이론을 발표할 수 있었다. 성장 마인드셋을 가지고 자기 일과 인생에서 그는 열심히 노력했고, 실패할수록 더더욱 노력했다. 성공하는 사람과 그렇지 못한 사람의 차이는 타고난 두뇌 차이가 아니라 삶에 대한 태도, 교육 기회의 차이, 자기 잠재력에 대한 인식 차이에서 비롯된다는 것이 많은 과학적 증거를 통해 밝혀지고 있다.

학생들이 스스로에 대한 믿음을 가질 때 가장 좋은 배움의 기회가 온다. 학교는 너무나 많은 학생의 학습을 방해한다. 다른 학생과 비교하게 만들어 스스로가 열등한 존재이며 남이 가진 잠재력이 자신에게는 없다고 믿게 한다. 이 책은 교사와 학부모가 학생에게 자기 확신을 주는 일에 꼭 필요한 정보를 제공한다. 학생들은 자기 확신이 필요하고, 반드시 자신에 대해 긍정적인 기대를 해야 한다. 학생들의 이전 경험이 어떤 것이든지 간에, 학생들의 두뇌에 수학적 마인드셋으로 이어지는 경로를 시작하기 위해서 말이다. 이 새로운 두뇌 경로에는 학생들이 자신을 바라보는 방법을 바꾸는 것뿐 아니라 수학 과목에 대한 접근 방식을 바꾸는 것까지 포함된다(이 책의 나머지 부분에서 자세히 설명하겠다).

모든 사람이 똑같은 두뇌를 가지고 태어나는 것은 아니다. 하지만 많은 사람이 믿고 있는 것처럼 '수학 두뇌' 또는 '수학적 재능'과 같은 것은 없다. 누구도 태어나면서부터 수학을 다 아는 것도 아니고, 수학 공부할 머리가 아닌 채로 태어나지도 않는다. 불행하게도 너무나 많은 사람이 '영재'는 타고난다고 생각한다. 최근에 대학교수를 대상으로, 각자의 학문 분야에서 영재성의 존재와 그 영향력에 대한 인식을 조사하는 연구가 시행되었다(Leslie, Cimpian, Meyer & Freeland, 2015). 해당 분야를 배울 수 있는 사람은 어떠해야 한다는 고정관념이 가장 강한 사람들은 수학과 교수였고, 영재성을 중시하는 분야일수록 해당 분야의 여성 박사학위 소지자가 적었다. 조사 대상 30개 분야 전체에 걸쳐 해당 분야에 적합한 사람에 대한 고정관념과 그 분야에서 두각을 드러내는 여성의 수 사이에 상관관계가 있었다. 교수들이 '타고난 영재'만이 성취할 수 있다고 믿는 분야의 여성 인력이 적은 이유는 6장에서 자세히 다룰 것이지만, 간단히 말하면 해당 분야의 진정한 인재에 대한 고정관념이 여전히 퍼져있기 때문이다. 교사 및 학부모가 학생들과 나누는 대화와 수업이 더욱 평등을 지향하고, 더 객관적인 견해에 따라 수학 학습이 이루어지는 일이 지금 우리 사회에 시급하다. 뇌과학에서 밝혀내는 새로운 사실이 학교 현장에서 신중하게 고려되어야 하며, 누구나 수학을 잘 배울 수 있다는 사실이 모든 학생에게 전달되어야 한다. 그래야만 '수포자'가 사라지고 다양한 문화적 배경을 지닌 모든 학생이 수준 높은 수학을 학습할 기회를 가지는, 지금과 완전히 다른 미래가 열리게 된다.

캐럴 드웩과 동료들의 연구에 따르면, 연구 대상 아동 중 약 40%는 자신에게 불리한 방향으로 작용하는 고정 마인드셋을 가지고 있다고 한다. 즉, 지능을 특정한 누군가에게만 있는 '재능'의 한 종류라고 믿는다는 것이다. 나머지 40%는 성장 마인드셋을 가지고 있고, 20%는 두 마인드셋 사이를 왔다 갔다 한다는 것이다(Dweck, 2006b). 고정 마인드셋을 가진 학생은 쉽게 포기할 가능성이 크지만, 성장 마인드셋을 가진 학생은 어려운 일이라도 끈기 있게 계속해 나간다. 앤절라 더크워스Angela Duckworth는 이것을 '그릿grit'이라고 칭했다(Duckworth & Quinn, 2009). 그녀는 7학년 학생을 대상으로 마인드셋을 측정하는 설문 조사를 시행하고, 2년 동안 학생들의 수학 성적을 관찰하는 방식으로 연구를 진행했다. 결과는 매

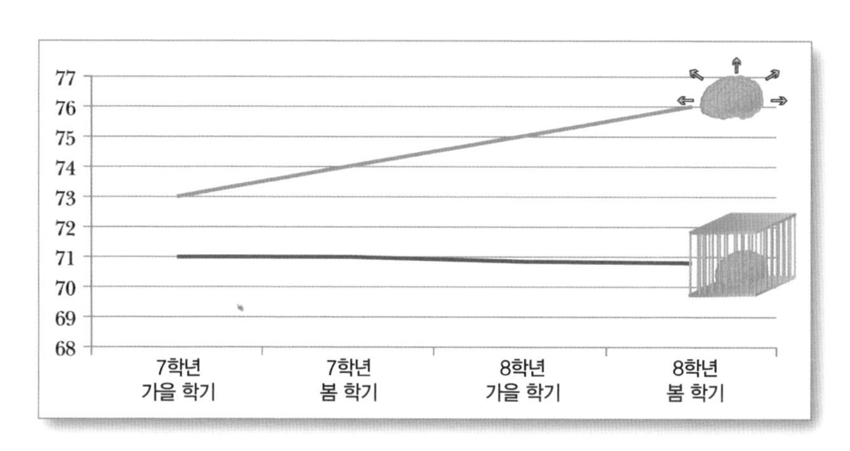

그림 1.5 성장 마인드셋 학생의 수학 성적이 고정 마인드셋 학생보다 높다.

출처: Blackwell et al., 2007에서 수정 인용.

우 놀라웠다! 고정 마인드셋 학생의 성적은 일정한 수준에 머물렀지만, 성장 마인드셋 학생의 성적은 계속 향상되었다(Blackwell et al., 2007; 그림 1.5 참조).

다른 연구에서는 고정 마인드셋이 성장 마인드셋으로 바뀔 수 있고, 이런 경우 학습 방식이 상당히 적극적으로 바뀌고 학습 성취도가 높아진다는 것을 보여주었다(Blackwell et al., 2007). 또한 성장 마인드셋을 가진 학생은 실패했을 때 더 넓은 뇌 영역이 활성화되며 훨씬 더 집중해 실수를 줄임으로써 더욱 긍정적인 두뇌 활동을 보여준다는 새로운 증거를 얻었다(Moser, Schroder, Heeter, Moran & Lee, 2011). 이 내용은 2장에서 다시 다룰 것이다.

학습에 있어 성장 마인드셋을 갖추는 것이 중요한데, 특히 수학과 관련해서는 더욱 그렇다. 이미 충분한 근거가 있지만, 최근 파리에 있는 경제협력개발기구OECD 국제학업성취도평가PISA에서 전 세계 1,300만 학생의 데이터를 연구하면서 이 생각이 더욱 확고해졌다.

PISA는 3년마다 OECD 회원국의 만 15세 학생을 대상으로 필기시험을 치르고 그 결과를 전 세계 언론사에 공개한다. 미국의 시험 점수를 보면 걱정이 앞설 정도인데, 최근 평가에서 미국은 수학 부문에서 OECD 65개국 중 36위를 차지했다(OECD, 2018). 이 평가 결과는 미국의 수학 교육과 학습 분야에 대규모 개혁이 필요하다는 것을 알려준다. 그런데 PISA는 학생들이 수학 문제를 얼마나 잘 푸는지 점수만 매기는 데 그치지 않는다. 수학에 대한 학생들의 생각과 신념, 마인드셋에 관해 조사하고 자료를 수집한다. PISA 연구원 중 몇 사람이 내가 만든 교사 대상 온라인 강의(www.youcubed.org/resource/online-courses-for-teachers)를 수강한 후, 같이 일하자고 제안해 PISA에 참여하게 되었다. 그곳에서 만난 파블로 조이도Pablo Zoido는 조용한 말투를 가진 스페인 사람이었다. 그는 수학 교육을 깊이 이해하고 있는 빅데이터 전문가였는데, 당시 PISA에서 자료 분석가로 일하고 있었다. 그와 함께 방대한 데이터를 연구하면서 놀라운 점을 발견했다. 세계에서 가장 성적이 우수한 학생들은 성장 마인드셋을 지녔으며, 수학에서 다른 학생보다 1년 남짓 앞서고 있다는 것이었다(그림 1.6 참조).

고정 마인드셋은 학생 스스로 똑똑하거나 그렇지 않다고 믿는 사고방식인데, 학생들의 성적이 좋든 나쁘든 간에 악영향을 준다. 특히 성적이 좋은 여학생에게 끼치는 악영향이 가장 크다(Dweck, 2006a). 심지어 스스로 똑똑하다고 믿더라도 전혀 이로운 일이 아니다. 고정 마인드셋을 지닌 학생들은 더 어려운 과제를 시도하거나 어려운 과목 공부하기를 꺼린다. 만일 실수를 저지르거나 실패하게 되면 사람들이 자신을 똑똑하게 여기지 않을까 봐 두려워한다. 반면에 성장 마인드셋을 가진 학생들은 과제가

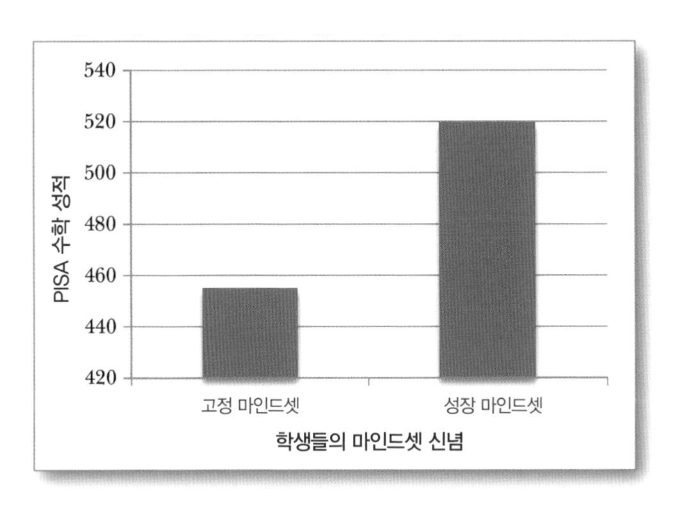

그림 1.6 마인드셋과 수학 성적의 상관관계

출처: PISA, 2012 자료 이용

어렵더라도 계속 시도하고 실수와 실패를 더 많은 것에 도전하도록 격려하는 동기부여로 여긴다. 여학생에게서 고정 마인드셋 비율이 높게 나타나는 것은 과학기술 분야(과학, 기술, 수학 및 공학)에 종사하는 여성의 수가 적은 이유 중 하나이다. 이 분야에 종사하는 여성의 수가 적다는 것은 단순히 여학생의 진출 기회가 적다는 것뿐만 아니라 과학기술 분야 훈련에 여성의 사고방식과 견해가 반영되지 않아 이런 상황이 계속 반복되리라는 것을 의미한다(Boaler, 2014a).

미국의 많은 학생이 고정 마인드셋을 지니게 되는 이유 중 하나는 부모와 교사로부터 받는 칭찬에 있다. 뭔가 잘했을 때 똑똑하다는(이미 완성되어 고정된 상태로 있는 특성에 대한) 칭찬은 처음에는 기분이 좋을 수 있지만, 나중에 실패했을 때는(모든 사람은 실패하기 마련이다) 자신이 절대 똑똑하지 않다고 여기게 만든다. 최근 연구에 따르면 자녀가 태어난 직후부터 생후 3년 동안 부모에게 받는 칭찬의 방식으로부터 이후 5년 동안 자녀가 가지게 될 마인드셋을 예측할 수 있다고 한다(Gunderson et al., 2013). 칭찬은 학생들의 행동에 즉각 반영될 만큼 강한 영향을 미친다. 캐럴 드웩이 진행한 한 연구에서 5학년 학생 400명에게 시험을 보게 했다. 거의 모든 학생이 좋은 점수를 받을 수 있는 쉬운 문제로 구성된 시험이었다. 시험 결과에 대해 절반의 학생들에게는 '정말 똑똑하다'라고 칭찬했고, 나머지 학생들에게는 '정말 열심히 풀었구나!'라고 노력을 칭찬했다. 그런 다음 학생들에게 두 번째 시험에 대한 선택권을 주었다. 처음 시험처럼 좋은 점수를 받을 수 있는 쉬운 시험과 훨씬 어렵고 도전적인 시험 중에서 원하는 것을 고르게 했다. 노력을 칭찬받은 학생의 90%는 어려운 시험을 골랐고, 똑똑하다고 칭찬받은 학생은 대부분 쉬운 시험을 골랐다(Mueller & Dweck, 1998).

칭찬받는 것은 기분 좋은 일이다. 하지만 '당신은 정말 똑똑하군요!'라고 어떤 사람인지에 대해 칭찬받으면 자신에게 일정한 능력이 있다고 생각하게 된다. '멋지게 해냈어요!'라고 해낸 일에 대한 칭찬받을 때보다 더욱 그렇다. 학생들에게 똑똑하다는 칭찬은 나중에 독이 되기도 한다. 학교를 졸업하고 사회에 나오면 많은 실패를 경험하게 되는데(지극히 당연하다), 그럴 때마다 스스로 평가하면서 자신이 똑똑한지 아닌지를 결정지어버린다. 학생들에게는 똑똑함이나 다른 개인적인 특성을 칭찬하는 대신 '열심히 공부했네!', '정말 깊이 생각했구나!'와 같이 노력을 칭찬하는 편이 좋다.

미국 교육 시스템은 일부 학생들은 발달 단계상 특정 수준의 수학을 배울 준비가 되어 있지 않다는 오랜 고정관념에 찌들어있다. 최근 우연히 만난 한 학교의 고등학교 수학 교사들은 학교 이사회에 일부 학생들은 대수 2(한국의 고등학교에서 다루는 수학 내용_역자 주)를 통과할 수 없을 것이라는 충격적인 주장을 담은 보고서를 올렸다. 특히 저소득 가정의 소수 민족 학생을 예로 들면서 이 학생들은 교육과정을 단순화하지 않으면 대수를 배울 수 없다고 주장했다. 이런 흠결 있고 인종차별적인 사고방식을 학교 현장에서 추방해야 한다. 이 보고서는 지역 언론에 게재되어 격렬한 논쟁을 불러일으켰고, 후에 주 의회에서 차터스쿨(charter school, 대안학교 성격을 띤 공립학교로 다민족 교육을 운영한다_역자 주)의 필요성을 주장하는 근거가 되었다(Noguchi, 2012). 불행하게도 이 보고서는 일부 학생은 높은 수준의 수학 학습에 이르는 것이 불가능하다는 생각을 여러 사람에게 퍼뜨렸다. 이런 사고방식은 때로는 진정으로 학생들을 걱정하고 위하는 학부모, 교사에게서도 발견된다. 많은 사람이 학생들이 특정 수학을 배우기 전에 준비하는 차원에서 반드시 거쳐야 하는 발달 단계가 있다고 생각한다. 그러나 이것 역시 낡은 생각이다. 학생들은 경험한 만큼 준비되어 있다. 준비가 덜 된 학생이라도 성장 마인드셋을 가지고 다른 사람들로부터의 높은 기대를 받는 상태에서 적절한 경험을 한다면, 쉽게 준비를 마칠 수 있다. 학생들이 수학을 배우기 위해 반드시 따라야 하는 미리 정해진 속도는 없다. 특정 나이나 정서적 성숙도에 도달하지 않았다고 해서 일부 수학을 배울 수 없다는 것은 사실이 아니다. 아직 배우지 않은 몇 가지 기초 지식 때문에 일부 수학 과목을 배울 준비가 되지 않을 수 있지만, 나이나 지적 성숙도가 모자라서 수학 공부를 위한 두뇌 경로가 만들어지지 않는 게 아니다. 학생 스스로가 필요하다면 두뇌에서 새로운 경로를 만들고 연결해 수학을 배울 수 있다.

수학적 마인드셋의 중요성을 더 많은 사람에게 알리고 학생들의 마인드셋을 바꾸기 위한 관점과 전략을 계발하려면 교사 스스로 학습과 수학의 관계를 신중하게 생각해야 한다. 나와 함께 일했던 초등학교 교사 중 많은 사람이 내가 이야기한 두뇌와 잠재력, 성장 마인드셋이 자신의 인생을 바꾸었다고 말했다. 스스로 수학에 대한 성장 마인드셋을 계발하고, 자신감과 열의로 수학에 접근하게 되었고 이런 태도가 학생들에게도 전해졌다는 것이었다. 이 점은 특히 초등학교 교사에게 중요하다. 교사 자신이 학창 시절 수학을 배울 때, 수학을 원래 못한다거나 적성에 맞지 않는다는 이야기를 들어왔기 때문이다. 많은 교사가 수학 과목을 두려워하면서 학생들에게 수학을 가르친다. 내가 다음의 연구 결과를 소개하자 초등학교 교사들은 가지고 있던 두려움을 날려버리고 수학을 즐길 수 있게 되었다. 샨 베일록Sian Beilock과 동료들은 초등학교 교사들이 수학에 대해 가지고 있는 부정적인 감정이 수업을 통해 여학생의 성적에 영향을 미치지만, 남학생에게는 영향을 주지 않았다는 사실을 발견했다(Beilock, Gunderson, Ramirez & Levine, 2009). 이러한 성별 차이는 여학생들이 여자 선생님과 자신을 동일시하기 때문에 일어나는 경향이 있다. 특히 초등학교에서 더욱 그렇다. 여학생들은 교사가 학생을 배려하면서 마음을 읽어주는 상황에서 하는 다음과 같은 말에서 수학에 대한 부정적인 메시지를 받는다. '이 문제는 정말 어려워. 하지만 한번 해보자', '나도 학교 다닐 때 수학을 잘하지 못했어', '수학을 좋아하기는 쉽지 않아'. 또한 이 연구는 교사가 제공하는 메시지와 학생들의 성적 사이에 연관성이 있음을 강조한다.

* * *

신경과학은 신경 가소성을 넘어 다른 영역의 수학 학습을 이해하는 데 크게 이바지했다. 스탠퍼드에서 신경과학자들과 함께 일할 수 있었던 것은 큰 행운이었다. 최근 몇 년간 두 명의 신경과학자 비노드 메논Vinod Menon, 랑 첸Lang Chen과 함께 두뇌의 수학 학습 방식에 초점을 맞추어 뇌의 상호작용 네트워크를 연구하였다. 이 연구를 통해 수학을 공부할 때 뇌의 다섯 영역이 관여한다는 것과 이 중 두 영역이 시각 경로라는 것이 밝혀졌다. 또한 등 쪽 시각 경로는 양을 표현하는 주요 뇌 영역이라는 것이 알려졌다. 이 두 명의 신경과학자를 비롯해 다른 연구자들도 서로 다른 뇌 영역 간의 소통이 학습과 성취도를 향상시킨다는 사실을 발견했다(Park & Brannon, 2013 참조). 예를 들어, 수 연산을 학습할 때 숫자 계산과 수 모형과 같은 시각적 표상을 함께 제시하면 두뇌 연결, 즉 두뇌 영역 간의 의사소통이 촉진되어 더 깊은 이해에 이르게 된다는 것이다.

신경과학이 밝혀낸 또 다른 놀라운 사실은 손가락이 수학 학습에 특히 중요하다는 것이다(Boaler & Chen, 2016). 서문에서 언급한 초등 1학년 학생들과의 작업은 교육계 종사자(나와 유큐브드 팀), 신경과학자, 엔지니어가 함께 수학 학습에서 손가락의 중요성을 연구하는 프로젝트였다. 우리는 학생들이 손가락으로 질문에 대답하고 손가락의 진동을 느낄 수 있도록 해 손가락과 숫자를 연관시키는 데 도움이 되는 로봇 장치를 만들었다. 흥미롭게도 로봇 손가락 장치를 사용해 공부한 학생들은 짧은 시간에 훨씬 더 많은 수학 내용을 배웠다. 하지만 손가락으로 수학을 배우는 것은 반드시 첨단 기술이 필요하거나 로봇 공학의 힘을 빌려야 하는 것은 아니다. 우리가 만들었던 로봇 장치와 비슷한 방법으로 학생들이 '손가락

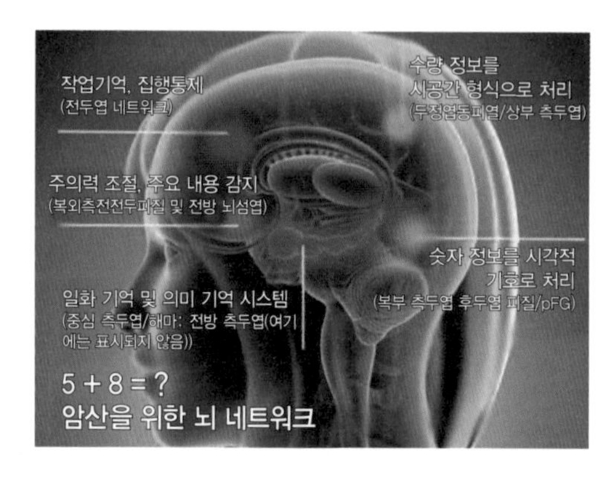

그림 1.7 수학과 관련된 생각을 할 때 관여하는 여러 두뇌 영역
출처: Lang Chen

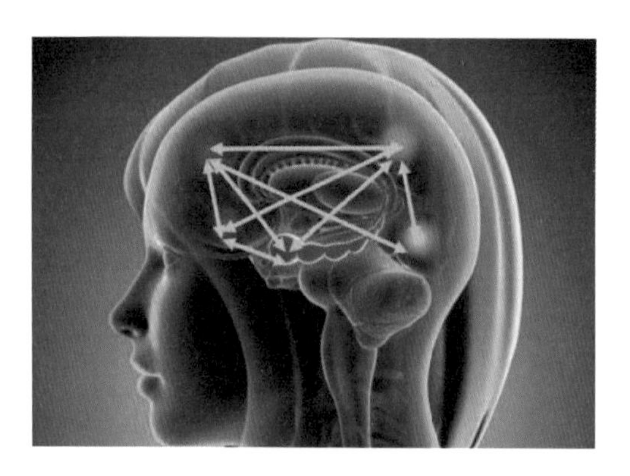

그림 1.8 다양한 수학적 경험으로 두뇌 영역들이 연결된 모습
출처: pixologic/Depositphotos

인식'을 계발하는 데 도움을 주는 종이로 된 자료를 유큐브드에서 공유하고 있다(www.youcubed.org/resource/visual-mathematics 참조).

숫자로 수학을 배울 수도 있지만 단어와 시각 자료, 모델, 알고리즘, 표, 그래프를 이용해 움직이고 만지면서도 배울 수 있다. 이렇게 다차원적인 방법으로 수학을 경험하면 두뇌의 소통과 이해가 촉진된다. 신경과학자랑 첸은 그림 1.7에서 수학적 사고에 관여하는 다양한 뇌 영역을 시각화해 보여준다.

다음 장들에서 설명하겠지만, 내가 바라는 것은 학생들이 그림 1.8과 같이 다양한 경험을 통해 수학을 공부할 때 뇌의 여러 부분이 서로 연결되고 소통하면서 수학을 경험할 수 있는 수학 활동을 만드는 것이다.

학생들이 수학을 배울 때 두뇌 영역들의 연결이 만들어지는 데 도움이 되는 다양한 아이디어를 즐겨보길 바란다. 여러분이 수학적 마인드셋에 대해 처음 들어보거나 이미 전문가이든지 상관없이 이 책에서 공유하는 자료와 아이디어가 여러분과 여러분의 학생이 수학의 참모습을 알아가는 데 도움 되기를 바란다. 2장부터 8장까지는 수년간 모은 연구 자료와 실제 수학 수업을 통해 얻은 경험에서 나온 전략들을 소개할 것이다. 학교와 가정에서 실제 사용할 수 있는 이 전략들을 통해 학생들이 수학에 대해 성장 마인드셋을 가지게 될 것이다.

Chapter 2

뇌를 자라게 하는 실수의 힘

캘리포니아 지역의 교장들은 본교 교사들이 캐럴 드웩의 책에서 말하는 내용에 십분 동감하지만, 책에 제시된 아이디어를 수학 수업에 어떻게 적용해야 할지 모르겠다는 반응을 보였다고 했다. 그래서 시작한 것이 성장 마인드셋을 심어주는 수학 교수법에 대한 워크숍이었다. 스탠퍼드 대학교 리카싱센터에서 열린 첫 번째 워크숍에서 캐럴 드웩은 교사들에게 한마디를 던졌다. "학생이 실수하는 바로 그 순간, 두뇌 시냅스는 자랍니다." 이것은 실수의 가치와 엄청난 힘을 뜻하는 말이다. 워크숍이 열린 이후부터 뇌 성장과 학습을 위한 노력의 중요성을 보여주는 연구가 매우 많아졌다. 수학 공부로 골머리를 앓을 때 자신에게는 '수학머리가 없다'는 식으로 생각하는 학생들을 전 세계 어디에서나 쉽게 만날 수 있는 현실에서 이런 연구는 특히 중요하다. 많은 교사가 오랫동안 학생들에게 실수를 통해 배울 수 있기에 실수가 유용하다고 말해왔지만, 최근 연구가 보여주는 결과는 실수와 노력의 긍정적 영향에 대한 새롭고 강력한 증거가 되고 있다.

심리학자 제이슨 모저Jason Moser는 사람들이 실수할 때 두뇌 속에서 작동하는 신경 구조를 연구한 결과, 주목할 만한 사실을 발견했다(Morser et al., 2011). 우리가 실수할 때 두뇌가 보이는 반응은 둘 중 하나이다. 첫 번째는 오류 관련 부정 반응error-related negativity, ERN으로 올바른 답과 틀린 답 사이에서 갈등할 때 두뇌의 전기적 활성도가 증가하는 현상이다. 흥미롭게도 자신이 실수했는지 알지 못할 때도 이런 두뇌 활동이 일어난다. 두 번째는 오류 관련 긍정 반응error positivity, Pe으로 실수했다는 것을 인식하고, 그 실수에 주의를 집중했을 때 일어난다.

실수가 두뇌를 자극하고 성장시킨다고 하자 교사들은 이렇게 말했다. "물론 학생들이 실수를 바로잡고 문제를 해결하는 경우에 한해서는 확실히 그렇습니다." 그러나 교사들의 이런 생각은 사실이 아니다. 실제로 모저의 연구는 우리가 실수했다는 것을 깨닫지 못해도 우리의 뇌는 자극을 받고 활성화된다는 사실을 보여준다. 교사들이 어떻게 그런 일이 가능한지 물었을 때 내 대답은 이랬다. "실수하는 그 시점은 두뇌가 도전받아 문제를 해결하려고 애쓰면서 힘들어하는 때이고, 바로 그때 두뇌가 가장 많이 성장합니다. 인식하든 못하든 간에 실수는 두뇌에 자극을 주고 그로 인해 두뇌가 성장합니다."

모저의 연구에서 실험 대상들을 마인드셋에 따라 실험군과 비교군으로 나누고 문제를 풀다가 실수했을 때의 ERN과 Pe 반응의 차이를 관찰한 결과, 두 가지 중요한 사실을 발견했다. 첫 번째는 답을 맞혔을 때보다 틀렸을 때 두뇌의 ERN과 Pe 반응이 훨씬 크다는 것이다. 두 번째는 고정 마인드셋을 가진 사람보다 성장 마인드셋을 가진 사람이 실수했을 때의 두뇌 활동이 훨씬 더 크다는 것이다. 그림 2.1은 고정 마인드셋을 가진 사람과 성장 마인드셋을 가진 사람이 실수했을 때 각각 나타나는 두

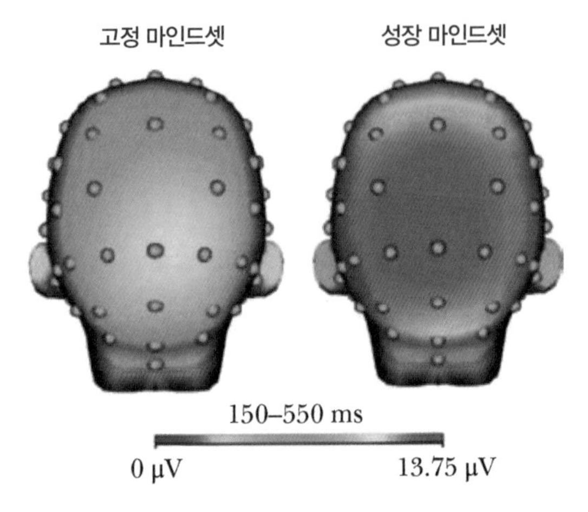

그림 2.1 고정 마인드셋과 성장 마인드셋을 가진 사람의 두뇌 활동

출처: Moser et al., 2011

뇌 반응을 보여준다. 성장 마인드셋을 가진 사람의 두뇌 반응 범위가 훨씬 넓은 것을 볼 수 있다.

실수했을 때 두뇌가 더 활발하게 반응한다는 사실은 매우 중요하다. 잠시 후에 이 발견에 관해 더 자세히 언급하겠다.

모저의 연구를 통해 성장 마인드셋을 가진 사람이 고정 마인드셋을 가진 사람보다 실수했다는 사실을 더 잘 알아차리고, 실수를 바로잡기가 훨씬 더 쉽다는 사실도 밝혀졌다. 이는 성장 마인드셋을 가진 학생들이 더 나은 오류 관련 반응과 주의력을 보여준다는 다른 연구를 뒷받침한다(Mangels, Butterfield, Lamb, Good & Dweck, 2006). 실수했을 때 두뇌 반응이 일어나는 건 누구나 마찬가지다. 하지만 성장 마인드셋을 가진 사람의 뇌는 다시 활성화되어 실수가 있었다는 것을 인식하게 될 가능성이 더 크다. 이 사실은 스스로에 대한 신념이 자기 두뇌를 변화시킨다는 것을 증명해 준다. 학생들이 실수할 때마다 그들의 두뇌는 더 크게 발달한다는 점을 고려한다면, 성장 마인드셋을 가진 학생들이 더 많은 성취를 이룬다는 것은 그리 놀라운 일이 아니다.

처음으로 실수와 이를 바로잡기 위해 애쓰는 시간의 중요성을 알게 된 이후로, 나는 실수를 통해 더 많이 배울 것을 많은 학생들에게 권하고 있다. 실수하고 이를 바로잡기 위해 애쓸 기회를 주려면 학생들에게 어려운 과제를 던져주어야 한다. 어려운 과제를 받은 학생일수록 훨씬 더 어려움을 잘 이겨내고 힘든 일이 닥쳤을 때 포기하지 않고 끝까지 해낸다. 중학생과 스탠퍼드 학부생을 대상으로 하는 수업에서도 도전과 노력에 대한 메시지를 공유했는데, 이들 역시 비슷한 반응을 보였다. 이 메시지를 학교 현장에서도 볼 수 있도록 유큐브 팀과 함께 동영상으로 만들었는데(부록 B 참조), 이 동영상을 본 세계 각지의 교사와 학생들로부터 이 메시지가 학생들에게 혁명적인 영향을 미친다는 피드백을 받았다. 수학 학습, 교육, 자녀 양육 또는 삶의 다른 영역에서도 자신을 신뢰하고 무엇이든 할 수 있다고 믿으면서 어려움의 시기를 포용하는 것은 정말 중요하다. 그러한 믿음은 모든 것을 바꿀 수 있다.

실수를 바로잡기 위해 노력하는 시간 동안 두뇌에서 일어나는 반응에 관한 최근의 신경학적 연구는 수학 교사와 학부모인 우리에게 특히 중요하다. 실수하고 바로잡느라 애쓰는 어려운 시간을 학생들에게 주는 것이 꼭 필요한 일이라는 것을 확증해 주기 때문이다. 우리 대부분은 학생들이 문제를 올바르게 풀도록 돕고 학생들이 어려움을 겪을 때 뛰어들어 구해주도록 교사로서 훈련받았다. 그러나 학생들이 어려움을 겪을 때 편안함을 느낄 수 있도록 돕고, 학생들이 접근할 수 있는('낮은 바닥'을 가진) 수학 문제를 제공하면서도 ('높은 천장'을 가진 문제와 활동을 통해) 어려움을 겪을 기회를 주는 것이 훨씬 더 중요하다. 5장에서는 이러한 놀라운 수학 문제와 과제에 대해 더 자세히 설명하겠다. 앞서 말했듯이, 실수는 학습의 기회일 뿐 아니라 학생들이 자신의 실수를 깨닫지 못하더라도 두뇌가 성장하는 시간이기도 하다.

중국처럼 수학 성취도가 최상위인 국가는 실수를 대하는 방식이 매우 다르다. 최근 상하이에서 2학년 수학 수업을 참관하게 되었다. 상하이는 중국뿐만 아니라 전 세계에서 수학 성적이 가장 좋은 곳이다. 교사는 학생들에게 깊이 있는 개념 문제를 제시하고 답하라고 했다. 학생들이 즐겁게 문제를 풀고 발표하는데, 교사가 지목한 학생들은 모두 실수한 학생들이었다. 일부러 실수한 학생들만 고른 것이었다. 교사가 실수 경험을 가치 있는 것으로 평가했기에 학생들은 자신의 실수를 자랑스럽게 발표했다. 중국의 참관 수업에서 얻은 내용은 9장에서 짤막하게 다루겠다.

실수를 바로잡기 위해 노력하는 시간 동안 두뇌에서 일어나는 반응에 관한 다양한 연구 결과는 모든 사람에게 실수하고 바로잡느라 애쓰는 어려운 시간이 얼마나 소중한지 보여줄 뿐만 아니라 성장 마인드셋을 가진 학생들이 고정 마인드셋을 가진 학생들보다 오류 인식과 관련된 뇌 활동이 더 활발하다는 것을 보여준다. 이는 학생들이 수학을 비롯한 다른 과목을 배울 때도 성장 마인드셋이 중요하다는 것을 보여주는 또 하나의 이유다.

성장 마인드셋을 가진 사람은 고정 마인드셋을 가진 사람보다 실수했을 때 뇌 활동이 더 활발하다는 것을 밝힌 모저의 연구는 또 다른 중요한 사실을 지적한다. 그것은 자신에 대한 생각이 두뇌가 작동하고 발달하는 방식까지 바꾼다는 사실이다. 특히 자신을 믿든, 믿지 않든 간에 상관없이 말이다. 우리가 배울 수 있고 실수가 가치 있다고 믿는다면, 실수할 때 우리의 두뇌는 더 크게 발달한다. 이 결과는 모든 학생이 자신을 믿는 것이 얼마나 중요한지, 특히 어려운 일에 접근할 때 자기 신뢰가 얼마나 중요한지를 다시 알려주는 매우 중요한 결과이다.

인생에서의 실수

성공한 기업가와 실패한 기업가에 관한 연구는 놀라운 사실을 보여준다. 그것은 성공 횟수가 아니라 실패 횟수가 성공한 기업가와 실패한 기업가를 가른다는 사실이다. 성공한 기업가일수록 더 많이 실수하고 더 많은 실패를 맛보았다. 스타벅스는 세계에서 성공한 기업 중 하나이며, 설립자인 하워드 슐츠Howard Schultz는 우리 시대에 가장 성공한 기업인이다. 하워드 슐츠의 스타벅스는 처음에 이탈리아 커피숍을 본뜬 매장으로 시작했다. 미국에 카페가 많지 않던 시절, 슐츠는 이탈리아의 카페를 보고 크게 감탄했다. 스타벅스 초기에는 매장 안에 오페라 음악이 크게 울려 퍼졌고, 다소 거추장스러운 나비넥타이를 맨 직원들이 손님을 맞았다. 이런 운영 방식은 미국 고객에게는 잘 받아들여지지 않았다. 기획 단계로 다시 돌아가서 수많은 실수와 시행착오, 실패를 반복한 끝에 결국 오늘날의 스타벅스가 탄생했다.

《뉴욕타임스》 필진으로 창의적이고 혁신적인 사고에 영향을 미치는 실패의 중요성에 관한 책(Sims, 2011)을 쓴 피터 심스Peter Sims는 다음과 같이 이야기한다. "모든 창의적인 과정은 물론 우리의 삶 자체가 완전하지 못하다는 것은 지극히 당연하다. 그런데 어떤 이유 때문인지 우리는 실패에 대한 두려움으로 마비된 채 살아가는 듯하다. 실패가 두려워 행동에 옮기기를 꺼리고 점점 더 완벽주의로 경직된 삶의 태도를 보이게 된다. 더 창의적이고, 혁신적인 사람이 되기 위해 가장 시급한 단 한 가지는 실패에 대한 두려움이 우리의 정신을 지배하지 못하도록 하는 것이다."

그는 또한 성공하는 사람들의 공통적인 습관을 다음과 같이 요약했다.

- 틀리더라도 불편해하지 않는다.
- 엉뚱해 보이는 아이디어를 시도한다.
- 색다른 경험에 열린 마음을 갖는다.
- 아이디어를 판단하지 않고 즐긴다.
- 고정관념에 기꺼이 반기를 든다.
- 어려움을 뚫고 헤쳐나간다.

몇 년 전 나는 학생들을 위한 온라인 수업 강좌 "수학 학습법"을 기획했다. 이 강의는 이후 스페인어로 번역되어 전 세계의 학생, 교사, 학부모가 수강하고 있다. 이 글을 쓰는 시점에 50만 명이 넘는 사람들이 이 강좌를 들었다. 학생들에게 성장 마인드셋을 심어주고, 수학이 매력적이고 흥미진진하다는 것을 보여주며, 수학 학습에 접근하는 중요한 전략을 가르치고자 이 강좌를 만들었다. 이 강좌의 효과를 연구하기 위해 무작위 대조 실험 방법을 사용했다. 실험을 위해 중학교 교사 중 두 학급의 수업을 맡고 있는 교사를 모집했다. 그들은 한 학급에는 내가 만든 "수학 학습법" 강좌를 보여주었고, 다른 학급에는 보여주지 않았다. 학년이 끝날 무렵, "수학 학습법" 강좌를 들은 학생들은 수학에서 훨씬 더 높은 수준의 성취도를 보였고, 교사들은 강좌를 듣지 않은 학생에 비해 이들이 수학 수업에 68% 더 많이 참여했다고 평가했다. 이 연구 결과는 연구 대상 학생과 대조군 학생을 같은 교사가 가르쳤기 때문에 그 대비가 더 두드

그림 2.2 틀리더라도 불편해하지 않는다.
출처: 조 볼러 스탠퍼드 온라인 강좌 "수학 학습법"

그림 2.3 엉뚱해 보이는 아이디어를 시도한다.
출처: 조 볼러 스탠퍼드 온라인 강좌 "수학 학습법"

그림 2.4 색다른 경험에 열린 마음을 갖는다.
출처: 조 볼러 스탠퍼드 온라인 강좌 "수학 학습법"

그림 2.5 아이디어를 판단하지 않고 즐긴다.
출처: 조 볼러 스탠퍼드 온라인 강좌 "수학 학습법"

그림 2.6 고정관념에 기꺼이 반기를 든다.
출처: 조 볼러 스탠퍼드 온라인 강좌 "수학 학습법"

그림 2.7 어려움을 뚫고 헤쳐나간다.
출처: 조 볼러 스탠퍼드 온라인 강좌 "수학 학습법"

러졌다. 두 학생 그룹 간의 유일한 차이점은 한 그룹이 온라인 강좌를 수강했다는 점뿐이었다. 자세한 내용은 유큐브드(www.youcubed.org/online-student-course)를 참조하길 바란다. 유큐브드에서 수강할 수 있는 이 강좌는 학부모 교육과정으로 미국 내 여러 학군에서 추천되었다. 스탠퍼드 학부생 몇 명과 함께 이 강좌를 만들었는데, 이들은 피터 심스가 이야기한 성공하는 사람들의 습관을 그림 2.2~2.7에서 보듯 온몸으로 표현했다. 강의 제작자인 콜린은 몇 가지 소품과 캐릭터를 더해 강좌를 더욱 흥미롭게 만들었다!

성공하는 사람들의 습관은 삶에서와 마찬가지로 수학 수업에서도 중요하지만, 학생들이 수학 수업을 듣고 집에서 수학 문제를 풀 때는 놀라울 정도로 사라져버린다. 학생들이 수학 문제를 풀 때 틀릴지도 모른다는 두려움 없이 자유롭게 다양한 아이디어를 시도할 수 있기를 바란다. 학생들이 수학에 다르게 접근하고, 기꺼이 수학 과제를 가지고 놀고, '엉뚱해 보이는 아이디어'(5장 참조)를 시도하는 데 열린 마음을 가지기 바란다. 학생들이 어떤 사람은 수학을 잘하지만 어떤 사람은 못한다는 기존의 생각을 거부하고, 수학이 어렵고 답이 바로 보이지 않더라도 계속 나아가기를 바란다.

어떻게 하면 학생들이 실패를 대하는 방식을 바꿀 수 있을까?

교사나 학부모가 할 수 있는 가장 강력한 방법은 학생이 수학 문제를 풀면서 실수하거나 틀린 답을 말했을 때 긍정적인 메시지를 주는 것이다. 최근 내가 만든 온라인 강좌를 수강한 교사로부터 매우 감동적인 동영상을 받았다. 이 교사는 실수의 중요성과 가치를 가르치면서 새 학년을 시작했다. 그러자 이전에 실패한 적이 있는 학생들이 1년 동안 완전히 달라져 과거의 실패를 극복하고 수학 수업에 다시 적극적으로 참여하게 되었다는 내용이었다. 교사가 보낸 영상에는 지난 1년을 되돌아보는 학생들의 모습이 담겨있었는데, 실수가 두뇌를 성장시키고 모든 것을 변화시킨다는 메시지에 관해 학생들이 이야기하고 있었다. 학생들은 이전에는 자신을 스스로 실패자라고 생각했고, 이런 생각이 자신의 발전을 방해했다고 말했다. 새 학년에서 만난 선생님은 학생들에게 수년간의 수학 공포증을 벗어나도록 긍정적인 메시지를 주었고, 새로운 방법으로 수학에 접근하도록 수업을 진행했다. 교사와 학부모가 실수와 이를 바로잡기 위해 애쓰는 것이 긍정적이라고 가르칠 때, 학생들은 수학 공포증에서 벗어날 수 있다.

나는 교사와 학부모를 대상으로 한 온라인 강좌에서 학교 수업이나 가정에서 시도해 볼 수 있는, 실수를 새롭게 바라볼 수 있는 새로운 활동을 만들어 보라고 한다. 많은 교사가 흥미로운 활동을 공유해주었다. 그중 가장 마음에 드는 활동을 소개한다.

첫 수업 시간에 학생들에게 수학 문제를 제대로 풀지 못했을 때 느끼는 감정을 담아 종이를 구겨서 칠판에 던지게 한다(그림 2.8 참조). 학생들에게 자신의 감정을 표출할 기회를 주는 것으로, 그 감정은 아마도 주로 좌절감과 분노일 것이다. 그다음 학생들에게 자기가 던진 종이를 다시 가져와 평평하게 편 다음, 종이에 생긴 구겨진 선들은 각자의 두뇌의 성장을 나타낸다고 알려주면서 색연필로 선들을 하나하나 따라 그리게 한다. 실수의 중요성을 떠올리도록 그 종이를 학교 수업을 듣는 1년 동안 잘 간직하게 한다.

몇 년 전부터 함께 일하게 된 킴 할리웰Kim Halliwell은 영감을 주는 교사이다. 그는 캘리포니아주 비스타 통합 학군에서 2년 넘게 긴밀히 협력한 교사 중 한 명이었다. 작년에 그의 수업을 참관하러 갔을 때, 학생들이 그린 사랑스러운 그림들로 가득 채워진 벽을 보았다. 그림에는 두뇌 성장과

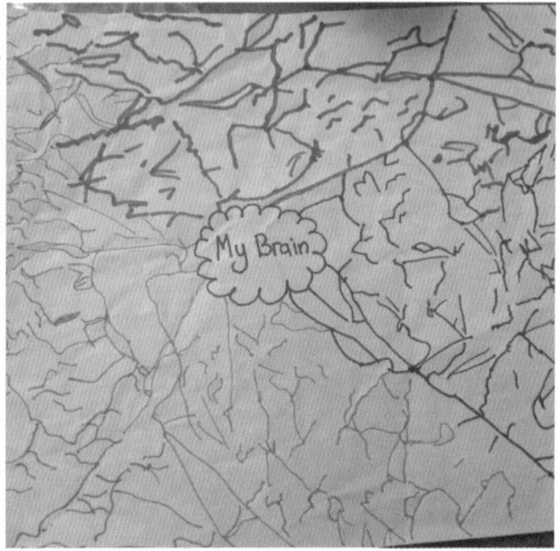

그림 2.8 두뇌 성장에 관해 배우는 학생들

그림 2.9 두뇌에 대한 메시지와 그림으로 구성된 포스터(학생 작품)

실수에 대한 긍정적인 메시지가 가득했다(그림 2.9 참조). 학생들에게 두뇌 성장에 대해 배운 내용 중에서 가장 좋아하는 메시지를 골라 자신의 뇌를 그리고 그 옆에 적어보라고 한 것이었다.

실수와 실패에 긍정적인 의미를 부여하는 또 다른 수업 활동은 학생들이 수학 공부를 하고 문제를 풀기 위해 애쓴 과정을 어떤 형태로든지 제출하게 하는 것이다. 심지어 시험지도 좋다(자세한 내용은 8장에서 설명하겠지만, 시험 횟수는 적을수록 좋다). 교사는 그중에서 '마음에 쏙 드는 실수'를 강조한다. 강조하는 실수는 단순히 계산상의 오류가 아니라 개념적인 실수(오개념)여야 하며, 교사는 이 실수들을 학급 전체와 공유한다. 어떻게 해서 이런 실수가 나왔고, 왜 그것이 실수인지 토론할 수도 있다. 이 활동은 실수하는 것은 좋은 일이라는 생각을 학생들에게 심어주고 자리잡게 하는 데 도움을 준다. 실수하는 그 순간에 인지적으로 어려움을 겪게 되는데, 바로 그때 두뇌가 활성화되고 성장하기 때문이다. 또한 실수를 공유하고 토론하는 것은 유익하다. 한 학생이 실수했다면 다른 학생도 실수할 수 있으므로 그 실수에 대해 생각해 보는 것은 모두에게 도움이 된다.

학생들의 수학 과제(사실 과제는 도움이 되지 않는다. 나중에 이에 관해 이야기하겠다)에 점수를 매기고 실수했을 때 점수를 깎으면, 학생들은 실수와 수학 학습에 대해 매우 부정적인 메시지를 받는다. 학생들에게 성장 마인드셋과 수학 학습에 대한 긍정적인 메시지를 가르치려면 교사는 가능한 한 시험을 치르지 말고, 점수도 매기지 말아야 한다(8장 참조). 계속해서 시험을 보고 점수를 매겨야 한다면, 같은 점수를 주든가 아니면 실수에 대해 더 높은 점수를 주어 실수가 학습과 두뇌 성장을 위한 완벽한 기회라는 메시지를 주어야 한다.

실수를 가치 있게 여긴다는 메시지를 수업 시간에 여러 학생에게 공개적으로 주는 것도 중요하지만, 교사가 학생 개개인에게 일대일로 실수에 대한 긍정적인 메시지를 주어야 할 때도 있다. 내 딸은 학교에 들어간 지 얼마 되지 않았을 때 선생님으로부터 큰 상처가 되는 메시지를 받았는데, 그로 인해 어릴 때부터 고정 마인드셋을 가지게 되었다. 딸은 너덧 살에 청각 장애를 겪었는데, 당시엔 아무도 알지 못했다. 선생님은 딸이 수업 내용을 따라오지 못한다고 여기고 쉬운 과제를 내주었다. 겨우 네 살이었던 딸은 이 사실을 눈치채고 집에 와서 선생님이 왜 다른 아이들에게는 더 어려운 과제를 주는지 물었다. 학생들은 학교에서 보내는 많은 시간 동안 선생님이 자신을 어떻게 생각하는지 알아보려고 애쓴다. 딸은 선생님이 자기 실력을 높이 평가하지 않는다는 것을 알아챘고, 자신이 멍청하다고 생각하게 되었다. 현재 18살인 딸은 성장 마인드셋을 지닌 학생으로 성장했다. 모두 긍정적이고 지원을 아끼지 않은 여러 선생님과 수년간 함께한 덕분이다. 딸이 다닌 공립 초등학교의 선생님들은 딸이 가진 고정 마인드셋이 학습에 방해되는 것을 재빨리 파악해 대응했다. 이제 딸은 성격이 바뀌었고, 수학을 좋아하게 되었다.

딸이 여전히 고정 마인드셋으로 어려움을 겪고 있던 4학년 때, 나는 딸과 함께 3학년 교실에 가게 되었다. 선생님은 칠판에 계산 문제 두 개를 적어놓았는데, 딸은 하나는 맞히고 하나는 틀렸다. 자기가 틀렸다는 것을 안 순간 딸은 자기 수학 실력은 형편없고 심지어 3학년 수준도 안 된다면서 신경질적인 반응을 보였다. 그 순간 나는 매우 직접적이고 중요한 메시지를 딸에게 건넸다. "방금 무슨 일이 있었는지 아니? 문제를 풀지 못했을 때 네 뇌가 자라는 거야. 네가 정답을 맞혔을 때는 네 뇌에 아무 일도 일어나지 않아. 자라지 않는 거지." 학생들이 틀린 답을 내놓았을 때, 교사는 이런 식으로 학생 개개인에게 일대일로 대응해야 한다. 딸은 눈을 크게 뜨고 나를 바라보았고, 나는 아이가 이 아이디어의 중요성을 이해했다는 것을 알았다. 이제 딸은 완전히 달라졌다. 실수를 포용하고 자신에 대해 긍정적으로 생각한다. 수학이나 다른 과목을 더 많이 가르친 것이 아니라 성장 마인드셋을 갖도록 가르쳤기 때문에 가능한 일이었다.

1930년대 세계적인 심리학자로 꼽히는 스위스 심리학자 장 피아제는 학습이 절차를 암기하는 것이라는 생각을 거부하고, 진정한 학습은 개념들이 서로 어떻게 결합하는지에 대한 이해에 달려있다고 지적했다. 그는 학생들에게 개념들이 맞아 들어가는 방식을 설명하는 정신적 모델이 있으며, 이러한 정신적 모델이 학생들에게 의미가 있을 때 학생들은 평형이라고 부르는 상태에 있다고 제안했다(Piaget, 1958; 1970 참조). 학생들은 새로운 개념을 접하면 현재의 정신 모델에 맞추려고 노력하지만, 이것이 맞지 않는 것처럼 보이거나 기존 모델을 변경해야 할 때 피아제가 불균형이라고 부르는 상태에 들어간다. 불균형 상태에 있는 사람은 새로운 정보를 학습 모델에 통합할 수 없다는 것을 알고 있지만, 새로운 정보가 합리적이기 때문에 거부할 수도 없으므로 자신의 모델을 조정하기 위해 노력한다. 불균형의 과정은 학습자에게 불편하게 느껴질 수 있지만 피아제는 불균형이 진정한 지혜로 이어진다고 주장한다. 그는 학습을 모든 것이 잘 맞는 평형 상태에서 새로운 개념이 들어맞지 않는 불균형 상태로, 다시 새로운 평형 상태로 나아가는 과정으로 설명했다. 피아제는 이 과정이 학습에 필수적이라고 주장했다(Haack, 2011).

단순한 개념 문제를 반복적으로 연습하는 것은 진정한 학습이 이루어지는 불균형 상태로 나아가는 데 전혀 도움이 되지 않는다. 그런데 현재 학생들이 받는 수학 교육은 이런 방식으로 이루어지고 있다. 이를 보여주는 예를 4장에서 제시하겠다. 모호한 것에 대한 내성이 강한 사람, 즉 모호한 상태를 잘 견디는 사람이 불균형 상태에서 균형 상태로 더 쉽게 나아간다. 따라서 학생들은 수학적으로 모호한 상황에 직면하고, 극복할 필요가 있다. 5장에서는 이를 위한 아이디어를 다룰 것이다.

학생들이 실수하게 하고 싶다면, 실수를 유발할 수 있는 어려운 과제를 주어서 불균형 상태에 이르게 하면 된다. 이때 실수와 이를 바로잡는 노력에 대한 긍정적인 메시지, 즉 학생들이 더 어려운 문제를 풀고 실수하더라도 계속 나아갈 수 있다는 자신감을 가질 수 있는 메시지를 함께 주어야 한다. 현재 교실에서 이루어지고 있는 수학 수업에서는 학생 대부분이 정답을 찾을 수 있는 과제를 내준다. 기존 방식대로 수업을 진행하는 많은 교사에게 이런 교수 방법은 획기적인 변화를 가져다줄 것이다. 현재 교실에서 쉬운 문제 풀이가 반복되는 수업이 계속되고 있다는 것은 배우고 두뇌를 성장시키는 기회가 충분하지 않아서 학생들이 충분히 성장하지 못하고 있다는 것을 의미한다.

캐럴 드웩은 워크숍에서 종종 학부모에게 이렇게 이야기한다. "틀린 답 없이 과제를 해내는 건 제대로 배우고 있지 않다는 걸 보여주는 것이니 멋진 일이 아니라고 자녀들에게 알려주어야 해요." 캐럴은 자녀들이 집에 돌아와서 수업이나 시험에서 모든 문제를 맞혔다고 하면 부모는 이렇게 말해야 한다고 제안한다. "오, 유감이다. 그건 네게 배울 기회가 제대로 주어지지 않았다는 뜻이야." 이것은 과격하고 급진적인 메시지이지만, 100점 맞는 것이 가장 중요하고 정답을 맞혀야 똑똑하다고 생각하는 사고방식을 넘어서기 위해서는 학생들에게 강한 메시지를 줄 필요가 있다. 캐럴과 나는 교사들이 정답보다는 실수를 더 중요하게 여기는 방향으로 가도록 이끌려고 한다.

내가 수년간 지켜본 샌디 길리엄Sandie Gilliam은 훌륭한 교사다. 그녀가 가르치는 학생들은 좋은 점수를 얻고 수학을 좋아한다. 어느 날 그녀가 진행하는 고등학교 2학년 첫 수업을 참관했다. 학생들에게 문제를 내고 답을 찾을 시간을 준 샌디는 학생들이 문제 푸는 것을 둘러보고 있었다. 문제 풀이에 실패했다는 것을 스스로 깨달은 학생을 발견하자, 샌디는 다가가 실패한 문제 풀이를 칠판 앞에 나와서 보여줄 수 있는지 물었다. 그 학생은 확신이 없다는 표정으로 샌디를 바라보며 "하지만 답이 틀렸어요."라고 말했다. 샌디는 바로 그 이유로 실패한 문제 풀이를 공유하려는 것이고, 다른 학생들에게 큰 도움이 될 것이라 대답했다. "네가 답을 찾는데 실패했다면, 다른 아이들도 마찬가지야. 네가 실수한 부분에 대해 함께 이야기하면 모두에게 좋을 거야." 그 학생은 고개를 끄덕이고 칠판 앞으로 나와 자기가 실수한 부분을 칠판에 적어 학급 전체에 보여주었다. 1년 동안 이런 수업이 계속되었고, 학생들은 자신의 실수를 다른 학생들과 공유하는 데 익숙해졌다. 나는 종종 교사와 교육계 관료, 정책 입안자들에게 샌디의 수업을 찍은 영상을 보여준다. 제대로 된 수학 교육을 받은 학생들에게 무엇이 가능한지 잘 보여주기 때문이다. 샌디의 학생들이 칠판에 적힌 복잡한 문제를 함께 푸는 모습이 담긴 영상은 내가 가장 좋아하는 것이다(그림 2.10 참조).

학생들은 문제를 풀기 위해 애쓰고, 다른 친구가 내는 아이디어에 귀 기울인다. 실수도 하고 방향을 잘못 잡기도 하지만 여러 학생의 도움으로 결국에는 문제를 해결한다. 이 방식은 미국 공통교육과정(Common Core State Standards, CCSS: 워싱턴, 텍사스, 알래스카, 버지니아, 네브래스카, 미네소타를 제외한 45개 주에서 채택하고 있는 교육과정_역자 주)에서 권장하는 표준 수학 모델과 수학적 훈련을 매우 잘 보여주는 사례이다. 학생들은 자

그림 2.10 칠판에 적힌 문제를 푸는 학생들

기 생각과 아이디어를 자신이 알고 있는 방법에 덧붙여서 일상생활에서 만나게 될 정형화되지 않은 응용문제를 해결한다. 이 동영상을 본 경험 많은 교사들은 학생들이 자기 생각과 다른 아이디어를 편안하게 받아들이고 잘못된 답을 내더라도 두려워하지 않는다고 지적한다. 학생들이 실수하는 것을 두려워하지 않고 높은 수준의 수학 공부를 할 수 있는 데는 이유가 있다. 샌디가 학생들에게 실수를 포용하라고 가르쳤고, 그녀의 모든 수업에서 실수를 매우 가치 있게 여겼기 때문이다.

몇 년 전, 스탠퍼드에서 캐럴 드웩, 그레그 월튼Greg Walton, 카리사 로메로Carissa Romero, 데이브 파우네스크Dave Paunesku와 함께 연구를 진행했다. 이들은 학생의 마인드셋과 학교 소속감 향상에 관해 연구하는 팀이었다(자세한 내용은 미 전역 학생 성적 향상을 위한 교육 연구 프로젝트Project for Education Research That Scales, PERTS의 홈페이지 www.perts.net 참조). 연구를 진행하면서 수학 교사들에게 수업 시간에 실수의 중요성을 가르치고, 이 장에서 공유한 몇 가지 수업 아이디어를 실행해 보도록 했다. 그 결과, 우리의 제안을 따른 교사들이 훨씬 더 많이 성장 마인드셋을 가지게 되었고, 실수를 긍정적으로 여기게 되었으며, 실제 수업에서 실수를 통한 학습을 장려하는 아이디어를 적용했다는 보고를 접했다. 바로 지금, 교사와 학부모가 학생들에게서 엄청난 변화를 끌어내는 가장 쉬운 방법은 실수와 이를 바로잡기 위해 애쓰는 노력에 대한 메시지를 바꾸는 것이다. 다음 장에서도 주제는 역시 변화의 중요성이다. 바로 수학 그 자체의 변화에 관한 이야기를 하려고 한다. 학생들에게 수학을 연결, 학습, 성장에 관한 개방적이고 창의적인 과목으로 가르치고 실수를 통해 배우도록 격려할 때, 놀라운 일이 일어난다.

Chapter 3

수학은 계산하는 과목이 아니다

수학이란 과연 무엇일까? 어째서 그렇게 많은 학생이 수학을 끔찍이 싫어하거나 두려워하는 것일까? 수학은 다른 과목과 다르다. 많은 사람이 이야기하는 것처럼 정답이 있기 때문이 아니라 배우는 방식이 다르고, 수학에 대한 사람들의 생각이 여느 과목들과 완전히 다르기 때문이다. 일단 수학은 성취도나 성과가 우선인 과목으로 여겨진다. 수학 수업에서 학생이 해야 할 일이 무엇인지 묻는다면 대부분 학생은 문제를 올바르게 푸는 것이라고 대답할 것이다. 수학의 아름다움을 느끼고, 깊은 질문을 던지고, 수학 과목을 구성하는 다양한 연결을 탐구할 수 있다고 생각하는 학생은 거의 없다. 심지어 수학의 응용에 대해 배울 수 있다고도 생각하지 않는다. 수학 수업에서 자신들이 할 일은 오직 문제를 푸는 것뿐이라고 생각한다. 학생들의 이런 생각을 동료 레이철 램버트Rachel Lambert의 아들을 통해 듣게 되었다. 이 꼬마는 학교에서 집으로 오자마자 수학이 싫다고 말했다. 왜 싫으냐고 묻자, 아이는 이렇게 대답했다. "수학은 배우는 시간은 너무 적고, 대답은 많이 해야 해요." 학생들은 너무 어린 나이부터 수학이 다른 과목과 다르며 수학을 배우는 방식은 질문에 답하고 시험을 치르는 것뿐이라고 생각한다.

많은 학생이 수학을 싫어하고 두려워하게 된 데는 미국의 시험 문화가 끼친 영향이 크다. 내가 사는 지역의 6학년들은 중학생이 된 첫날에 시험을 치른다. 딱 한 과목을 치르는데, 바로 수학이다. 한 여학생이 "그냥 선생님이 우리가 뭘 아는지 알아보려고 시험을 보는 거예요."라고 말했듯이 학생과 학부모 대부분은 수학 시험을 당연하게 받아들인다. 그런데 왜 유독 수학 시험만 보는 걸까? 왜 다른 과목은 수업 첫날에 시험을 보지 않는 걸까? 왜 일부 교육자는 일시적인 시험보다 배우는 과정에서 치르는 지속적인 시험이 더 낫다는 것을 깨닫지 못하는 걸까? 시험은 자체적으로도 많은 문제를 가지고 있지만, 더 중요한 것은 학생에게 수학을 압박감 속에서 편협한 질문에 짧고 단순한 답을 내야 하는 과목으로 여기게 만든다는 점이다. 이런 상황에서 너무나 많은 학생이 적성에 맞지 않는다며 수학을 포기하는 것은 전혀 놀라운 일이 아니다.

수학이 다른 모든 과목과 다르다는 것을 보여주는 예가 또 있다. 수학이 무엇인지 물었을 때, 학생과 수학자의 대답이 너무나도 다르다는 것이다. 학생들은 흔히 수학은 계산, 절차, 규칙에 관한 과목이라고 대답한다. 그런데 같은 질문을 수학자에게 하면 패턴을 연구하는 학문이며, 심미적이고 창의적이며 아름다운 학문이라는 대답이 돌아온다(Devlin, 1997). 왜 이렇게 차이가 나는 걸까? 영문학의 경우는 학생과 영문학 교수의 대답이 크게 다르지 않은데 말이다.

스탠퍼드 수학과 교수 마리암 미르자하니Maryam Mirzakani는 수학계 최고 상인 필즈상을 수상했다. 마리암은 40세의 젊은 나이에 세상을 떠났지만, 그녀의 연구는 전 세계 학생들, 특히 소녀들에게 꾸준히 영감을 주

그림 3.1 2014년 필즈상 수상자 마리암 미르자하니
출처: Jan Vondrakr, 마리암 미르자하니의 허락하에 수록

고 있다. 마리암은 프링글스 감자칩처럼 휘어진 공간을 연구하는 쌍곡기하학과 관련된 다양한 문제를 파고들었다. 그녀의 연구는 대부분 시각화가 가능해서 그녀의 연구 업적에 관한 기사에는 그녀가 주방 식탁 위에 큰 종이를 깔고 아이디어를 스케치하는 사진이 실려있었다. 어느 날, 같이 스탠퍼드에서 근무한 동료였던 마리암은 내게 자기 학생의 박사 논문 심사위원장을 맡아달라고 부탁했다. 박사 논문 심사는 학생들이 몇 년 동안 작성한 논문을 논문 심사위원들 앞에서 '방어'하는 학위 과정의 최종 관문이다. 논문을 심사하러 수학과 건물로 들어가면서 나는 박사 과정 학생이 어떻게 자기 논문을 방어할지 무척 궁금했다. 논문 심사는 스탠퍼드 대학교 정문과 야자수로 가득한 팜 드라이브가 창문으로 내려다보이는 작은 방에서 열렸다. 그 작은 방은 논문을 방어하거나 공격하러 온 수학자, 학생, 교수들로 가득 차 있었다. 그날, 마리암의 학생인 제냐 사피어Jenya Sapir는 성큼성큼 오가면서 벽에 걸린 그림을 보여주며 그림 위의 선과 곡선 사이의 관계성에 대해 자신의 수학적 추측을 설명했다. 그녀가

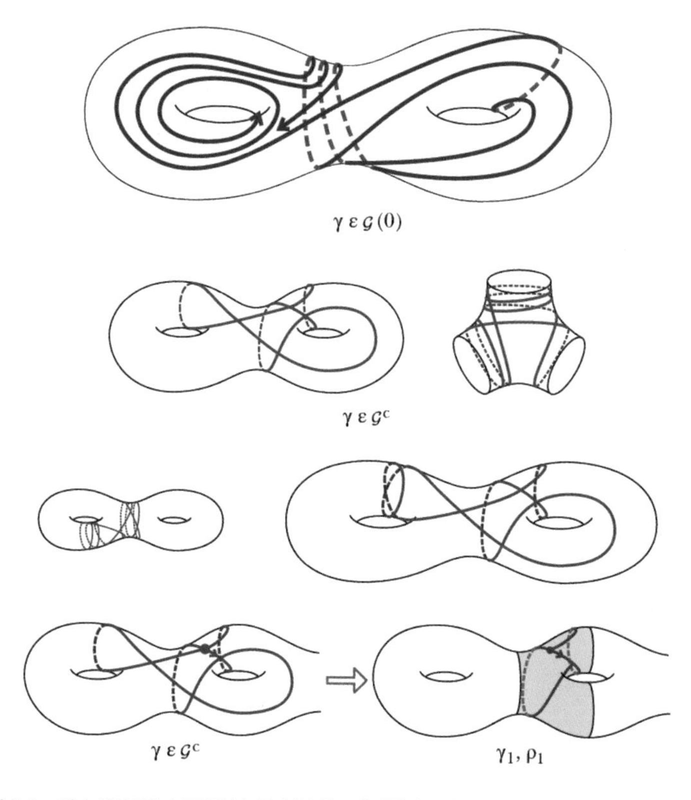

그림 3.2 제냐 사피어의 수학 박사 논문 심사 발표에 나왔던 그림 중 일부

출처: 제냐 사피어의 허락하에 수록

설명한 수학은 시각적 이미지, 창의성, 연결의 학문이었으며 불확실성으로 가득 차 있었다(그림 3.1 및 3.2 참조).

자신감 넘치는 젊은 여성은 논문 심사 발표 중 서너 번 나온 질문에 간단히 대답했다. "저도 모릅니다." 때때로 질문한 교수 역시 자신도 모른다고 덧붙였다. 교육학 박사 과정 학생이 논문 심사 발표 중에 '저도 모릅니다'라고 대답했다면 이것은 매우 이례적인 경우로, 심사위원 교수 중 몇몇은 눈살을 찌푸렸을 것이다. 그러나 수학, 진짜 수학은 불확실성으로 가득 찬 학문이다. 수학은 탐험하고 추측하고 해석하는 학문이지 명확한 해답을 내놓는 학문이 아니다. 논문 심사 교수들은 그녀의 연구가 미지의 영역으로 발을 내디뎠기에 몇몇 질문에 모른다고 답하는 게 당연하다고 생각했다. 그녀는 박사 논문 심사를 통과했고, 지금은 수학과 교수로 재직 중이다.

그렇다고 수학에 답이 없다는 뜻은 아니다. 많은 수학 지식이 알려져 있고 이것들은 중요하기 때문에 학생에게 가르쳐야 한다. 하지만 학교에서 배우는 수학은 실제 수학과 너무나 동떨어져 있다. 만일 앞에서 이야기한 논문 심사가 열린 방에 학생들을 데리고 들어갔다면, 학생 대부분은 무슨 과목 논문 심사인지 전혀 알아채지 못했을 것이다. 이렇게 실제 수학과 학교 수학 사이에 극심한 차이가 있다는 것이 우리 수학 교육계가 직면하고 있는 문제의 핵심이다. 나는 학교 수학 수업에서 수학이라는 학문의 진정한 본질을 제대로 보여준다면 학생들이 수학을 두려워해서 포기하는 경우가 줄어들 것이라고 강하게 믿는다.

수학은 문화 현상이다. 수학은 세상을 이해하기 위한 여러 아이디어와 그것들의 연결, 관계의 집합이다. 핵심적으로, 수학은 패턴에 관한 것이다. 우리는 수학적 렌즈를 통해 세상을 바라볼 수 있다. 어디에서나 패턴을 볼 수 있고, 수학적 연구를 통해 개발된 패턴을 통해 새롭고 강력한 지식이 만들어진다. 최정상의 수학자 키스 데블린Keith Devlin은 이런 아이디어를 담은 책《수학 : 패턴의 과학*Mathematics: The Science of Patterns*》에 이렇게 썼다.

> 추상적 패턴의 과학으로서, 수학은 사고, 의사소통, 계산, 사회, 그리고 삶 그 자체의 본질이다. 그러므로 우리 삶의 모든 측면은 많든 적든 간에 수학의

영향을 받는다. (Devlin, 1997)

수학적 패턴에 대한 지식으로 사람들은 바다를 항해하고 우주로 가는 경로를 정할 수 있었다. 휴대전화와 사회관계망을 위한 기술을 개발하고, 새로운 과학 및 의학 지식을 끌어내는 데에도 수학이 필요하다. 그런데도 많은 학생이 수학을 자신의 미래와 전혀 관계없는 죽은 과목이라고 생각한다.

자연 속의 수학을 깊이 들여다보면 수학의 본질을 이해하는 데 도움이 된다. 바다와 야생동물, 건축물과 강우, 동물 행동 및 사회관계망에 스며든 패턴은 수백 년 동안 수학자들을 사로잡았다. 아마도 모든 패턴 가운데 가장 잘 알려진 것이 피보나치 패턴일 것이다. 이탈리아의 수학자 피보나치는 1202년 피보나치수열로 알려진 패턴에 관한 책을 펴냈다. 알려진 바에 따르면 이미 기원전 200년경 인도에서는 이 패턴을 알고 있었다고 한다. 다음이 그 유명한 피보나치수열이다.

1, 1, 2, 3, 5, 8, 13, 21, 34, 55 …

처음 두 수는 1이다. 그리고 나머지 수는 바로 앞의 두 수를 더한 것이다. 피보나치수열에는 정말로 흥미로운 점이 있다. 앞에 있는 수로 뒤의 수를 나눠가면 특정한 비를 얻는데, 그 값이 점점 1.618:1에 가까워진다. 황금비라고 알려진 이 비는 자연 전체에 걸쳐 나타난다. 예를 들어 솔방울, 해바라기꽃, 파인애플의 나선은 모두 황금비를 만들어낸다. 수학자 사이에서는 앵무조개를 '황금나선'으로 볼 수 있는지에 대한 논쟁이 있다. 이 논쟁과 관련해서 유큐브드의 공동 디렉터인 캐시 윌리엄스는 내 박사 과정 학생인 메건 셀바흐-앨런과 함께 "앵무조개가 뭐라 말할까요?"라는 제목의 재미있는 논문을 썼다. 이 논문은 앵무조개에서 볼 수 있는 황금비에 대한 증거와 반박을 제시하면서 학생들이 이러한 아이디어를 직접 조사할 수 있는 수업 아이디어를 제안한다.

눈송이를 잘 들여다보면 흥미로운 무언가를 발견할 수 있다. 눈송이 하나하나는 유일무이하지만, 단 하나의 통일된 패턴이 있다. 눈송이는 모두 육각형 모양으로 항상 여섯 개의 점으로 이루어져 있다(그림 3.3 및 3.4 참조). 여기에는 이유가 있다. 눈송이는 물 분자로 이루어지는데, 물은 반복되는 육각형 모양의 패턴으로 얼어붙는다.

동물도 수학을 사용한다. 2장에서 언급한 온라인 강좌(약 50만 명이 수강한)에서 동물들도 수학을 이용한다는 것을 보여주자 학생들은 매우 흥미로워했다. 예를 들어 돌고래는 물속에서 다른 돌고래가 자기를 찾는 것을 도우려고 음파를 내보낸다(그림 3.5 참조).

돌고래마다 특유의 찍찍거리는 소리를 내는데, 이 소리는 다른 물체에 반사되어 소리를 낸 돌고래에게 돌아온다. 돌고래는 소리가 되돌아오는 데 걸린 시간과 소리의 품질을 통해 자기 친구가 어디 있는지 알아낸다. 돌고래는 학생들이 수학 시간에 푸는 것과 똑같은 속도 문제를 직관적으로 계산한다. 온라인 강좌 수강생들에게 돌고래가 푸는 문제를 풀어보라고 하면서 "돌고래가 사람처럼 말할 수 있다면 여러분들에게 수학을 가르칠 수 있을 거예요!"라고 농담을 던지곤 했다.

함께 온라인 강좌를 준비하던 대학원생 미카엘라는 거미가 나선 전문가라는 것을 발견했다. 거미는 거미줄을 칠 때, 먼저 나뭇가지와 같은 견고한 수직 지지대 사이에 별 모양을 만든 다음 나선을 만들기 시작한다. 별 모양 줄을 튼튼하게 하려면 가능한 한 재빨리 나선을 만들어야 한다.

그림 3.3 눈송이 속의 수학

출처: 왼쪽 ir_oks/Shutterstock, 오른쪽 Marion owen/Design Pics Inc/Alamy stock photo

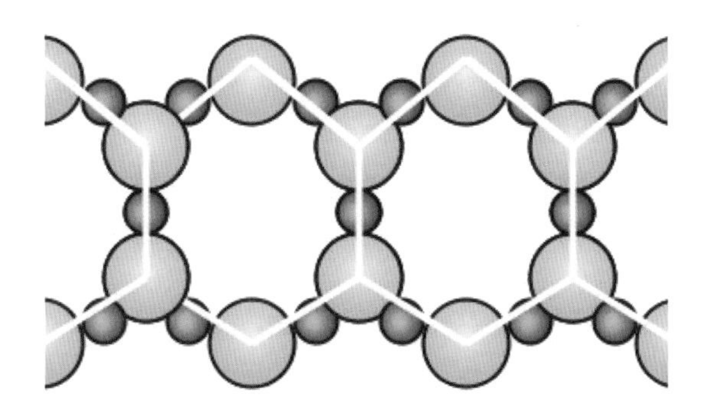

그림 3.4 물 분자

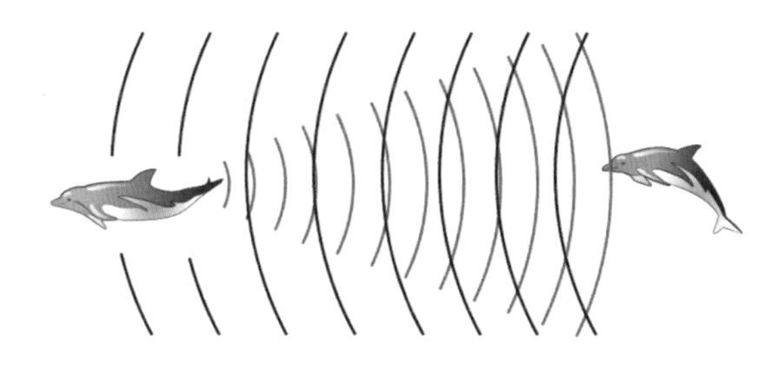

그림 3.5 돌고래의 의사소통

그림 3.6 거미줄

출처: Mirelle/Shutterstock

그래서 거미는 로그 나선을 택한다. 로그 나선은 중심 주변을 한 바퀴씩 돌 때마다 선 사이의 폭이 같은 배율로 늘어난다(그림 3.6 참조).

이것은 나선이 바깥쪽으로 갈수록 훨씬 빠르게 늘어난다는 의미다. 하지만 이 로그 나선만으로는 거미줄에 빈 곳이 많이 생긴다. 그래서 거미는 두 번째로 훨씬 조밀한 나선을 만든다. 새로 만들어지는 나선은 아르키메데스 나선으로 중심 주변을 몇 번 돌더라도 선 사이의 폭이 항상 같다. 두 번째 나선을 만드는 데 훨씬 많은 시간이 드는데, 별 모양의 중심 주위를 더 많이 돌아다녀야 하기 때문이다. 이렇게 거미줄의 빈 곳을 채우면 더 많은 곤충을 잡는 데 도움이 된다. 계산을 이용해 거미의 놀라운 공학을 재구성할 수 있지만, 거미는 자체 알고리즘을 고안하는 데 직관적으로 수학을 활용한다. 동물들이 수학을 이용하는 더 많은 예를 보고 싶다면 키스 데블린의 책 《수학 본능*The Math Instinct*》(2006)을 권한다.

온라인 강좌에서 이런 내용을 선보였을 때, 상당수 학생은 자연 속에서 발견되는 수학과 동물들이 이용하는 수학은 수학이 아니라고 반발했다. 학생들이 생각하는 수학은 내가 예로 든 것과는 매우 다른, 오직 수와 계산으로 가득 찬 수학이었다. 내 목표는 학생들이 수학을 폭넓게 보도록 도와서 진짜 수학에 눈뜨게 하는 것이었는데, 이 온라인 강좌는 그 목표를 성공적으로 달성했다. 강좌 마지막에 수강생을 대상으로 했던 설문 조사에서 70%가 수학이 무엇인지에 대한 견해가 바뀌었다고 대답했다. 더 중요한 것은 75%가 수학을 잘할 수 있을 거라는 믿음이 더 강해졌다고 대답했다는 점이다.

수학은 자연, 예술, 그리고 세상 곳곳에 존재한다. 하지만 대부분 학생은 아직 황금비에 대해 들어보지 못했을 것이고, 수학을 패턴에 관한 연구라고 여기지 않을 것이다. 우리가 학생들에게 수학의 폭넓은 모습을 보여주지 않는다면, 학생들에게서 경이로운 수학의 세계를 경험할 기회를 박탈하는 것과 같다.

학교 수학이 진짜 수학이 아니라고 주장하는 사람은 나뿐만이 아니다. 수학자 루번 허시Reuben Hersh는 《도대체 수학이란 무엇인가?*What Is Mathematics, Really?*》(1999)라는 책을 통해 수학이 학교에서 심각하게 오해받고 있다고 주장한다. 대부분 학생은 수학을 정답들을 쭉 늘어놓은 것, 그것도 아무도 묻지 않는 질문에 대한 답을 늘어놓은 것으로 생각한다. 그러나 허시는 수학을 움직이게 만드는 것은 질문이라고 지적한다. 문제를 해결하고 새로운 문제를 만드는 것은 수학적 삶의 본질이다. 수학을 수학적 삶과 분리해 생각한다면, 수학이 '죽은' 것처럼 보이는 것은 당연하다.

하나의 상황에 대해 깊이 관찰하고 수학적 문제를 생각해 내야 한다. 진정한 수학의 본질이 여기에 있다. 스스로 수학 문제를 만들어보라고 하면, 학생들은 수학에 대해 더 깊이 생각하고 더 높은 수준까지 성취할 수 있다는 사실이 수많은 조사와 연구(Silver, 1994)를 통해 보고되었다. 하지만 이런 일이 학교 수학 수업에서는 거의 일어나지 않는다. 전 세계적으로 히트한 영화 〈뷰티풀 마인드〉에는 존 내시(러셀 크로)가 흥미로운 문제를 찾기 위해 애쓰는 모습이 나온다. 이 모습이 수학 연구에서 가장 중요한 첫 번째 단계이다. 학교 수업에서는 이 중요한 수학적 단계를 경험하지 못한다. 대신 학생들에게는 죽은 것처럼 보이는, 학생들 자신이 질문한 적 없는 문제의 답을 찾느라 시간을 보낸다.

나는 내 책 《수학 따위가 뭐라고?》에서 수학적 질문을 제기하는 수업 방법을 자세히 설명했다. 교사 닉 피오리는 솔방울, 집합 놀이 카드, 오색 구슬, 주사위, 너트와 볼트로 학생들에게 수학적 상황을 주고 학생 스스로 질문을 만들도록 했다. 학생들은 처음에는 적응하지 못했지만, 시간이 지나면서 서서히 자기 아이디어를 활용하고 수학적 탐구를 수행했다. 또한 특정 방법을 확실히 써야 하면 그 방법을 새로 배우기도 했다.

학교 수학은 수십 년 동안 수학자들의 수학, 생활 속의 수학과 점점 동떨어져 가고 있다. 학생들은 자신의 생활이나 업무에서 결코 쓸 일이 없는 절차와 규칙의 모음을 배우느라 수천 시간을 보낸다. 세계에서 가장 중요한 수학 관련 기업 중 하나인 울프럼 알파Wolfram-Alpha의 이사 콘래드 울프럼Conrad Wolfram 역시 전통적인 수학 교수법을 기탄없이 비판하며 수학이 계산만을 뜻하지 않는다고 강력하게 주장한다. 수백만 명이 시청한 2010년 그의 TED 강연에서 울프럼은 수학을 하는 데는 네 가지 단계가 있다고 주장했다.

1. 질문 만들기
2. 실제 상황의 문제를 수학 세계의 문제로 바꾸기

3. 계산하기

4. 수학 세계에서 찾은 답을 실제 상황으로 바꾸고, 원래 문제가 해결되었는지 확인하기

첫 번째 단계는 어떤 데이터나 상황에 대해 제대로 된 질문을 던지는 것인데, 이는 직장에서 수학을 활용하는 첫 번째 활동이다. 미국에서 가장 빠르게 성장하는 직업은 데이터 분석가로, 현재 모든 기업이 보유한 '빅데이터'를 분석하고 데이터에 관한 질문을 제기하는 일을 한다. 이런 이유로 나는 현재 수학 과목에 데이터 과학을 도입하자는 캠페인을 하고 있다(www.youcubed.org/resource/data-literacy 참조). 최근 캘리포니아 전역의 대학에서 대수 2 대신 데이터 과학을 수강한 학생에게 가산점을 부여하는 입시 제도를 만든 것도 같은 이유다.

두 번째 단계는 문제의 답을 찾기 위해 모델을 만들어 수학 세계의 문제로 바꾸는 것이다. 세 번째는 계산을 통해 수학 세계에서 답을 찾는 단계, 네 번째는 수학 세계에서 찾은 답을 현실 세계에 적용했을 때 원래 문제가 해결되었는지 검증하는 단계이다. 울프럼은 세 번째 단계는 계산기니 컴퓨터가 대신할 수 있는데도, 학교에서 수학 시간의 80%를 손으로 계산하는 세 번째 단계에 쏟아붓고 있다고 지적한다. 울프럼의 주장에 따르면 학생들은 수학 시간에 1, 2, 4단계를 연습하는 데 더 많은 시간을 써야 한다.

울프럼은 기업에서 필요한 인재는 제대로 된 질문을 던지고, 모델을 설정하고, 결과를 분석하고, 수학적 해답을 현실 세계의 답으로 끌어낼 수 있는 사람이라고 주장한다. 과거 기업에서 필요한 사람은 계산할 줄 아는 사람이었지만, 이제는 아니다. 생각하고 추론하는 사람이 필요하다.

순위	능력
1	글쓰기
2	계산 능력
3	독해력
4	구두 의사소통 능력
5	청해력
6	개인 경력 개발
7	창조적 사고
8	리더십
9	목표 설정 및 동기부여
10	팀워크
11	조직 효율성
12	문제 해결력
13	대인관계 기술

표 3.1 1970년 '포춘 500'에서 꼽는 핵심 직무 능력

나는 울프럼의 주장에 적극적으로 찬성하며, 수학 교육을 개선하기 위해 그와 함께 노력하고 있다.

포춘 500Fortune 500은 미국 경제전문지인 《포춘》이 매년 발표하는 매출액 기준 미국 최대 기업 500개이다. 45년 전, 기업들이 신입사원에게 가장 중요하게 생각하는 직무 능력은 표 3.1과 같았다.

계산 능력은 두 번째로 중요한 직무 능력으로 꼽혔다. 그러나 1999년에는 기업에서 중요하다고 생각하는 직무 능력이 표 3.2에 나타난 것처럼 바뀌었다.

계산 능력은 뒤에서 두 번째로 떨어졌고 1, 2위를 팀워크와 문제 해결력이 차지했다.

많은 학부모가 수학을 배워야 하는 가장 중요한 이유가 무엇인지 알지

순위	능력
1	팀워크
2	문제 해결력
3	대인관계 기술
4	구두 의사소통 능력
5	청해력
6	개인 경력 개발
7	창조적 사고
8	리더십
9	목표 설정 및 동기부여
10	글쓰기
11	조직 효율성
12	계산 능력
13	독해력

표 3.2 1999년 '포춘 500'에서 꼽는 핵심 직무 능력

못한다. 많은 학부모로부터 이런 질문을 듣는다. "아이가 정답을 구하면 충분할 텐데, 굳이 문제 푼 방법을 설명해야 하는 이유가 무엇인가요?" 내 대답은 항상 같다. 자신의 풀이 방법을 설명하는 것은 수학적 추론이라고 불리는 것인데, 이것이 바로 수학의 핵심이다.

과학자들은 더 많은 사례를 들어 이론을 증명하거나 반증한다. 하지만 수학자는 수학적 추론을 통해 증명한다. 수학자는 논리적인 연결을 이용해 하나의 아이디어에서 다른 아이디어로 이르는 길을 신중하게 추론해 다른 수학자를 설득해야 한다. 논리적 연결로 다른 수학자를 설득할 수 있어야 이론을 증명할 수 있기에 수학은 매우 사회적인 과목이라 할 수 있다.

많은 수학 연구의 산물이 수학자들 간 협업을 통해 나온다. 수학자들

의 연구 성과를 조사한 리온 버튼Leone Burton은 수학자들이 출간한 논문의 절반 이상이 협력을 통해 완성된 것임을 발견했다(Burton, 1999). 그러나 수학 수업이 이루어지는 교실 대부분은 침묵 속에서 학생들이 시험지를 채워나가는 공간에 불과하다. 토론 수업은 정말 중요하다. 토론은 학생들이 아이디어를 이해하는 데 큰 도움을 준다. 토론으로 활기 넘치는 수업 시간이 되고, 학생들이 수업에 참여하는 기회를 얻을 뿐만 아니라, 오늘날의 첨단 기술과 관련된 직장에서 핵심 능력인 추론과 서로의 논리를 비판하는 법을 배우는 기회까지 얻는다. 첨단 기술 세계의 새로운 직업이 하는 일은 거의 모두 빅데이터를 다루고 데이터에 관한 질문을 제기하며 변화 방향을 예측하는 일이다. 콘래드 울프럼은 오늘날의 직장에서 수학적 추론을 할 수 없는 사람은 무능하다고 말했다. 수학적 경로에 대해 추론하고 서로 이야기를 나누면서 직원들은 그 수학적 경로에 오류가 있는지 살펴볼 수 있을 뿐 아니라 그 경로를 기반으로 새로운 아이디어를 만들 수 있다. 고용주가 매우 중요하게 여기는 팀워크는 수학적 추론에 기반을 둔 것이다. 계산으로 얻어지는 답만 내는 사람은 유능하지 않다. 답을 통해 추론할 수 있어야 한다.

우리 역시 학생들이 수학 시간에 추론, 즉 논리적으로 생각하기를 원한다. 문제를 통해 추론하고 다른 사람의 논리를 깊이 생각하는 일은 흥미롭기 때문이다. 계산으로 일정한 답을 내는 문제를 풀 때보다, 여러 답이 존재하는 열린 문제를 접할 때 학생들은 다양한 해결 방법과 풀이 과정을 제안하면서 훨씬 더 적극적으로 깊이 수업에 참여한다. 5장에서는 추론이 필요하며 여러 가지 방법으로 설명할 수 있는 양질의 수학 문제들을 선보이겠다.

수학 교육이 직면하고 있는 또 다른 심각한 문제는 사람들이 수학은 계산에 관한 과목이며 수학적 사고를 잘하는 사람은 계산을 빨리 잘하는 사람이라고 믿는다는 사실이다. 심지어 어떤 사람들은 수학을 잘하려면 계산이 빨라야 한다고 생각한다. 계산을 빨리하면 진짜 수학을 잘하고 '똑똑한' 사람이라는 강한 신념이 사회 전반에 퍼져있다. 하지만 뛰어난 수학자들은 대체로 계산이 느리다. 많은 수학자와 일해본 경험에 따르면, 수학자들은 빨리 생각하는 사람이 아니었다. 신중하고 깊이 생각하기 때문에 느린 경우가 많았다.

로랑 슈바르츠Laurent Schwartz는 필즈상을 받은 당대 최고의 수학자였다. 하지만 학교에 다닐 때는 학습이 가장 느린 학생이었다. 그의 자서전 《시대와 맞싸운 수학자*A Mathematician Grappling with His Century*》(2001)에서 슈바르츠는 빨리 생각하는 것을 중요하게 여겼던 학교에서 천천히 깊이 생각했던 스스로가 얼마나 '멍청하게' 느껴졌는지 모른다면서 다음과 같이 이야기한다.

> 나는 늘 나의 지적 능력에 대해 확신하지 못했다. 나 자신이 우둔하다고 생각했다. 과거에도 그랬지만 지금도 나는 상당히 느린 편이다. 항상 모든 것을 완전히 이해하길 원했기 때문에 충분한 시간이 필요했다. 11학년 말 즈음, 나는 아무에게도 이야기하지는 않았지만 스스로 바보라고 생각했다. 이 문제에 대해 상당히 오랫동안 걱정하고 고민했다.
>
> 나는 여전히 느리다. … 11학년 말, 나는 내가 처한 상황을 파악하고 마침내 결론에 도달했다. 민첩성과 지능 사이에는 명확한 관련이 없다는 결론이었다. 중요한 것은 사물 그 자체와 각각의 사물 사이의 관계를 깊이 이해하는 것이다. 바로 거기에 지성이 있다. 재빠르거나 굼뜬 것은 정말 지능과 아무런 연관이 없다. (Schwartz, 2001)

많은 수학자와 마찬가지로, 슈바르츠는 학교에서 배우는 수학이 실제 수학을 제대로 보여주지 못하며, 실제 수학은 빠른 계산이 아니라 연결과 깊은 사고에 관한 것이라고 그의 책에 적고 있다. 로랑 슈바르츠처럼 많은 학생이 수학 시간에 천천히 깊이 생각한다. 이런 학생들은 수학을 잘 공부할 수 없다고 여기거나 심하면 수학은 자기 적성에 맞지 않는다고 생각한다. 수학에서 빠른 계산이 중요하다는 생각은 수학을 공부 중인 대단히 많은 학생들, 특히 여학생들이 수학을 포기하게 만든다. 이 점에 관해서는 4장과 7장에서 조금 더 이야기하겠다. 수학은 다른 어떤 과목보다도 시간을 다투는 시합으로 학생들에게 제시된다. 제한 시간을 둔 수학 시험, 플래시 카드, 문제와 함께 초시계가 등장하는 수학 앱 등이 그 예이다. 이런 환경에서는 천천히 깊이 생각하는 학생들이 수학을 싫어하는 것도 당연하다. 미국수학교사협의회National Council of Teachers of Mathematics, NCTM 전 회장 캐시 실리Cathy Seely는 수학이 두뇌 회전이 빠른 학생만을 위한 과목이라는 인식을 타파하고, 교사와 학생들이 생산적이며 깊이 있는 방식으로 수학을 공부할 수 있는 새로운 방법을 제시하고자 노력하고 있다(Seeley, 2009; 2014 참조). 로랑 슈바르츠처럼 천천히 깊이 생각하는 학생과 수많은 여학생이 수학은 자신에게 맞지 않는 과목이라는 생각을 하지 않게 하려면, 수학이 속도에 관한 것이라는 통념부터 깨뜨려야 한다. 다음 장에서는 수학, 특히 수와 계산을 속도가 아닌 깊은 이해에 중점을 두고 가르치는 수업 방법을 제시하려 한다. 이 수업 방식으로 학생들의 두뇌 연결성은 강화될 것이고, 더 많은 학생이 수업에 참여하게 될 것이다.

결론

이 장을 시작할 때 나는 수학이 다른 과목과 다르다고 했다. 그러나 수학과 다른 과목의 차이는 많은 사람이 생각하는 것처럼 과목 자체의 특성이 아니라, 수학에 대한 광범위한 오해에서 비롯되었다. 그 오해는 다음과 같은 것들이다. 수학은 규칙과 절차에 관한 과목이며 수학을 잘한다는 것은 계산이 빠르다는 오해, 수학은 모든 것이 확실하고 정답과 오답만 있다는 오해, 수학은 숫자에 관한 모든 것이라는 오해다. 낡고 결함이 있는 비효율적인 교수법이 개선되지 않는 까닭은 바로 이런 오해 때문이다. 학부모 중 상당수가 학창 시절 수학을 싫어했지만, 자신들이 배운 방식으로 수학을 가르쳐야 한다고 주장한다. 불쾌한 기억을 안겨줬던 수학 교수법은 수학이 가진 특성 때문이라는 생각으로 여전히 그 방법을 고수한다. 많은 초등학교 교사가 학창 시절에 수학과 관련해 끔찍한 경험을 했으면서도 그렇게 수학을 가르치려 노력한다. 다만 수학을 그저 무미건조한 공식들을 모아놓은 것으로 생각하면서 말이다. 이런 학부모와 교사들에게 5장에서 나오는 예를 들어 학교 수학과는 다른 진짜 수학의 모습을 보여주면서 이제 더는 학생들이 그들이 과거에 경험한 수학을 경험하지 않고도 수학을 배울 수 있다고 했더니, 그들은 진정한 해방감과 환희를 느꼈다. 이번 장에서 제시한 수학에 대한 오해가 학교 교과 과정에서 얼마나 많이 퍼져있는지 생각해 보면, 적지 않은 사람이 수학 과목을 포기했다는 것을 쉽게 알 수 있다. 뒤집어 생각해 보면 이러한 오해를 없앨 수 있다면, 수학에 대한 두려움과 불안감이 사라질 것이고 수학을 포기하는 학생 수도 줄어들 것이다.

세상과 수학자들이 사용하는 수학을 보면, 수학은 창의적이고 시각적이며, 연결성이 있고 생동감 넘치는 학문이라는 것을 알게 된다. 그러나 학생들은 수학을 앞으로 쓸 일 없는 수백 개의 계산 방법과 공식을 외우고 절대 궁금하지 않은 수백 개의 질문에 답해야 하는 죽은 과목으로 여긴다. 사람들에게 수학이 생활 속에서 어떻게 활용되는지 물으면, 보통은 주택담보대출 상환액이나 물건의 할인가 계산을 생각한다. 하지만 수학적 사고는 그 이상이다. 하루를 어떻게 보낼 것인지, 하루 일정표에 몇 건의 회의와 업무 시간을 넣을지, 차나 가구를 돌릴 공간의 크기가 얼마나 되는지, 특정 사건이 일어날 확률이 얼마인지, SNS로 메시지를 보냈을 때 얼마나 많은 사람에게 전달될 것인지를 생각하는 방법의 핵심이 수학에 있다. 세상 사람들은 빠르게 계산할 수 있는 사람을 경탄의 눈으로 바라본다. 하지만 사실 숫자 계산은 빠르지만 그것으로 훌륭한 일을 하지 못하는 사람이 있는 한편, 계산이 아주 느리고 실수도 잦지만 수학을 통해 놀라운 일을 이루어내는 사람도 있다. 오늘날 강력한 사고력을 발휘하는 사람은 과거처럼 계산이 빠른 사람이 아니다. 이제 계산은 완전히 자동화되었고, 단순하고 따분한 일에 불과해졌다. 강력한 사고력을 발휘하는 사람은 연결을 만들고, 논리적으로 생각하고, 공간과 데이터, 수를 창의적으로 활용하는 사람이다.

많은 학교에서 수학을 편협하고 빈약하게 가르치고 있다고 해서 교사들을 비난할 수는 없다. 교사들이 가르쳐야 할 수업 내용은 매우 많다. 그러다 보니 교사들이 수학 개념과 아이디어에 대해 깊이 이해할 시간이 부족하다. 긴 수업 내용 목록을 받아 든 교사들에게 수학이라는 과목은 산산이 분해된 자전거의 부품을 모아놓은 것처럼 느껴진다. 학생들이 1년 동안 하는 일이라고는 자전거 부품 중 일부인 너트, 볼트를 반짝이

게 닦는 것뿐이다. 수업 목록에는 그 내용이 어떻게 연결되는지는 적혀있지 않다. 마치 각각의 내용이 전혀 연결되지 않는 것처럼 보인다. 학생들이 온종일 분해된 자전거 부품들만 광내고 있는 것을 더는 두고 볼 수 없다. 부품들을 연결해 자전거로 조립하고 자유롭게 타듯이, 수학의 즐거움과 연결의 기쁨, 진정한 수학적 사고의 행복감을 경험하게 해주고 싶다. 수업 내용 목록이 가진 문제점은 수업 내용 사이의 연결성이 드러나지 않는다는 것이다. 이 문제점을 해결하기 위해 캐시 윌리엄스와 나는 캘리포니아 교육부의 모든 표준 수학 수업 내용을 수학적 연관성을 강조하는 형태로 바꾸는 매우 도전적인 프로젝트를 수행했다. 이 프로젝트는 코로나19 팬데믹으로 교사가 모든 내용을 가르치기 어려웠다는 인식에서 시작되었다. 우리는 가장 중요한 것을 선택하라는 요청을 받고 표준 수업 내용의 중요성을 평가하는 대신 표준 수업 내용을 상위 개념과 연결해서로 연관된 내용이 결합되도록 했다. 그림 3.7은 3학년을 위한 네트워크 맵 중 하나이다. 우리가 만든 다음 문서에는 수업과 실습을 결합해서 가르쳐야 하는 중요한 아이디어에 대한 설명도 들어있다(www.youcubed.org/resources/standards-guidance-for-mathematics/).

누구나 수학에 쉽게 접근할 수 있게 하고, 이 책에서 보여주는 폭넓고 시각적이며 창의적인 수학을 가르친다면, 학생들은 수학을 다른 과목처럼 즐겁게 배우게 될 것이다. 맞거나 틀리거나 둘 중 하나의 답만 요구하는 질문을 받아온 학생들은 성장 마인드셋을 계발하기 매우 어렵다. 하나의 답을 요구하는 질문 자체가 수학에 대한 고정된 메시지를 보내기 때문이다. 진짜 수학을 가르칠 때, 성장 마인드셋과 배움의 기회가 늘어나고 교실에는 신나서 참여하는 행복한 학생들로 가득할 것이다. 다음 다섯 개의 장에서는 이런 변화를 일으킬 수 있는 아이디어와 그것을 지지하는

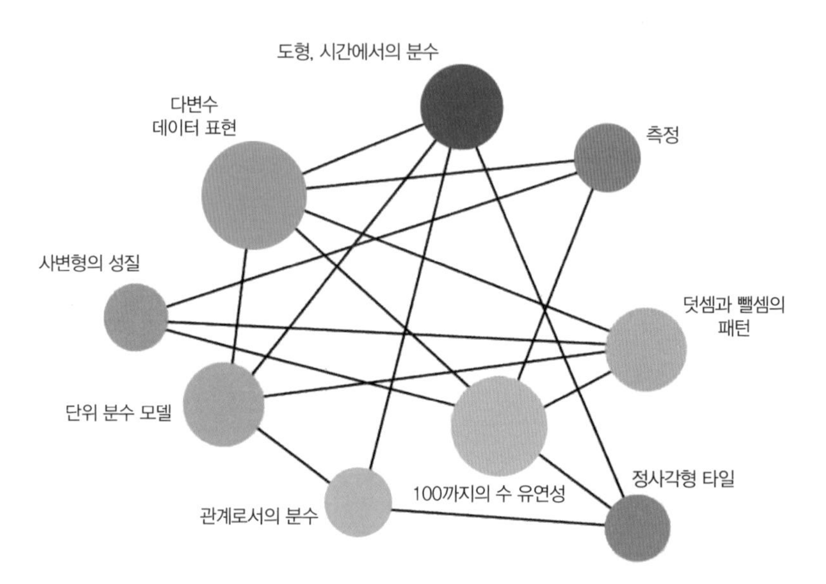

그림 3.7 2021년 캘리포니아주 교육안에 따른 초등 3학년 수학의 주요 개념과 연관성

출처: 조 볼러 & 캐시 윌리엄스 2021/캘리포니아 교육부

연구 증거를 제시할 것이다.

Chapter 4

수학적 마인드셋 심기

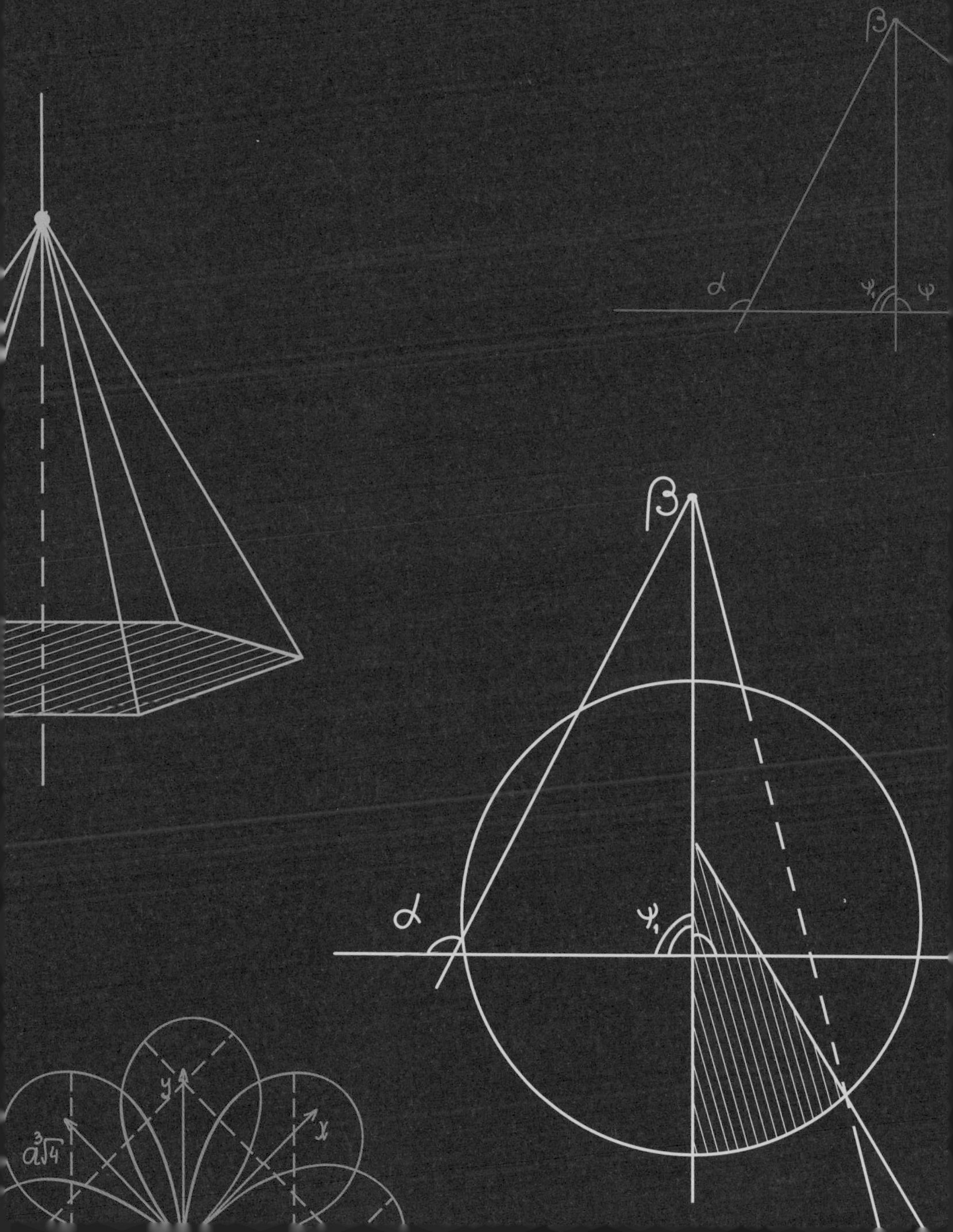

어린아이들은 수학을 좋아한다. 아기도 그렇다. 아기에게 블록 세트를 주면 블록의 모서리가 딱 맞아떨어지는 것을 신기해하면서 블록을 쌓고 줄지어 세울 것이다. 아이들은 하늘의 새들이 V 자 형태로 날아가는 것을 보고 즐거워할 것이다. 어린아이들과 함께 물건 개수를 센 다음, 옮겨놓고 다시 세어보라. 아이들은 물건 개수가 여전히 똑같다는 사실을 마법처럼 여기며 신기해할 것이다. 아이들에게 색깔 블록으로 패턴을 만들어 보라고 하면 재미있어하면서 반복되는 패턴을 만들 것이다. 반복된 패턴 만들기는 수학을 사용하는 활동이다. 키스 데블린은 인간은 모두 본능적으로 수학을 사용하고 수학적인 사고를 한다는 강력한 증거를 제시하는 책을 여러 권 썼다(Devlin, 2006 참조). 우리는 세상에서 패턴을 보고 우주의 리듬을 이해하고 싶어 한다. 그러나 어린아이들이 수학을 경험하면서 느꼈던 즐거움과 황홀함은 학교에 들어가면서 빠르게 공포와 혐오로 바뀐다. 학교에서 수학은 그저 외워야 하는 온갖 공식을 모아놓은 지루하고 무미건조한 것이기 때문이다.

핀란드는 국제학업성취도평가PISA에서 항상 정상의 자리를 놓치지 않는 나라다. 이 나라에서는 만 7세가 되기 전까지 수학을 가르치지 않는다. 미국, 영국 및 일부 다른 국가에서는 훨씬 일찍 수학을 가르치기 시작해서 만 7세에는 이미 덧셈, 뺄셈, 곱셈, 나눗셈을 배우고 구구단을 외우기 시작한다. 이런 연산 방법은 어린 학생이 이해하기에는 너무 어려워서 학교 수학을 처음 접한 많은 학생이 혼란스러워한다. 아이들은 호기심 대신 '수학은 지시문과 규칙을 따르기만 하면 되는 것'이라고 생각하게 된다.

최상의 수학 교육은 아이들에게 수와 도형, 데이터를 가지고 놀게 하면서 어떤 패턴과 아이디어를 찾을 수 있는지 생각해 보도록 격려하는 것에서 시작된다. 젊은 과학자 상 수상자 세라 플래너리Sarah Flannery의 이야기를 들어보자. 그녀는 자신의 자서전에서 아버지와 퍼즐 문제를 풀면서 수학적 사고력을 키웠다고 이야기한다. 그녀는 자신이 들었던 어떤 수학 수업보다 아버지와 함께 퍼즐을 푼 시간이 더 소중했다고 말한다(Flannery, 2002). 수학을 잘 활용하는 사람은 수학을 이해하는 것뿐만 아니라 수학에 접근하는 방식에서도 수학을 어려워하는 사람(수포자)과 뚜렷한 차이를 보인다. 이들은 수학을 제대로 이해하고 싶어 하고, 수학을 잘할 수 있다고 확신한다. 이들은 패턴과 연관성을 찾고 연결성에 대해 생각한다. 이들은 수학이라는 과목은 성장을 위한 것으로, 수학을 배우는 목적은 새로운 아이디어와 생각하는 방법을 익히는 데 있다고 생각하며 수학에 접근한다. 이런 사고방식을 나는 수학적 마인드셋이라고 부른다. 학생들이 수학을 처음 접할 때부터 이러한 수학적 마인드셋을 심어줄 필요가 있다.

지적 능력은 향상되며 더 많이 배울수록 더 똑똑해질 수 있다는 믿음,

즉 성장 마인드셋의 중요성이 여러 연구를 통해 분명히 드러났다. 그러나 학생들이 수학을 포기하는 일이 생기지 않게 하려면 학생들 스스로 자신의 성장을 확신해야 하고, 수학의 본질을 제대로 이해하며, 수학을 배우면서 자신이 무엇을 해야 하는지 알아야 한다. 학생들이 수학을 단답형 문제 여러 개를 묶어놓은 것으로 여긴다면, 내면의 성장과 진정한 배움을 위해 무엇을 해야 하는지 알 수 없다. 이렇게 되면 학생들은 수학을 틀에 박힌, 고정된 풀이 방법들(일부는 이해하지만, 나머지는 이해하지 못하는)의 집합체로 생각한다. 반면에 학생들이 수학을 아직 아무도 탐험하지 않은 미지의 수수께끼들이 펼쳐진 광활한 대지로 여긴다면, 자신이 해야 할 일은 생각하고, 이해하고, 성장하는 것임을 깨닫게 된다. 학생들이 수학을 아이디어와 그것들의 연관성을 모은 집합체로 여기고 자신의 역할은 아이디어에 대해 생각하고 이해하는 것임을 깨닫게 될 때, 수학적 마인드셋을 갖게 된다.

유다시티Udacity의 창시자이자 스탠퍼드 대학교 연구교수인 서배스천 스런Sebastian Thrun은 수학적 마인드셋을 가진 사람이다. 몇 년 전부터 그와 함께 일하기 시작했는데, 처음에는 그를 컴퓨터과학과 교수이자 자율주행 자동차 발명가, 대규모 공개 온라인 강좌 MOOC를 처음으로 시작한 사람, 구글 글래스와 구글 맵 개발 팀장으로 알고 있었다. 서배스천은 수십만 명이 수강한 매우 성공적인 온라인 학습 회사인 유다시티를 설립했다. 서배스천이 내게 유다시티의 강좌에 대한 조언을 요청하면서 그와 함께 일하게 되었다. 서배스천은 전 세계적으로 많은 업적을 남긴 매우 수준 높은 수학자다. 그는 수학 전문 서적을 여러 권 집필했는데, 그의 표현을 빌리자면 '머리에 김이 날' 정도로 복잡한 내용이 담겨있다. 그런데 그가 수학 교육에 매우 관심 있다는 것은 상대적으로 덜 알려져 있다. 학부모와 교사를 대상으로 "어떻게 수학을 배울 것인가"라는 온라인 강좌를 만들면서 서배스천을 인터뷰했을 때, 그는 수학 학습과 문제 해결, 그리고 상황 이해에서 직관이 매우 중요한 역할을 한다고 말했다. 그는 구체적인 예로 스미소니언 박물관에서 사용할 로봇을 개발하던 중 문제가 발생했을 때를 이야기했다. 스미소니언 박물관을 방문한 아이들과 보호자들이 발생시킨 소음이 로봇을 혼란스럽게 해서 제대로 작동하지 못했다. 문제를 해결하고 로봇이 작동할 수 있는 새로운 수학적 경로를 만들기 위해 서배스천과 그의 팀은 처음부터 다시 시작해야 했다. 그는 결국 직관을 이용해 문제를 해결했다. 서배스천은 직관적으로 이해되는 수학적 해법을 찾아낸 다음, 다시 돌아가 수학적 방법으로 이를 증명했다. 서배스천은 수학에서는 직관적으로 이해되지 않으면 결코 앞으로 나아갈 수 없다고 강하게 주장했다. 그는 수학을 배우는 아이들에게 공식이나 방법이 이해되지 않는다면 절대 사용하지 말라고 한다. 이해되지 않는 방법으로 문제를 풀지 말고 '그냥 잠시 멈추라'고 조언한다.

그렇다면 어떻게 학생들이 감각과 직관을 가지고 수학을 가까이할 수 있도록 수학적 마인드셋을 계발해야 할까? 학교에 들어가기 전의 아이들이라면 매우 간단하다. 퍼즐, 도형, 숫자를 가지고 놀게 하면서 그것들 사이의 관계를 생각하도록 하면 된다. 그러나 일단 학교에 들어가면 이른 나이부터 덧셈, 뺄셈, 곱셈, 나눗셈과 같은 많은 공식을 배워야 하는 시스템에 놓이게 된다. 바로 이때 학생들은 수학적 마인드셋에서 벗어나 고정적이고 절차적인 사고방식을 키우게 된다. 그래서 이 시기에 교사와 학부모가 수학을 사고와 감각 형성에 관한 유연한 개념 과목으로 소개해야 한다. 유년기 수 개념 학습에서 학생들은 두 가지 마인드셋을 가지게 된다. 하나는 부정적이고 실패로 이어지며, 다른 하나는 긍정적이고 성공에 이르게 한다.

수 감각

영국의 수학 교육 연구자 에디 그레이Eddie Gray와 데이비드 톨David Tall은 학업 성취도에 따라 상, 중, 하로 구분된 7~13세 학생들을 연구했다(Gray & Tall, 1994). 연구 대상 학생 모두에게 두 수를 더하거나 빼는 연산 문제를 주고 관찰했다. 연구진은 성취도가 높은 학생과 낮은 학생 사이에 중요한 차이가 있음을 발견했다. 성취도가 높은 학생들은 이른바 '수 감각'을 이용해 문제를 해결했는데, 이들은 수가 의미하는 바를 파악한 상태에서 수를 유연하게 다룰 줄 알고 있었다. 성취도가 낮은 학생들은 수 감각을 전혀 사용하지 않았으며, 수업 시간에 배운 공식을 외워 문제를 풀어야만 한다고 믿는 듯했다. 예를 들어, '21-6'과 같은 문제를 풀라고 했을 때, 성취도가 높은 학생들은 문제를 좀 더 쉬운 형태인 '20-5'로 바꿔 계산했다. 하지만 성취도가 낮은 학생들은 21부터 시작해서 거꾸로 숫자를 세어가는 방법으로 풀었는데, 이것은 더 어렵고 실수로 이어지는 경우가 많다. 학생들이 문제 풀이에 사용하는 다양한 전략을 연구한 결과, 연구진은 성취도가 높은 학생과 성취도가 낮은 학생의 차이는 수학 지식의 차이가 아니라 수학의 상호작용에 대한 이해의 차이에서 비롯된다는 것을 발견했다. 성취도가 낮은 학생은 수를 대할 때 유연성과 수 감각을 이용하는 대신, 배운 형식적 절차를 그대로 적용하려 했다. 유연성과 수 감각을 이용하는 편이 더 합리적일 때에도 배운 대로 하기를 고집했다. 성취도가 낮은 학생은 수학 지식이 부족한 것이 아니라 수를 사용하는 데 있어 유연하지 않았을 뿐이다. 아마도 어릴 때부터 수와 계산 방법에 대한 공식을 외우는 그른 방식을 당연하게 여겼기 때문일 것이다(Boaler, 2015a). 연구진은 성취도가 낮은 학생이 더 어려운 방법으로 문제를 푼다는 중요한 사실을 지적했다. 20에서 5를 빼는 편이 21에서 시작해 거꾸로 숫자 6개를 세는 것보다 훨씬 쉽다. 불행하게도 성취도가 낮은 학생은 문제 풀이에 어려움을 겪는 것으로 여겨져 교사나 학부모로부터 더 많은 연습 문제를 받아 반복해서 풀게 된다. 그러면서 수학은 논리적으로 이치를 따져 이해하는 과목이 아니라 공식과 풀이 방법을 외우는 과목이라는 생각이 굳어진다. 이런 식으로 성취도가 낮은 학생은 공식과 풀이 방법에 집착하게 되고, 그 결과 평생 수학을 어려워하게 되는 경우가 많다.

수학적 마인드셋은 수학 지식에 대한 능동적인 접근 방식이며, 이를 가진 학생은 수학 지식을 논리적으로 따져 이해하는 것이 자신의 역할이라 생각한다. 수 감각은 수학에 대한 깊은 이해를 반영하지만, 수와 양을 이해하는 데 초점을 맞춘 수학적 마인드셋을 통해 나온다. 수 감각은 모든 상위 수준 수학의 기초가 된다(Feikes & Schwingendorf, 2008). 또한 수 감각과 수학적 마인드셋은 함께 발달한다. 둘 중 하나를 계발하면 다른 하나를 계발하는 데 도움이 된다. 그러므로 학생들의 수 감각을 키워줘야 한다.

수학은 개념적인 학문이다. 많은 사람이 생각하는 것처럼 암기해야 하는 공식과 풀이 방법의 목록이 아니다.

그림 4.1에서 보라색 화살표는 배워야 할 방법을, 분홍색 상자는 배우고 있는 개념을 나타낸다. 그림의 왼쪽 아래에서 시작해 세는 방법을 어떻게 배우는지 알 수 있다. 수를 세는 방법을 배울 때 학생들은 수의 순서

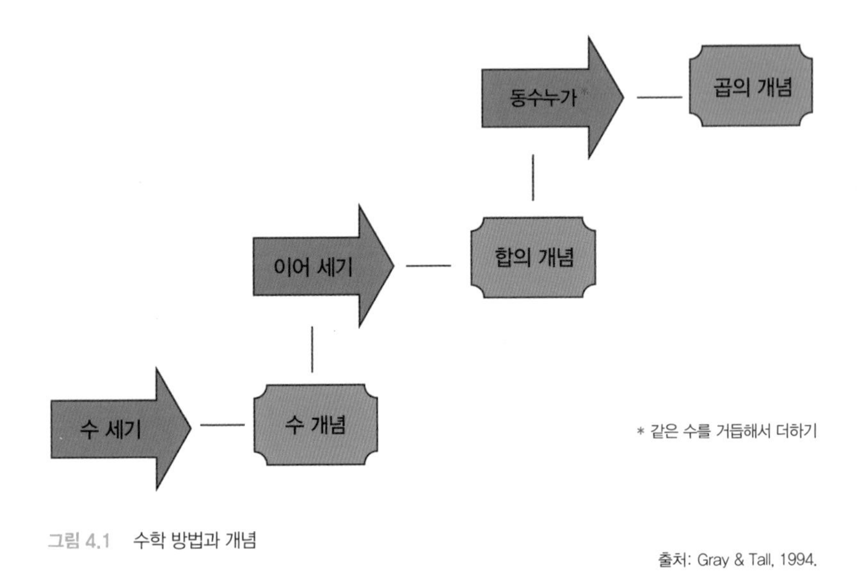

그림 4.1 수학 방법과 개념

출처: Gray & Tall, 1994.

와 이름을 기억할 뿐만 아니라 수에 대한 개념, 즉 수에 대한 아이디어를 발전시킨다. 덧셈을 처음 배울 때, 학생들은 '이어 세기' 방법을 통해 배운다. '이어 세기'는 수를 나타내는 두 개의 수 집합이 있는 경우에 사용된다. 15 더하기 4를 예로 들어보자. 1부터 15까지 첫 번째 수 집합을 센 다음 두 번째 수 집합을 이어 세면, 16-17-18-19가 된다. 이어 세기를 배우면서 '합'이라는 개념을 발달시킨다. 이것은 덧셈 방법이 아니라 개념적인 아이디어다. 다음 단계에서 학생들은 네 개의 물건으로 이루어진 집합 세 개를 더하는 과정을 통해 같은 수로 이루어진 집합의 덧셈을 배우게 된다. 이것은 곱의 개념으로 발전된다. 다시 말하지만, 이것 역시 곱셈 방법이 아니라 '곱'에 대한 개념적 아이디어다.

수, 합, 곱의 개념은 학생들이 깊이 생각해야 하는 수학 개념이다. 학생들은 덧셈, 곱셈과 같은 계산 방법을 배워야 하지만, 그 자체가 목적이 아니어야 한다. 수, 합, 곱이라는 개념의 한 부분으로 덧셈, 곱셈을 배우면서 계산 방법과 개념이 어떻게 관련되는지 배워야 한다.

수학을 배울 때 압축이라는 두뇌 처리 과정을 거친다는 것이 알려져 있다. 전혀 알지 못했던 새로운 수학 분야를 배울 때, 새로운 수학 분야의 아이디어가 어떤 것인지, 이 아이디어가 다른 아이디어와 어떻게 연관되는지를 열심히 생각해야 하므로 우리는 넓은 두뇌 공간을 사용한다. 그러나 덧셈처럼 이미 잘 알고 있는 수학은 두뇌 안의 아주 작은 공간만을 차지한다. 이렇게 저장된 내용은 생각하지 않고도 쉽게 사용할 수 있다. 두뇌는 많은 것을 통제해야 하는 매우 복잡한 기관이다. 압축되지 않은 아이디어의 경우, 두뇌가 집중해서 다룰 수 있는 개수가 몇 개밖에 되지 않는다. 두뇌를 효율적으로 사용하려면 압축 과정이 일어날 수밖에 없다. 잘 알고 있는 아이디어는 압축해서 기억 장소에 보관해 놓는다. 수학계 최고의 상인 필즈상을 받은 수학자 윌리엄 서스턴William Thurston은 두뇌의 압축 과정을 다음과 같이 설명한다.

> 수학은 놀라울 정도로 압축될 수 있다. 하나의 처리 과정이나 아이디어를 다양한 방식으로 오랜 시간 동안 차근차근 공부할 수도 있다. 하지만 일단 제대로 이해하고 전체적으로 한눈에 파악할 수 있는 관념적 시각을 갖게 되면 엄청난 관념적 압축이 일어난다. 기억 장소에 보관해 두고 필요할 때 빠르고 완벽하게 기억해 내고 다른 지적 처리 과정에서 하나의 단계로 사용할 수 있다. 수학의 진정한 기쁨인 직관에는 이런 압축 과정이 일어난다. (Thurston, 1990)

학생 대부분은 수학에 대해 '진정한 기쁨'과 같은 표현을 쓰지 않는다.

그 이유는 학생들이 압축 과정을 경험하지 못했기 때문이다. 압축할 수 있는 것은 개념뿐이다. 규칙과 방법을 압축할 수는 없다. 따라서 개념적 사고를 하지 못하는 학생은 수학을 외워야 할 공식들로 본다. 압축이라는 중요한 과정을 거치지 않으므로 이들의 뇌는 아이디어를 분류, 정리해서 기억 장소에 보관할 수 없다. 그러다 보니 수많은 규칙과 방법을 외우려고 애쓰게 된다. 바로 이런 이유로 학생들이 항상 개념적으로 수학에 접근하도록 돕는 것이 중요하다. 수학에 개념적으로 접근하는 것이 내가 수학적 마인드셋이라고 부르는 것의 핵심이다.

그럼 수학 공식은?

많은 사람이 수학을 항상 개념적으로 생각하는 것은 불가능하다고 믿는다. 외워야 할 수학 공식(예를 들어 8×4=32와 같은 곱셈법)이 수없이 많기 때문이다. 일부 수학 공식은 외워두면 좋지만, 학생들은 개념적으로 수학에 접근함으로써 수학 공식을 배우고 자연스럽게 외울 수 있다. 불행하게도 교사와 학부모 대부분은 수 연산과 같은 수학의 일부 영역은 변하지 않는 고정된 사실이므로 깊이 생각하지 않고도 빠르게 풀 수 있도록 반복 연습이 필요하다고 생각한다. 이런 접근 방식으로 수를 처음 배우게 된 학생들은 수학을 잘한다는 것은 공식을 잘 외우고 필요할 때 빨리 기억해 내는 것으로 생각하게 된다. 또한 수학적 마인드셋을 키우는 것과는 정반대로 처리 과정만을 중요하게 여기게 된다. 결국 수학에 대한 이런 접근 방식은 학생에게 큰 피해를 준다.

수학 공식은 수학의 작은 부분이며, 다양한 방법과 상황에서 수를 사용함으로써 자연스럽게 익힐 수 있다. 그러나 불행하게도 많은 교실에서 수학 공식은 전후 맥락 없이 학생들에게 주어지면서 마치 수학 공식이 수학의 본질이라는 인상을 주며, 수학을 잘한다는 것은 수학 공식을 빨리 떠올리는 것이라는 생각까지 심어주고 있다. 이 두 가지 생각은 모두 잘못되었다. 이런 생각들은 학생들이 수학에 불안감을 가지고 수학을 포기하도록 만드는 데 주요한 역할을 한다. 그러므로 교실에서 이런 생각을 몰아내야 한다.

내 유년 시절의 영국은 진보적인 분위기였다. 당시 초등교육은 '전인적인 어린이'에 초점을 맞추고 있어서 오늘날 학교에서 외워야 하는 덧셈표, 뺄셈표, 곱셈표 등이 없었다. 수학 공식을 외운 적은 없지만, 수 감각이 있었고 여러 수를 조합하는 좋은 방법들을 배워 연산을 빨리 할 수 있었다. 내가 가지고 있는 수 감각 덕분에 내 인생 어느 시기, 어느 곳에서도 나의 부족한 암기력이 발목을 잡은 적이 없다. 심지어 수학 교수인데도 말이다. 수에 접근하는 방식인 수 감각은 수학 교육에 있어 무척 중요한데, 각각의 수가 어떻게 연관되어 있는지에 대한 깊은 이해를 바탕으로 수학 지식을 학습하는 부분이 여기에 포함되기 때문이다.

전체 학생의 약 1/3 정도가 시간제한이 있는 시험을 치르면서 수학에 대한 불안감을 느끼기 시작한다(Boaler, 2014b). 샨 베일록Sian Beilock과 그의 연구 팀은 MRI 영상으로 사람들의 뇌를 연구했는데, 수학 지식이 뇌의 작업 기억 부분에 저장되어 있음을 발견했다. 그런데 시간제한의 압박 속에서 수학 문제를 풀 때와 같이 스트레스를 받으면 작업 기억이 차단된다. 그러면 작업 기억에 저장된 이미 알고 있는 수학 공식을 불러올 수 없다(Beilock, 2011). 이런 일이 반복되면 학생들은 시간제한이 있는 시험을 잘 보지 못한다는 생각으로 불안해하고 수학에 대한 자신감을 잃어간다. 작업 기억이 차단됨으로써 이어지는 불안은 특히 성취도가 높은 학생과 여학생에게서 자주 나타난다. 적어도 1/3 정도의 학생은 시간제한이 있는 수학 시험에 극심한 스트레스를 겪고 있는데, 이들은 특정 성취 그룹이나 경제적 배경을 지니고 있지 않다. 이렇게 불안감을 불러일으키는 환경에 학생들을 그대로 둔다면 이들은 수학을 포기하게 된다(Boaler, 2019 참조).

수학 불안감은 종종 평생 지속되는데, 현재 만 5세 정도의 어린이도 경험한다고 보고되고 있다. 수학 불안감의 주요 원인은 시간제한이 있는 시험이다. 스탠퍼드 대학교수로 있으면서 좋은 성적으로 미국 최고의 대학교에 입학했음에도 불구하고 수학에 트라우마가 있는 학생들을 많이 만났다. 이들에게 수학을 싫어하게 된 이유가 무엇인지 물었더니, 많은 학생이 수학이 자기에게 맞지 않는다는 판단을 내린 전환점이 된 것은 2, 3학년 때 치렀던 시간제한이 있는 수학 시험이었다고 이야기했다. 일부 학생, 특히 여학생은 수학 수업에서 깊은 이해(매우 가치 있는 목표)가 필요하다고 생각하는데, 시간제한 시험을 치르면서 깊이 이해하는 것이 중요하지 않거나 그럴 기회가 주어지지 않는 것처럼 느껴졌다고 말했다. 이들은 수학 수업에서의 다른 활동을 통해 깊이 이해하는 데 집중했을 수도 있다. 하지만 시간제한 시험은 학생들에게 수학 공식을 빨리 기억해내는 것이 수학의 본질이라는 생각을 강하게 심어준다. 이것은 매우 불행한 일이다. 수학을 포기한 학생 수를 보면 학교 수학이 수학 공식 암기와 시험을 지나치게 강조함으로써 잘못된 결과를 초래했음을 알 수 있다. 현재 교육계는 수학의 위기에 직면해 있다(www.youcubed.org 참조). 내 딸은 다섯 살 때, 학교에서 곱셈표 외우기와 시험을 시작하자 집에 와서 수학이 싫다며 울었다. 학생들이 수학에 대해 내 딸이 가졌던 이런 감정을 경험하지 않기를 바라지만, 계속해서 수학 공식을 빠르게 기억해 내도록 압박을 가하는 한, 전 세계적으로 널리 퍼진 수학 불안감과 수학에 대한 혐오는 사라지지 않는다(Silva & White, 2013).

그렇다면 어떻게 해야 시간제한 시험 없이 학생들이 수학 지식을 배우도록 도울 수 있을까? 수와 수에 대한 지식을 배우고 이해하는 데 도움이 되는 개념적 수학 활동을 제공하는 것이 가장 좋은 방법이다. 개념적 수학 활동은 학생들이 수학적 사실을 배우고 그들의 수학적 마인드셋을 계발하는 데 도움을 준다. 뇌과학자들은 두 가지 접근법으로 수학 지식을 배우는 학생들을 연구했다. 첫 번째 접근법은 전략을 이용한 것으로, 17×8을 예로 들면 다음과 같다. 17×10(170)을 계산한 다음 17×2(34)를 빼는 방식으로 수학 지식을 배우는 것이다. 두 번째 접근법은 그냥 수학 지식(17×8=136)을 외우는 것이다. 연구진은 이 두 가지 접근법(전략과 외우기) 각각이 관련된 두뇌 경로가 서로 완전히 다르며, 두 경로 모두 평생 쓸 수 있다는 것을 발견했다. 하지만 중요한 점은 전략을 통해 배운 학생이 외우기를 통해 배운 학생보다 '우수한 성과'를 달성했다는 것이다. 양쪽 모두 같은 속도로 시험 문제를 풀었지만, 수학 지식을 새로운 문제에 적용하는 데는 전략을 통해 배운 학생이 훨씬 뛰어났다. 뇌과학자들은 전략을 이용해 수학 지식을 배워 수 관계를 이해하고, 이를 통해 계산 자동화가 이루어져야 한다고 결론지었다(Delazer et al., 2005).

또 다른 연구에서는 우리가 뇌의 다양한 경로를 사용할 때 가장 강력한 학습이 이루어진다는 사실을 밝혀냈다(Park & Brannon, 2013). 좌뇌는 사실적이고 기술적인 정보를, 우뇌는 시각적이고 공간적인 정보를 처리한다. 연구진은 양쪽 두뇌가 소통할 때 수학 학습과 성능이 최적화된다는 것을 발견했다(Park & Brannon, 2013). 또한 뺄셈과 같은 연산 문제를 풀 때 뇌의 양쪽 측면 사이에 가장 강한 연결을 보이는 사람들이 가장 높은 수준의 성과를 낸다는 사실을 발견했다. 이 발견은 학교 교육과정의 많은 부분을 차지하는 형식적, 추상적인 내용의 수학 학습은 시각적, 직관적인 수학적 사고를 사용할 때 강화된다는 것을 시사한다.

여러 주요 뉴스의 관심을 끈 유큐브드의 논문 "두려움 없는 유창성 Fluency Without Fear"에 이러한 뇌과학적 증거 자료와 함께 두뇌 연결을 활성화하는 데 교사, 학부모가 사용할 수 있는 활동을 실었다. 논문에 실린 수학 게임 중에서 논문 발표 후 엄청난 인기를 얻고 전 세계로 알려진 게임을 소개한다.

이 게임은 두 사람이 함께한다. 각각 100개의 빈칸이 있는 모눈종이를 가진 다음, 첫 번째 사람이 주사위 두 개를 굴린다. 나온 두 수를 각각 가로, 세로로 하는 직사각형을 모눈종이에 그린 후, 관련된 수식을 적는다. 직사각형을 어디에 그려도 상관없지만, 100개의 빈칸을 최대로 채우는 것이 목표다. 두 사람 모두 더는 직사각형을 그려 넣을 수 없을 때, 게임이 끝난다(그림 4.2 참조).

이 게임을 하면서 학생들은 2×12의 연산 결과와 같은 수학 지식만이 아니라 훨씬 더 중요한 것을 배운다. 연산 결과가 의미하는 바와 함께 2×12가 시각적, 공간적으로 무엇을 나타내는지 생각하게 된다.

두뇌 연결을 촉진하는 또 다른 게임은 '수학 카드'이다. 수학 카드는 언뜻 보기에는 속도 훈련에 사용되는 '플래시 카드'와 비슷해 보인다. 플래시 카드는 수학적 마인드셋 계발을 방해하는 방식으로 사용되지만, '수학 카드'는 완전히 다른 방식으로 활용된다. 이 게임의 목적은 시간제한의 압박감 없이 여러 가지 방식으로 표현된 카드 중 같은 답을 나타내는 카드를 찾아 짝짓는 것이다. 교사(또는 학부모)가 테이블에 모든 카드를

a. 100칸 채우기

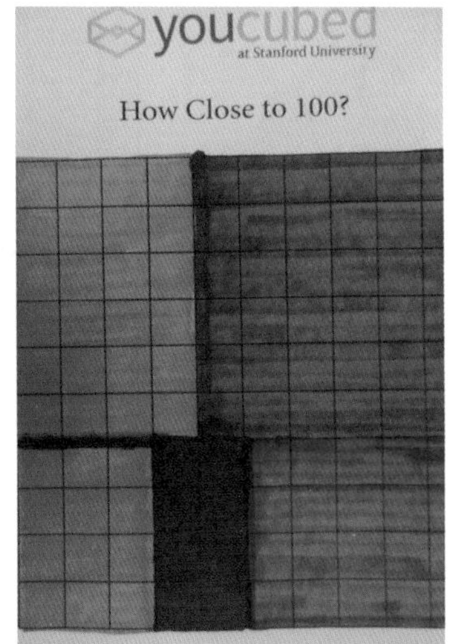

b. 100칸 채우기 – 직사각형으로 채우기

그림 4.2 100칸 채우기

내려놓고 학생들에게 순서대로 나와 카드 몇 장을 가져가라고 한다. 가져간 카드 중에서 같은 답을 나타내는 카드(어떤 식으로 표현되었든 상관없다)를 많이 찾는 사람이 이긴다. 예를 들어 9와 4의 곱은 넓이의 형태로 나타낼 수도 있고, 도미노 같은 물건들의 집합이나 수식으로도 나타낼 수 있다. 학생들은 같은 답을 나타내는 카드를 짝지을 때, 서로 다른 카드들이 어떻게 같은 답을 갖는지 설명해야 한다. 이 활동은 수학 지식을 반복적으로 학습하는 것뿐만 아니라 곱셈을 시각적, 공간적으로 이해하고 두뇌 연결을 촉진하는 데 초점을 맞추고 있다. 카드 앞면이 바닥을 향하게 놓은 다음, 같은 답을 나타내는 카드를 찾게 하는 조금 더 어려운 버전으로 게임할 수도 있다. 전체 카드는 다음 링크에서 구할 수 있다(www.youcubed.org/wp-content/uploads/2015/03/FluencyWithoutFear-2015.pdf)(그림 4.3 참조).

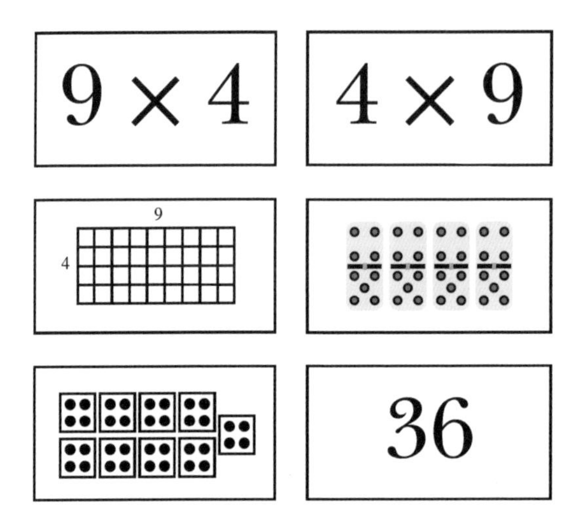

그림 4.3 수학 카드

출처: Youcubed.org/Youcubed/CC BY 4.0

이러한 활동들은 수 감각과 수학적 마인드셋을 키워주고 좌뇌와 우뇌를 가로지르는 새로운 두뇌 경로가 만들어지도록 돕는다. 이런 접근 방식은 암기 및 속도에 초점을 맞춘 전통적인 수업 방식과 정반대이다. 암기를 강조할수록 학생들은 수와 수 사이의 연관성에 대해 생각하거나 수 감각을 기르고 싶은 마음이 점점 줄어든다(Boaler, 2015a). 일부 학생은 다른 학생만큼 수학 공식을 잘 외우지 못하는데, 이는 축하할 일이다. 세상 모든 사람은 각기 다른 모습, 재능, 성격, 취향 등을 가지고 있다. 남들만큼 잘 외우지 못하는 것도 우리가 가진 다양성의 한 부분이다. 모든 학생이 수학 공식에 대한 시험을 치르는데, 마치 로봇처럼 모두 똑같은 속도와 방식으로 똑같은 답을 낸다면 얼마나 끔찍할지 생각해 보라. 뇌과학자들은 최근 연구에서 수학 공식을 암기하는 방식으로 배웠을 때 학생들의 뇌에서 어떤 일이 일어나는지를 조사했다. 연구진은 일부 학생이 다른 학생보다 훨씬 더 쉽게 수학 공식을 외운다는 것을 발견했다. 이것은 이 책을 읽고 있는 여러분에게는 그다지 놀라운 일이 아닐 것이다. 아마도 우리 중 상당수는 암기를 잘하는 학생을 성취도가 높고 '더 똑똑한' 학생으로 여길 것이다. 하지만 연구진은 암기를 잘하는 학생의 성취도가 더 높지 않음을 발견했다. 이 학생들은 연구진들이 '수학 능력'이라고 부르는 능력을 갖추고 있지 않았고, IQ도 높지 않았다(Supekar et al., 2013). 연구진이 찾아낸 유일한 차이는 기억을 담당하는 해마라고 불리는 뇌 영역이었다. 런던 블랙캡 연구(Woollett & Maguire, 2011)에서 봤듯이 해마는 다른 뇌 영역과 마찬가지로 고정되어 있지 않고 언제든 성장할 수 있다. 빨리 외우는 학생이 있는가 하면, 외우는 데 느린 학생도 있기 마련이다. 그렇다고 해도 암기하는 데 걸리는 시간은 수학적 잠재력과는 아무런 관련이 없다.

국어를 잘하고 소설이나 시를 읽고 이해하기 위해서는 많은 단어의 뜻을 외워야 한다. 하지만 국어를 배우는 것을 단어를 빨리 암기하고 기억해 내는 것으로 생각하는 사람은 없다. 말하기, 읽기, 쓰기 등 다양한 상황에서 단어를 사용하면서 배우기 때문이다. 국어 교사는 학생들에게 수백 개의 단어를 외우게 한 다음 시간제한을 두고 시험을 보지 않는다. 어느 과목이나 외워야 할 것이 있지만, 정해진 시간 안에 시험을 봐야 한다고 생각하는 유일한 과목이 바로 수학이다. 왜 수학만 이렇게 생각할까? 학생들이 흥미를 유발하는 활동에 참여할 때, 수학 지식을 훨씬 더 잘 배울 수 있음을 보여주는 증거가 있다. 이제 이 증거를 활용해 학생들을 수학에 대한 두려움에서 벗어나게 해야 한다.

수학 암기 트라우마에 대한 한 교사의 이야기

최근 캘리포니아에서 열린 교사 전문성 개발 워크숍에서 내가 어렸을 때는 구구단을 외우지 않았다는 이야기를 했다. 매일 수학에 관련된 일을 하지만 구구단을 외우지 않아도 전혀 걸림돌이 되지 않는다고도 했다. 교사들로 가득한 방에서 이런 이야기를 했는데, 네 명이 울음을 터뜨렸다. 강의 후 점심시간에 그중 한 사람이 흐느껴 울며 내 이야기가 자신의 전부를 바꿨다고 하면서 이야기를 시작했다. 그녀는 어렸을 때 구구단을 잘 외우지 못했는데, 그녀의 아버지는 그녀에게 모자란 구석이 있어서 그렇다며 야단쳤다고 한다. 그녀는 살아오는 동안 내내 자신에게 무언가 문제가 있다고 느꼈고, 지금도 워크숍에 같이 참가한 학교 교장에게 자신의 모자란 부분이 드러날까 봐 두려웠다고 했다. 시간제한이 있는 시험과 수학 공식을 억지로 외우게 하는 학교 수학으로 정서적 피해를 본 사람의 수가 두려울 정도로 많다.

문제 풀이 연습은 얼마나 중요한가?

학생 스스로 개념적·시각적으로 수학에 접근하는 방식으로 수학 교육이 이루어져야 한다는 증거 자료를 교사와 학부모에게 제시하자, 일부 학부모는 이런 질문을 던졌다. "하지만 학생들은 수학 연습을 많이 해야 하지 않나요?" 여기서 연습이란 혼자 여러 장의 수학 문제를 풀어야 한다는 의미이다. 학생에게 수학 연습이 필요한지, 얼마나 많은 연습이 필요한지는 흥미로운 질문이다. 우리는 학습이 일어날 때 뇌 경로가 발달하고 강화되거나 연결된다는 것을 알고 있다. 또한 뇌 경로가 강화되기 위해서는 아이디어를 다시 검토하고 깊이 학습해야 한다. 그런데 '검토하고 깊이 학습한다'는 것은 무엇을 의미하는 걸까? 수학적 아이디어를 다시 검토하는 것이 중요하지만, 몇 번이고 반복하는 '연습'은 도움이 되지 않는다. 수학에서 새로운 아이디어를 배울 때, 여러 가지 다른 방법으로 아이디어를 사용하는 것이 아이디어를 강화하는 데 가장 도움이 된다. 어떤 아이디어의 가장 간단한 버전을 뽑아내어 그것을 반복적으로 연습시키는 40개 문제를 풀라고 하는 것은 학생들에게 큰 해를 끼치는 것이다. 똑같은 아이디어를 계속 반복하게 하는 연습 문제집은 학생들이 수학을 멀리하게 만들고, 연습 문제에 주어진 상황과 다른 상황에서 그 아이디어를 쓸 생각을 하지 못하게 한다. 이런 연습 문제집은 쓸데없는 것이다.

베스트셀러 《아웃라이어*Outliers*》에서 저자 말콤 글래드웰Malcolm Gladwell은 어떤 분야든 숙련 상태에 이르려면 1만 시간이 걸린다는 주장을 펼쳤다(Gladwell, 2011). 글래드웰은 유명한 음악가, 체스 선수, 스포츠 스타의 업적을 예로 들면서 중요한 것을 보여주었다. 많은 사람이 베토벤처럼 타고난 천재가 있다고 생각하지만, 글래드웰은 우리가 천재로 알고 있는 이들은 열심히 노력해 위대한 업적을 달성하고자 했으며 자기 일을 뒷받침하는 성장 마인드셋을 가지고 있었다는 사실을 밝혀냈다. 하지만 불행하게도 글래드웰의 이런 생각을 수많은 사람이 잘못 해석하고 있다. 학생들이 머리를 쓰지 않고도 1만 시간만 연습하면 수학자가 될 수 있다는 식으로 말이다. 수학자에게는 1만 시간의 연습이 필요하다. 그러나 학생들은 단 하나의 방법만 계속 반복 연습할 필요가 전혀 없다. 그것은 수학이 아니다. 그렇게 해서는 수학자가 가지고 있는 아이디어, 개념, 연관성에 대한 지식을 습득할 수 없다. 수학을 1만 시간 연습한다는 의미는 수학을 전체적으로 연습한다는 것이다. 수학적 아이디어와 그것들 사이의 연결, 문제 해결, 추론과 풀이 방법들의 연결을 깊이 생각하는 과정을 연습하는 것이다.

미국 교과서의 경우 대부분 저자가 문제 풀이 방법을 따로 떼어 가장 간단한 형태로 줄여 연습하는 방식으로 수학에 접근한다. 이런 접근 방식에는 여러 가지 문제점이 있다. 첫째, 따로 떼어낸 풀이 방법을 연습하는 것은 학생들을 지루하게 만든다. 많은 학생이 생각하지 않고 문제 풀이 방법을 수동적으로 받아들이는 것을 당연하게 여긴 채(Boaler & Greeno, 2000), 그 풀이 방법을 계속 반복한다. 둘째, 연습 문제 대부분은 연습해야 하는 풀이 방법을 떼어 가장 단순한 형태로 만든 것이어서 학생들은 언제, 어떻게 그 풀이 방법을 사용해야 하는지 전혀 알 수 없다.

이런 문제는 교과서에서도 발생한다. 교과서 역시 수학적 개념을 가장 간단한 형태로 제시하기 때문이다. 예시 4.1은 교과서에 주어진 수학 문제로 공부한 학생들이 어떤 답을 내놓는지 보여준다.

연구에 참여한 학생의 절반 이상이 도형에 이름을 말하지 못했다는 점

일반적인 표현의 문제점

11세 학생들에게 다음 그림을 보여주고 질문했다. 직선 a와 c는 평행일까?

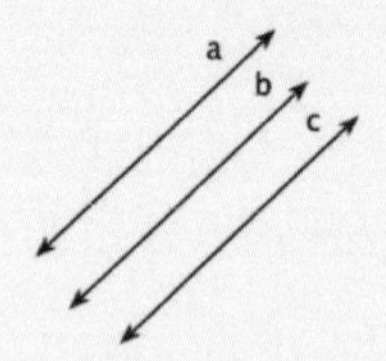

학생 대부분은 "직선 b가 가운데 있어서 아니에요."라고 대답했다. 이런 대답이 나온 까닭은 평행선의 개념이 대부분 다음과 같은 2개의 선으로 그려지기 때문이다.

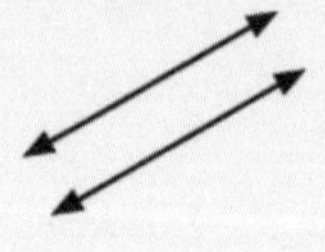

학생들에게 다음 도형의 이름을 물었다.

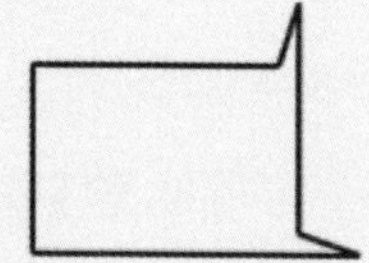

학생 대부분은 대답하지 못했다. 위의 도형은 육각형(변이 6개인 다각형)이지만, 육각형은 대부분 아래와 같이 그려진다.

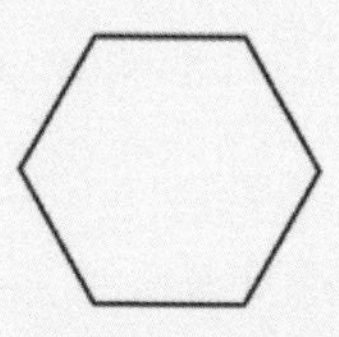

이 그림은 육각형의 개념을 제대로 보여주지 못한다. 8세 학생의 절반 이상이 다음이 직각, 삼각형, 정사각형, 평행선이라는 것을 알아보지 못했다.

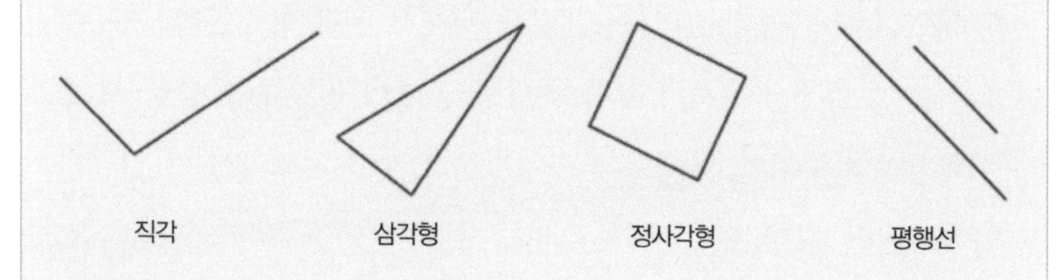

왜냐하면 학생들은 항상 개념을 나타내는 가장 간단한 그림만 보았기 때문이다. 아래 그림이 바로 학생들이 익숙하게 봐온 것이다.

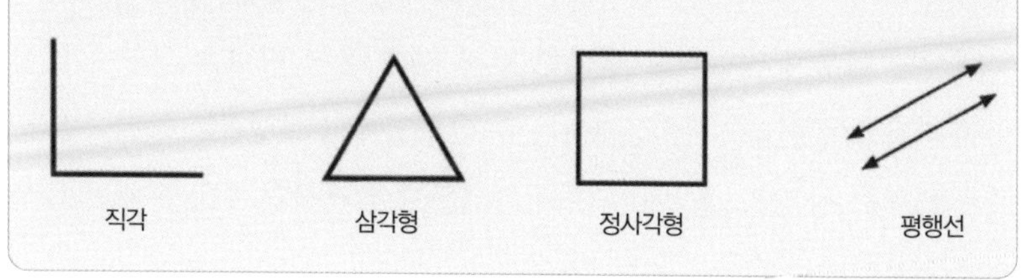

예시 4.1

은 중요한 사실을 지적한다. 교과서에서 개념을 가장 단순한 형태로만 소개하면, 학생들은 그 개념이 실제로 무엇인지 배울 기회를 얻지 못한다는 것이다. 교과서 저자들이 매번 '완벽한 예'만을 보여주어서 학생들은 예와 다른 것이 주어지면 이름조차 말할 수 없었다. 정의를 배울 때 다른 예를 보여주면 도움이 된다. 매번 완벽한 예를 보여주는 대신에 정의에 간신히 부합하는 예와 전혀 부합하지 않는 예를 보여주는 것이 좋다.

또한 수학 교사는 자신이 학생들에게 보여주는 정의의 너비와 폭에 대해 생각해야 한다. 때로는 예에서 완전히 벗어나는 예가 그 정의를 가장 잘 설명하기도 한다. 정의를 익힐 때 완벽한 예를 여러 개 보여주기보다, 정의에 잘 들어맞는 예와 그렇지 않은 예 두 가지를 함께 보여주면 큰 도움이 된다. 예를 들어 조류를 배울 때, 참새나 까마귀를 예로 드는 것보다 박쥐가 왜 조류에 속하지 않는지 생각해 보는 게 도움이 된다.

완벽한 예제만으로는 오히려 개념을 제대로 이해하지 못하는데, 이런 현상은 전후 맥락은 무시하고 풀이 방법만 떼어내 반복 연습할 때 생기는 문제점과 비슷하다. 학생에게 주어지는 상황은 처리 과정이 간단하고 복잡하지 않은 상황(때로 존재하지 않는 상황인 경우도 있다)이다. 이를 통해 풀이 방법을 배우지만 현실적인 수학 문제를 풀어야 하거나 실생활에서 수학이 필요할 때, 배운 풀이 방법을 사용하지 못한다(OECD, 2013). 교과서에 나오는 가짜 문제가 아닌 실생활에서 만나는 진짜 문제를 풀기 위해서는 배우지 않았거나 생각해 보지 않은 풀이 방법을 상황에 맞게 바꿔 적용해야 한다. 다음 장에서는 수학 수업에서 실생활과 동떨어진 문제를 다루는 상황을 개선하기 위해 다채롭고 효과적인 수학 문제의 특성을 살펴보겠다.

나는 영국에서 3년 동안 수학 연습에 관해 학생들을 추적 조사하는 연구(Boaler, 2002a)를 했는데, 이를 통해 수학 연습에 대한 접근 방식의 차이를 알아보고자 했다. 실생활과 분리된 예제를 보여준 뒤 반복해서 연습시키는 전통적 방식과 수학의 복잡함을 보여주고 개념적으로 생각하게 하며 풀이 방법을 학생 스스로가 선택해 적용하게 하는 개혁적 방식을 대비하는 연구였다. 이 두 가지 접근 방식은 저소득 지역의 각기 다른 학교에서 동일한 배경과 성취 수준을 가진 학생들에게 시행되었다. 풀이 방법을 반복해서 연습하고 시간제한 시험에서 높은 점수를 얻은 학생이 연습 시간은 적고 개념적으로 생각하는 수업을 받은 학생보다 전국 수학 시험에서 상당히 낮은 점수를 받았다. 전통적 방식의 수업을 받은 학생이 과정 중심의 문제를 풀어야 하는 전국 수학 시험에서 마주친 가장 큰 문제는 시험 문제의 답을 내기 위해 어떤 풀이 방법을 선택해야 할지 모른다는 점이었다. 이들은 풀이 방법을 반복 연습했지만, 상황을 고려하고 어떤 적절한 풀이 방법을 선택할 것인지 생각해 본 적이 없었다. 다음은 학생 두 명이 시험을 치르면서 겪었던 어려움에 관해 한 이야기이다.

> "시험 문제는 정말 바보 같았어요. 수업 듣고 숙제할 때는 어려운 문제여도 기껏해야 한두 개 틀렸어요. 대부분 맞았기 때문에 '음, 시험 보면 거의 다 맞을 수 있어'라고 생각했어요. 그런데 실제 시험에서는 그렇지 않았어요."(앨런, 앰버힐)
>
> "시험 문제가 달랐어요. 비슷하기는 했지만, 완전히 똑같지는 않았어요. 이야기도, 질문도 달랐어요. 교과서와 선생님이 풀어준 방식과 같지 않았어요."(게리, 앰버힐)

미국 및 영국에서 수학 교육이 실패한 원인 중 하나는 수학의 지나친 단순화와 맥락에서 분리된 풀이 과정에 있다. 이것은 학생들의 수학적 마인드셋을 계발하지 못하는 이유이기도 하다. 학생들은 수학을 사고하고 논리적으로 따지는 과목이라 여기지 않고, 풀이 방법을 반복해 연습하는 암기 과목으로 여긴다. 학생들은 수학 수업이 사고력을 키우는 시간이라고 생각하지 않는다.

미국에서 실시한 두 번째 연구에서 우리는 문제 풀이 연습 위주의 수업을 하는 학교 학생들에게 수학 수업에서 학생의 역할이 무엇인지 물었다(Boaler & Staples, 2008). 놀랍게도 97%의 학생이 "주의를 기울이는 것"이라고 똑같이 대답했다. 하지만 이런 식의 수동적 관찰 행위는 생각하는 것이 아니며, 추론하고 이치에 맞는지 따져보는 것도 아니다. 따라서 개념적 이해나 수학적 마인드셋의 계발로 이어지지 않는다.

수학 연습이 학생들에게 숙제로 주어지는 경우가 많다. 어떤 형태든 간에 숙제는 불필요하며 학생들에게 해롭다는 증거가 다수 제시되고 있다. 6장에서 그 증거를 공유하겠다. 나 역시 한 사람의 학부모로서 숙제가 집안을 눈물바다로 만드는 가장 흔한 원인임을 알고 있으며, 숙제 중에 가장 스트레스를 많이 받는 과목은 수학이라는 것을 몸소 체험했다. 특히 실생활과 완전히 동떨어진 문제로 가득한 수학 숙제는 최악이다.

여러 장의 수학 연습 문제가 그날 저녁 집안 분위기에 부정적 영향을 미친다는 것은 의심의 여지가 없다. 하지만 희망이 보인다. 학교에서 숙제를 내주지 않아도 학생들의 성취 수준은 떨어지지 않고, 가정생활의 뚜렷한 질적 향상이 이루어졌다는 논문(Kohn, 2008)이 보고되었다.

대규모 연구 결과, 숙제는 학생의 성취도에 매우 적은 영향을 주거나 아무런 영향을 주지 않으며(Challenge Success, 2012), 숙제로 상당한 불평등이 일어난다는 사실을 알게 되었다(PISA, 2015; 불평등 문제에 관해서는

6장에서 다루겠다). 하지만 여전히 숙제가 많은 학부모와 자녀의 삶에 상당히 부정적인 영향을 미치고 있다. 연구 결과에 따르면 연습 문제로 빼곡히 들어찬 인쇄물이 아니라 의미 있는 학습을 제공하는 숙제여야 효과가 있다. 딸이 다녔던 학교는 숙제에 관한 이런 연구 결과를 알고 있어서 대개 켄켄KENKEN 퍼즐(연산력과 논리력을 키우기 위한 간단한 스도쿠 퍼즐의 일종_역자 주)처럼 가치 있는 수학 숙제를 내주었다. 하지만 가끔은 뺄셈이나 곱셈 연습으로 40문제 정도를 숙제로 내주기도 했다. 이런 숙제를 받은 딸은 기죽은 모습을 보였는데, 바로 그때 반복해서 풀어야 하는 계산 문제는 진짜 수학이 아니라고 설명해 주었다. 딸이 40개 문제 중 네다섯 문제를 풀 수 있으면 그만하라고 하고 선생님에게 보내는 편지를 써 주었다. 아이가 풀이 방법을 이해하고 있으니 35개 문제를 더 풀게 하지 않겠다고 말이다. 단순한 문제를 지나치게 많이 풀게 해서 아이가 수학의 본질을 오해하게 하고 싶지 않다는 이유를 함께 적어 보냈다.

일부 학교의 경우 숙제가 꼭 필요할 수도 있다. 여러 장의 수학 연습 문제보다 훨씬 생산적인 숙제는 어떤 것일까? 비스타 연합 학군에서 함께 일했던 혁신적인 교사 예카테리나 밀비스카이아와 티아나 테벨만은 학생들이 그날 수업에서 경험한 수학을 더 깊은 수준에서 처리하고 이해할 수 있도록 돕는 '수업 돌아보기 숙제'를 만들었다. 이 숙제는 일반적으로 매일 배운 내용을 복습하는 문제 1개와 풀이 과정이 있는 수학 문제 1~5개 정도(문제의 복잡성에 따라 조절 가능)이다. 예시 4.2는 이들이 만든 '수업 돌아보기 숙제' 질문이며, 학생들은 매일 숙제로 이 중 한 가지를 고른다.

예카테리나와 티아나는 이 '수업 돌아보기' 질문을 2년 동안 사용했는데, 학생들이 수업에서 배운 내용을 기억하고 자기 아이디어를 종합하며

수학 숙제 : 수업 돌아보기

파트 1 : 주관식 서술 문항

선택한 질문에 자세히 답하세요. 완전한 문장으로 작성해 다음 수업에서 발표할 수 있도록 준비하세요.

1. 오늘 수업 시간에 배우거나 토론했던 중요한 수학적 개념, 아이디어는 무엇인가요?

2. 오늘 수업에서 해결되지 않아 질문하고 싶은 것은 무엇인가요? 질문이 없다면 대신 비슷한 문제를 적고 풀이 과정을 적으세요.

3. 오늘 수업 중 내(또는 친구)가 했던 실수나 잘못 이해했던 개념을 적어주세요. 이것으로부터 무엇을 배웠나요?

4. 오늘의 문제(또는 문제들)에 나(또는 우리 모둠)는 어떻게 접근했나요? 그 접근법은 성공적이었나요? 그 접근법에서 무엇을 배웠나요?

5. 나와 다른 방식으로 문제를 푼 친구는 어떻게 접근했는지 자세히 적어주세요. 그 접근법은 내 것과 어떻게 비슷하고 달랐나요?

6. 오늘 소개된 새로운 단어 또는 용어는 무엇인가요? 새로 알게 된 단어의 뜻은 무엇인지 예를 들거나 그림을 그려 설명해 주세요.

7. 오늘 수업에서 가장 중요한 수학적 토론은 무엇인가요? 그 토론에서 무엇을 배웠나요?

8. ________________와/과 ________________은/는 어떻게 비슷한가요?(또는 다른가요?)

9. ________________을/를 바꾼다면 어떻게 될까요?

10. 이 단원에서 나의 강점과 약점은 무엇인가요? 약점을 개선하기 위한 계획은 무엇인가요?

출처: 예카테리나 밀비스카이아, 티아나 테벨만의 CCA 3.0 라이선스

예시 4.2

수업 시간에 더 많은 질문을 하는 등 매우 긍정적인 영향을 미쳤다.

매년 그들은 자료를 모으고 새로운 접근 방식의 숙제와 수학 연습에 대한 피드백을 얻기 위해 학기 중간에 학생들을 대상으로 설문 조사를 실시했다. "이번 학기에 선생님이 내준 숙제에 대해 의견을 주세요."라고 하자 학생들로부터 다음과 같은 대답이 돌아왔다.

> "숙제가 큰 도움이 되었다고 생각해요. 배운 것을 복습하는 데 더 많은 시간을 쓰니까, 더 많은 수학 문제를 풀어도 시간이 오히려 적게 들어요. 훨씬 더 많은 것을 배우고 있어요."
>
> "그날 배운 내용을 복습하는 데 숙제가 도움이 돼요. 잘 기억나지 않으면 공책을 다시 펴봐요."
>
> "이번 학기 숙제는 참 좋았어요. 복습하니까 숙제를 어떻게 해야 할지 알 수 있었어요. 그날 수업에서 뭘 했는지 기억하는 데 정말 도움이 되었어요."
>
> "복습 질문이 정말 큰 도움이 되었어요. 내가 뭘 공부해야 하는지, 뭘 잘하는

지 알 수 있었어요."

학생들은 '수업 돌아보기'의 질문이 수학 공부에 어떻게 도움이 되었는지 이야기했다. 이 질문들은 학생들에게 스트레스를 덜 주면서도 핵심 아이디어에 대해 개념적으로 생각하도록 이끌었다. 실수나 잘못 이해한 개념에 대해 생각해 보라고 한 질문은 학생들이 자기의 생각을 되짚어 보도록 하는 데 특히 도움이 되었으며, 종종 학생들이 처음으로 수학을 이해하게 되는 기회가 되었다. 또한 이런 질문은 교사에게도 교과 지도법에 관해 지침을 줄 수 있는 매우 중요한 정보를 준다. 수업을 마치기 전에 '수업 돌아보기'와 유사한 질문을 학생들에게 작성하게 해서 '퇴장 티켓'으로 사용할 수도 있다. 8장에서 복습 문제에 관해 좀더 많은 아이디어를 나누기로 하겠다.

1장에서 언급했듯이 OECD의 PISA 팀은 학생들에게 수학 시험을 시행하는 데 그치지 않고 학생들의 마인드셋과 수학적 전략에 관한 자료도 수집한다. 1,300만 학생들이 사용하는 수학적 전략을 살펴본 결과에 따르면, 세계에서 가장 낮은 점수를 받은 학생들은 풀이 방법을 암기하는 전략을 사용한다. 이런 학생들은 풀이 방법을 암기하는 것으로 수학 시험을 준비한다. 세계에서 가장 높은 점수를 받는 학생들은 핵심 아이디어들을 관찰하고 그 사이의 연결에 대해 생각하는 방식으로 수학에 접근한다. 그림 4.4는 서로 다른 전략을 사용하는 학생들의 성취도 차이를 나타낸다.

학생들이 수학적 마인드셋을 계발하도록 돕는 것이 우리가 학생들을 위해 할 수 있는 가장 좋은 일이다. 이를 통해 수학은 풀이 방법을 암기하는 것이 아니라 이해하고, 상황을 파악하고, 핵심 아이디어 및 그것들 사

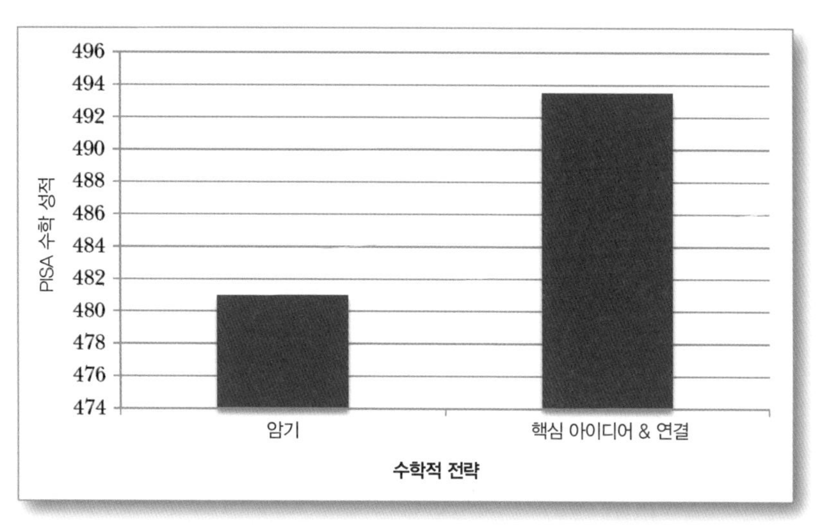

그림 4.4 수학적 전략과 성취도

출처: PISA, 2012

이의 연결에 관해 생각하는 것이라고 믿게 된다.

학생들이 수학의 연결되고 개념적인 본질을 이해하면서 이러한 방식으로 생각하고 배울 수 있도록 준비시키는 아주 좋은 방법으로 '수 이야기number talks'라는 교수법이 있다. 이것은 또한 수 감각과 수학적 사실을 동시에 가르치는 데 있어 내가 알고 있는 것 중 최고의 전략이기도 하다. 루스 파커Ruth Parker와 캐시 리처드슨Kathy Richardson이 고안한 이 방법은 교사와 학부모 모두 사용할 수 있는 이상적이며 간단한 교수법이다. 학생에게 간단한 계산 문제를 암산으로 풀어달라고 한 뒤, 문제를 어떻게 풀었는지 설명해 달라고 한다. 그다음 교사는 학생들이 내놓은 여러 가지 문제 풀이 방법을 모아서 그 원리를 살펴본다. 예를 들어, 교사가 15×12라는 문제를 내면 학생들은 다음과 같이 다섯 가지 방법으로 문제를 해결한다.

$15\times10=150$	$30\times12=360$	$12\times15=$	$12\times5=60$	$12\times12=144$
$15\times2=30$	$360\div2=180$	6×30	$12\times10=120$	$12\times3=36$
$150+30=180$		$6\times30=180$	$120+60=180$	$144+36=180$

학생들은 자기만의 색다른 전략을 내놓고 싶어 하며, 자주 쓰이는 다양한 방법에 완전히 몰입하고 매료된다. '수 이야기'를 통해 학생들은 암산을 배우고, 수학적 사실을 외울 기회를 가지며, 방정식과 대수 및 상위 단계의 수학을 배우는 데 중요한 수와 산술의 성질에 대한 개념적 이해력도 발전시킬 수 있다. 캐시 험프리스Cathy Humphreys와 루스 파커가 함께 집필한 책(Humphreys & Parker, 2015; Parker & Humphreys, 2018)과 셰리 패리시Sherry Parrish가 쓴 책(Parrish, 2014)은 각각 중·고등학교와 초등학교 수업에서 사용할 수 있는 다양한 '수 이야기'에 관한 풍부한 예를 제시하고 있다. 또한 교사와 학부모를 대상으로 한 온라인 강좌에서 '수 이야기'를 이용한 부분을 추려내 유큐브드의 영상 서비스에서 볼 수 있게 해놓았다(www.youcubed.org/category/teaching-ideas/number-sense/).

학생들의 수 감각을 계발하고 수학의 유연함과 개념적인 본질을 이해하는 최고의 방법이 바로 '수 이야기'이다.

나이 많은 학생은 어떤가?

이 장에서 어린아이들이 개념적으로 수를 탐구하면서 수학이 의미 있고, 적극적으로 다가갈 수 있는 과목임을 이해하는 데 필요한 중요한 경로에 관해 이야기했다. 학생들이 처음부터 이런 경로로 나아가는 것이 이

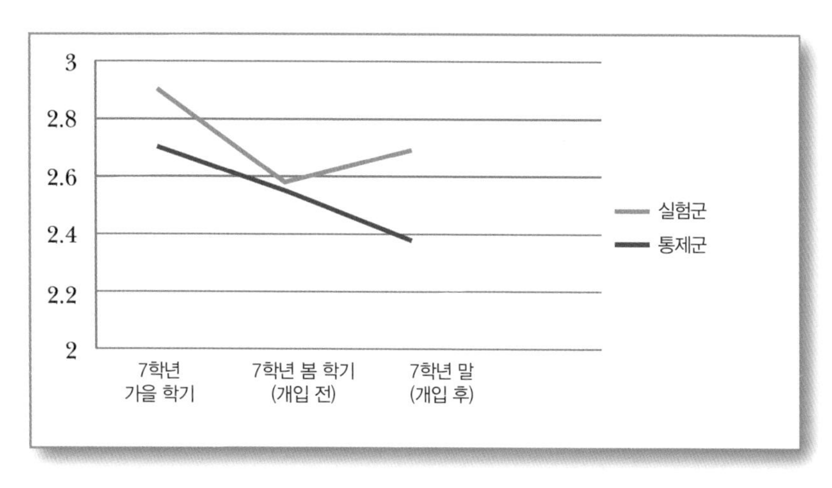

그림 4.5 마인드셋 개입

출처: Blackwell et al., 2007

상적이다. 하지만 누구나 자신의 경로와 수학과의 관계를 언제든 바꿀 수 있다. 다음 장에서는 수학을 처리 과정에 관한 과목으로 여겨서 싫어하고 두려워했던 중학생과 성인에 관한 이야기를 할 것이다. 이들이 이전과 다르게 수학의 본질인 연결성과 패턴을 탐구하는 방식으로 수학을 경험하고 자기 잠재력에 대한 성장 마인드셋을 가진다면 완전히 변할 수 있다. 그 시점부터 이들은 다른 방식으로 수학에 접근했고 학습 경로도 바뀌었다. 스탠퍼드에서 내가 가르치는 학부생을 포함해 모든 연령대의 학생에게서 이런 변화가 일어나는 것을 보았다. 그림 4.5는 7학년 봄 학기에 마인드셋 개입이 일어났을 때의 영향을 보여준다(Blackwell, Trzesniewski & Dweck, 2007). 연구를 통해 알 수 있는 것은 학생들의 상대적 성취도가 중학교에 갓 진학했을 때는 하락하지만 마인드셋 개입이 일어난 학생의 경우에는 하락세가 반전된다는 것이다.

마인드셋 메시지는 학생들에게 매우 중요하다. 여기에 다양한 수학 기회가 더해진다면 어떤 연령에서나 놀라운 일이 일어난다.

수학 앱과 게임

학생들이 수학에 대한 사고, 개념적 접근 방식을 계발할 수 있는 또 다른 방법은 수학을 개념적으로 접근하는 수학 앱과 게임을 해 보는 것이다. 불행하게도 대부분의 수학 앱과 게임은 도움이 되지 않으며, 반복적이고 암기를 조장한다. 유큐브드 웹사이트에서는 긍정적인 수학적 관계와 이해를 형성하는 데 가장 도움이 된다고 생각되는 앱과 게임을 공유하고 있다. 이러한 앱과 게임은 학습 중인 수학적 개념에 대한 통찰을 제공하고 학생들이 실제로 수학적 아이디어를 볼 수 있도록 도와주므로 생산적이다.

결론

뇌에 관한 새로운 연구에 따르면 성적이 좋은 학생과 그렇지 않은 학생의 차이는 배우는 내용보다는 마인드셋에 의해 더 많이 좌우된다. 성장 마인드셋이 중요하지만, 이것이 학생들에게 높은 수준의 수학 학습을 하도록 하기 위해서는 수학적 마인드셋도 필요하다. 학생들이 자신의 성장에 대한 믿음과 함께 수학의 본질을 이해하고 적용할 수 있다는 믿음을 가져야 한다. 수학에 대한 나쁜 생각, 즉 수학은 속도와 기억력에 관한 것이고, 수학을 잘하거나 못하거나 둘 중 하나라는 믿음에서 학생들이 벗어나려면 개념적이고 탐구적인 수학 교육법과 마인드셋 격려가 필요하다. 이런 변화는 수학 성취와 즐거움의 핵심이며, 어떤 연령대에서든 이런 변화를 경험할 수 있다. 이 장에서는 어린 나이, 특히 수를 배우기 시작하는 시기에 수학적 마인드셋이 무엇을 의미하는지에 중점을 두었지만, 이러한 아이디어는 수학의 모든 수준으로 확장된다. 심지어 수학적 사실도 논리적으로 따지고 이해함으로써 개념적으로 배울 수 있다. 흥미로운 상황에서 그 상황을 스스로 파악하고 이해할 수 있는 환경을 만들어주면, 학생들은 수학을 다르게 생각할 수 있다. 꽉 막히고 고정된 지식 집합이 아니라 자신들이 탐험하고 질문을 던지고 관계성에 대해 생각할 수 있는 탁 트인 풍경으로 볼 것이다. 다음 장에서는 풍부하고 매력적인 수학 과제를 통해 이러한 환경을 만드는 방법 몇 가지를 소개하겠다.

Chapter 5

성장 마인드셋을 만드는 수학 과제

학생에게 있어 교사는 가장 중요한 자원이다. 교사는 다음과 같은 일을 할 수 있다. 흥미진진한 수학 학습 환경을 조성하고, 학생에게 긍정적인 메시지를 전달하며, 어떤 수학 과제든 학생들의 호기심과 흥미를 자극할 수 있는 과제로 만들 수 있다. 연구에 따르면 교사는 다른 모든 변수보다 학생의 학습에 더 큰 영향을 미친다(Darling-Hammond, 2000). 그러나 수학 학습에는 또 다른 중요한 부분이 있다. 바로 교사와 떼려야 뗄 수 없는 교과과정이다. 교사는 교과과정에 따라 수업을 진행하고 학생은 이에 맞는 과제와 질문을 통해 수학을 배운다. 모든 교사는 훌륭한 수학 과제가 놀라운 자원이라는 것을 알고 있다. 어떤 수학 과제를 주는지에 따라 학생에게는 큰 차이가 생긴다. 기쁘고 영감을 받은 학생이 되거나 동기부여를 받지 못하고 의욕이 없는 학생이 되기도 한다. 교사는 과제와 질문을 사용해 학생의 수학적 마인드셋을 발전시키고 깊고 연결된 이해를 만드는 여건을 조성한다. 이 장에서는 진정한 수학 참여의 본질을 탐구하고, 수학 과제의 설계를 통해 어떻게 수학 참여가 이루어지는지 살펴보려 한다.

나는 영국과 미국에서 중·고등학교 수학 교사였으며 대학에서 학부생에게 수학을 가르쳤다. 또한 두 나라에서 유치원부터 학부에 이르기까지 다양한 수학 수업을 관찰하면서 학습이 이루어지는 조건에 관해 연구해 왔다. 이렇게 폭넓은 경험을 할 수 있었던 것은 여러 가지 이유로 행운이었다. 그중 하나는 진정한 수학 참여의 본질과 깊은 학습에 대한 많은 통찰력을 얻은 것이다. 나는 다양한 연령대의 학생들이 수학적 즐거움을 누리는 모습을 관찰했는데, 수학적 즐거움은 수학적 아이디어와 관련성에 대한 귀중한 통찰력으로 발전되었다. 흥미롭게도, 수학적 즐거움은 수준 높은 대학생이 느끼는 것이나 열한 살짜리가 느끼는 것이나 똑같다. 수학적 즐거움은 호기심curiosity, 관련성 형성connection making, 도전challenge, 창의성creativity 그리고 협업collaboration의 결합체이다. 이것이 바로 수학적 참여에서 5C라고 주장하는 것이다. 이 장에서는 수학적 참여와 즐거움의 본질에 대해 내가 배워온 것을 공유하고자 한다. 그다음 5C를 만들어내는 과제의 질에 대해 깊이 생각하면서 모든 교사가 자기만의 수학 수업을 만드는 방법에 관해 이야기하겠다.

수학 참여의 본질을 임상적이고 추상적인 방식으로 해부하기보다는 진정한 수학 흥미를 유발하는 여섯 가지 사례를 소개하고자 한다. 수학 참여가 최고조에 이르렀을 때 수학적 즐거움을 경험하게 된다는 것이 내 생각이다. 다음은 모두 내가 여러 모임에서 직접 목격한 사례들로, 그러한 학습 기회를 가져다주는 교육과 과제의 본질에 대한 중요한 통찰을 얻게 해주었다. 첫 번째 사례는 학교가 아닌 실리콘밸리의 한 스타트업이라는 특이한 환경에서 나왔는데, 모든 수학 교사들을 위해 병에 담아 주고 싶을 정도로 수학적 즐거움에 관한 강력한 사례이다.

사례 1. 수의 개방성 발견하기

온라인 강좌를 만드는 유다시티의 창업자 서배스천 스런과 그의 팀을 처음 만난 것은 신년 휴가를 위해 런던으로 떠나기 전인 2012년 12월 말이었다. 수학 강좌와 효과적인 학습 기회를 설계하는 방법에 관한 조언을 해달라는 요청을 받고 유다시티를 방문했다. 그날 팔로알토의 생기 넘치는 공간에 들어서자마자 실리콘밸리의 스타트업에 들어왔다는 것을 피부로 느낄 수 있었다. 벽에는 자전거가 걸려있었고, 티셔츠와 청바지를 입은 젊은이들이 컴퓨터를 들여다보거나 아이디어에 관해 이야기를 나누고 있었다. 내부에는 벽 없이 칸막이로 나뉜 개인 사무 공간과 조명만 있었다. 유리 벽 너머 회의실로 들어가니 약 15명쯤 되는 사람들이 좁은 방에 모여 있었다. 몇 명은 의자에 앉고 몇몇은 바닥에 앉아 있었다. 서배스천은 앞으로 나와 악수를 청한 뒤, 몇 마디 인사말을 하고 내게 자리를 권했다. 그다음 그는 속사포같이 질문을 퍼부었다. "좋은 수학 수업을 만드는 요소는 무엇인가요?", "수학을 어떻게 가르쳐야 할까요?", "왜 학생들이 수학에서 낙제하는 걸까요?" 그는 친구인 빌 게이츠가 미국에 수포자가 많이 생기는 이유는 대수 때문이라고 말했다고 했다. 그 말에 나는 짓궂게 대답했다. "아, 빌 게이츠라는 수학 교육 전문가가 그렇게 말했군요?" 그 자리에 있던 사람들은 모두 웃었고 서배스천은 잠시 당황한 표정을 지었다. 그러더니 "그럼, 당신은 그 이유가 뭐라고 생각하죠?"라고 물었다. 나는 학생들이 대수를 포기하는 이유는 어려워서가 아니라 대수의 기본 토대가 되는 수 감각을 익히지 않았기 때문이라고 대답했다. 전직 수학 교사였던 강좌 기획자 크리스가 동의한다는 듯 고개를 끄

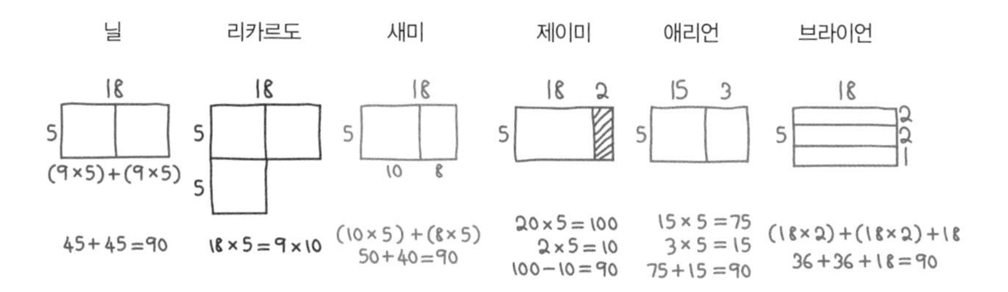

그림 5.1 그림으로 나타낸 18×5의 풀이 방법

덕였다.

서배스천은 계속 내게 질문을 쏟아냈다. 좋은 수학 문제를 만드는 요소가 무엇이냐고 물었을 때, 나는 회의실에 있는 모두에게 수학 문제 하나를 내도 되겠냐고 물었다. 모두 흔쾌히 동의했고, 나는 짧은 '수 이야기'를 시작했다. 모두에게 18×5의 답을 생각해 보고 그 방법을 보여달라고 했다. 한 사람이 조용히 손을 들고 답을 말했고, 여기저기서 손을 들어 답을 구한 방법을 이야기했다. 그날 내가 그림을 그려 메모했던 풀이 과정이 적어도 여섯 가지였다(그림 5.1 참조).

그다음 우리는 서로 다른 방법의 유사점과 차이점에 관해 이야기했다. 내가 회의실 칠판에 각각의 방법을 그림으로 나타내자 사람들의 눈이 점점 더 커졌다. 몇몇은 신이 나서 자리에서 벌떡 일어나기 시작했다. 추상적인 계산 문제를 이렇게 다양한 방법으로 생각할 수 있을 거라고는 상상하지 못했다고 하는 이도 있었고, 시각적 이미지로 수학의 많은 부분을 명확하게 보여줄 수 있다는 사실에 놀랐다는 이도 있었다.

며칠 후 런던에 도착했을 때, 유다시티의 젊고 혁신적인 강좌 기획자 앤디로부터 이메일을 받았다. 그는 길거리로 나가 행인들에게 18×5의 답을 묻고 그 답을 구하는 여러 가지 다른 방법을 모아서 미니 온라인 강좌를 만들었다고 했다. 그의 팀은 이 아이디어에 너무나 열광적이어서 바로 온라인 강좌를 공개하고 싶어 했고, 유다시티 직원 모두에게 18×5 그림이 들어간 티셔츠를 입히자는 이야기까지 나왔다고 전했다.

유다시티에서 회의한 다음 달에 세계에서 가장 중요한 수학 관련 회사 울프럼 알파의 임원 뤽 바르틀레Luc Barthelet을 만났다. 뤽은 내가 책(Boaler, 2015a)에서 언급한 18×5의 서로 다른 풀이 과정을 읽고 너무나 흥미로워 만나는 모든 사람에게 18×5를 어떻게 푸는지 물어봤다고 했다. 이렇게 추상적인 수 계산 문제에 대한 강렬한 수학적 즐거움의 순간을 공유하는 것은 중요하다. 18×5와 같은 문제를 사람들이 어떤 방법으로 푸는지 알아보는 일은 아이들에게는 분명 재미있을 것이다. 그런데 유다시티 직원들처럼 높은 수준의 수학을 다루는 사람들이 어떻게 아이들처럼 이 문제에 열광적인 반응을 보일 수 있을까? 수학에서 창의성과 수학적 아이디어를 바라보는 다양한 방식을 보았기 때문이란 것이 내 의견이다. 수학의 본질은 흥미로운 것이지만, 높은 수준에서 수학을 사용하는 전문가라고 할지라도 수가 이렇게 다양하게 표현될 수 있고 수 계산 문제를 다양한 방식으로 해결할 수 있다는 사실을 인식하지 못한 경우가 많다. 이런 사실을 깨닫는 순간, 직접 그림이라는 시각적 직관을 이용해 수 계산 방법을 하고 싶어진다.

중학생과 스탠퍼드 학부생, 기업 대표들에게 18×5, 그리고 이와 비슷한 문제를 내봤는데 모두 재미있어했다. 이 사실을 통해 사람들이 수학의 유연성과 개방성에 매료된다는 것을 알게 되었다. 수학은 정확한 사고를 가능하게 하는 과목이지만, 그 정확한 사고가 창의성, 유연성, 다양한 아이디어와 결합할 때 사람들은 수학이 살아있다고 느낀다. 교사는 이러한 수학적 즐거움을 교실에서 만들어낼 수 있다. 어떤 과제든지 학생들에게 과제를 해결하는 다양한 방법을 찾게 하고 어떻게 과제를 해결할 수 있는지 물으면서 문제를 보는 다양한 방법에 관해 토론하게 함으로써 수학적 즐거움을 끌어낼 수 있다. 교사는 수업 규칙에 주의를 기울여야 하고, 학생에게 서로의 의견을 경청하고 생각을 존중하도록 가르쳐야 한다. 7장에서는 이를 위한 교수 전략을 소개하겠다. 경청과 존중을 익히고 문제 푸는 여러 가지 방법을 공유할 때, 학생들의 수업 참여도는 놀랄 만큼 향상될 것이다.

사례 2. 자라나는 도형 : 시각화의 힘

앞과 매우 대조적인 사례 하나를 소개한다. 샌프란시스코 해안 지역에 위치한 중학교의 여름방학 방과 후 교실의 사례이다. 학기 중 성적이 좋지 못했던 학생을 대상으로 스탠퍼드 대학원생 제자들과 네 개 학급의 수학 수업 중 하나를 맡았다. 우리는 아무 생각 없이 미지수 x를 찾고 있는 학생들을 대상으로 대수에 초점을 맞추어 수업하기로 했다. 대수라는 수학 과목을 최종 목표가 아니라 다양하고 매력적인 문제를 푸는 데 사용하는 도구로 가르치고자 했다. 학생들은 이제 겨우 6, 7학년을 마친 상태였고, 대부분 수학을 싫어했다. 대략 절반 정도가 이전 학년에서 D 또는 F를 받았다(Boaler, 2015a; Boaler & Sengupta-Irving, 2015; Sengupta-Irving, 2016).

여름방학 방과 후 교실을 위한 교과과정을 개발하면서 활용한 자료는 마크 드리스콜Mark Driscoll의 책, 루스 파커의 수학 문제, 영국의 개별 학습 경험을 위한 중등 수학 과정 SMILESecondary Mathematics Individualized

Learning Experience과 수학 탐구 활동 자료집Points of Departure이었다. 이 자료를 포함한 다양한 자료를 이용해 교과과정을 개발했다. 학생들에게 수학에 대한 흥미를 불러일으킨 과제는 루스 파커의 수학 문제로 만든 것이었다. 이 과제는 여러 개의 정사각형을 붙여서 만든 도형에 예시 5.1의 도형이 커지는 규칙을 적용해서 100번째에 몇 개의 정사각형이 있는 알아보는 것이다(모든 예시를 포함한 전체 과제는 부록을 참조).

학생들에게 여러 개의 정사각형을 주어 직접 조작해 보도록 했다. 학생들은 모둠별로 아이디어를 토론하고 함께 과제를 수행했다. 가끔은 교사가 모둠원을 지정해 주기도 하고, 학생 스스로 모둠을 정하기도 했다. 문제의 그날, 마침 우리 반에서 가장 말썽꾸러기 세 명 조지, 카를로스, 루크가 같은 모둠에 들어가 있었다. 이 셋은 여름방학 방과 후 수업을 듣기 전까지 서로 모르는 사이였다. 하지만 셋 모두 방과 후 수업 첫 주 대부분 시간을 딴짓하며 보내거나 다른 친구들이 딴짓하도록 만들었다. 방과 후 수업 초기에는 다른 친구들이 칠판을 보고 있을 때 소리를 지르기도 하고, 수학적 토론보다는 일상적인 수다 떨기를 더 좋아하는 듯했다. 조지는 지난 수학 수업에서 F를 받았고 카를로스는 D, 루크는 A를 받았다. 그런데 이 과제를 준 날은 뭔가 달라졌다. 놀랍게도 세 남학생은 과제를 수행하는 70분 동안 단 한 번도 쉬지 않고, 산만해지거나 딴짓하지도 않았다. 어느 순간 몇몇 여학생이 와서 연필로 찌르자 이 아이들은 과제를 들고 다른 책상으로 자리를 옮겼다. 세 학생은 이 문제에 맹렬히 몰두했다.

모든 수업을 녹화했기에 그날 세 남학생의 영상을 다시 찾아볼 수 있었다. 세 아이는 수 패턴과 도형이 커지는 모습을 시각적으로 표현하는 것과 대수적으로 일반화하는 것에 관해 아주 많은 이야기를 나눴다. 소

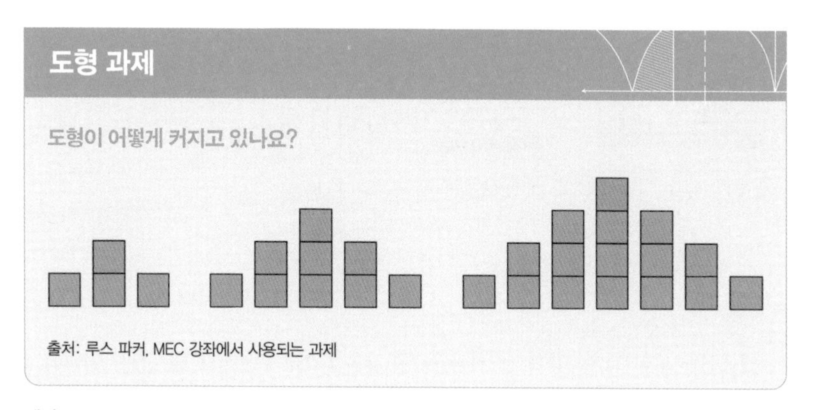

예시 5.1

년들이 열성적으로 참여하게 된 데는 방과 후 수업 내내 우리가 같은 방식으로 과제를 내주어서 익숙해진 것도 한몫한 것으로 보인다. 수학 수업에서 우리가 학생들에게 준 것과 같은 함수 문제를 푸는 과제는 일반적으로 100번째 경우(또는 다른 더 큰 수)를 찾으라고 하면서, 최종적으로 n번째 경우를 구하라고 한다. 그러나 우리는 그렇게 하지 않았다. 대신 학생들에게 처음에는 도형이 커지는 방식을 관찰하며 혼자 생각해 본 다음, 모둠별로 문제를 해결해 보라고 했다. 시각적으로 생각하게 하려고 수나 수식으로 생각하지 말고 공책에 그림을 그려보고 다음 단계로 넘어가면서 더해지는 정사각형이 어디에 위치하는지 보여달라고 했다. 소년들은 도형이 커지는 방식을 각기 다르게 봤다. 루크와 조지는 매번 맨 아래쪽에 정사각형이 더해진다고 보았다. 정사각형들이 더해지는 방식이 볼링장에서 새로운 핀들이 더해지는 모습과 비슷하다고 해서 '볼링장 방법'이라고 불렀다. 카를로스는 각각의 세로줄 맨 위에 정사각형이 더해지는 방식으로 도형이 커진다고 보았다. 하늘에서 빗방울이 떨어지듯 정사각형이 세로줄 위에 하나씩 쌓여서 '빗방울 방법'이라고 불렀다(그림

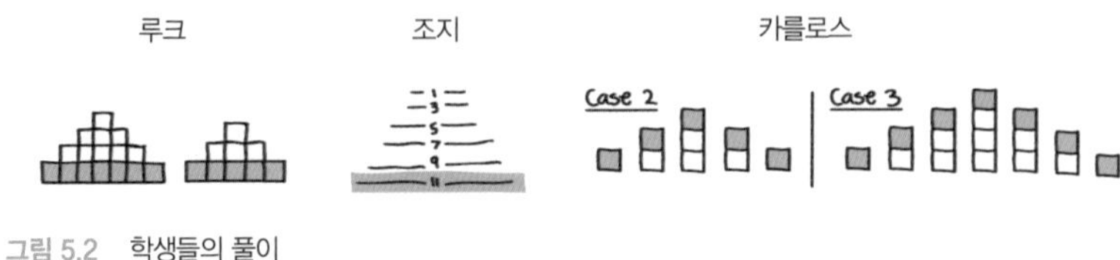

그림 5.2 학생들의 풀이

출처: Selling, 2015

5.2 참조).

세 남학생은 각자 도형이 커지는 방식을 나타내는 함수를 찾으며 시간을 보낸 다음, 도형이 어떻게 커지는지에 대해, 단계마다 더해지는 정사각형의 위치에 대해 각자의 아이디어를 공유했다. 심지어 이들은 자신의 시각적 방법을 도형이 나타내는 수와 연결했으며, 자신의 방법뿐 아니라 서로의 방법을 이용해 설명하는 시간까지 가졌다. 세 남학생은 도형이 커지는 방식을 나타내는 함수에 대한 호기심으로 시작해서 커지는 상태를 시각화한 지식을 바탕으로 100번째 경우를 찾아냈다. 이들은 각자 자기 공책에 그린 그림을 가리키며 자기의 아이디어를 서로에게 주장했다. 통상적인 수학적 문제 해결 과정이 늘 그러하듯, 세 남학생은 문제 주위를 어지럽게 오가며 해결책에 가까이 다가갔다가 훨씬 더 멀어진 다음 다시 돌아왔다(Lakatos, 1976). 이들은 해결책을 찾기 위해 여러 가지 다른 방법을 시도하면서 수학적 영역을 넓게 탐험했다.

나는 교사 대상 콘퍼런스에서 이 소년들의 문제 해결 과정을 담은 영상을 보여주었다. 영상을 본 모든 교사는 소년들의 동기부여, 인내심, 수준 높은 수학적 대화에서 깊은 인상을 받았다. 교사들은 세 남학생이 보여준 인내심과 서로의 아이디어를 존중하며 토론하는 모습은 굉장히 드문 경우임을 알고 있었다. 특히 여름방학 방과 후 학교에서는 좀처럼 찾아보기 힘든 일이라는 것을 알고 있었기에 어떻게 우리가 소년들에게서 이런 결과를 끌어낼 수 있었는지 궁금해했다. 많은 학생이, 특히 실패한 경험이 있는 학생은 어렵고 금방 답을 알 수 없는 과제는 쉽게 포기하는 경향이 있다. 하지만 세 남학생은 해결책을 찾다가 막혔을 때, 자기들이 그린 그림을 다시 살펴보고 서로의 아이디어로 다시 시도했다. 그중 많은 아이디어가 틀리기도 했지만, 최종적으로 해결책을 찾는 데 도움이 되었다. 콘퍼런스에서 교사들과 이 사례를 지켜본 후, 나는 소년들의 상호작용에서 어떤 점이 높은 인내와 참여 수준을 이해하는 데 도움이 될 수 있는지 물어본다. 다음은 모든 학생의 참여도를 높일 수 있는 몇 가지 중요한 관찰 내용을 정리한 것이다.

1. 어려운 과제지만, 접근하기 쉬웠다. 세 남학생 모두 이 과제에 접근할 수 있었지만, 동시에 그들에게는 도전이 되었다. 이 과제는 그들의 사고에 딱 맞는 수준이었다. 모든 학생에게 완벽한 과제를 찾기란 매우 어려운 일이지만, 다양한 수준의 학생이 접근할 수 있도록 폭넓은 과제(내 표현으로 '바닥은 낮고, 천장은 높은')를 만든다면, 모든 학생에게 맞는 문제를 만들 수 있다. 누구나 도형이 커지는 모습을 볼 수 있으므로 이 문제는 바닥이 낮지만, 천장은 높다. 소년들이 탐구한 함수는 n번째 경우에 필요한 블록의 개수가 $(n+1)^2$이 되는 이차 함수이다. 학생들에게 각 경우를 시각적으로 생각하라고 함으로써 이 과제의 바닥을 더 낮게 만들었다. 그렇다고 낮은 바닥이 세 남학생의 참여를 끌어낸 유일한 이유는 아니었다.

2. 과제를 퍼즐 문제로 보았다. 소년들은 이 과제를 퍼즐로 보았고, 해답이 무엇인지 호기심이 일어 풀이 방법을 찾고 싶어 했다. '실생활'이나 자신들의 삶과 관련된 문제가 아닌데도 열광적으로 문제에

빠져들었다. 이것이 추상적 수학의 힘이다. 수학이 열린 사고와 연결을 만들어낼 때 놀라운 힘을 가진다.

3. 도형이 커지는 방식에 관한 시각적 사고를 통해 패턴을 이해했다. 소년들은 도형이 커지는 방식을 시각적으로 탐구함으로써 도형을 이루는 정사각형의 개수가 $(n+1)^2$가 되는 것을 볼 수 있었다. 소년들은 복잡한 해결책을 찾느라 헤매기도 했지만, 시각적 이해를 통해 도움을 받았기 때문에 자신감을 가지고 답을 찾을 수 있었다.

4. 소년들은 도형이 커지는 방식을 나타내는 함수, 즉 패턴을 찾는 자신만의 방법을 개발했다는 사실에 자부심을 느꼈다. 각기 다른 방법이 모두 타당하며, 해결책에 다른 통찰을 추가한다는 것을 알게 되었다. 소년들은 서로의 생각을 공유하고 문제 해결에 자신과 상대방의 아이디어를 사용하는 것에 무척 신나 있었다.

5. 학생들의 아이디어와 실수를 격려하도록 수업을 설정해서 학생들은 아이디어를 제안할 때 두려워하지 않았다. 덕분에 소년들은 옳고 그름을 떠나 아이디어를 서로 주고받으며 대화를 지속할 수 있었다. 그래서 '막혔을 때'에도 계속 해결책을 찾기 위해 앞으로 나아갈 수 있었다.

6. 학생들에게 서로의 생각을 존중하는 법을 가르쳤다. 특정한 누군가 내놓는 절차적 사고뿐 아니라 모든 사람이 내놓을 수 있는 다양한 사고를 중요하게 여김으로써, 사람들이 문제를 바라보고 연결성을 만드는 서로 다른 방법을 존중하게 했다.

7. 학생들은 수학 교과서의 핵심 내용을 그대로 따라 하는 게 아니라 자신만의 아이디어를 이용했다. 도형이 커지는 모습을 나타내는 함수에 대한 다양한 시각적 아이디어를 제안함으로써 학생들은 과제

에 더 관심을 두고 몰입하게 되었다.

8. 세 남학생은 함께 과제를 수행했다. 영상을 보면 소년들이 대화를 통해 다양한 아이디어를 공유하면서 이해해 가는 모습이 명확히 나타난다. 이러한 대화는 수학을 더 즐겁게 만들어주었다.

9. 세 남학생은 이질적인 교실 환경에 있었다. 영상을 본 교사들은 각 소년이 각기 다른 중요한 것을 제시한다는 점에 주목한다. 성취도가 높은 학생은 답을 추측해서 계속 주장했다. 이는 기계적인 절차를 묻는 문제의 답을 구할 때는 성공적인 전략일 수 있다. 하지만 이전에 성취도가 낮았던 학생에게 시각적 사고를 하도록 유도해 결국에는 보다 개념적으로 생각하도록 했다. 소년들의 서로 다른 사고가 합쳐져 답을 찾는 데 성공할 수 있었다.

* * *

커지는 도형의 규칙을 구하는 과제는 일반적으로 "100번째에는 몇 개의 정사각형이 있나요?"나 "n번째에는 몇 개의 정사각형이 있나요?"와 같이 숫자나 수식으로 된 답을 구하는 문제로 주어진다. 우리 역시 같은 질문을 했지만, 학생들에게 도형이 커지는 모양을 시각적으로 생각할 수 있는 시간을 미리 주었다. 이것으로 모든 것이 바뀌었다. 사람들은 그림 5.3~5.10에서 볼 수 있듯이 다양한 방법으로 도형이 커지는 방식에 대해 생각한다. 시각적으로 생각하라고 요구하지 않으면 학생들의 이해도를 높일 놀라운 기회를 놓치게 된다. 다음은 나와 함께 연구했던 교사와 학생들이 도형이 커지는 방식을 파악하는 몇 가지 방법과 그에 따라 붙인 이름들이다.

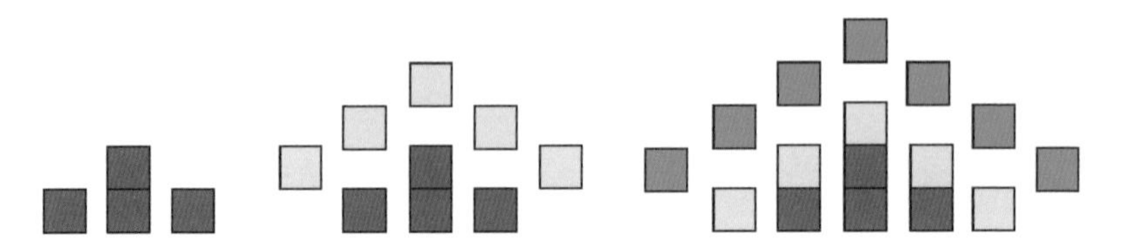

그림 5.3 빗방울 방법 - 정사각형들이 빗방울처럼 하늘에서 내려온다.

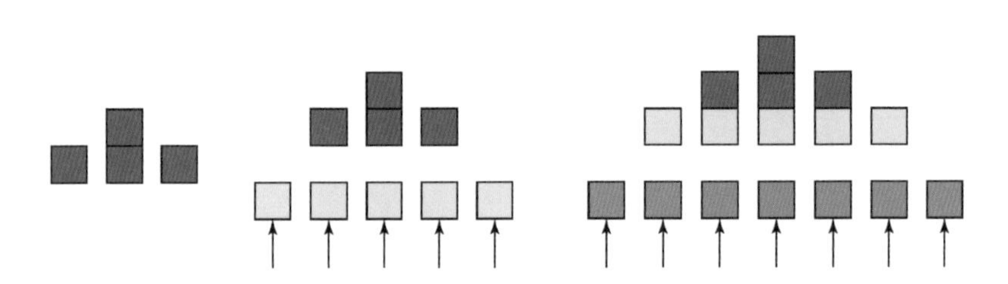

그림 5.4 볼링장 방법 - 정사각형들이 볼링장의 핀처럼 더해진다.

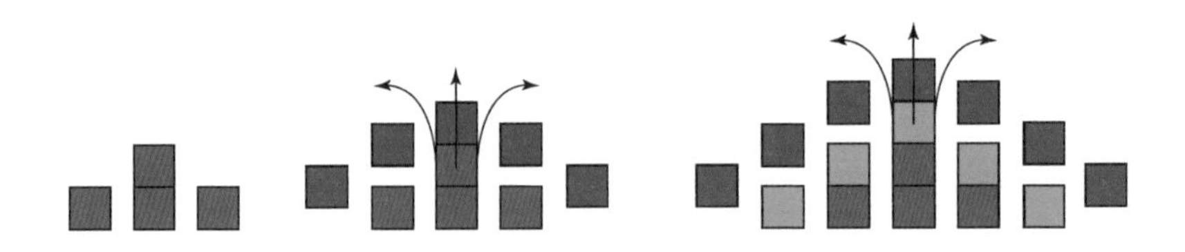

그림 5.5 화산 방법 - 정가운데 세로줄의 정사각형들이 높이 자라고 나머지들은 화산에서 분출되는 용암처럼 뒤따른다.

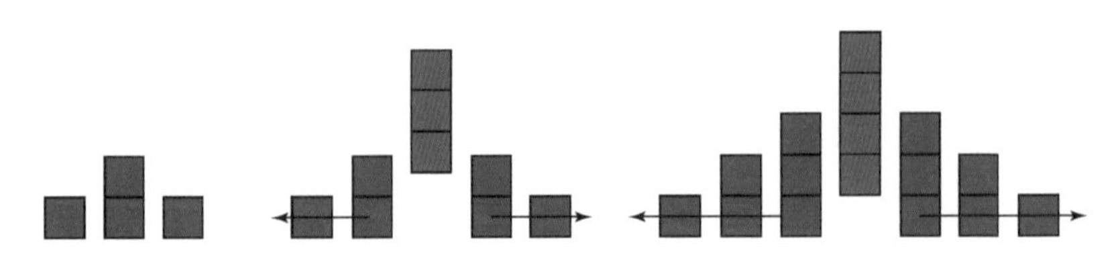

그림 5.6 홍해 가르기 방법 - 세로줄들을 가르고 가운데 세로줄이 온다.

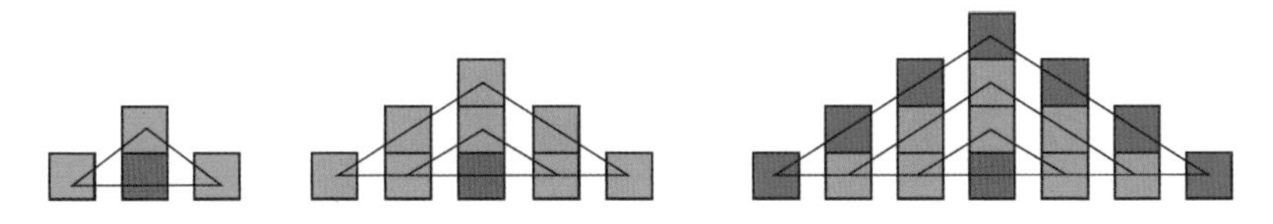

그림 5.7 닮은 삼각형 방법 - 층들을 삼각형으로 볼 수 있다.

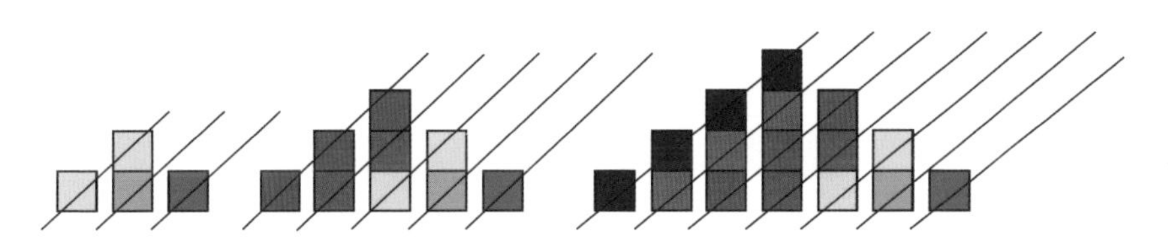

그림 5.8 썰기 방법 - 층들을 대각선으로 볼 수 있다.

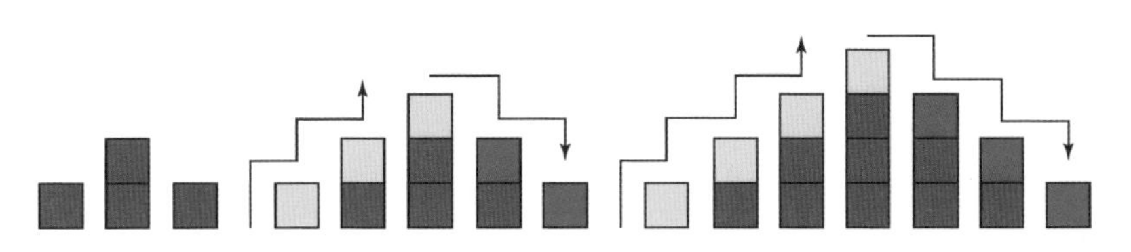

그림 5.9 천국으로 가는 계단, 연주 금지(stair to Heaven, Access Denied)
(영화 〈웨인의 세계〉에 나온 문구. 기타를 사기 전에 시험해 보는 사람들이 '천국의 계단'을 연주하려는 걸 기타 가게에서 금시하면서 하는 말)

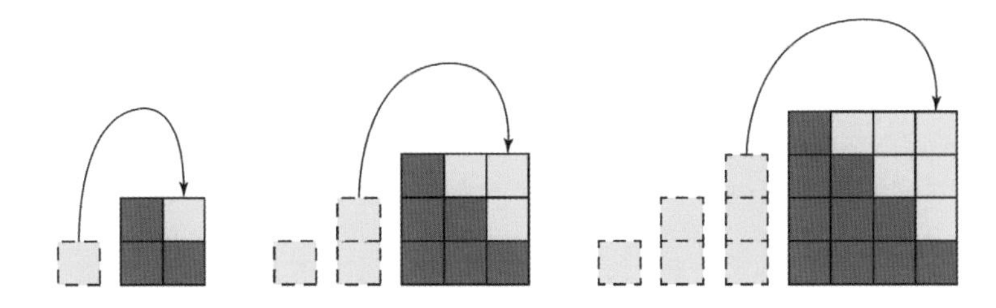

그림 5.10 정사각형 방법 - 도형을 경우마다 정사각형으로 재배열할 수 있다.

단계	정사각형의 개수
1	4
2	9
3	16
n	$(n+1)^2$

최근 커지는 도형 문제를 고등학교 교사들에게 냈더니, 도형이 커지는 모양을 시각적으로 탐구하지 않고 위와 같은 표를 만들었다.

교사들에게 도형이 커지는 모습을 보여주는 함수가 왜 정사각형과 관련되는지, 왜 그 정사각형의 한 변의 길이가 $(n+1)$인지 물어보았으나 대답하는 사람이 없었다. 답은 도형의 모습이 이차 함수를 이루기 때문이다. 이 도형은 한 변의 길이가 $(n+1)$인 정사각형으로 커진다. 여기서 n은 몇 번째 경우인지를 나타내는 수이다(그림 5.11).

도형이 커지는 모습을 시각적으로 생각해 보라고 요구하지 않으면 학생들은 함수가 커지는 것을 제대로 이해하지 못한다. 학생들은 종종 'n'이 무엇을 나타내는지 말하지 못하고, 학생들에게 대수는 추상적인 문자들을 모아놓은 불가사의한 영역으로 느껴질 뿐이다. 우리가 진행한 여름방학 방과 후 수업에 참여한 학생은 'n'이 무엇을 나타내는지 알고 있었다. 자기가 직접 그려봤기 때문이다. 왜 도형이 커지는 모습이 이차 함수가 되는지, n번째 경우가 왜 $(n+1)^2$으로 표현되는지 알았다. 학생들이 최종적으로 만들어낸 대수적 표현은 자신에게 의미 있는 것이었다. 게다가 학생들은 우리를 위해 정답을 찾는다고 생각하지 않았다. 그들은 방법들을 탐구하고 자신만의 아이디어와 생각을 이용했다. 그렇게 해서 스스로 수학적인 성장을 이루었다. 이 장의 마지막 부분에서는 이런 특징을

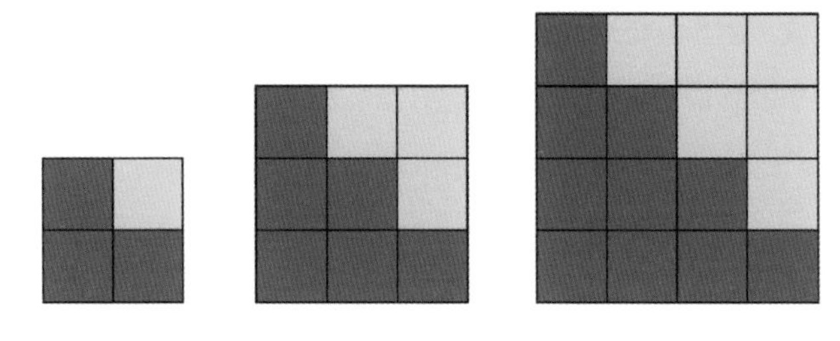

그림 5.11 정사각형 방법 2

다른 과제에 적용해 학생들의 참여와 이해도를 높이는 방법을 살펴볼 것이다.

사례 3. 설명을 위한 시간?

앞에서 소개한 '빗방울' 과제와 같이 개방적이며 탐구 기반의 수학 과제를 교사들에게 이야기하면 종종 이런 의문이 되돌아온다. "이런 과제를 통해 학생들의 참여도가 높아지고 양질의 수학적 토론이 이루어진다는 것에는 동의합니다. 하지만 이런 과제를 통해 삼각 함수나 인수분해 같은 새로운 지식을 배울 수 있을까요? 학생 스스로 새로운 지식을 발견하기는 불가능해요." 매우 적절한 질문이자 반론이다. 우리에게는 이 문제에 관한 중요한 연구 결과가 있다. 이상적인 수학적 토론은 학생들이 수학적 방법과 아이디어를 사용해 문제를 해결하는 것이지만, 때로는 교사가 학생에게 새로운 방법과 아이디어를 소개해 줄 필요도 있다. 대부분 수학 수업은 교사가 수학적 방법을 가르치고, 학생들은 교과서 문제를 풀며 연습하는 방식으로 진행된다. 좀 더 나은 수업에서는 학생들이 특정한 문제를 푸는 방법을 연습하는 것을 넘어서 그 방법을 이용해 응용문제를 해결하는 단계까지 나아간다. 하지만 교사가 방법을 보여준 다음 학생이 그 방법을 이용한다는 순서는 여전히 똑같다.

수학교육론에서 중요하게 여기는 한 연구에서 수학을 가르치는 세 가지 방법을 비교했다(Schwartz & Bransford, 1998). 첫 번째 방법은 미국 전역에서 사용되는 방법으로, 교사가 방법을 보여준 뒤 학생들이 이를 사용해 문제를 해결했다. 두 번째 방법은 학생들이 탐구를 통해 방법을 발견하도록 내버려두었다. 세 번째 방법은 일반적인 수업 순서와 반대로, 먼저 학생들이 방법을 알지 못한 채로 응용문제를 제시하고 해결하도록 한 다음 방법을 보여주었다. 결과적으로, 세 번째 방법의 수업을 받은 학생은 다른 두 방법의 수업을 받은 학생에 비해 현저히 높은 수준의 성취도를 보였다. 연구진은 문제를 주고 해결하도록 요청했을 때, 학생들이 해결 방법을 모르더라도 문제를 탐구할 기회를 주면 호기심을 가지면서 새로운 방법을 배울 준비가 된다는 사실을 발견했다. 이렇게 준비가 된 이후에 교사가 방법을 가르쳐주면 학생들은 훨씬 더 수업에 집중하고 학습의욕이 커졌다. 연구진은 이 결과를 "설명을 위한 시간A time for Telling"이라는 제목으로 발표했다. '방법을 알려주거나 설명해야 할까?'가 아니라 '언제 설명하는 것이 가장 좋을까?' 하는 것이 진짜 문제라고 주장했다. 이 연구를 통해 학생들이 문제를 탐구한 이후가 설명을 위한 가장 적절한 시간임이 명백하게 밝혀졌다.

이 연구 결과를 실제 수업에 어떻게 적용할 수 있을까? 어떻게 하면 학생들에게 풀 수 없는 문제를 주면서도 좌절하지 않게 할 수 있을까? 실제 적용 사례 두 가지를 자세히 설명하도록 하겠다.

첫 번째 예는 영국에서 수행했던 연구에서 나온 사례이다. 이 연구 결과에 따르면 프로젝트 기반 접근 방법으로 수학을 배운 학생들은 표준화된 시험(Boaler, 1998)과 이후의 삶(Boaler & Selling, 2017) 모두에서 기존 방법으로 학습한 학생보다 현저하게 높은 수준의 성취를 이루었다.

프로젝트 학습을 시행한 학생들에게 주어진 과제 중 하나는 다음과 같다. 13세 학생 그룹에 1미터짜리 울타리 36개로 최대한 큰 울타리를 만들고 싶은 농부의 이야기를 들려주었다. 학생들은 최대 넓이를 구하는 방법을 조사하기 시작했다. 학생들은 정사각형, 직사각형, 삼각형 등 다양한 도형을 시도하며 가능한 한 가장 큰 넓이를 가진 도형을 찾으려고 노력했다. 두 학생이 36개의 변을 가진 도형에서 가장 큰 넓이가 나온다는 것을 깨닫고 정확한 넓이를 구하기 시작했다(그림 5.12 참조).

학생들은 자기들이 찾아낸 36각형을 36개의 삼각형으로 나누어, 각 삼각형의 밑변이 1m이고 꼭짓점에서의 각의 크기가 10도임을 알아냈다(그림 5.13 참조).

그러나 이것만으로는 삼각형의 넓이를 구할 수 없었다. 바로 이 시점에서 교사는 학생들에게 삼각법과 탄젠트 함수로 삼각형의 높이를 구하는 방법을 보여주었다. 이 방법들을 이용하면 문제를 해결할 수 있기에 학생들은 기뻐하며 배우려고 했다. 한 소년은 자기 그룹 친구들에게 탄젠트 함수를 사용하는 방법을 가르쳐주며 "정말 멋진 방법"을 선생님에게서 배웠다고 말했다. 그 모습에서 나는 일주일 전, 기존 방식의 수업을 진행했던 학교에서 보았던 대조적인 수업을 떠올렸다. 교사는 학생들에게 삼각 함수를 가르친 뒤 여러 쪽의 연습 문제를 내주었다. 이런 방식의 수업을 받은 학생들은 삼각 함수를 매우 지루하고 자신들의 삶과 관련이 없는 것으로 생각했다. 프로젝트 학습을 시행한 학교에서는 학생들이 삼각법을 배우고는 수학적 즐거움을 느꼈고 그 방법들을 "멋지고" 유용한

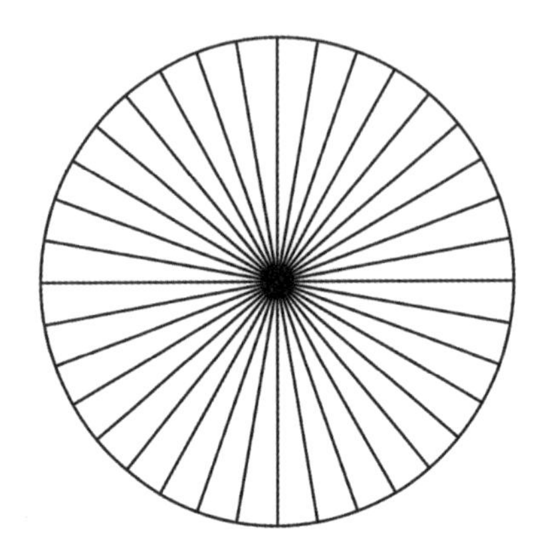

그림 5.12 36각형 울타리일 때, 울타리 안 넓이가 가장 크다.

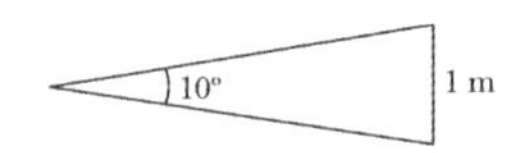

그림 5.13 1미터짜리 울타리 조각으로 만들어지는 삼각형

것으로 받아들였다. 이런 높은 동기부여는 학생들이 수학적 지식을 더 깊이 배우게 한다. 프로젝트 학습을 시행한 학교의 학생들이 시험과 삶에서 성공을 거둔 데는 높은 동기부여가 큰 역할을 했다.

학생에게 문제를 먼저 제시한 후에 해결 방법을 학습하는 두 번째 예는 미국에서 진행했던 연구에서 비롯되었다. 영국에서의 연구와 유사하게, 미국 학생들은 연결성과 의사소통에 중점을 둔 개념적 접근 방식을 통해 수학을 가르칠 때 현저히 더 높은 수준까지 학습했다(Boaler & Staples, 2008). 미국, 영국의 두 학교에서 실제로 사용했던 접근 방법에 관한 자세한 내용은 내 책《수학 따위가 뭐라고?》(Boaler, 2015a)에 나와 있다. 성공적인 수학 수업이 이루어지고 있는 한 학교에서 미적분 수업을

그림 5.14 레몬의 부피는 얼마일까?
출처: ampFotoStudio/Shutterstock

참관하던 날이었다. 이 수업에서 교사 로라 에반스는 복잡한 모양의 부피를 찾는 수업을 진행하고 있었다. 로라 에반스는 학생들에게 미적분을 사용해 곡선 아래의 넓이를 구하는 방법을 가르치려 하고 있었지만, 일반적인 수업과 달리 처음부터 공식을 가르치지 않았다. 그 대신 학생들에게 이 지식이 필요한 문제를 제시하고 이를 어떻게 해결할 것인지 생각해 보라고 요청했다. 그녀가 제시한 문제는 레몬의 부피를 구하는 방법을 찾는 것이었다. 그녀는 각 그룹에 레몬 하나와 큰 칼을 주고 가능한 해결책을 탐구해 보라고 했다(그림 5.14 참조).

학생들은 그룹별로 문제를 논의한 다음, 앞으로 나와 칠판에 신나게 자신들의 아이디어를 그려가며 발표했다. 한 그룹은 물이 담긴 그릇에 레몬을 잠기게 한 다음 물 높이의 변화를 이용해 측정하겠다고 했다. 다른 그룹은 레몬의 크기를 세밀하게 측정하겠다고 했다. 세 번째 그룹은 레몬을 얇은 조각으로 자르고, 자른 조각을 2차원 단면으로 생각하고 다시 이 단면을 가느다란 조각으로 나누기로 했다. 이 아이디어는 미적분에서 배

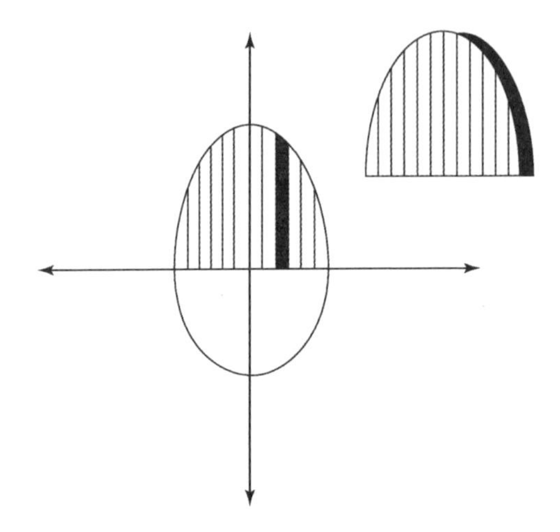

그림 5.15 분할해서 레몬의 부피 계산하기

우는 곡선 아래의 넓이를 구하는 공식에 가까웠다(그림 5.15 참조).

교사가 적분을 이용하는 방법을 설명하자 학생들은 열광했으며 유용하고 강력한 도구로 받아들였다.

두 사례에서 보듯이 이런 수업 방식은 기존 방식과 정반대의 순서다. 학생들은 삼각 함수와 극한의 개념이 있어야 하는 문제를 먼저 접한 다음 이것을 해결하는 방법을 배운다. 교사가 방법을 가르쳐주고 학생들이 연습하는 게 아니라 학생들이 필요로 할 때 그 방법을 배운다. 바로 이러한 차이로 학생들의 흥미는 물론이고 다음 교과 내용에 대한 이해도 역시 달라진다.

4장에서 언급했듯이 서배스천 스런은 그가 하는 수학적 업무에서 직관이 중요한 역할을 한다고 설명했다. 그는 직관적으로 그것이 올바른 방향이라고 느껴지지 않으면 일이 진척되지 않는다고 말했다. 수학자 역시 연구에서 직관이 결정적인 역할을 한다고 강조한다. 리온 버튼Leone

Burton은 수학과 관련된 업무를 수행하는 연구자 70명을 인터뷰했는데, 그중 58명은 업무에서 직관이 핵심적인 역할을 한다고 밝혔다(Burton, 1999). 허시 역시 수학적인 작업을 연구하면서 이와 비슷한 결론을 끌어냈다. "수학과 관련된 일을 살펴보면 어디에나 직관이 있다."(Hersh, 1999) 그런데 왜 수학의 중심인 직관은 대부분의 수학 수업에서는 다루지 않는 것일까? 아이들 대부분은 자기들이 수학 과제를 해결할 때 직관이 허용된다는 생각을 전혀 하지 못한다. 학생들에게 레몬의 부피를 계산해 보라고 한 것은 수학 문제를 직관적으로 생각해 보라는 의미였다. 직관적으로 해결할 수 있는 수학 문제를 많이 내줄 필요가 있다. 어린아이에게 서로 다른 삼각형과 직사각형을 주고 넓이를 어떻게 구할 것인지 생각해 보라고 한 뒤에 넓이 구하는 공식을 가르칠 수 있다. 평균, 최빈값 또는 분포 범위에 대해 가르치기 전에 데이터 집합 간의 관계를 탐색할 방법을 생각해 보라고 할 수 있다. 원의 관계를 탐구한 후 원주율 값을 배울 수도 있다. 모든 경우에서 먼저 직관적으로 생각하도록 하면 학생들의 학습은 더 깊고 의미 있어질 것이다. 학생들에게 직관적으로 생각하도록 요청하면 여러 가지 측면에서 이점이 있다. 첫째, 한 가지 방법만 생각하지 않고 더욱 폭넓게 생각하게 된다. 둘째, 자신의 지성을 사용해 상황을 파악하고 추론을 이용해야 한다는 것을 알게 된다. 문제 푸는 방법을 단순히 반복하는 것이 아니라 다양한 방법을 적절하게 사용해야 한다는 것을 깨닫는다. 셋째, 슈워츠와 브랜스포드의 연구에서 보여준 것처럼 학생들의 두뇌는 새로운 방법을 배울 준비를 하게 된다(Schwartz & Bransford, 1998).

사례 4. 한눈에 수학적 연결성 발견하기(파스칼의 삼각형)

수학적 즐거움에 관한 다음 사례는 교사 연수 워크숍에서 내가 직접 본 사례이다. 워크숍 진행자였던 루스 파커는 매우 훌륭한 교육자인데, 워크숍에 참여한 다른 교사들에게 수학적 이해력에 대해 그들이 이전에 전혀 알지 못했던 새로운 접근 방식을 알려주었다. 루스 파커의 발표에 깊은 인상을 받아 여러 사람과 공유하고자 이 사례를 싣기로 했다. 엘리자베스라는 이름의 교사는 루스 파커가 제시한 과제에 감명받은 나머지 눈물까지 보였다. 엘리자베스는 워크숍에 참여한 다른 사람들처럼 초등학교 교사였는데, 수학을 따라야 하는 절차의 집합으로 생각해 왔다. 그녀는 수학이 풍부한 연결성으로 가득한 과목이라는 것을 알지 못했다. 수학을 단절된 절차의 집합이라고 믿어왔던 사람들이 수학을 구성하고 있는 풍부한 연결성을 확인하고는 격하게 감동하는 일이 흔하게 일어난다.

루스가 진행한 워크숍은 우리가 진행했던 여름방학 방과 후 수업 과정처럼 대수적 사고에 중점을 두었고, 여러 가지 함수 패턴 과제를 활용해 교사들을 참여시켰다. 루스가 그날 선택한 과제는 간단해 보이지만 충분히 복잡한 내용으로 이어지는 '낮은 바닥, 높은 천장'의 퀴즈네어 막대 기차 과제였다. 예시 5.2는 퀴즈네어 막대 기차 과제를 보여준다. 워크숍에 참여한 교사들을 위해 루스는 기하급수적인 증가와 음의 지수까지 다루었다.

엘리자베스와 다른 교사들은 퀴즈네어 막대를 순서대로 배열해 길이가 3인 기차를 만드는 모든 방법을 찾는 과제에 착수했다. 어떤 교사들은 길이가 10인 기차 만드는 방법을 찾기로 했는데, 이는 매우 어려운 문제

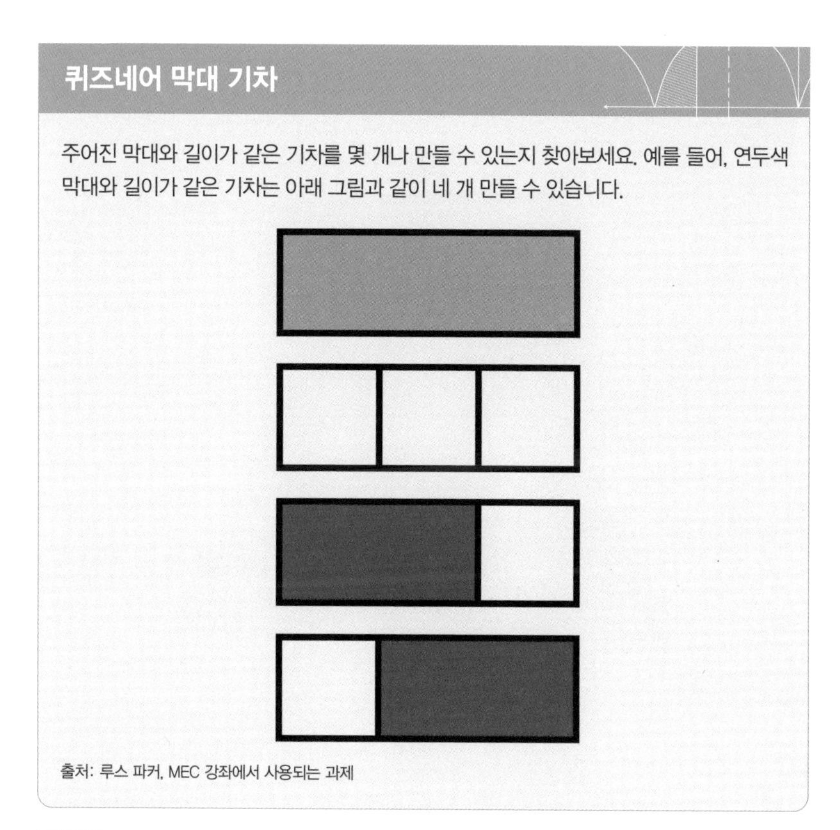

예시 5.2

다. 길이가 10인 기차를 만드는 방법의 수는 1,024가지나 된다! 루스는 교사로서 자신의 역할이 어려움에 빠진 사람을 구하는 것이 아니라 한발 한발 물속으로 내디뎌 문제에서 다루고 있는 수학 안으로 들어가게 하는 것임을 알고 있었다. 큰 노력 끝에, 일부 교사들은 워크숍 전반부에서 배웠던 것을 기억해 냈다. 학생들이 배우지 않았지만 11년 동안 학교를 무사히 마칠 수 있도록 도와주는 중요한 수학적 관행, 즉 숫자가 작은 경우부터 시도해 보는 전략을 기억해 낸 것이다. 교사들은 서로 다른 길이의

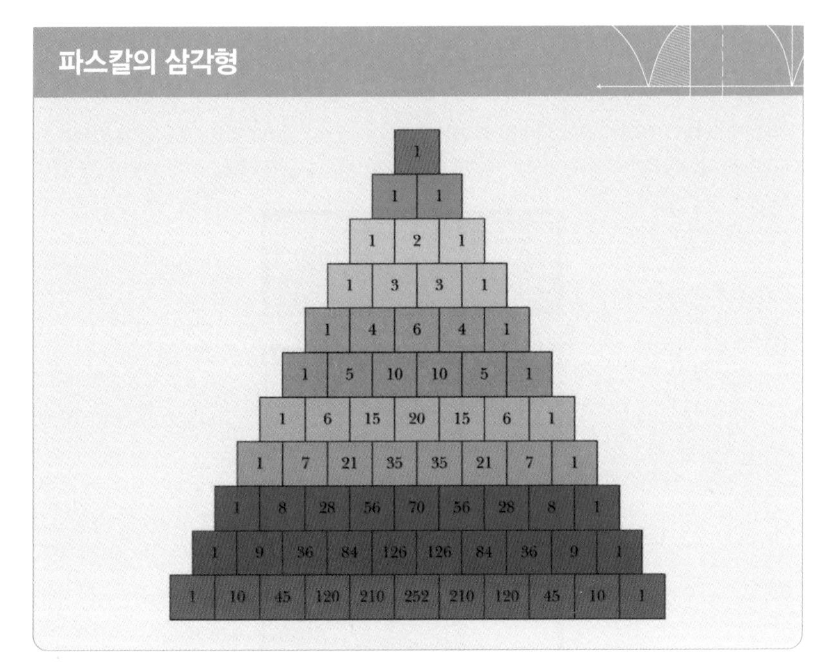

예시 5.3

막대로 문제를 풀어보면서 시각적, 수치상으로 모두 일정한 패턴이 나오는 것을 확인했다(예시 5.2 참조).

그 시점에, 루스는 교사들에게 파스칼의 삼각형을 소개했다. 그리고 퀴즈네어 막대 문제와 이 유명한 삼각형 사이의 연결을 찾아보라고 했다(예시 5.3 및 그림 5.16 참조).

큰 노력 끝에 교사들은 놀라운 발견에 이르렀다. 파스칼의 삼각형 안에 자신들의 퀴즈네어 기차 조합이 모두 들어 있었다! 바로 이 순간 엘리자베스는 감동의 눈물을 흘렸다. 어떤 감정인지 온전히 이해한다. 수학을 단절된 절차의 집합으로만 여기던 사람들은 시각적, 수치적 패턴을 탐구함으로써 연결성을 직접 눈으로 보고 이해하는 순간 엄청난 감격에 빠진

그림 5.16 퀴즈네어 막대로 만든 파스칼의 삼각형

다. 엘리자베스는 그 순간 지적인 능력을 얻었고, 자신이 수학적 통찰과 연결을 스스로 발견할 수 있다는 것을 깨달았다. 그 이후로 엘리자베스와 수학의 관계는 완전히 변했고, 그녀는 꾸준히 계속 전진했다. 1년 후 다시 엘리자베스와 만났는데, 더 강력한 수학 학습을 경험하기 위해 루스의 강좌를 다시 듣고 있었다. 그녀는 내게 자신의 수학 교수법을 어떻게 바꾸었는지 이야기해 주었고, 그녀가 맡은 3학년 학생들이 새로운 수학적 즐거움을 누리고 있다는 소식을 전해주었다.

수학적 연결성을 접하면서 완전히 새로운 방식으로 수학을 보게 된 엘리자베스의 경험을 나는 다양한 어린이와 성인에게서 반복해서 보았다. 스탠퍼드와 미국 및 전 세계 여러 지역에서 개최하는 유큐브드 워크숍에서도 이러한 경험을 만들기 위해 노력하고 있다. 높은 수준의 수학을 배울 수 있고, 수학적 연결성을 볼 수 있으며, 수학을 아름다운 과목으로 경험할 수 있음을 깨닫고 많은 교사가 눈물을 흘리는 것을 보았다. 특히 수학을 절차의 집합으로만 바라보고 자신은 더 높은 수준의 수학을 배울 수 없다고 믿었던 성인들에게 이런 감정은 매우 강렬할 수밖에 없다. 사람들이 경험하는 감정의 강도는 수학적 연결을 보고, 탐구하고, 이해하는 경험과 직접 관련된다.

사례 5. 놀라운 음의 공간

이 사례는 스탠퍼드 대학교의 예비 교사 연수 팀과 다양한 교사 그룹에서 사용했던 과제이다. 이 과제가 불러오는 수학적 즐거움은 무척 강렬해서 반드시 공유할 필요가 있다고 생각한다. 이 과제 역시 도형이 커지는 패턴을 찾는 문제이지만 약간 변형된 부분이 있다. 이 변형된 부분에 주목하고자 한다. 이 과제는 나와 함께 일하는 훌륭한 교사 카를로스 카바나가 만들었다. 예시 5.4는 그가 학생들에게 일반적으로 제시하는 세 가지 질문을 보여준다.

과제에서 제기된 질문 중 하나는 '그림 -1'에는 몇 개의 타일이 있을까 하는 것이다. 다시 말해 이 패턴이 1번 경우, 0번 경우, -1번 경우로 거슬러 올라가면서 확장된다면, -1번 경우에는 몇 개의 타일이 있는지 묻는 것이다. 교사들에게 타일 개수를 구하기는 쉬운 문제였다. 흥미롭고 도전적인 문제는 -1번 경우의 도형은 어떤 모양인가 하는 질문이었다. 이 질문을 추가하자 놀라운 일이 벌어졌다. 우선, (알려주지 않겠지만) 해답이 까다로워서 교사들은 머리가 아프고 시냅스가 터질 것 같다며 웃었다. -1번 경우의 도형을 구하는 방법은 여러 가지가 있으며, 시각적 해법도 하나 이상이고, 수치적인 해법 역시 하나 이상이다. 이 질문은 특이하게

음의 공간 과제

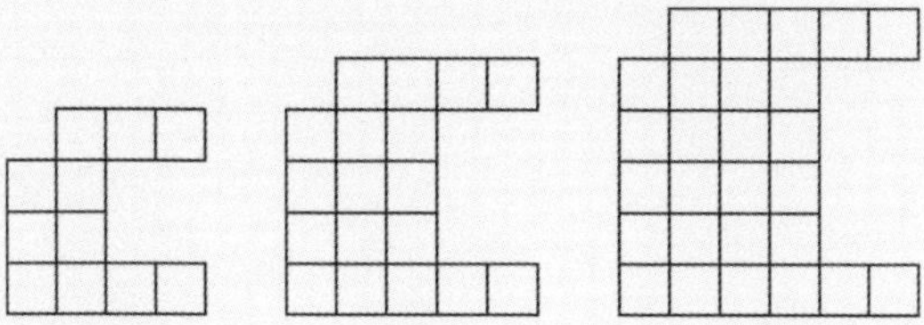

그림 2 그림 3 그림 4

1. '그림 100'은 어떤 모양일까?
2. 이 패턴을 거꾸로 적용한다고 상상해 보자. '그림 −1'에는 몇 개의 타일이 있을까?
3. '그림 −1'은 어떤 모양일까?

출처: 카를로스 카바나의 문제를 개작함.

예시 5.4

도 알려지지 않은 흥미진진한 방향으로 우리를 이끈다. 음수의 경우에는 정사각형이 어떻게 생겼을지 깊이 생각해 보게 된다. 일부 교사는 음의 공간과 자기 자신에 대해 반전된 타일 모양은 어떤지에 대해 생각할 필요가 있다는 것을 깨달았다. 스탠퍼드 예비 교사 연수 팀에 이 과제를 주었을 때, 교사들은 신이 나서 테이블 위를 뛰어다니며 음의 공간을 표현하고, 종이에 구멍을 뚫어 타일이 음의 공간으로 들어가는 모습을 보여주었다. 한 교사는 이 함수를 그래프에서 포물선으로 표현할 수 있다는 사실을 깨닫고 공유했다(그림 5.17 참조). 다른 교사가 그 곡선의 형태가 어떻게 되는지 질문했다. 양의 y축에 머물러 있을 것인가? 아니면 축 아래로 뒤집혀 내려갈 것인가?

이 질문은 예비 교사 연수 팀에게 매우 흥미로웠고, 그들은 흥미진진해하면서 문제를 풀려고 노력했다. 세션이 끝날 무렵, 예비 교사들은 이

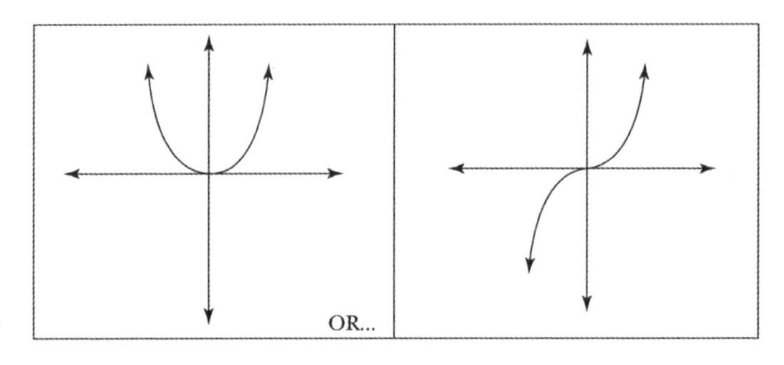

그림 5.17 포물선 딜레마. 어떤 곡선이 될까?

제 진정한 수학의 흥미를 경험했고 학생들도 이런 경험을 하길 바란다고 말했다.

그런데 무엇이 이런 즐거움을 끌어냈을까? 최근 캐나다의 한 부장 교사 그룹에 이 과제를 제시했을 때, 그들은 이 과제에 열중한 나머지 멈출 수 없었다고 웃으며 말했다. 그들은 트위터에 이렇게 올렸다. "조 볼러가 내준 과제에서 헤어 나올 수 없었다".

이 과제가 흥미로운 이유 중 하나는 음의 공간에 대해 생각하고 다른 차원으로 나아가는 것을 포함하기 때문이다. 이것이 바로 수학을 통해 우리가 할 수 있는 일이며, 수학이 흥미로운 과목인 이유 중 하나이다. 게다가 학생들은 교과서와 교사가 알고 있는 질문에 대한 답을 찾는 것이 아니라 미지의 세계를 탐험하고 있다고 생각했기 때문에 흥미가 더욱 커졌다. 포물선의 방향에 대해 질문할 때 학생들은 수학은 열린 과목이며 새로운 아이디어(포물선)를 발견하면 다른 질문을 통해 더 발전시킬 수 있다는 것을 느꼈다. 이 사례에서도 수학적 패턴의 시각적 표현은 참여도를 높이는 데 매우 중요한 역할을 했다. 이러한 다양한 수학적 즐거움을 불러일으키는 사례가 참여형 과제 설계에 어떤 의미가 있는지 살펴보기 전에 마지막으로 초등학교 3학년 교실의 사례를 하나 소개하고자 한다.

사례 6. 수학적 사실에서 수학적 즐거움으로

4장에서 교사가 학생에게 수학적 사실을 전달하는 방식을 바꾸는 것이 중요하다고 이야기했다. 맥락 없이 뚝 떨어진 수학 공식을 암기하고 시간제한을 두고 시험(이런 시험은 종종 학생에게 정신적 상처를 입히기도 한다)을 치르는 것에서 벗어나 두뇌 연결을 만들고 스스로 참여하는 활동으로 바뀌어야 한다. 교사들의 변화를 이끌기 위해 유큐브드에서 함께 일하는 동료들과 "두려움 없는 유창성"이라는 제목의 논문을 썼다. 많은 교사가 읽어볼 것이라는 기대와 희망으로 이 논문을 우리 사이트에 게재했는데, 논문에서 주장하는 바를 미국 전역의 주요 언론사에서 보도하리라고는 전혀 예상하지 못했다. 우리가 교사들에게 제시했던 활동 하나가 큰 반향을 일으켰다. 교사들은 이 활동을 서로 광범위하게 공유하면서 자신들의 학생이 이 활동을 즐기고 중요한 두뇌 연결을 만드는 모습을 사진과 함께 다양한 소셜 미디어를 통해 공유했다.

이 활동은 바로 4장에서 소개한 '100칸 채우기'이다. 이 활동은 학생들에게 인기 있으면서 학습적으로도 매우 중요한 의미가 있다는 것이 입증되었다.

유큐브드의 온라인 강의를 듣고 여러 교사가 자신의 수학 교수법을 바꾸었다. 그중 한 사람이 로즈 앤 페르난데스였다. 그녀는 학생의 최소 40%가 저소득층 가정 자녀로 이루어진 캘리포니아의 타이틀 1 학교(타이틀 1은 미국에서 가장 오래된 최대 규모의 연방 기금 프로그램으로 매년 빈곤

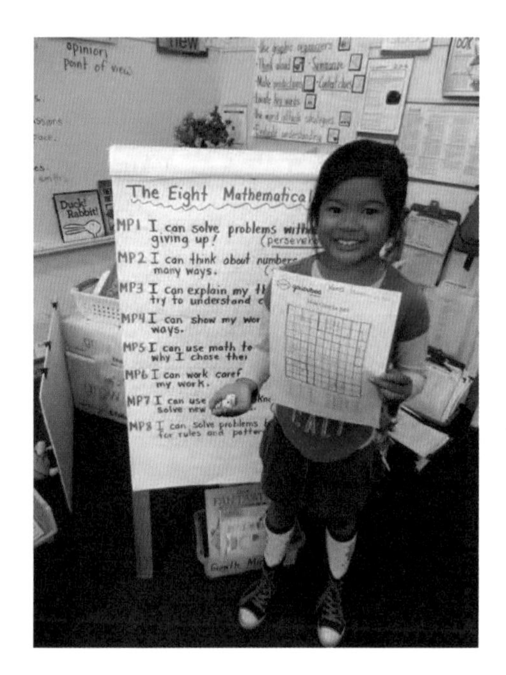

그림 5.18 3학년 학생이 '100칸 채우기' 활동지를 완성했다.

층 학생의 교육비를 지원하는데, 이 기금을 받는 학교를 타이틀 1 학교라고 부른다_역자 주)에서 3학년을 맡고 있었다. 로즈 앤은 모든 학생이 볼 수 있도록 유큐브드의 '수학 수업을 위한 7가지 긍정적인 규칙'(9장 참조)을 교실 벽에 게시해 두었다. 로즈 앤은 학생들이 '100칸 채우기'를 하면서 얻은 중요한 수학적 기회와 학생들이 느끼는 즐거움도 공유해 주었다(그림 5.18 참조). 매우 신중한 교사인 로즈 앤은 학생들에게 이 활동을 하기 전에 준비 과정으로 토론 시간을 갖게 했으며, 활동 과제를 빨리 해결하는 학생들을 위한 확장된 활동도 준비했다. 활동을 시작하기 전에 그녀는 학생들에게 주사위를 수학 도구로 사용하는 방법을 생각해 보라고 했다. 학생들에게 두 개의 주사위를 굴릴 기회를 주었고, 주사위를 굴려 나온 두

수의 곱을 말하게 했다. 그다음 중요한 질문을 던졌다. 곱셈과 넓이는 어떤 관계가 있을까? 학생들은 이 질문에 대해 곰곰이 생각했다. 그다음 로즈 앤은 학생들에게 두 명씩 짝을 이루어 '100칸 채우기' 활동을 하면서 무엇을 배우고 있는지 생각해 보라고 했다. 또한 활동을 일찍 끝낸 학생에게는 소인수분해에 관한 문제나 하나의 수식을 여러 가지 다른 방법으로 나타내는 도전 문제를 제시했다. 학생들은 매우 즐거워하며 활동을 즐겼다. 학생들에게 활동이 얼마나 즐거웠는지 1점부터 5점까지 점수를 매겨달라고 했을 때, 95%의 학생이 최고점인 5점을 주었다.

활동을 마친 뒤 학생들이 남긴 소감 중 중요한 의미가 담긴 것들을 선별하면 다음과 같다.

"머리를 써서 생각하게 만드는 활동이었어요."

"수학을 탐구하고 배울 수 있는 재미난 방법이었어요."

"곱셈을 연습할 기회를 많이 가질 수 있었어요."

"곱셈하는 방법을 배우는 재미난 방법이에요."

"이제 곱셈과 넓이가 어떤 관계인지 알게 되었어요."

"이제 곱셈, 나눗셈을 할 줄 알아요. 넓이까지 모두 연관되어 있어요!"

학생들이 느끼는 즐거움의 정도는 이 활동을 통해 배운 수학 내용과 정확하게 일치했다. 활동을 충분히 즐긴 학생일수록 자기가 배운 수학 내용에 대해 많이 이야기했다. 학생들은 이 활동에 적극적으로 참여하며 즐거움을 느끼면서 곱셈, 나눗셈과 넓이에 대한 시각적이고 수치적인 사고를 했고, 수학 지식을 학습했다. 억지로 구구단을 외우느라 울지 않으면서도 말이다.

이제까지 소개한 수학적 즐거움에 관한 여섯 가지 사례의 핵심은 바로 수학 과제에 있다(사려 깊은 교수법 또한 중요했다). 다음 절에서는 이 여섯 가지 과제에서 학생의 참여를 끌어내는 중요한 요소가 무엇인지 검토해 보고자 한다. 이러한 요소는 학년 수준과 관계없이 모든 수학 과제에 적용할 수 있다. 학생들은 때로는 혼자 생각하고, 때로는 아이디어를 위해 서로 협력하기도 했지만, 여섯 가지 사례 모두에서 긍정적인 성장 마인드셋 메시지를 주는 교실에 있었다는 점을 주목해야 한다. 이제 이러한 중요 요소를 수학 과제에 도입하는 방법에 관해 이야기해 보자.

수학적 즐거움의 사례부터 과제 설계까지

우리는 교육 분야의 비생산적인 시기에서 벗어나고 있다. 과거의 교육 계획은 교사들에게 '대본이 있는' 교육과정과 진도 지침서를 사용하도록 압박을 가해 비생산적인 교수법을 사용해 학생들을 가르치게 했다. 이에 따라 많은 교사가 전문성이 떨어졌다고 느꼈고, 중요한 교수 판단 및 결정을 스스로 할 수 없게 되었다고 생각했다. 다행히 이런 시기는 끝나가고 있으며, 교사가 중요한 전문적 결정을 내릴 수 있도록 신뢰받는 훨씬 긍정적인 시대로 접어들고 있다.

수학적 마인드셋을 위한 교수법의 여러 측면 중 내가 가장 기대하는 것은 수학 수업 자체의 변화이다. 이 변화는 학생에게 중요한 메시지를 전달하고 개방적인 과제로 수업함으로써 만들 수 있다. 특히 개방적인 과제는 학생에게 배움의 기회를 주고 수학적 마인드셋을 키우는 데 없어서는 안 될 요소이다.

이제 교사들은 이 장의 끝에 실린 사이트를 비롯해 다양한 출처를 통해 다양하고 풍부한 개방적인 과제를 얻을 수 있다. 하지만 바쁜 업무 때문에 사이트를 검색할 시간이 없는 교사가 대부분이다. 다행히 교사들은 새로운 교육과정에 대한 자료를 찾을 필요가 없다. 이미 사용하고 있는 과제를 학생들에게 새롭고 더 좋은 기회를 주는 방향으로 수정, 각색할 수 있기 때문이다. 이를 위해 교사 스스로 '과제 개발 디자이너'로서 자신의 마인드셋을 계발해야 할 수도 있다. 과제 개발 디자이너는 새로운 아이디어를 도입하고 새롭고 향상된 학습 경험을 끌어낼 수 있는 사람이다. 이미 잘 알고 있는 과제를 변형해 수학적 즐거움을 끌어낸 사례를 앞서 설명했다. 예를 들어, 도형이 커지는 패턴 찾기 과제에서는 도형이 커지는 모습을 시각화하라는 간단한 지시가 모든 것을 변화시켰고, 학생들은 다른 방법으로는 불가능했을 이해에 접근할 수 있었다. 과제 개발 디자이너가 되어 과제를 만들고 각색할 때, 가장 효과적인 교사가 된다. 교사라면 누구나 할 수 있고, 특별한 훈련이 필요하지도 않다. 긍정적인 수학 과제의 특성을 알고 더 좋은 과제를 만들겠다는 마음가짐으로 접근하면 된다.

더 나은 학습을 위한 수학 과제를 설계하고 각색하는 데 도움이 되는 여섯 가지 질문이 있다. 과제를 만드는 과정에서 이 질문들을 적절히 던진다면, 엄청난 효과를 얻을 수 있을 것이다. 일부 과제와 더 잘 맞는 질문이 있을 수 있고, 모든 과제와 자연스럽게 어울리는 질문도 있을 것이다. 하지만 다음 여섯 가지 질문 중 적어도 하나에 집중하면 어떤 과제든 더 풍부해질 것이라고 자신 있게 말할 수 있다.

1. 다양한 접근 방법, 풀이 방식, 표현이 가능한 열린 문제로 만들 수 있는가?

수학 과제에 관해 교사가 할 수 있는 가장 중요한 일은 과제를 다양한 접근 방법, 풀이 방식, 표현에 대해 생각하도록 이끄는 열린 문제로 만드는 것이다. 열린 문제는 학습 잠재력을 변화시킨다. 열린 문제로 과제를 구성하는 방법은 여러 가지가 있다. 커지는 도형 문제나 음의 공간 과제와 같이 시각적 요소를 추가하는 것은 훌륭한 전략이다. 또 다른 방법은 학생들에게 자신의 해결책을 논리적으로 증명하도록 요청하는 것이다. 이를 통해 학생들은 수학적으로 매우 많은 성과를 얻을 수 있다.

캐시 험프리스는 훌륭한 교사다. 그녀의 수업 계획을 따라 시행된 7학년 학생의 수업 현장을 담은 여섯 개의 영상 사례를 그녀와 같이 쓴 책에 소개했다. 그중 하나의 영상에서 캐시는 학생들에게 과제 하나를 제시했다. '1을 2/3로 나누기'이다. 이 과제는 해답을 내는 방법이 하나밖에 없고 정답도 하나이므로 '닫힌' 문제인 것 같다. 하지만 캐시는 이 과제에 두 가지 요구사항을 덧붙여 열린 문제로 만들었다. 자신이 구한 답이 옳다는 것을 논리적으로 증명하고, 그림을 통해 시각적으로 증명해달라고 요구했다(그림 5.19 참조). 그녀는 "이 문제의 답을 구하는 방법을 알고 있을 테지만, 오늘은 그 답이 옳다는 것을 논리적으로 설명해 주세요."라며 수업을 시작했다.

영상에서 일부 학생은 수학적 증명 과정 없이 1과 2, 3이라는 수를 조작해서 답이 6이라고 말했다. 하지만 이 답이 옳다는 것을 보이고 시각적으로 증명하기 위해 노력했다. 다양한 시각적 표현을 이용해 '1 안에' 한 개의 2/3와 2/3의 절반이 있음을 증명한 학생도 있었다. 자기 생각을 시각적으로 보여주고, 구한 답이 논리적으로 옳다는 것을 증명해달라고 요

그림 5.19 학생들이 1÷2/3의 답을 공유하고 있다.

청함으로써 대표적인 '닫힌' 문제를 이용해 학생 스스로 논리적으로 생각하고 의미를 찾는 멋진 수업을 만들었다.

2. 탐구 과제로 만들 수 있는가?

학생들이 자신의 역할이 단순히 공식을 따라 하는 것이 아니라 아이디어를 내는 것으로 생각할 때 모든 것이 바뀐다(Duckworth, 1991). 똑같은 수학 내용을 가르칠 때, 단순히 절차를 물어볼 수도 있고 학생들에게 아이디어에 대해 생각하고 절차를 사용하도록 요청하는 질문을 할 수도 있다. 예를 들어, 학생들에게 12×4 직사각형의 넓이를 구하라고 하는 대신, 넓이가 24인 직사각형을 몇 개나 찾을 수 있는지 물어볼 수 있다. 이렇게 질문을 약간 바꾸는 것만으로도 학생들의 동기와 이해에 큰 변화가

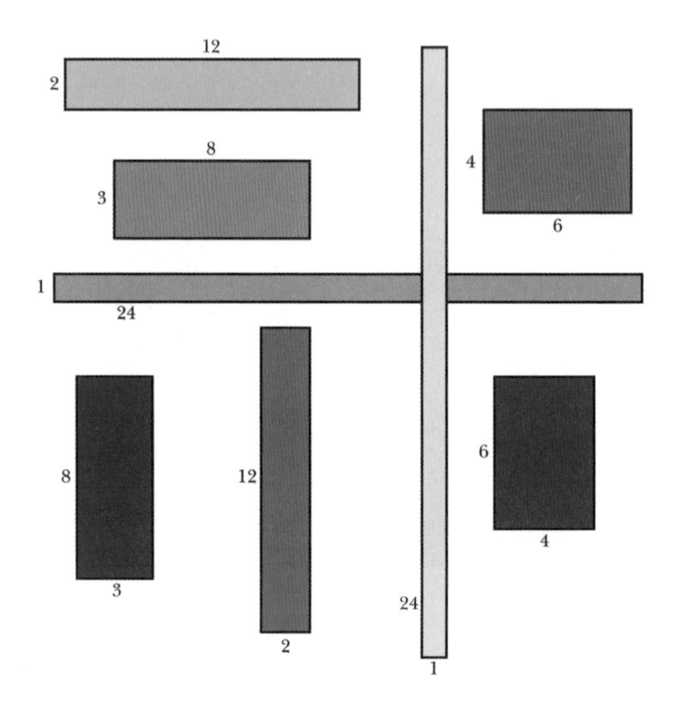

그림 5.20 넓이가 24인 여러 가지 직사각형

생긴다. 직사각형 넓이를 구하는 질문을 이렇게 탐구 과제로 바꾸면, 학생들은 직사각형의 넓이 공식을 사용할 뿐 아니라 공간적인 차원과 하나의 차원에서 변화가 생기면 어떤 일이 일어나는지 관계성에 대해서도 생각하게 된다(그림 5.20 참조). 더 복잡한 수학이 되지만 학생들은 자기 아이디어와 생각을 사용하기 때문에 더 흥미롭다고 느낀다.

학생들에게 사변형의 특징에 따른 이름이 무엇인지 대답하게 하는 대신, 예시 5.5에서 보듯 스스로 자신의 사각형 이름을 만드는 탐구 과제를 낼 수도 있다.

또 다른 탐구 과제의 예로 "네 개의 4"를 소개한다(예시 5.6 참조). 네

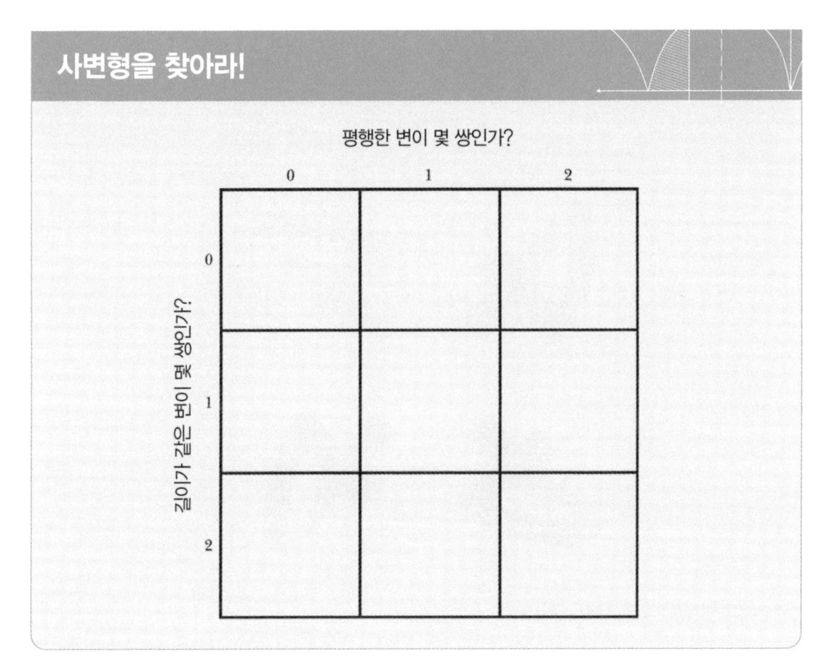

예시 5.5

개의 4와 수학 기호 중 어떤 것이든 이용해서 1에서 20까지의 수를 만드는 것이다. 예를 들면 다음과 같다.

$$\sqrt{4} + \sqrt{4} + 4/4 = 5$$

이 과제는 연산 연습에 매우 적합하지만, 연산 과정이 탐구 과제 안에 자연스럽게 녹아있어서 연산 연습 과제처럼 보이지 않는다. 여러 교사로부터 유큐브드에 올려둔 이 과제로 엄청난 효과를 보았다는 이야기를 들었다. 이 과제를 사용한 교사들의 의견 두 가지를 소개한다.

네 개의 4

네 개의 4와 수학 기호만으로 1에서 20까지의 수를 만들 수 있을까?

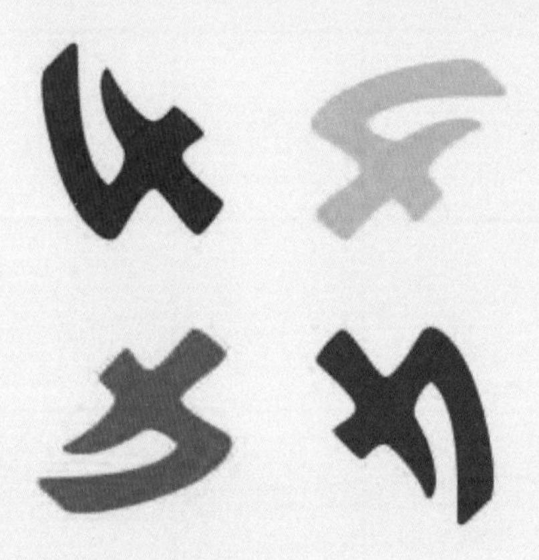

- **조금 더 깊이 들어가기**
  - 각각의 수를 네 개의 4로 만드는 한 가지 이상의 방법을 찾을 수 있을까?
  - 20 이상의 수를 만들 수 있을까?
  - 네 개의 4를 이용해서 음의 정수를 만들 수 있을까?

예시 5.6

"학생들이 네 개의 4 문제를 매우 좋아해서 한 걸음 더 나아가 세 개의 3을 탐구하기로 했다. 아이들의 탐구욕이 하늘을 찌를 기세다."

"네 개의 4 문제를 6학년 수업에서 사용했는데, 마침 학생들이 등식에 대해 배우던 중이었다. 네 개의 4 문제는 분배 법칙, 연산 순서, 변수에 대한 토론으로 이어졌다. 정말 환상적이었다!"

(과제 소개와 조 편성 방법에 대한 조언까지 포함된 전체 과제 내용이 다음에 실려 있다. www.youcubed.org/wim-day-1/)

학생들에게 과제 내용에 관해 잡지 기사, 뉴스레터를 써 보게 하거나 소책자를 만들게 하는 것도 개방형 과제, 탐구 과제를 만드는 또 다른 방법이다. 어떤 내용이든 이 방법을 적용할 수 있다. 9학년 학생들에게 $y = mx + b$에 관한 소책자를 만들어보라고 했더니, 이 수식이 의미하는 바가 무엇인지, 시각적으로 표현하면 어떻게 되는지, 어떤 상황에서 사용되는지, 방정식의 의미에 대한 자신들의 아이디어로 채웠다. 스탠퍼드 대학원생 세 명(댄 메이어, 세라 케이트 셀링, 캐시 선)과 함께 만든 고등학교 기하 과정에서 학생들에게 주어진 수학적 주제에 대해 자신들이 알고 있는 것을 사진, 만화, 그 밖의 여러 가지 표현 방식을 활용해 뉴스레터 등으로 작성하는 과제를 제시했다(자세한 내용은 www.youcubed.org/wp-content/uploads/The-Sunblocker1.pdf 참조). 예시 5.7은 우리가 나눠준 뉴스레터 과제의 일반적인 형태이다.

3. 방법을 가르치기 전에 먼저 문제를 낼 수 있는가?

어떤 방법을 가르치기 전에 그 방법을 알아야 하는 문제를 제시하면, 학생들에게는 직관을 사용해 배우는 좋은 기회가 된다. 앞서 설명한 최대 울타리 영역 찾기 과제와 레몬 부피 찾기 과제가 이러한 예다. 이런 구성은 수학의 모든 영역에 사용할 수 있는데, 특히 도형의 넓이, 원주율 학습, 평균, 최빈값, 분포 범위, 표준 편차와 같은 통계 관련 공식처럼 표준적인 방법이나 공식을 가르칠 때도 사용할 수 있다. 예시 5.8이 그 예를 보여준다.

학생들이 평균을 찾는 자신만의 방법을 개발하고 그룹 또는 학급 전체와 토론한 후, 평균, 최빈값, 분포 범위에 대한 공식을 배우게 된다.

뉴스레터

여러분은 이 수학 주제에 대해 배운 내용을 가족, 친구들과 공유하기 위해 뉴스레터를 작성하고 있습니다. 아이디어에 대해 여러분이 이해한 바를 자세히 설명하고 배운 수학적 아이디어가 중요한 이유를 적어볼 기회입니다. 수업 시간에 했던 활동 중 흥미로웠던 몇 가지에 관해 설명해도 좋습니다.
뉴스레터를 만들 때, 다음과 같은 자료를 이용할 수 있습니다.

- 여러 가지 활동에 대한 사진
- 스케치
- 만화
- 인터뷰/설문 조사

배운 내용을 기억하는 데 도움을 주기 위해, 우리가 했던 활동 일부를 다음에 적어두었습니다.
다음 네 개의 섹션을 준비해 주세요. 과제에 맞게 섹션 제목을 바꿀 수 있습니다.

머리기사	새로운 발견
수학적 핵심 아이디어와 그 의미를 적어도 두 가지 다른 방법으로 설명하세요. 말로, 간단한 도형 그림으로, 사진이나 숫자, 방정식 등을 이용하세요.	우리가 직접 했던 활동 중 개념을 이해하는 데 도움을 준 것을 적어도 두 개를 고르세요. 각 활동에 대해 다음을 설명하세요. • 활동을 고른 이유 • 활동을 통해 배운 점 • 활동에서 어려웠거나 흥미로웠던 점 • 활동하면서 사용했던 전략
연결성	**앞으로의 계획**
수학적 아이디어나 다른 학습과 연결할 수 있는 처리 과정을 배우는 데 도움이 된 활동을 하나 더 고르고 다음을 설명하세요. • 활동을 고른 이유 • 활동으로부터 배운 수학의 핵심 아이디어 • 이 아이디어와 무엇을, 어떻게 연결할 수 있는지 • 연결의 중요성과 앞으로 어떻게 사용하게 될 것인지	다음에 대해 정리하면서 뉴스레터의 내용을 요점 정리하세요. • 유용한 수학적 핵심 아이디어는 무엇인가? • 핵심 아이디어에 대해 여전히 의문이 생기는 점은 무엇인가?

예시 5.7

멀리뛰기

멀리뛰기 팀에 들어가려고 하는데, 팀에 들어가려면 평균 5.2미터를 뛰어야 한다. 팀 코치는 요일별로 여러분의 최고 점프를 보고 평균을 낸다고 한다. 이번 주 5일간의 여러분의 기록은 아래와 같다.

	미터
월요일	5.2
화요일	5.2
수요일	5.3
목요일	5.4
금요일	4.4

운 나쁘게도, 금요일에 몸이 좋지 않아서 기록이 나쁘다.

여러분의 멀리 뛰기실력을 상당히 잘 표현해 주는 평균을 구하려면 어떻게 해야 할까요? 여러 가지 방법으로 평균을 구하고 어떤 방법이 가장 공정한지 생각한 다음, 그 방법이 가장 공정하다고 생각하는 이유에 대한 논거를 제시하세요. 여러분의 방법을 설명하고 다른 사람에게 그 접근 방식이 가장 좋다는 것을 설득해 보세요.

예시 5.8

4. 시각적 요소를 추가할 수 있는가?

시각적 이해는 매우 강력한 효과를 발휘한다. 커지는 도형 과제에서 보았듯이, 이해 수준을 완전히 새로운 차원으로 끌어올릴 수 있다. 간단한 도형 그림으로도 시각적 이해가 가능하지만, 다중 연결 큐브나 대수 타일과 같은 교구를 이용해도 좋다. 초등학교 교사였던 어머니 덕분에 어릴 적부터 퀴즈네어 막대를 가지고 놀 기회가 많았다. 순서대로 늘어놓기도 하고, 수학적 패턴을 알아보는 등 막대를 가지고 놀면서 행복한 시

평행선을 지나가는 직선

1. 크기가 같은 각끼리 같은 색으로 색칠하세요.
2. 맞꼭지각과 보각을 찾아보세요.
3. 각 사이의 관계를 적어보세요. 그림에 사용했던 색을 이용해 적어보세요.

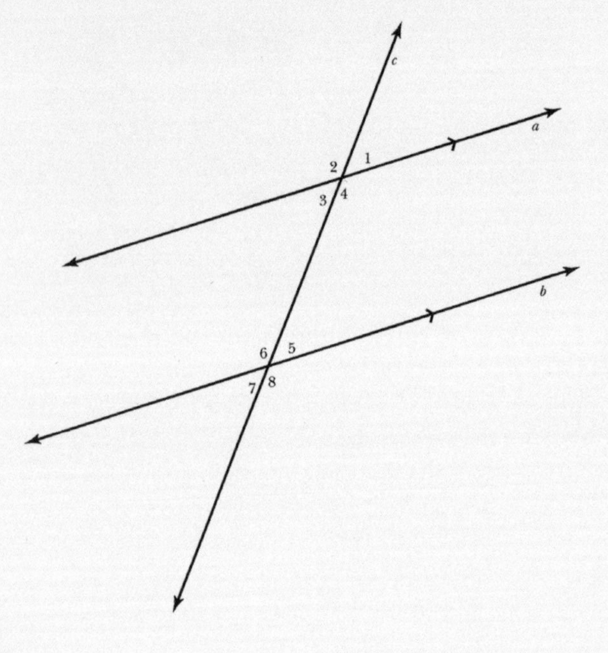

맞꼭지각:

보각:

각 사이의 관계:

예시 5.9

간을 보냈다. 중요한 수학 전략을 알려주는 유큐브드의 학생용 온라인 과정에서 나는 학생들에게 수학 문제나 아이디어를 우선 그림으로 나타내보라고 한다. 그림 그리기는 수학자와 수학적 문제를 해결해야 하는 모든

평행선을 지나가는 직선

1. 크기가 같은 각끼리 같은 색으로 색칠하세요.
2. 맞꼭지각과 보각을 찾아보세요.
3. 색깔을 이용해 될 수 있는 한 관계식을 많이 적으세요.

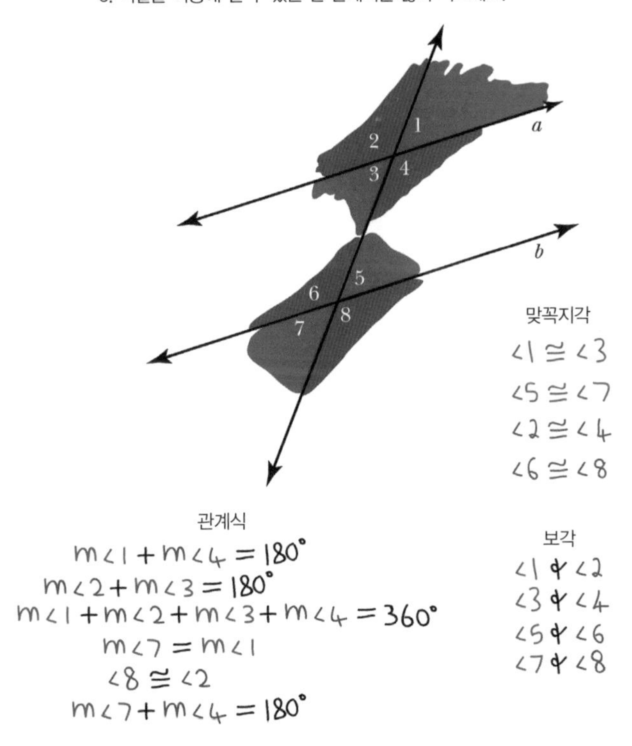

그림 5.21 같은 색으로 크기가 같은 각 칠하기

이에게 가장 강력한 도구이다. 수학 수업 중에 학생들이 막힐 때, 나는 우선 문제를 그림으로 그려보라고 한다.

성공적인 수학 수업이 이루어졌던 레일사이드 학교에서는 학생들에게 '같은 색으로 칠하기'를 통해 연결 관계를 보여달라고 했다. 예를 들어 대수를 가르칠 때 학생들에게 함수 관계를 식, 그림, 단어, 그래프 등 다양한 형태로 표시해달라고 한 것이다. 많은 학교에서 이러한 다양한 표현을 학생들에게 요구하는데, 레일사이드 학교에서는 학생들에게 관계를 색으로 표시하게 했다. 예를 들면 식, 그래프, 다이어그램에서 같은 색으로 x를 표시하도록 하는 등 색으로 관계를 표시하게 한 점이 특이했다. 7장에서는 레일사이드 학교의 접근 방식을 더 자세히 설명하면서 '같은 색으로 칠하기' 과제 중 하나를 소개하겠다. 수학의 다른 분야에서도 색을 이용해 관계들을 명확하게 보여줄 수 있다. 예를 들어 크기가 같은 각, 수직, 보각을 표시할 때도 색을 사용해 관계를 강조할 수 있다. 예시 5.9와 그림 5.21이 바로 그러한 예이다.

9장에서 '같은 색으로 칠하기'의 더 많은 예를 소개하겠다.

5. 문제를 '바닥은 낮고, 천장은 높게' 만들 수 있는가?

앞서 소개한 문제들은 모두 바닥이 낮고 천장이 높아서 넓은 내부 공간을 가진다. 즉, 다양한 학생이 접근할 수 있고 높은 수준까지 확장되는 문제라는 의미이다.

항상 학생들에게 문제를 어떻게 보는지 물어보라. 이것은 문제의 바닥을 낮추는 방법이다. 또한 이 방법은 앞서 설명한 것처럼 다른 이유에서도 아주 좋은 질문이 된다.

과제의 천장을 높이는 또 다른 좋은 전략은 문제를 다 푼 학생에게 비슷하지만 더 어려운 문제를 만들어보라고 하는 것이다. 여름방학 방과 후 학교에서 성취도가 다른 학생들이 뒤섞여 있는 그룹을 지도할 때 우리는 이 전략을 자주 사용했는데, 특히 다른 학생보다 먼저 끝낸 학생이 있는 경우 더욱 큰 효과를 보았다. 예를 들어, 알론조라는 학생은 커지는 도형의 패턴과 n번째 경우에 대해 생각하도록 한 계단 과제(예시 5.10 참조)의

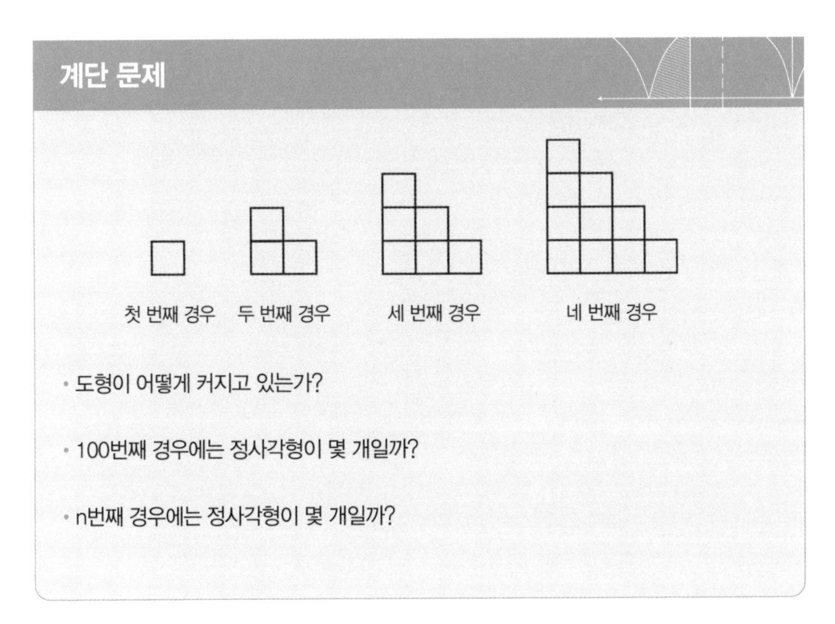

예시 5.10

답을 구한 다음, 더 어려운 문제를 생각해 냈다. 계단이 네 방향으로 어떻게 커지고, n번째 경우의 정사각형 개수는 몇 개인지 질문했다(그림 5.22 참조).

더 어려운 문제를 만들어 질문하라고 하면, 학생들은 자기 사고력과 창의력을 발휘할 기회에 완전히 몰입해 표정이 밝아지는 경우가 많다. 이 방법으로 교사는 쉽게 문제의 천장을 높일 수 있고, 어떤 수업에서든 사용할 수 있다. 수학 문제 세트가 있다면 학생들에게 다음과 같은 과제를 주는 것을 고려해 보라.

"이제 여러분이 문제를 하나 내보세요. 더 어렵게 만들어보세요."

그림 5.22 알론조가 확장한 문제

학생들은 자신이 만든 문제를 다른 학생에게 제시할 수도 있고, 서로에게 문제를 낼 수도 있다. 더 어려운 문제를 만들기 위해서는 깊은 사고 과정이 필요하므로, 다른 학생들보다 과제 수행 속도가 빠르거나 주어진 과제가 너무 쉽다고 불평하는 학생에게 특히 좋은 전략이다.

6. 증명과 추론을 필수 사항으로 추가할 수 있는가?

추론은 수학의 핵심이다. 학생들이 근거를 제시하고 다른 사람의 추론을 비판할 때, 이들은 본질적으로 수학하는 것이며 그들이 일하게 될 첨단 기술 세계를 준비하는 것이다. 또한 추론은 학생들에게 이해의 창을 열어준다. 각기 다른 학교를 대상으로 한 4년간의 연구 결과, 추론은 이해하는 학생과 아직 이해하지 못하는 학생 간의 격차를 줄이는 데 도움을 주어 형평성 증진에 특별한 역할을 한다는 사실을 발견했다. 수학에 관한 모든 대화에서 학생들은 특정 방법을 선택한 이유와 그것이 합당한 이유를 설명하면서 추론하도록 요청받았다. 이를 통해 학생들은 수학을 계속 공부할 수 있게 되고, 내용을 이해하지 못한 학생도 이해하고 질문할 수 있게 되었으며, 원래 이해했던 학생의 이해도를 높일 수 있었다.

내가 학생들에게 자주 내주는 과제가 있는데, 이 과제는 학생들이 추론하도록 유도하며 교육학적으로 많은 이점을 가진 전략 중 하나이다. 이 전략을 캐시 험프리스에게 배웠는데, 그녀는 학생들에게 '회의론자 되기' 과제를 내준다. 그녀는 설득하는 데는 세 가지 수준이 있다고 설명한다 (Boaler & Humphreys, 2005).

- 자신을 설득하기
- 친구를 설득하기
- 회의론자를 설득하기

자신이나 친구를 설득하기는 상당히 쉽지만, 회의론자를 설득하려면 높은 수준의 추론이 필요하다. 캐시는 학생들에게 회의론자가 되어야 한다고 하면서, 다른 학생들에게 항상 완전하고 설득력 있는 이유를 제시하라고 강조한다.

마크 드리스콜이 개발한 '종이접기' 과제는 '회의론자 되기' 과제와 함께 높은 수준의 추론을 가르치고 장려하기 위한 완벽한 과제다. 나는 이 과제를 다양한 그룹에서 사용했는데, 매번 참여도가 높았다. 교사들은 이 과제를 통해 평소에 주목받지 못했던 학생들이 빛을 발하는 경우가 많

종이접기

짝과 같이하는 활동입니다. 두 사람은 번갈아 가며 회의론자와 설득하는 사람 역할을 맡습니다. 설득하는 사람은 상대를 이해시켜야 하는데, 모든 주장에 대해 이유를 설명해야 합니다. 회의론자는 쉽게 설득되어서는 안 됩니다. 이치에 맞는지 따져보고 근거와 이유를 요구해야 합니다.
다음의 각 문제에서 한 사람은 도형을 만들고 회의론자인 상대를 이해시켜야 합니다. 다음 문제로 넘어가면 역할을 바꾸세요.
정사각형 종이를 접어서 새로운 도형을 만듭니다. 그다음 새로 만든 도형의 넓이가 특정한 값이 된다는 것을 어떻게 알았는지 설명하세요.

1. 원래 정사각형 넓이의 정확히 1/4이 되는 정사각형을 만드세요. 짝이 그 도형이 정사각형이고 넓이가 원래 도형의 1/4이라는 것을 알도록 설명하세요.

2. 원래 정사각형 넓이의 정확히 1/4이 되는 삼각형을 만드세요. 짝이 그 도형의 넓이가 원래 도형의 1/4이라는 것을 알도록 설명하세요.

3. 앞서 만든 삼각형과 합동이 아닌, 넓이가 원래 도형의 1/4이 되는 또 다른 삼각형을 만드세요. 짝이 그 도형의 넓이가 원래 도형의 1/4이라는 것을 알도록 설명하세요.

4. 원래 정사각형 넓이의 정확히 1/2이 되는 정사각형을 만드세요. 짝이 그 도형이 정사각형이고 넓이가 원래 도형의 1/2이라는 것을 알도록 설명하세요.

5. 넓이가 원래 정사각형의 1/2이고, 4번에서 만든 정사각형과 방향이 다른 정사각형을 만드세요. 짝이 그 도형의 넓이가 원래 도형의 1/2이라는 것을 알도록 설명하세요.

출처: Driscoll, 2007, 90쪽 내용 각색. heinemann.com/products/E01148.aspx

예시 5.11

아서 좋다고 했다. 이 과제에서 학생들은 두 사람씩 짝을 지어 정사각형 종이 한 장을 받는다. 학생들에게 종이를 접어 새로운 모양을 만들라고 한다. 예시 5.11은 점점 더 어려워지는 다섯 가지 문제를 보여준다(그림 5.23 참조).

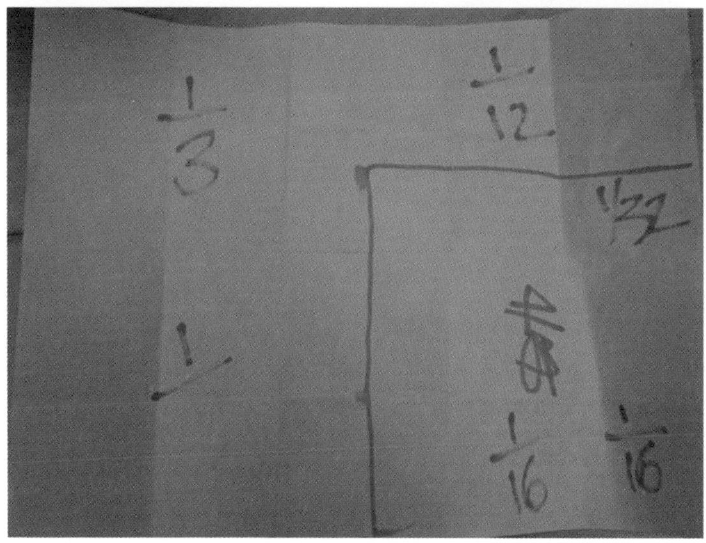

그림 5.23 교사들이 '종이접기' 과제를 하는 모습

이 과제를 교사 연수 과정에 있는 교사들에게 제시했는데, 그들은 5번 문제를 풀기 위해 오랫동안 끙끙대기도 했다. 일부 교사는 종일 전문성 개발 과정을 들은 후 저녁 시간에도 이 문제를 풀면서 매 순간을 즐기기

원뿔과 원기둥

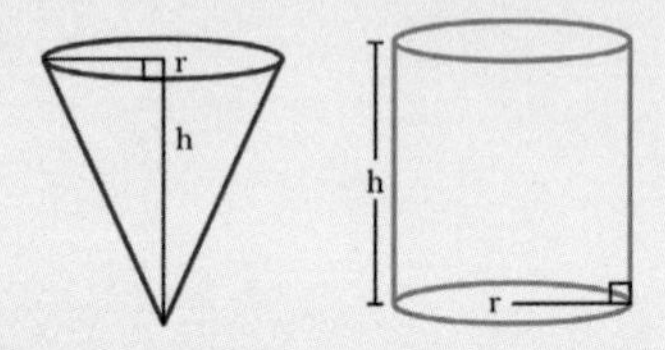

그림의 원뿔과 원기둥은 높이와 반지름이 같다. 원뿔의 부피와 원기둥의 부피 사이에는 어떤 관계가 있을까? 어떤 관계가 있을지 추측해 보고 그림이나 모형, 색칠하기를 이용해서 다른 친구를 이해시켜 보라.

예시 5.12

도 했다. 물리적인 형태의 변화를 고려해야 하고 상대를 설득해야 하므로 이 활동의 참여도는 높아진다. 이 과제를 줄 때 두 사람씩 짝지어 한 사람은 종이를 접고 설득하는 역할을 맡고, 다른 한 사람은 회의론자 역할을 맡게 한다. 문제 하나를 해결할 때마다 역할을 바꾸게 한다. 회의론자 역할을 맡았을 때는 자신을 완전히 이해시킬 수 있는 근거를 요구해야 한다. 학생들은 서로를 이해시키는 도전을 정말 즐거워하는데, 이는 수학적 추론과 증명을 배우는 데 큰 도움이 된다. 학생들이 충분히 이해하지 못했을 때, 교사는 추가 질문을 함으로써 완전히 설득력 있는 답변이 무엇인지 모범을 보여줄 수 있다.

예시 5.12는 상대를 이해시키는 과정이 포함된 또 다른 과제다. 학생들에게 모든 수학 문제, 과제를 추론하고 논리적으로 상대를 이해시키라고 요청할 수 있다.

결론

수학 과제를 문제를 보는 방식, 풀이 방법, 접근 방식, 표현 방식 등을 다양하게 해서 열린 문제로 제시하면 모든 것이 달라진다.

폐쇄적인 고정 마인드셋의 수학 과제라고 하더라도 넓은 학습 환경을 지닌 성장 마인드셋의 수학 과제로 바꿀 수 있다. 이 장에서는 수학 과제를 개방적으로 만들고 학습 잠재력을 높이는 데 도움이 될 수 있는 다음의 여섯 가지 제안을 소개했다.

1. 다양한 방법, 경로, 표현이 가능한 열린 과제를 만들어라.
2. 탐구 기회를 포함하는 과제를 만들어라.
3. 방법을 가르치기 전에 먼저 질문하라.
4. 시각적 요소를 추가하고 수학을 어떻게 보는지 학생들에게 질문하라.
5. 과제를 확장해 바닥은 낮게, 천장은 높게 만들어라.
6. 학생들에게 설득하고 추론하도록 요청하라. 회의론자가 되어라.

9장에서 이런 특징을 가진 과제의 예를 제시하도록 하겠다.

이러한 방식으로 과제를 수정하면 학생들에게 더 풍부하고 더 깊은 학습 기회를 제공할 수 있다. 나는 학생들이 풍부한 개방형 수학 과제를 수행하는 것을 볼 때마다 정말 즐거웠고, 직접 가르치면서 학생들이 매우 흥미로워하는 모습을 보았다. 연결 짓기는 수학에서 매우 중요한데, 학생들은 연결 짓기를 좋아한다. 시각적이고 창의적인 수학은 학생들에게 영감을 준다. 이 장에서 설명한 특징이 포함되어 있으며, 초등학교 4학년부터 고등학생까지 모두 사용할 수 있는 일주일 분량의 수학 수업안을 다음에서 무료로 내려받을 수 있다(www.youcubed.org/week-of-inspirational-math).

중학교 교실에서 이 수업을 시도했을 때, 학부모들이 달려와 수학을 대하는 자녀의 태도가 바뀌었다고 말해주었다. 어떤 학부모는 자녀가 항상 수학을 싫어했는데 이 수업을 듣고 완전히 다른 시각으로 수학을 보게 되었다고 말하기도 했다. 우리 교사(및 학부모)는 이런 디자인 요소와 수학적 마인드셋으로 수학 과제를 만들고 변형해 모든 학생에게 마땅히 누려야 할 풍부한 수학 환경을 제공할 수 있다. 이러한 변화의 필요성을 깨닫고 새로운 교과서가 만들어지기까지 너무 많은 시간이 필요하다. 하지만 우리 교사들은 지금 당장 바꿀 수 있다. 모든 학생에게 개방적이고 매력적인 수학 환경을 조성할 수 있다.

이 장에서 강조한 특징을 포함한 수학 과제를 다음 웹사이트에서 얻을 수 있다.

- 유큐브드Youcubed www.youcubed.org
- 피클매스Pickle Math mathpickle.com
- 균형잡힌 평가Balanced Assessment balancedassessment.concord.org
- 수학 포럼Math Forum www.mathforum.org
- 쉘 센터Shell Center map.mathshell.org/materials/index.php
- 댄 메이어의 자료Dan Meyer's resources blog.mrmeyer.com
- 지오지브라Geogebra geogebra.org/cms/
- 비디오 모자이크 프로젝트Video Mosaic project videomosaic.org
- 엔리치NRich nrich.maths.org

- 오픈 미들Open Middle www.openmiddle.com
- 측정 180 Estimation 180 www.estimation180.com
- 시각적 패턴Visual Patterns(grades K–12) www.visualpatterns.org
- 넘버 스트링스Number Strings numberstrings.com
- 맛있는 수학Mathalicious(grades 6–12); 중·고등생 대상 실제 수업 자료 www.mathalicious.com
- 미국수학교사협의회NCTM www.nctm.org(일부 자료는 회원만 접근 가능)
- 미국수학교사협의회 조명NCTM Illuminations illuminations.ntcm.org

수학적 평등과 인간적 평등

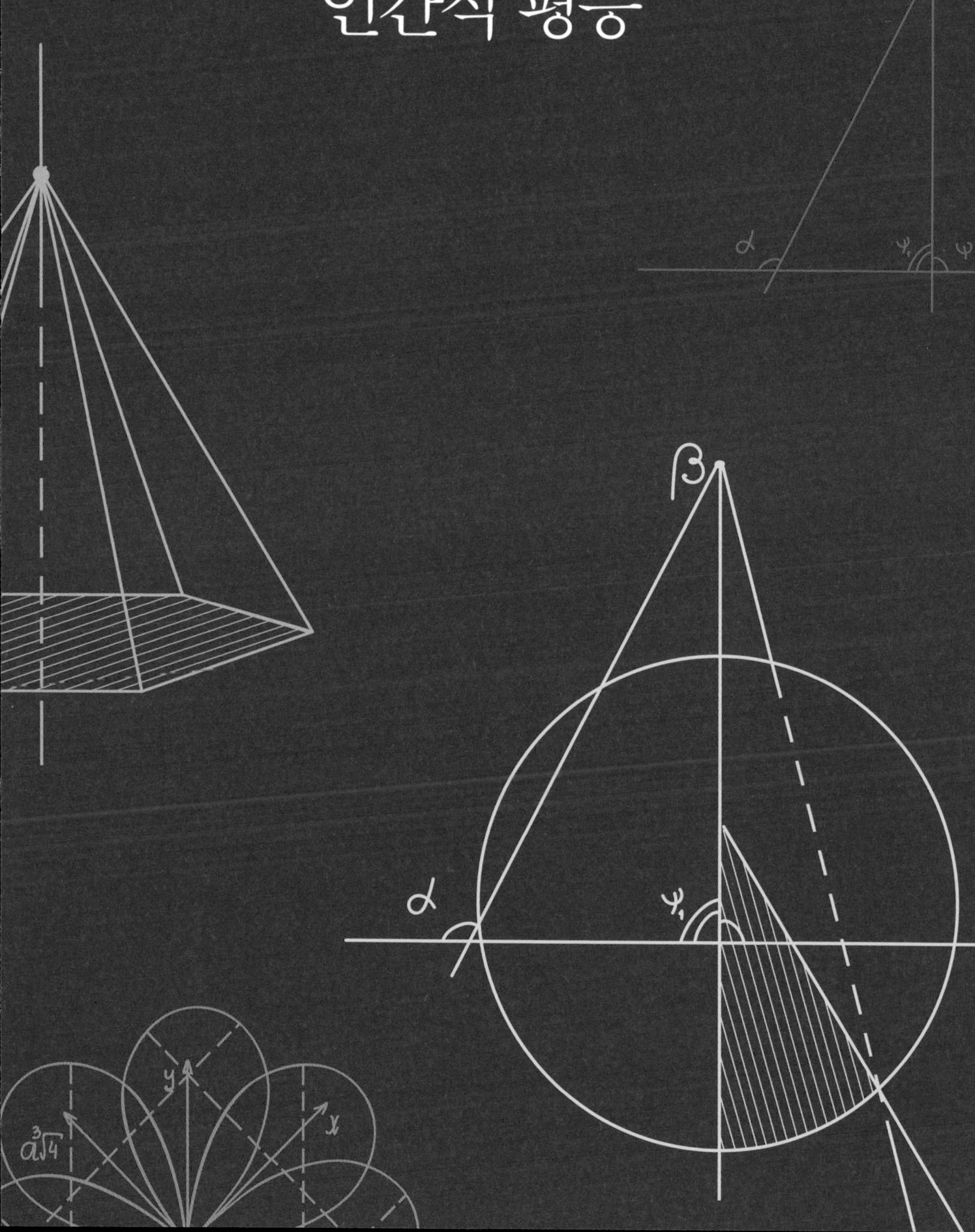

나는 평등에 열정을 가지고 있다. 피부색이나 성별, 소득, 성적 지향, 그 밖의 다른 특성과 관계없이 누구나 격려받으며 수학을 배우고 즐길 수 있는 세상에서 살고 싶다. 나는 수학 수업을 듣는 모든 학생이 자신이 다른 사람들에게 '똑똑해' 보이는지 또는 '수학 유전자'를 가졌는지 걱정하지 않고 행복하게 수학을 배우는 세상을 원한다. 그러나 현실은 그렇지 못하다. 수학이 어떤 과목보다 인종, 성별, 사회적 지위, 소득 수준에 따라 학생들 간의 성취도와 참여도 차이가 크다는 사실은 변명할 여지가 없다(Lee, 2002).

수학 과목에서의 공평한 결과라는 목표를 매우 성공적으로 이뤄온 교사들과 여러 해 동안 함께 연구할 수 있어서 큰 행운이었다. 그들과 함께 연구하면서 공평한 수학 교실을 만드는 방법을 배웠고, 이 장과 다음 장에서 그 다양한 전략을 공유하겠다. 그러나 우선 좀처럼 다뤄지지 않지만, 수학에서의 불평등 문제의 핵심이라고 여겨지는 것에 관해 이야기를 시작하겠다.

수학에서의 엘리트주의

수학은 아이디어와 연결을 통해 모든 학생에게 영감을 주는 아름다운 과목이다. 그러나 많은 경우에 성적을 중요하게 여기는 과목으로 가르쳐지면서, 수학 유전자를 가진 학생과 그렇지 않은 학생을 나누는 역할을 한다. 안타깝게도 미국의 수학은 성과주의와 엘리트주의 문화에 빠져있다. 우리 사회가 수학에서 더 높고 공평한 결과를 얻기 위해서는 우선 수학이 종종 수행하는 엘리트주의적 역할을 인식해야 한다고 생각한다. 한편으로 수학은 세상을 바라볼 수 있는 놀라운 렌즈다. 젊은이들은 수학을 통해 자신의 직업과 삶에 대해 정량적으로 사고할 준비를 할 수 있다. 수학은 열심히 공부하는 모든 학생이 누구나 공평하게 이용할 수 있는 지식이다. 반면에 수학은 아이들을 할 수 있는 아이와 그렇지 않은 아이로 구분하고, 어떤 아이는 똑똑하고 어떤 아이는 똑똑하지 않다고 분류하는 과목으로 생각할 수 있다. 어떤 사람들은 특히 자기 자녀가 성공하고 있는 경우, 사회적으로 확실한 우위를 점하길 원하므로 수학에 대한 접근성이 떨어지는 방식으로 이루어지는 현재의 수업 방식이 그대로 지속하길 원한다. 그러나 고맙게도 현재 자기 자녀가 수학에서 우월한 위치에 있지만, 필요한 변화를 기꺼이 받아들이고자 하는 사람들이 있다. 이들은 자녀가 차지한 우월한 위치가 미래에 실제로 도움이 되지 않는 수학에 기반을 둔 경우가 많다는 사실을 알고 학교 수학에 변화가 있기를 원한다.

수학 영재라는 신화

어떤 사람들(일부 교사도 포함)은 수학을 잘한다는 것을 자기 정체성의 기반으로 삼는다. 자신이 유전적으로 특별해서 다른 사람보다 수학을 잘한다고 생각하는 것이다. 사람들은 수학에 재능 있는 아이가 따로 있다는 생각에 집착한다. 미국 내에서 '영재gifted'라는 단어가 들어가는 운동은 이런 개념 위에 구성되었다. 그러나 타고난 뇌의 차이는 살아가면서 겪는 경험으로 그 차이가 옅어진다는 증거들이 대단히 많다. 놀라운 뇌 성장, 연결 및 강화의 기회가 매 순간 주어지기 때문이다(Thompson, 2014; Woollett & Maguire, 2011; Boaler, 2019). 심지어 천재로 알려진 사람들조차 실제로 성과를 달성하기 위해 정말 열심히, 특별한 방식으로 노력했다. 아인슈타인은 아홉 살 때까지 글을 읽지 못했고 대학 입시에 떨어졌지만, 무척 열심히 공부했고 실수를 통해 끈기 있게 배우는 매우 긍정적인 마인드셋을 가지고 있었다. 미국 교육 시스템은 뛰어난 노력과 끈기의 본질을 인정하고 칭찬하기보다는 수학적 사실을 빨리 이해하는 '재능 있는 영재'에게 초점을 맞추고 있다. 특정한 학생에게 '영재'라는 꼬리표를 붙이는 것은 재능이 없다고 여기는 학생뿐만 아니라 영재로 여겨지는 아이에게도 상처를 준다. '영재'라는 꼬리표가 고정 마인드셋을 갖게 해 틀에 박힌 생각의 경로를 따라가게 되고, 좀처럼 위험을 감수하려고 하지 않기 때문이다. 학교에서 영재 프로그램을 운영할 때 학생들에게 일부 학생은 유전적으로 다르다고 말하는데, 이는 매우 해로울 뿐만 아니라 잘못된 메시지다. 어린 시절 영재로 여겨졌던 사람들을 추적 관찰한 결과, 이들이 평균적인 직업을 가지고 보통의 삶을 살아가고 있다는 사실은 그리 놀라운 일이 아니다(Grant, 2016).

말콤 글래드웰Malcolm Gladwell은 베스트셀러 《아웃라이어》에서 전문성의 본질을 풀어헤쳤다. 앤더스 에릭슨Anders Ericsson과 동료들이 수행한 광범위한 연구에서 그가 이끌어낸 결론은 수학 전문가를 포함해 모든 전문가는 한 가지 분야에서 적어도 1만 시간 넘게 노력했다는 것이다(Gladwell, 2011). 수학에서 뛰어난 성취를 이룬 몇몇 사람은 자신에게 타고난 재능이 있다고 생각하길 원하므로 어려움을 겪었지만, 노력으로 이겨냈다는 사실은 자랑스러워하지 않는다. 이런 생각에는 여러 가지 문제점이 있다. 그중 하나는 열심히 노력해서 성취를 이룬 학생이 스스로 재능이 없으면서도 재능이 있는 것처럼 사람들을 속이고 있다고 여긴다는 점이다. 천재라면 쉽게 했을 일을 자신은 애써서 이루었다는 이유만으로 말이다. 성취도가 높은 학생 중 상당수가 이런 이유로 자신은 수학이 적성에 맞지 않는다고 생각하면서 중도에 포기한다(Solomon, 2007). 이런 문제는 '수학 천재'는 남다른 재능을 타고나서 손쉽게 수학적 성취를 이루며, 그들만이 진정으로 수학이 적성에 맞는 사람이라는 고정관념에서 비롯한다. 여기에 누가 '선천적으로' 수학을 잘하는지에 대한 고정관념이 더해졌다. 우리가 직면한 문제의 본질을 이해하는 시작은 바로 이 지점부터다. 많은 이가 수학을 잘할 수 있는 사람에 대한 고정관념에서 수학 불평등이 비롯된다는 점을 인식하고 매일 이를 해소하려고 노력한다. 그러나 안타깝게도 의식적이든 그렇지 않든 수학 교육 분야에 만연한 불평등을 조장하는 사람도 있다.

다른 과목 교사보다 자신이 뛰어나다고 생각하는 수학 교사들이 있다. 다행히 내가 만났던 교사 중에는 몇 명뿐이었다. 이런 교사는 자신의 업무를 자기처럼 특별한 학생을 찾아내는 것으로 생각한다. 내가 만난 어느 고등학교 교사는 매년 자신의 수업을 듣는 학생 중 70%에게 F 학점을 주었다. 그는 학생들이 나쁜 점수를 받는 것이 자신의 교수법이 실패했음을 의미한다고 생각하지 않는다. 학생들이 '수학머리'를 가지고 있지 않다는 증거라고 생각한다. 이 교사와 이야기를 나눠보니 그는 많은 학생에게 낙제 점수를 주는 것이 그들의 장래 학업에 악영향을 끼친다는 것을 알고 있으면서도 정당하다고 생각하고 있었다. 그는 자신을 수학에서의 성공을 지키는 수호자로 여겼는데, 자격을 지닌 진정한 수학 영재에게만 수학에서의 성공이 허락될 수 있도록 철통같이 지키고, 수학 영재를 더 높은 수준으로 끌어올리는 것이 자기 임무라고 믿고 있었다. 일부 대학의 수학과는 근무 시간에 도움을 청하는 학생에게 낮은 학점을 주기도 한다. 열심히 노력하는 태도를 칭찬하고 격려하는 게 옳은데, 이를 수학적 재능이 없는 것으로 여기는 것이다. 엘리트주의 태도로 수학을 가르치고, 수학을 다른 과목보다 어렵고 소수의 영재에게만 적합하다고 여길 때, 수학과 수학이 필수인 과학에서 성과를 얻은 극소수의 사람들도 그러한 생각을 가지고 똑같이 행동한다. 이러한 엘리트주의적 사고가 '영재'라는 고정관념과 결합하면 심한 불평등이 생겨난다.

고급 수학을 수강하는 학생들에 관한 미 전역의 데이터는 이런 엘리트주의에 비롯한 '영재' 중심의 수학계의 문화가 미치는 영향을 잘 보여준다. 2013년 수학 박사학위 취득자의 73%는 남성이었고, 94%는 백인이거나 아시아계였다. 2004년부터 2013년까지 수학 박사학위를 취득한 여성의 비율은 34%에서 27%로 감소했다(Velez, Maxwell & Rose, 2013). 이런 데이터를 기반으로 수학에서의 불평등에 관한 심도 있는 논의가 시작되어야 하며, 교육 정책 입안자를 비롯해 관계자에게 불평등을 심화시키고 있는 초·중·고 학교 교육에서 우리가 무엇을 하고 있는지 심각하게 고려하도록 관심을 불러일으켜야 한다.

스템(STEM: 과학Science, 기술Technology, 공학Engineering, 수학Mathematics의 줄임말. 미국은 '스템 교육'을 적극적으로 실시하고 있다_역자 주) 분야에서 일하는 여성의 수가 적다고 알려져 있지만, 실제로 일부 인문 분야에서 일하는 여성의 수는 스템 분야보다 더 적다. 예를 들어, 분자 생물학 박사 과정에 있는 학생 중 54%가 여성이지만, 철학을 공부하는 학생 중 31%만이 여성이다. 분야마다 여성 종사자의 분포가 다른 패턴을 보이는 이유를 조사한 연구자들이 흥미로운 결과를 발견했다. 교수들이 그 분야에서 성공하기 위해서는 타고난 재능이 필요하다고 믿는 과목과 여성 및 아프리카계 미국인 학생 수가 적은 과목이 정확히 일치했다(Leslie, Cimpian, Meyer & Freeland, 2015). 1장에서 설명했듯이, 수학은 교수들이 그 과목을 배울 수 있는 사람이 따로 있다고 생각하는 스템 과목이다. 연구진은 영재성에 가치를 두는 분야일수록 여성 박사의 수가 적다는 것을 발견했으며, 이 상관관계는 조사한 30개 분야 모두에서 나타났다. 영재성에 대한 이런 생각 때문에 수학 분야에 진출하는 여성의 수가 적다. 이는 수학이 적성에 맞는 사람이 따로 있다는 고정관념이 계속 뿌리내리고 있음을 보여준다(Steele, 2011). 만약 대학의 수학 교수들이 '재능'에 대한 고정관념을 가지고 있어서 여성들이 수학 박사학위 취득에 도전하지 않는다면, '재능'에 대한 같은 생각이 초·중·고 여학생에게도 악영향을 끼칠 것으로 가정하는 것은 타당해 보인다.

캐럴 드웩, 캐서린 굿, 애니타 라탄은 학생들이 수학에 어느 정도 소속감을 느끼는지 알아보는 연구를 수행했다(Good, Rattan & Dweck, 2012). 즉, 학생들이 수학 커뮤니티의 일원이라고 느끼는 정도(소속감)와 권위 있는 사람들로부터 받아들여지고 있다고 느끼는 정도(수용감)를 조사했다. 연구진은 수학에 대한 학생들의 소속감과 수용감으로 향후 수학 관련 진학 여부를 예측할 수 있다는 사실을 발견했다. 연구진은 이어서 학생들이 느끼는 소속감의 차이를 유발하는 환경 요인을 연구한 결과, 두 가지 요인이 소속감에 부정적인 영향을 미친다는 사실을 발견했다. 하나는 수학적 능력은 타고난다는 메시지였고, 다른 하나는 여성은 남성보다 수학적 능력이 떨어진다는 생각이었다. 이러한 생각은 남성의 경우에는 영향이 없었고, 여성의 경우 소속감에 영향을 미쳤다. 상대적으로 여성의 소속감이 낮다는 것은 여성들이 수학 과목을 더 적게 수강하고 더 낮은 점수를 받는다는 의미이다. 학습을 통해 수학적 능력을 끌어올릴 수 있다는 메시지를 받은 여성은 부정적인 고정관념에 빠지지 않고 수학에 대한 높은 소속감을 유지하고 미래에도 수학 과목을 계속 공부하는 경향이 있었다.

수학은 타고난 재능이라는 생각과 더불어, 또 다른 문제는 사람들 대부분이 가지고 있는 수학이라는 지식이 세워진 기반에 관한 생각이다. 일반적으로 계산을 빨리하는 사람을 똑똑하고 특별한 사람으로 여긴다. 그 이유가 무엇일까? 수학은 다른 과목보다 어렵지 않다. 수학이 가장 어려운 과목이라고 생각하는 사람에게 감동적인 시를 쓰거나 예술 작품을 만들어 보라고 하고 싶다. 모든 과목은 어렵고 높은 수준으로 확장될 수 있다. 많은 사람이 수학을 가장 어렵다고 생각하는 이유는 알기 어려운 방식으로 가르치는 경우가 많기 때문이다. 더 많은 사람이 수학에 접근하게 하려면 수학이 어렵다는 생각을 바꿔야 한다.

불평등을 불러오는 수학 수업 배정은 위법

수학에서 불평등이 일어나는 근본 원인 중 하나는 고등학교 수업 배정을 결정하는 과정에 있다. 미국에서는 9학년부터 수강하는 수업이 학생의 나머지 인생을 결정한다. 대부분 대학은 입학 자격으로 적어도 고등학교에서 수학을 3년 이상 이수할 것을 요구하므로 수학 수업은 학생의 미래에 큰 영향을 끼치게 된다. 따라서 고등학교 수학 교사와 행정 담당자는 모든 학생이 계속 수학을 공부할 기회를 얻도록 최선을 다해야 한다는 게 내 의견이다. 최근 고등학교 수업 배정에 관한 연구는 이 문제에 관해 매우 흥미로우면서도 충격적인 사실을 밝혀냈다.

2012년에 노이스 재단Noyce Foundation은 샌프란시스코 지역 아홉 개 학군의 수업 배정에 관한 연구를 진행했는데, 8학년에서 대수 과목을 통과하거나 캘리포니아주 표준 테스트California Standards Tests, CSTs에서 주어진 기준을 충족 또는 초과한 학생 중 60% 이상이 고등학교에 입학한 후 다시 대수 과목에 배정되어, 이미 통과한 과목을 반복 수강했다는 것을 발견했다(Lawyer's Committee for Civil Rights of the San Francisco Bay Area, 2013). 그 결과로 학생들은 하위권 학생 대상 수업에 배정되었고, 많은 학생이 높은 단계의 수업을 들을 수 없었다. 대부분 고등학교에서는 기하학 수업으로 시작하는 학생들만 통계나 미적분학까지 배울 수 있다. 대학 진학을 위해서는 더 높은 단계의 수업에 배정되는 것이 매우 중요한데, 이미 대수 과정을 통과한 학생들이 왜 같은 수업을 반복해서 들어야 할까? 데이터를 연구한 결과, 노이스 재단은 대수를 다시 수강한 학생의 대다수가 라틴아메리카계 및 아프리카계 미국인이라는 사실을 발견했다.

그들이 발견한 특정 데이터에 따르면 아시아계 학생의 52%는 8학년 때 대수 1을, 52%는 9학년 때 기하학을 수강한 것으로 나타났다. 백인 학생의 경우 대수 수강률이 더 낮았는데, 8학년에서는 59%가 대수를 수강했지만 9학년 때 기하학을 수강한 학생은 33%에 불과했다. 더욱 충격적인 사실은 8학년에서 대수를 수강한 아프리카계 미국인 학생은 53%였지만, 기하학을 배운 학생은 18%에 불과했다는 것이다. 마찬가지로 라틴아메리카계 학생의 50%가 8학년 때 대수를 배웠지만, 기하학을 선택한 학생은 16%에 불과했다.

대수를 통과한 아프리카계 미국인과 라틴아메리카계 학생 대부분이 하위권으로 분류된 것은 명백한 인종 차별 사례라고 본 실리콘밸리 커뮤니티 재단Silicon Valley Community Foundation은 이 상황을 개선하기 위해 변호사를 고용하는 이례적인 조치를 했다. 고용된 법률 사무소는 학교 행정에서 불법적 요소를 발견하고 다음과 같은 결론을 내렸다. "소수 학생에게 불합리하게 영향을 미치는 의도적인 수업 배정은 주 및 연방 법을 위반한 것입니다. 이 잘못된 수업 배정이 겉보기에는 객관적인 기준을 적용한 의도하지 않은 결과라고 하더라도, 그 기준이 소수 인종 학생에게 불합리한 영향을 끼쳤다면 수업 배정 책임자는 법적 책임을 피할 수 없습니다." 즉, 교사와 행정 담당자가 의도적으로 인종이나 민족에 따라 차별하지 않았더라도 과제 완성도와 같은 다른 기준을 이용해 유색인종 학생에게 더 많은 영향을 줌으로써 법을 어길 수 있다는 것이다. 미국의 인권 운동가들의 업적 중 하나는 최종적인 영향이 중요한 기준이 되었다는 것이다. 샌프란시스코 변호사들은 불평등을 초래하는 수학 수업 배정은 위법이라는 사실을 강조했다.

나는 연구에 참여한 교사들이 인종 때문에 유색인종 학생의 진로를 막았다고 생각하지 않았으며, 오히려 일부 학생은 고등 수학에 적합하지 않다고 판단하는 등 더 미묘한 인종 차별이 발생하고 있다고 생각했다. 어느 날, 캘리포니아의 다른 지역 중학교 교장이 내게 자료를 봐달라고 요청했다. 그는 8학년 때 대수 과목을 통과한 학생들이 고등학교에서 대수학 재수강반에 배정된 것을 보고 불안해하고 있었다. 자료상으로는 성적과 교과목 배정에 어떠한 상관관계도 찾을 수 없었다. 오히려 인종과 과목 배정 사이의 관계, 즉 진급하는 학생은 주로 백인이고 뒤처지는 학생은 주로 라틴아메리카계 학생이라는 다른 관계를 발견할 수 있었다. 나는 이것이 노이스 재단이 폭로한 것과 같은 종류의 교과 배정에서의 인종 차별이라는 것을 즉시 알아차렸다. 나는 교장에게 어떻게 이런 일이 일어날 수 있는지 물었다. 그는 고등학교 교사들이 중학교 교사들에게 실패할 가능성이 있는 학생은 진급시키지 않는 것이 좋다고 말했고, 숙제를 늦게 하거나 수업에서 빛을 발하지 못하는 학생은 진급을 보류해야 한다고 말했다고 설명했다. 나중에 고등학교 교사 중 한 명은 학군 전체의 중학교에서 교장 추천서 없이는 8학년에서 대수 과목을 수강할 수 없도록 하는 정책을 만들고자 애쓰기도 했다. 이러한 일이 실제로 일어난다는 것이 믿기지 않을 수도 있지만, 자신이 수학의 수호자이며 진정 수학에 속한 학생들을 찾아내는 것이 자신의 임무라고 믿는 일부 교사와 관리자에 의해 실제 이런 일이 일어나고 있다.

노이스 재단이 이 문제를 파악하고 실리콘밸리 커뮤니티 재단이 학군의 개선을 독려하는 책임을 맡은 후, 많은 학군에서 학생 배정 방식에 변화를 주었고, 즉시 효과를 거두었다. 학군에서 내린 결정 중 일부는 교사의 판단을 배제하고(안타깝지만 어쩔 수 없는 선택이었다) 과정 이수 및 시험 결과만으로 학생을 상위 학급에 배정하는 것이었다. 학교와 교육청은 여름방학 동안 신속하게 작업해 새 학년 시작 몇 주 전에 받은 평가 자료를 사용할 수 있도록 하고, 특별 팀을 구성해 이 문제를 계속 주시하면서 학생들이 필요한 수준보다 낮은 학급에 배정된 경우 학기 초에 학생들의 수학 수업을 변경하는 조치를 하기로 약속했다. 인종 격차는 거의 즉시 사라졌다.

물론 학생들이 낮은 수준의 경로와 수업에 배정되는 문제를 해결하는 다른 방법이 있다. 낮은 수준의 경로나 수업을 아예 제공하지 않는 것이다. 대수 과목에서 낙제한 학생이 재수강을 할 경우, 일반적으로 재수강 수업에서 받은 성적은 이전과 같거나 더 나쁘다(Fong, Jaquet & Finkelstein, 2014). 학생들은 재수강을 실패에 대한 분명한 메시지로 받아들이기 때문이다. 이 메시지를 받아들인 많은 학생은 수학이 적성에 맞지 않고, 좋은 성적을 얻을 수 없다고 생각하게 된다. 내가 선호하는 해결책은 모든 학생에게 기대치와 기회를 계속 높은 수준으로 유지하고, 중학교 성적과 관계없이 모든 학생을 고등학교 1학년 때 정규 수학 수업에 배정해 새로운 출발을 할 수 있도록 하는 것이다. 그러나 많은 사람이 학생들이 그 수업을 받는 데 필요한 내용을 배우지 못했다는 이유를 대면서 반대할 것이다. 하지만 고등학교는 학생들에게 새로운 수학 경험의 기회를 제공하며, 우리는 학생들이 올바른 교육과 메시지를 통해 어떤 내용도 배울 수 있다는 것을 알고 있다. 박사 과정 학생인 카이람보카 브라운Kyalamboka Brown은 아프리카계 미국인 고등학생의 수학적 정체성 발달에 관한 연구를 수행했다. 인터뷰 대상이었던 학생 에이드리엔은 고등학교 입학 초에 자신이 낮은 수준의 반에 배정되었다는 사실을 떠올렸고, 이렇게 말했다.

> 저는 [9학년] 1학기에 예비 대수학 수업을 들었습니다. … 왜 그 반에 들어

갔는지 잘 모르겠어요. 아마도 고등학교 수학 배정 시험에서 낮은 점수를 받았을 거예요. … 첫 학기에 일반 대수 수업을 들었으면 괜찮았을 것 같아요. 많은 친구가 첫 학기에 대수를 시작했어요. … 저는 도움이 더 필요하더라도 그냥 정규 대수 수업을 들었어야 한다고 생각했어요. 그래서 솔직히 그 수업에 들어가면 안 된다고 느꼈어요. (브라운, 언론 보도 중)

에이드리엔은 이러한 경로 결정이 자신을 또래 친구들과 분리해 사회적으로 영향을 미쳤을 뿐만 아니라 고등학교에서 배우고 싶었던 수학을 배우지 못하게 했다고 이야기했다. 또한 도움이 필요했다면 과외를 구할 의향이 있었다고 말했다. 이 상황은 학생들이 무엇을 할 의향이 있는지, 무엇을 하고 싶은지 전혀 고려하지 않고 배정하는 방식을 비판하는 데 중요한 의미가 있는 것 같았다. 학생들을 온 트랙(on-track: 특정 결과를 달성하는 데 성공할 가능성이 있는 경우_역자 주) 수업에 배정하고, 수업 시작 전에 부족한 수학을 공부하거나 수업 중 지원을 통해 공부할 수 있는 선택지를 제공하는 고등학교에 진심으로 고마운 마음을 가진다. 고등학교에서 수강하는 수업에 대한 선택권은 학생과 가족에게 주어져야 하는데, 이러한 선택은 향후 학습에 중대한 영향을 미치기 때문이다.

수학은 학생 대부분을 상급 학교 진학에서 걸러내는 유일한 과목이다. 이는 일반적으로 교사의 잘못이 아니다. 고등학교 수학 과정은 일부 학생에게만 기회를 제공하도록 설계되어 있다. 미적분을 배우기 위해 이수해야 하는 과목이 고등학교 재학 기간보다 많다. 즉, 미국 대부분 학군에서 미적분을 수강하려면 중학교에서 2년 동안의 내용을 한번에 수강해야 한다. 38개 AP 과목 중 미적분은 대부분 학군에서 중학교에서 월반해야 수강할 수 있는 유일한 과목이므로 미적분 수강 경로는 학생 대부분을 걸러내는 시스템이다. 이는 구조적인 형태의 인종 차별이다. 이 문제에 더해, 많은 학군에서는 4학년의 시험 점수를 사용해 6학년에서 다른 진로를 결정한다. 나는 이런 일이 오랫동안 계속됐다는 사실에 놀라움을 금할 수 없다. 4학년 때 치르는 좁은 범위의 시험에 따라 학생들이 수강할 과목과 지원할 수 있는 대학이 결정되는 것이다. 이러한 관행은 두뇌가 고정되었다고 믿었던 시대에는 이해가 되었을지 모르지만, 학생들이 무엇이든 배울 수 있다는 것을 알고 있는 지금에는 전혀 의미가 없다. 다음 장에서는 다양한 성취도를 가진 학생들을 그룹으로 묶고 모든 학생에게 수준 높은 내용을 가르치는 교사의 업무에 관해 설명하고자 한다. 또한 이러한 교사가 학생의 성취도에 미치는 인상적인 영향과 학생의 성공을 위해 교사가 사용하는 전략을 소개하겠다. 9장에서는 이러한 불평등한 구조를 무너뜨릴 수 있는 잠재력을 가진 새로운 계획, 즉 중학교에서 진급할 필요 없이 고등학교에서 수강할 수 있으면서도 STEM에서 높은 수준으로 이어질 수 있는 새로운 과정인 데이터 과학에 관해 설명하겠다. 초·중·고 과정을 확장하는 데이터 과학의 새로운 자료와 데이터 과학 고등학교 과정의 신설로 수학은 수 세기 동안 필요했던 21세기의 현대적 접근 방식을 갖추게 되었다. 유큐브드의 데이터 과학 접근법 전용 섹션에서는 교사를 위한 다양한 무료 자료를 제공하고 있다.

영국 학생들은 16세에 수학에서 중요한 최종 시험인 GCSE(General Certificate of Secondary Education: 영국의 중등교육 자격 시험. 중학교 과정을 제대로 이수했는지 평가하는 국가 검정 시험_역자 주)를 치른다. GCSE에서 받은 성적에 따라 향후 진학할 수 있는 과목과 직업이 결정된다. 예를 들어, 교직에 진출하려면 영어와 수학 GCSE 모두에서 높은 등급(A~C)을 받아야 한다. 수학 시험은 두 가지 레벨 중 하나를 선택하게 된다. 상위 시험에 응시한 학생은 A*부터 D까지 모든 등급을 받을 수 있지만, 하위 시험에 응시한 학생은 C 등급 이하만 받을 수 있다. 어떤 시험에 응시하느냐는 학생에게 매우 중요한 문제인데, 그 결정이 너무 어린 나이에 이루어진다는 것은 비극이다. 일단 어떤 시험에 응시할지 결정되면 학생들은 5년이 넘는 시간 동안 그 시험을 준비한다. 영국의 두 학교를 비교하는 연구(Boaler, 2002a)에서 한 학교는 학생들을 상위 그룹과 하위 그룹으로 나누고(미국에서 능력에 따라 반 배정을 달리한 것과 같이) 하위 그룹의 학생들은 하위 시험을 준비하도록 했다. 3년 동안 하위 그룹에 속한 학생들에게 훨씬 쉬운 문제들을 주었고, 학생들은 좋은 성적을 거뒀기 때문에 자신들이 수학을 잘할 것으로 생각했다. 학생들은 자신들이 받을 수 있는 가장 높은 점수가 C에 불과하다는 사실을 몰랐다.

학생들은 나중에 하위 시험에 응시했다는 사실을 알고 큰 충격을 받아 도전을 포기했다. 이와 대조적으로 또 다른 학교에서는 다른 사람들이 과감하다고 생각하는 조처를 했다. 학생들의 성취도나 선행 정도와 관계없이 모든 학생에게 상위 수준의 시험을 준비하게 했다. 그러자 A*에서 C를 받은 학생들의 비율이 40%에서 90% 이상으로 뛰어오르는 극적인 결과를 얻었다. 부장 교사는 학교에 다른 변화를 준 것이 아니라 모든 학생에게 상위 수준의 수학을 가르치기 시작했을 뿐이라고 설명했다. 이러한 긍정적인 메시지와 기회를 받은 학생들은 그 기대에 부응해 더 높은 수준의 내용을 배우려고 발걸음을 내디뎌서 스스로 훨씬 더 밝은 미래에 대한 가능성을 높였다. 모든 교사가 모든 학생을 믿고, 어떤 학생은 고등 수학에 적합하고 어떤 학생은 적합하지 않다는 생각을 버리고, 이전의 성적, 피부색, 성별과 관계없이 모든 학생이 고등 수학을 배울 수 있도록 노력해야 한다. 이 장과 다음 장에서는 교사가 이를 위해 할 수 있는 방법에 관해 이야기하겠다.

높은 수준의 수학을 배울 수 있는 학생이 따로 있다는 교사들의 생각을 바꾸는 것은 단순히 교과목 배정에 관한 문제가 아니다. 교사는 수업에서 학생들이 무엇을 할 수 있는지 매일 결정을 내리고 이를 통해 학생들의 학습 경로를 결정한다. 수학 수업을 계획하면서 어떤 학생이 과제를 잘할지 예상하는 것은 당연한 일이지만, 미국 전역에 만연한 낮은 성취도의 악순환 고리를 끊으려면 그런 생각을 버려야 한다.

종종 스탠퍼드 학부 수업을 오클랜드에 있는 공립학교인 라이프 아카데미에서 현장 학습으로 진행했는데, 이 학교는 매일 불평등 패턴을 바꾸기 위해 노력하는 곳으로, 학생들의 인종 분포가 매우 다양하다. 학생의 74%가 라틴/히스패닉계, 11%가 아프리카계 미국인, 11%가 아시아계, 2%가 필리핀계, 1%가 아메리카 원주민, 1%가 백인이며, 학생의 92%가 무료 학교 급식을 받는다. 이 학교는 갱단 활동과 살인 사건이 빈번하게 일어나는 오클랜드의 한 지역에 자리 잡고 있다. 라이프 아카데미의 교사들은 학교를 안전한 공간으로 만들고, 모든 학생이 최고 수준의 성취를 이룰 수 있다는 것을 알리며, 대학 진학에 동기를 부여하기 위해 열심히 노력한다. 수학 교사들은 대학 입학에 필요한 높은 수준의 수학 수업을 모든 학생이 수강할 수 있도록 여러 가지 과목이 뒤섞인 수학 수업을 하고 있다. 그 결과 이 학교는 많은 성과를 거두었다. 오클랜드의 고등학교 중 가장 높은 대학 진학률을 보여주었고, 캘리포니아의 필수 수업을 이수하고 '대학 진학 준비'를 마친 학생의 비율이 87%라는 놀라운 수치를 기록했다. 이는 스탠퍼드 인근 부유한 지역의 교외 학교보다 높은 수치다. 소득 수준이 낮거나 준비되지 않은 학습 상태 때문에 고등학교에서 높은 수준의 수업을 따라갈 수 없는 학생이 있다고 생각하는 교사들이 일부 있다. 1장에서 이렇게 주장하는 고등학교 교사의 사례를 들었다. 하지만 라이프 아카데미의 교사들과 같은 교사들은 모든 학생에게 높은 수준의 수학을 가르치고 긍정적인 메시지를 전달함으로써 이 주장이 틀렸다는 것을 매일 증명하고 있다.

온라인 학생 강좌를 준비하면서 학생들과 함께 샌프란시스코 거리에서 다양한 행인들을 인터뷰했다. 다양한 연령, 인종, 성취 수준, 사회경제적 배경을 가진 30여 명의 사람을 인터뷰했다. 모든 인터뷰를 "수학에 대해 어떻게 생각하시나요?"라는 질문으로 시작했다. 그 결과 모든 사람이 학교에서 수학 성적을 얼마나 잘 받았는지 바로 대답했다. 예술이나 과학, 문학에 대해 어떻게 생각하는지 물었다면 이런 대답이 돌아오지 않았을 것이다. 그러나 성과 중심 문화에서 자란 사람들에게 수학은 자신의 가치를 측정, 판단하는 데 사용되는 폭력적인 도구로 쓰이고 있다.

자녀의 영어, 과학 및 기타 학교 과목 학습에는 여유가 있지만 수학에 대해서는 극도로 불안해하는 학부모들을 자주 만나게 된다. 일반적으로 이러한 부모는 자녀가 가능한 한 빨리 높은 수준의 수학을 배우고, 가능한 한 빨리 높은 수준의 수업을 듣기 원하며, 가능한 한 빨리 선행하지 않으면 뒤처져서 상위권으로서의 이점을 잃을까 봐 걱정하는 것이다. 하지만 어린 나이부터 수학 선행 학습을 한 학생일수록 기회가 주어졌을 때 낮은 성적을 얻게 되면 더 많이 포기하는 경향이 있다는 걸 아는 내게는 학부모의 이런 걱정이 안타깝기만 하다. 캘리포니아 대학교의 수학과 교수이자 학술 상원 부의장 빌 제이컵Bill Jacob은 교육청과 학부모로부터 높은 단계의 수학 선행 학습에 관한 질문을 받으면, 선행 학습으로 미적분을 공부할 때 기초가 부실해지기 쉬워 학생들이 미적분을 일찍 포기하는 사례가 많다고 하며 선행 학습이 궁극적으로 독이 되는 경우가 많다고 보고한다(Jacob, 2015). 그는 BC 미적분 과정(Calculus BC 대학교 1, 2학년 수학 과정과 거의 비슷한 내용_역자 주)을 듣는다고 해서 학생의 수학 수준이 더 높아지지 않으므로, 이전 학년 내용을 깊게 공부하는 편이 더 낫다고 조언한다. 수년 동안 미적분은 많은 학생과 학부모의 최종 목표였지만, 이제는 많은 대학교(예를 들면 캘리포니아에 있는 대학교)에서 데이터 과학과 통계도 그 가치를 인정받고 있다. 내가 가르치는 스탠퍼드 학생 중 상당수는, 심지어 STEM 진로를 선택한 학생들조차도 고등학교에서 미적분을 배우지 않았다. 기초 미적분과 미적분학이 아니라 데이터 과학과 통계학을 선택하도록 학습 과정을 조정하면 불공평한 참여와 성취 패턴을 바꿀 수 있다. 누구라도 데이터 과학 과정을 수강할 수 있다. 중학교에서 수학을 잘했거나 대수나 기하를 잘할 필요도 없다. 그러나 데이터 과학은 수학에서 중요한 과목이며, 더 많은 다양한 학생들에게 STEM으로 가는 관문이 될 수 있다.

최근 한 학부모가 나를 찾아와 자신이 사는 지역 교육청에 대한 불만을 토로했다. 교육청에서 선행반 수업을 폐지하는 바람에 모든 학생이 고급 수학 과정을 수강하게 되었다는 것이다. 처음에는 교육청의 결정을 두고 나를 공격적으로 비난하기 시작했지만, 대화를 나누는 동안 눈물과 안도감 등 다양한 감정이 교차했다. 먼저 그녀는 딸이 선행반에서 고급 수학 과정을 수강할 수 없어 딸의 미래가 망가졌다고 말했다. 나는 딸이 배정받은 과정에서도 미적분을 비롯해 고급 수학을 배우고 있다고 설명했다. 또한 더 높은 수준의 수학이 필요하다면 선행 학습보다 현재 배우고 있는 내용을 깊이 있게 공부하는 편이 훨씬 도움이 될 것이라고 조언했다. 대화가 진행되는 동안 그 학부모는 다소 안정을 찾은 듯했지만, 수학 과목만은 '홈스쿨링'할 계획이라며 자리를 떠났다.

우리가 수학을 가르쳐온 전통적인 방식과 수학 교수 학습에 스며든 성과주의 문화는 성취도가 낮은 학생들만큼이나 성취도가 높은 학생들에게도 악영향을 미쳤다. 학생들이 높은 수준의 경로로 옮겨갔을 때, 성취도가 높은 학생들이 수학을 포기하는 경우가 상당히 많을 뿐 아니라 개념 이해도 역시 떨어진다는 것이 연구를 통해 밝혀졌다(Paek & Foster, 2012). 최근 영국 및 국제 수학 올림피아드의 의장인 제프 스미스Geoff Smith는 학생들을 더 높은 수준으로 밀어붙이는 것은 '재앙'이자 '실수'이며, 성취도가 높은 학생들은 더 높은 수준으로 서두르지 말고 수학을 깊이 탐구해야 한다고 공개적으로 말했다. 엘리트주의적 성과주의 문화는 또 다른 방식으로 높은 성취도를 보이는 학생들에게 상처를 준다. 우리는 수많은 학생이 자신의 미래를 잘못 선택하는 것을 보았다. 영국의 한 연구에 따르면 항상 수학을 잘해 왔다는 이유로 대학에서 수학을 전공한 학부생들은 입학하는 순간 자신 못지않게 수학을 잘하는 다른 학생들로 둘러싸여 있음을 발견한다고 한다(Solomon, 2007). 그 순간 학생들은 자신감이 떨어지고 자기 정체성에 위기를 느낀다(Wenger, 1998). 학생들은 수학을 사랑하거나 수학의 아름다움을 감상한 적 없이, 수학을 할 수 있고 자신이 특별하다고 느끼기 때문에 수학을 선택한 것이다. 자신들처럼 '특별'해 보이는 다른 사람들에게 둘러싸인 학생들은 목적을 잃고 수학이라는 과목 자체에 흥미를 느껴본 적이 없다는 것을 깨닫고 수학을 포기한다(Solomon, 2007). 자신이 진정으로 원하지 않았는데도 대학 수학의 길로 들어선 학생 중에는 수학을 공부하고 즐길 수 있음에도 불구하고 학교에서 주입된 수학에 대한 잘못된 이미지 때문에 수학을 포기한 학생들이 수백 명은 될 것이다.

유큐브드의 공동 설립자인 캐시 윌리엄스는 스탠퍼드 대학교로 옮기

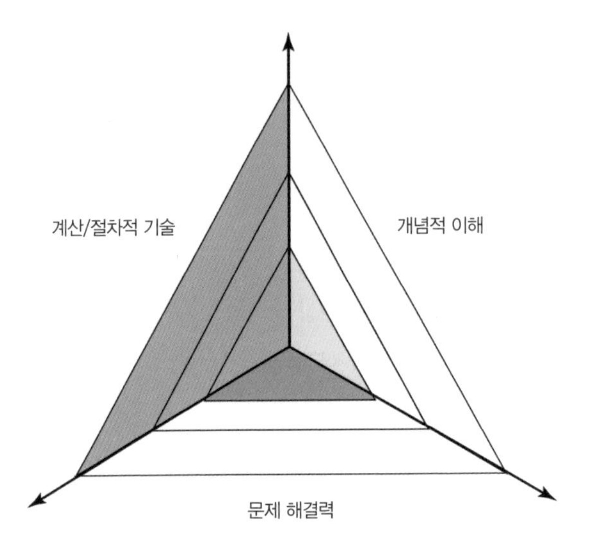

그림 6.1 수학의 다양한 측면 균형 맞추기

기 전 수년간 지역 교육청에서 수학 책임자로 일했다. 그녀는 업무상 자기 자녀가 남보다 크게 앞서 있고 남달리 똑똑하기 때문에 보다 높은 수준의 수업을 받아야 한다고 주장하는 학부모를 많이 만났다. 이런 학부모를 만날 때마다 캐시는 학생들을 직접 만나 이야기를 나눴고, 수학에 대한 평가를 통해 학생들의 요구를 파악하는 데 도움을 주겠다고 제안했다. 그런데 캐시는 그 학생들은 예외 없이 주어진 절차를 계산하는 데는 빠르지만, 수학적 개념을 제대로 이해하지 못하거나 왜 효과가 있는지 설명하지 못한다는 것을 발견했다. 예를 들어, 학생들은 1을 3/4로 나누면 1과 1/3이라고 답을 계산하지만 왜 답이 맞는지 설명하지 못했다.

캐시는 수학이 계산과 절차적 속도만을 중요시하는 과목이 아니라 아이디어를 이해하는 폭넓은 과목이라는 것을 학부모에게 보여주었다. 그녀는 수학의 세 가지 측면을 강조하는 시각 자료를 보여주었다(그림 6.1

참조).

그다음 그녀는 학부모에게 자녀가 한 영역에만 강하고 다른 수학적 차원에서는 이제 막 강점을 얻기 시작했다고 설명했다. 수학적 절차를 익히기 위한 반복은 학생들에게 필요하다. 하지만 그 이상으로 배운 수학을 이해하고 수학적 아이디어를 적용할 수 있는 능력이 필요하다. 3장에서 이미 설명했지만, 이것들은 기업에서 요구하는 핵심 역량 목록에서 상위를 차지하는 수학적 사고에 해당한다.

수학 교사도 학생과 마찬가지로 고과로 평가받는다. 그러므로 엘리트주의, 성과주의 문화가 수학계에 만연한 것은 교사의 잘못이 아니다. 수학을 분류 메커니즘이자 영재를 판별하는 지표로 선호하는 우리 문화에 잘못이 있다. 성취 수준이 높은 학생은 수학에 흥미를 잃고 있고, 성취 수준이 낮은 학생은 자신에게 온전히 배울 능력이 있다고 생각하지 못하는 게 현재 우리의 모습이다. 이 모든 학생을 위해 수학은 반드시 바뀌어야 한다. 학생(과 교사)에게 순위를 매기고 분류하는 데 사용되는 수학을 누구나 배우는 열린 과목으로 바꿔야 한다. 많은 사람이 학생들에게 긍정적 마인드셋이 필요하다는 데 동의하지만, 진정으로 학생들이 이런 생각을 가지려면 미국 사회에서 수학을 제시하고 가르치는 방식을 근본적으로 바꿔야 한다. 나는 유큐브드 구독자에게 보내는 모든 이메일을 "Viva la Revolution(혁명 만세)!"이라는 말로 끝맺는다. 이렇게 하는 이유는 바로 우리에게 혁명이 필요하기 때문이다. 학생들의 잠재력과 마인드셋은 물론, 수학이라는 과목에 대한 신념을 바꿔야 한다. 수학에 만연한 엘리트주의를 거부하고, 성과 중심에서 학습 중심으로 전환하고, 수학을 다차원적이고 아름다운 과목으로 받아들이는 혁명이 필요하다.

수학적 평등을 이루기 위한 전략

더욱 평등한 수학 교육을 위해 무엇을 해야 할까? 다음 장에서 모든 학생에게 혜택을 줄 수 있는 전략에 대해 자세히 이야기하겠다. 여기서는 의도적으로 수학을 더 포용적으로 만드는 몇 가지 전략을 소개한다.

1. 모든 학생에게 높은 수준의 내용을 제공한다

다음 장에서는 높은 수준의 수학 콘텐츠를 학습할 기회가 주어지는 학생 수를 늘리기 위한 연구와 제안된 전략에 대해 자세히 살펴보겠다. 국제 비교에 따르면 미국은 다른 대부분 국가보다 더 적은 수의 학생에게 높은 수준의 수학을 제공하는 것으로 나타났다(McKnight et al., 1987; Schmidt, McKnight & Raizen, 1997). 성취도를 올리고, 더욱 평등하게 기회를 주는 확실한 방법은 높은 수준의 수학을 배우는 학생 수를 늘리는 것이다. 가능한 한 많은 학생에게 높은 수준의 수학을 제공하는 수학을 제공하는 방법을 다음 장에서 설명하겠다.

2. 수학에서 성과를 낼 수 있는 사람이 따로 있다는 생각을 바꾼다

이 장의 앞부분에서 살펴본 바와 같이 캐럴 드웩의 연구(Dweck, 2006a, 2006b; Good, Rattan & Dweck, 2012)는 교사가 가진 마인드셋이 학생의 진로를 열어주거나 닫아버리고, 고정 마인드셋과 그에 따른 교수법이 수학과 과학에서 여성과 유색인종 학생에게 불평등이 계속되는 이유의 큰 부분을 차지한다는 것을 보여준다. 이 연구는 또한 성장 마인드셋을 가진 학생들은 정형화된 메시지를 가볍게 떨쳐버리고 계속해서 성공할 수 있다는 것을 보여준다. 이 결과는 학생과 교사가 자신의 과목에 대한 성장 마인드셋을 계발하고 학생에게 성장 마인드셋 메시지를 전달할 필요성을 다시 한 번 강조한다. 성장 마인드셋 메시지는 가능한 한 일찍 그리고 자주 학생에게 전달되어야 한다. 1장, 2장, 9장에서는 이러한 메시지를 전달하는 방법을 다룬다. 수학 학습에 대한 성장 마인드셋은 더욱 평등한 사회를 추구하는 데 매우 중요한 역할을 할 수도 있다.

3. 학생들이 수학에 대해 깊이 생각하도록 격려한다

2014년에 백악관 여성위원회에서 발표해달라는 요청을 받았다. 더 많은 여성이 STEM 과목을 수강하도록 장려하는 방법을 찾고자 마련된 자리였다. 나는 그 자리에 모인 사람들에게 STEM 분야에서 여성의 수가 남성보다 적은 이유가 상당 부분 수학 때문이라고 말했다.

내 연구(Boaler, 2002b)와 같은 결과를 확인한 다른 연구(Zohar & Sela, 2003)를 통해 여학생은 수학 수업에서 남학생보다 더 심도 있는 이해를 원한다는 사실을 발견했다. 여학생 모두가 원하는 것이 남학생과 다르다는 이야기는 아니지만, 여학생은 어떤 방법이 왜 효과가 있는지, 그 방법은 어디에서 왔는지, 더 넓은 개념 영역과 어떻게 연결되는지 깊이 이해하고 싶어 하는 경향이 더 크다(Boaler, 2002b). 이것은 매우 가치 있는 목표이며 우리가 모든 학생에게 바라는 바다. 안타깝게도 많은 수업에서 수학 교육의 절차적 특성 때문에 깊은 이해가 이루어지지 않는 경우가 많다. 여학생은 깊은 이해를 얻지 못하면 성취도가 떨어지고 수학을 외면하며 종종 불안감을 느낀다. 여학생은 남학생보다 수학에 대한 불안감이 훨씬 높은데(OECD, 2015), 그 주된 이유 중 하나는 깊은 이해가 불가능해서다(Boaler, 2014a). 역설적으로 깊이 사고하고 개념을 제대로 이해하고

자 하는 욕구는 칭찬할 만한 것이며, 이러한 욕구를 표현하는 학생들은 수학, 과학, 공학 분야의 높은 수준의 작업에 적합하다. 바로 이러한 학생들이 STEM 분야를 발전시키고 불평등한 교육의 악순환을 끊을 수 있다. 수학을 절차적으로 가르치면 깊이 있는 이해를 원하는 학생들(대부분 여학생)은 STEM 과목에 접근하지 못한다.

여름방학 방과 후 수업을 포함해 123개의 여학생을 위한 비공식적 STEM 프로그램 메타분석에서 연구진은 여학생들이 참여도 증진과 긍정적인 자아 정체성 형성에 도움이 된다고 평가한 프로그램의 특징을 요약했다. 여학생들이 선택한 상위 네 가지 특징은 다음과 같다.

- 실습 경험
- 프로젝트 기반 교육과정
- 실생활에 응용할 수 있는 교육과정
- 협업 과제 수행

역할 모델도 언급되었지만, 여학생들은 협업 및 탐구 기반의 과제 수행 기회보다 덜 중요하다고 생각했다(GSUSA, 2008). 이 대규모 연구는 여학생들이 수학 공식이나 풀이 방법이 왜, 언제, 어떻게 작동하는지 계속해서 질문할 수 있는 접근 방식을 선호한다는 연구 결과와 일치한다. 여학생만 이러한 접근 방식을 선호하는 것은 아니며, 이는 높은 수준의 성취도와 관련이 있다. 이런 접근 방식이 배제되면 여학생은 수학을 포기할 가능성이 크므로, 남학생보다 여학생에게 더 필요한 방식이라고 생각된다.

학습은 단순히 지식을 축적하는 것이 아니다. 자신이 누구인지, 어떤 사람이 되고 싶은지 결정하는 정체성 개발 과정이다(Wenger, 1998). 많은 학생이 수학 및 과학 수업에서 배우는 정체성은 자신이 원하는 정체성과 양립할 수 없는 경우가 많다(Boaler & Greeno, 2000). 많은 학생은 자신을 생각하는 사람, 소통하는 사람, 세상을 변화시킬 수 있는 사람이라고 생각하지만(Jones, Howe & Rua, 2000), 절차적 내용만을 가르치는 수업에서는 종종 자신이 그에 걸맞지 않은 사람이라는 결론을 내린다. 이는 탐구, 연결 및 깊은 이해를 용납하지 않는 많은 수학 및 과학 수업에서 그 내용이 범접할 수 없는 절대 지식처럼 전달되는 것과도 관련 있다.

수학을 다양한 분야가 연결된 탐구 기반 과목으로 가르치면 불평등이 사라지고 전반적으로 성취도가 높아진다. 4장에서는 이러한 방식으로 수학을 가르치기 위한 많은 아이디어를 제시했다. 9장에서는 학생들에게 개방적이고 평등한 수학을 제공할 수 있는 수학 과제, 방법 및 전략에 대한 더 많은 예를 제시하겠다.

4. 공동 작업을 하도록 가르친다

많은 연구에서 학생들이 함께 협력하는 것이 수학 이해에 도움이 된다는 사실이 밝혀졌으며(Boaler & Staples, 2008; Cohen & Lotan, 2014), 그룹 학습은 수학 학습에 매우 중요하다(그림 6.2 참조). 한 흥미로운 연구에 따르면 그룹 학습이 수학 성취도와 강좌 선택에 있어 인종적 불평등을 해소하는 데도 결정적인 역할을 할 수 있다.

현재 텍사스 대학교에 재직 중인 우리 트레이즈먼Uri Treisman은 캘리포니아 대학교 버클리 캠퍼스에서 수년간 근무한 수학자이다. 버클리 대학교에 재직하던 시절, 그는 아프리카계 미국인 학생의 60%가 미적분학에서 낙제한다는 사실에 놀랐고, 그중 많은 학생이 대학을 중퇴한다는 사실

그림 6.2 학생들이 함께 공부하는 모습

을 알게 되었다. 그는 아프리카계 미국인 학생들의 경험과 성공률이 훨씬 높은 중국계 미국인 학생들의 경험을 대조했다. 인종별로 성공률에 차이가 나는 이유를 연구한 결과, 일부 교수들이 생각했던 것처럼 아프리카계 미국인 학생들은 제대로 준비되어 있지 않거나 입학 당시 성적이 낮거나 저소득층 출신이 아니었다. 두 문화 집단 사이에는 한 가지 분명한 차이가 있었다. 중국계 미국인 학생들은 함께 수학을 공부했다. 학생들은 수학 수업이 끝난 저녁에 모여 연습 문제를 함께 풀었다. 중국계 미국인 학생들은 어려운 수학 문제에 맞닥뜨렸을 때, 모두 다 문제가 어려워 끙끙댄다는 것을 알고는 함께 문제를 해결함으로써 도움을 받았다. 반면, 아프리카계 미국인 학생들은 혼자서 수학 문제를 풀었다. 각자 어려운 문제를 풀려고 애쓰다가 수학을 할 수 없다는 결론을 내려버렸다. 트레이즈먼은 이러한 결과를 바탕으로 버클리에서 학생들이 함께 수학을 풀고 잠재력에 대한 긍정적인 메시지를 받을 수 있는 협력 워크숍을 제공하는 새로운 접근 방식을 도입했다. 그 결과, 2년 만에 실패율이 0으로 떨어지고 아프리카계 미국인 학생들이 세미나에 참석하지 않은 중국계 미국인 학생들을 능가하는 성적을 거두는 등 그 효과는 극적이었다(Treisman, 1992). 트레이즈먼의 접근 방식은 현재 전 세계 대학에서 사용되고 있다.

공동 작업의 힘이 수학적 평등을 이루는 데 있어 얼마나 강력한지 보여주는 또 다른 중요한 사례는 평가 영역에서 찾을 수 있다. 전 세계 15세 청소년을 대상으로 국제적인 평가를 시행하는 PISA는 2012년에는 수학 학습에 초점을 맞추었다. 2012년 데이터 분석을 통해 38개국 학생들이 치른 정규 수학 시험에서 남학생의 성취도가 여학생보다 높다는 사실을 발견했다. 이는 미국을 비롯한 많은 국가에서 남학생과 여학생의 학업 성취도가 동등한 수준이라는 점에서 실망스러운 결과였다. PISA 팀이 데이터 분석에 불안감을 반영하자, 남녀 학생의 성취도 격차는 여학생의 낮은 자신감으로 생겼다고 설명할 수 있었다(OECD, 2015). 수학 성취도에서 성별 차이처럼 보이는 현상은 실제로는 자신감 수준의 차이였다. 여학생이 시험 상황에서 더 많은 불안을 느끼는 현상은 이미 잘 알려져 있으며, 교육과 관련된 모든 사람은 시험 성적을 기반으로 결정을 내리기 전에 이를 신중히 고려해야 한다(Nunez-Pena, Suarez-Pellicioni & Bono, 2016).

같은 해, PISA는 협력적 문제 해결이라는 다른 수학 평가를 시행했다. 이 평가에서 학생들은 다른 학생들이 아니라 컴퓨터 에이전트와 협업했다. 학생들은 에이전트의 아이디어를 받아들이고 이를 바탕으로 복잡한 문제를 협력해서 해결했다. 나는 이것이 매우 중요한 것을 평가한다고 생각한다. 학생들은 개별적으로 지식을 재현하는 대신 다른 사람의 아이디어를 고려하고, 대부분 직장에서 일하는 방식으로 문제를 해결하기 위해 다른 사람과 협력하도록 요청받는다. 51개국에서 실시된 협력적 문제 해결 테스트에서 여학생은 모든 국가에서 남학생보다 우수한 성적을 거두었다. 이 주목할 만한 결과와 함께 다른 두 가지 결과도 눈길을 끈다. 첫째는 유리한 환경의 학생과 불리한 환경의 학생 간에 유의미한 차이가 없었다. 이는 매우 드문 현상으로 중요한 발견이다. 둘째는 일부 국가에서 다양성이 성적을 향상한 것으로 나타났다. 일부 국가에서는 '비이민' 학생이 '이민' 학생이 많은 학교에 다닐 때 더 높은 수준의 성취도를 보인 것으로 나타났는데, 이는 다양한 학습자 커뮤니티가 학생들이 더 나은 협력자가 되는 데 도움이 된다는 것을 시사하는 놀라운 결과다(OECD, 2017).

이러한 연구는 학생들이 수학적 연결성을 보고 이해할 기회를 제공하면서 협력적으로 수학을 학습할 때 더 평등한 결과를 얻을 수 있다는 수업 연구를 통해 뒷받침된다(예를 들어 Boaler & Staples, 2008).

5. 여학생과 유색인종 학생들이 수학, 과학을 배우도록 더 많이 격려하기

많은 초등학교 교사가 수학에 대해 불안감을 느끼는 이유는 대개 자기 잠재력에 대해 부정적인 메시지를 받은 적이 있기 때문이다(Boaler, 2019 참조). 교사용 온라인 강좌에서 수학은 누구나 배울 수 있는 다차원적인 과목이라고 가르쳤을 때, 이 수업을 들은 많은 초등 교사가 수학에 다르게 접근하게 되었을 뿐 아니라 삶이 바뀌는 계기가 되었다고 했다. 미국 초등 교사 중 약 85%가 여성이다. 베일록 등(Beilock et al., 2009)은 초등학교 여교사의 불안 수준을 이용해 그 학급 여학생의 성취도를 예측할 수 있다는 것을 발견했다. 하지만 남학생의 경우는 예측할 수 없었다. 여학생은 자신을 가르치는 여교사를 존경하는 동시에 자신과 동일시한다. 그런데 교사들은 종종 자신은 수학을 어려워하고 '수학에 적합한 사람'이 아니라는 생각을 학생에게 전달한다. 많은 교사가 수학에 대해 안심과 공감을 표시하려고 하면서 여학생들에게 수학에 대해 걱정하지 말라며 다른 과목에서 잘하면 된다고 말한다. 이제 이러한 메시지가 여학생에게 매우 해로운 영향을 끼친다고 알려져 있다. 연구진은 학교 수학에 대해 어머니가 가진 부정적 인식이 딸에게도 미쳐 딸의 성취도가 저하된다는 사실을 발견했다(Eccles & Jacobs, 1986). 교사는 "걱정하지 마, 수학 말고도 잘할 수 있는 건 많아."와 같은 동정적인 메시지를 "넌 할 수 있어, 난 널 믿어, 수학은 수고하고 노력하면 잘할 수 있어."와 같은 긍정적인 메시지로 바꿔야 한다.

공동 작업 및 탐구 기반 접근 방식과 같은 평등한 교육 전략에 덧붙여, 여학생과 유색인종 학생, 특히 소수자들의 경우 수학에 대해 사려 깊고 긍정적인 메시지가 필요하다. 다른 학생보다 이들에게 더욱 필요한 까닭은 수학에 관해 널리 퍼져있는 틀에 박힌 사회적 메시지 때문이다. 클로드 스틸Claude M. Steele의 연구를 필두로 한 '고정관념의 위협'에 관한 연구는 고정관념에 따른 피해를 명확하게 보여준다. 스틸과 그의 동료들은 성별에 따라 수학 시험의 결과가 다르다는 메시지를 받고 시험을 치른 여학생의 점수는 낮지만, 이 메시지를 받지 않은 여학생은 같은 시험에서 남학생과 같은 수준의 성적을 거둔다는 사실을 보여주었다. 스틸과 그의 동료들은 성별에 따른 성취도 차이에 대한 메시지를 전달할 필요조차 없다는 것을 보여주었다. 연이은 실험에서 시험을 치르기 전에 네모 칸에 성별을 표시한 여학생은 그러지 않은 여학생에 비해 낮은 점수를 받았다. 그는 이 연구와 다른 많은 연구를 통해 고정관념은 항상 "공기 중에" 존재하며 기회를 현저히 감소시킨다는 것을 보여주었다. 그 뒤를 이은 실험에서 스틸은 백인 남성이 아프리카계 미국인 남성과 골프를 칠 때도 같은 효과가 나타난다는 것을 보여주었다. 백인 남성은 자신에게 '타고

웨스턴 고등학교의 여성 로봇 공학 팀인 로보도브스의 멤버인 11학년 낼라 스콧(왼쪽)과 12학년 대니아 올굿이 최신 로봇인 '조안 오브 아크'를 들고 있다.

볼티모어의 아프리카계 미국인 여성 로봇 공학 팀 선반에는 그들이 고안하고 제작한 원격 제어 로봇에 대한 상으로 가득 차 있다.
로보도브스RoboDoves는 《사이언티픽 아메리칸》에 소개될 정도로 큰 성공을 거두었다. 이들은 수학과 STEM 과목, 창의성, 디자인에 대한 열정을 가지고 이기겠다는 투지로 다른 고등학교 로봇 팀과 겨루었다. 이들의 모습은 많은 사람에게 영감을 주었다. 이 로봇 팀에 관한 다양한 뉴스 기사는 학생들이 탐구할 수 있는 정보의 원천이 된다(Lee, 2014; Zaleski, 2014 참조).

난' 스포츠 실력이 없다고 믿었기 때문이다. 골프를 치기 전에 인종적 차이를 인지한 백인 남성들은 낮은 점수를 기록했다. 스틸과 동료들의 연구에 따르면, 어떤 집단이든 다른 집단이 더 높은 성취도를 보인다고 여겨지는 영역에서 일할 때는 '고정관념의 위협'을 받아 제대로 실력을 발휘하지 못한다(Steele, 2011).

역할 모델은 학생들에게 무척 중요한데, 바로 그 이유로 교수진을 다양화하는 것이 중요하다.

역할 모델을 강조하는 것뿐만 아니라 격려가 더 필요한 학생들을 격려하는 다른 기회도 가져보라. 나는 교사로서 두 번째 해를 런던의 종합 중등학교인 하버스톡 스쿨에서 맞이했다. 런던 시내에 있는 이 학교는 학생들이 사용하는 언어가 40여 개일 정도로 문화적 다양성이 매우 높은 학교였다. 나는 학교에서 세계 여성의 날을 기념하고자 여학생 모두가 함께 재미있는 수학을 공부하고 유명한 여성 수학자를 기념하는 수학 행사를 열었다. 세계 여성의 날을 기념하며 얻었던 성과 중 주목할 만한 한 가지는 말없이 조용하게 있던 여학생들, 특히 인도 출신 여학생들이 자신감을 얻고 수학에 더 많이 참여하게 되었다는 점이다. 이후에도 내 수학 수업에서 학생들의 참여도는 계속 높아졌다.

여학생과 수학에서 소외된 소수자를 격려하는 또 다른 방법이 있다. 수학 교사로서 평등을 추구하기 위해 학생들을 공평하게 대하는 것만으로는 충분하지 않을 수 있다는 것이 내 주장의 핵심이다. 일부 학생들은 추가적인 장벽과 불이익에 직면하고 있으므로, 더욱 평등한 사회를 이루기 위해서는 이런 문제를 해결하기 위해 매우 신중하게 노력해야 한다.

6. 숙제 없애기(적어도 숙제의 성격 바꾸기)

국제 평가 그룹인 PISA는 학생 1,300만 명의 데이터를 사용해 최근 중대한 발표를 했다. 과제, 성취도, 교육에서 평등 간의 관계를 연구한 결과, 과제가 교육 불평등을 지속한다는 것이다(PISA, 2015). 또한 과제가 학생들의 성취도를 높이는 데 도움이 되지 않는 것 같다는 이유로 학문적 가치가 있는지도 의문을 제기했다. 과제가 학업 성취도에 부정적인 영향을 주거나 아무런 영향을 주지 못한다는 사실이 일관되게 밝혀진 학술 연구 결과도 있다. 예를 들어, 베이커와 레텐드레(Baker & LeTendre, 2005)는 여러 국가의 표준화된 수학 점수를 비교한 결과, 수학 과제 빈도와 학생의 수학 성취도 사이에 긍정적인 상관성을 발견하지 못했다. 미키는 수학 과제를 더 많이 내주는 국가가 적게 내주는 국가보다 전반적인 시험 점수가 낮다는 사실을 발견했다(Mikki, 2006). 키찬타스, 치마, 웨어(Kitsantas, Cheema & Ware 2011)는 다양한 소득 수준과 인종적 배경을 가진 5,000명의 15~16세 청소년을 대상으로 조사한 결과, 학생들이 수학 과제에 더 많은 시간을 할애할수록 모든 인종 그룹에서 수학 성취도가 낮아진다는 사실을 발견했다.

쉽게 이해할 수 있는 이유로, 과제가 불평등을 심화시키는 이유는 다음과 같다. 빈곤층 가정의 학생에게는 조용히 공부할 수 있는 장소가 없는 경우가 많다. 이런 학생은 종종 밤에 가족이 일하는 동안 집에서 과제를 하거나 일하는 시간에 과제를 해야 한다. 또한 집에 책이나 인터넷을 사용할 수 있는 장치와 같은 자원이 없을 가능성이 크다. 학생들에게 과제를 내주면, 가장 도움이 필요한 학생에게 오히려 걸림돌이 된다. 이 사실 하나만으로도 과제는 무의미하다.

일주일 중 많은 날 밤을 과제 때문에 스트레스 받고 놀 시간도, 가족과 함께할 시간도 없는 딸을 보는 부모로서 과제에 대한 개인적인 문제를 매우 솔직하게 털어놓고 싶다. 여덟 살짜리 딸이 저녁 두 시간 동안 "숙제하기 싫어요, 엄마랑 같이 놀고 싶어요."라고 말했을 때, 나는 "선생님께 편지를 써서 오늘 밤 숙제 안 한다고 얘기해 줄게."라는 말 외에는 할 수 있는 말이 없었다. 저녁 시간을 가족과 함께 보내고 싶다는 여덟 살 아이의 요청에 어떻게 합리적으로 대응할 수 있을까? 나와 남편 모두 직장에서 일하느라 아이들을 위해 음식을 준비해야 하는 저녁 5시 30분이 되어서야 집에 돌아온다. 저녁 식사가 끝나고 자리에 앉으면 잠자리에 들기 한두 시간 전인데, 이 시간에는 매일 밤 숙제 때문에 이야기를 나누거나 같이 놀 수가 없다. 더구나 이 시간은 딸들이 어려운 문제를 풀기에 좋은 시간이 아니다. 아이들은 너무 피곤하면 이런 문제들을 지나치게 어렵게 느낀다. 피곤하고 지친 상태에서 하루를 마무리하는 시간에 어려운 문제를 내주는 것은 불공평하고 현명하지 못한 일이다. 교사들이 어떤 생각으로 과제를 내주는지 궁금할 때가 많다. 다른 일 하지 않고 아이만 돌보는 부모라면 오후에 과제를 마칠 수 있다고 생각하는 걸까. 그렇게 생각하지 않는다면, 어떻게 아이들이 저녁에 가족과 시간을 보내는 방법을 지시할 수 있다고 생각하는지 이해되지 않는다.

과제는 불평등을 불러일으킬 뿐 아니라, 스트레스를 주고(Conner, Pope & Galloway, 2009; Galloway & Pope,2007), 가족과 함께하는 시간을 빼앗으면서도 성취도에 아무런 영향을 주지 못하거나 부정적인 영향을 미친다(PISA, 2015). 더구나 수학 과제의 질은 수준이 낮은 경우가 많다. 딸들이 학교에 다녔던 몇 년 동안 수학에 대한 이해를 돕는 과제는 거의 본 적이 없다. 오히려 상당한 스트레스를 주는 과제는 많이 봤다. 어떤 이유에서인지 수학 교사와 교과서는 과제로 가장 절차적이고 가장 재미없는 수학 문제들을 과제로 아껴두는 것처럼 보인다. 미국 전역에 걸쳐 대부분 수학 과제는 가치가 없을뿐더러 오히려 심각한 피해를 준다.

과제 복습으로 수업이 시작되면, 일부 학생들은 매일 다른 학생들보다 뒤처지게 되어 불평등이 확대된다. 처음 미국으로 이주했을 때, 매 수학 수업에서 20~30분 동안 과제를 복습하는 것에 충격을 받았다. 영국에서는 있을 수 없는 일이었다. 내가 아는 미국의 중·고등학교에서는 모든 과

나의 숙제 : 오늘 수업 돌아보기

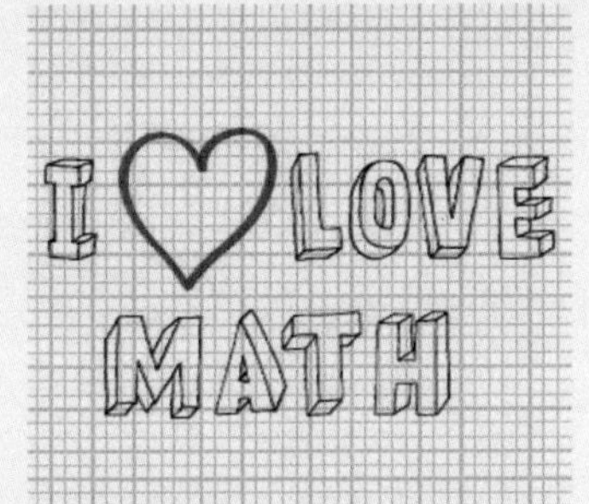

- 오늘 배운 중요한 아이디어는 무엇인가요?
- 어려운 부분이 있었거나 질문이 있나요?
- 오늘 수업의 아이디어를 실생활에 어떻게 사용할 수 있을까요?

예시 6.1

목이 매일 밤 숙제를 내준다. 영국에서는 다른 과목의 선생님들이 매주 한 번씩 숙제를 내준다. 내가 어렸을 때는 보통 매일 밤 한 과목의 숙제를 내주곤 했는데, 고등학교 마지막 해에는 한 시간 정도 걸렸다. 미국, 적어도 내가 사는 지역 학군에서는 고등학교 학생들이 숙제를 끝내기 위해 새벽 2시까지 깨어있는 경우가 많다. 학생들의 스트레스 수준은 매우 높으며, 스트레스를 유발하는 주요 요인 중 하나가 과제다. 영국에서는 과제에 관한 관심이 훨씬 적고 스트레스도 덜하다. 아마도 영국의 과제량이 미국보다 현저하게 적기 때문일 것이다.

과제를 계속 내야 한다면, 과제의 성격을 바꿀 것을 권한다. 학생들의 수행 능력을 평가하는 문제를 내는 대신, 학생들이 수학 수업 내용을 되돌아보고 주요 아이디어에 집중하도록 유도하는 되돌아보기 질문을 던지는 것이다. 이러한 방향이 학생들의 성취에 훨씬 효과적이다(PISA, 2012). 예시 6.1과 4.2는 모두 되돌아보기 과제의 예시 문항이다.

또 다른 방안으로, 과제는 학생들에게 탐구 프로젝트를 수행하는 기회가 될 수 있다. 예를 들어, 집 안팎에서 피보나치수열의 예를 찾아보라는 과제를 낼 수 있다. 과제는 수업 내용을 떠올리거나 집 주변에서 적극적인 연구 기회를 줄 수 있어야 한다. 매일 생각 없이 풀어야 하는 연습 문제를 없애고 이런 과제를 내준다면, 수백만 명의 학생들이 더 생산적으로 시간을 활용하게 되고 스트레스를 덜 받게 될 것이다. 이런 변화가 더 평등한 학교로 나아가는 중요한 한 걸음이 될 것이다.

결론

이 장의 두 번째 부분에서 평등한 수학 교육을 위해 제안한 다양한 전략(소속감에 대한 메시지 바꾸기, 더 많은 탐구 기회 제공하기, 과제를 없애거나 바꾸기, 공동 작업 장려)은 STEM 분야의 불평등에 대해 논의할 때 교사에게 권장되는 일반적인 전략은 아니다. 백악관에서 열린 여성위원회(Boaler, 2014a)에서 발표할 때, 나는 형평성 증진에 대한 논의에서 교육이 종종 제외되었다고 주장했다. 정부 조직은 역할 모델을 고민하고 때때로 마인드셋의 중요성을 인식하지만, 이 장에서 강조한 교수법과 교수법이 얼마나 큰 역할을 하는지는 거의 고려하지 않는다. 교사는 삶에서 걸림돌과 불평등에 직면한 학생들을 위해 변화를 일으킬 수 있다. 교사는 수학 교수법과 취약한 학생들을 격려하는 기회를 통해 변화를 만드는 힘을 가지고 있다. 수학은 대학교를 비롯한 여러 분야의 필수 과목으로 모든 학생의 미래에 매우 중요한 과목이다. 따라서 수학 교사는 모든 사람이 평등하게 수학에 접근할 수 있도록 해야 할 책임과 기회가 있다. 미국 사회는 수학에 대한 엘리트주의적 접근 방식을 선호해왔지만, 수학 교사와 학부모는 이러한 메시지를 거부하고 성공과 끈기와 노력의 가치에 대한 긍정적인 메시지로 시작해 모든 학생이 성공할 수 있는 공평한 교수 전략을 통해 학생들을 위한 다른 길을 열어줄 수 있다.

수준별 학습에서 성장 마인드셋 학습으로

학습 기회

나의 첫 수학 수업을 아직도 또렷이 기억한다. 앞 장에서 이야기했던 런던 캠든타운에 있는 하버스톡 스쿨은 나의 첫 학교였다. 이 학교는 다양한 국가와 배경, 인종, 종교, 성별을 가진 학생들이 모여있는 도심의 공립학교였다. 내가 학교에 부임했을 때, 수학 수업은 9학년부터 네 개 중 하나의 학급에 배정하는 수준별 학급 편성 시스템을 적용하고 있었다. 첫 수업 시간, 나는 효과적인 교수법에 대한 지식으로 무장하고 9학년 학생들을 가르칠 생각에 들뜬 상태로 교실에 들어갔다. 그런데 내가 맡은 학생들은 이제 막 최하위 그룹에 배정된 상태였다. 내가 인사하자 학생들이 던진 첫 마디는 "몇 점부터 이 반에 배정되는 거예요?"였다. 한 해 내내 학생들에게 영감을 주는 메시지를 전하고 내가 교육에서 배운 교수법을 써먹어 보려고 열심히 노력했지만, 가장 낮은 반을 위한 교과과정이 이미 정해져 있어서 내가 바꿀 수 있는 것이 거의 없었다. 다음

해에 학교의 나머지 수학 부서와 협력해 수준별 학급 편성을 폐지할 것을 건의했고, 그 이후로는 모든 학생에게 높은 수준의 수학 수업을 시행하고 있다.

학생 성취도의 핵심 요소 중 하나는 '학습 기회OTL'라고 알려져 있다. 간단히 말해, 학생들이 높은 수준의 수업을 받으면 더 높은 수준의 성취도를 달성할 수 있다는 것이다(Wang, 1998; Elmore & Fuhrman, 1995). 물론 이 사실은 교사 또는 학부모인 우리 모두에게 놀라운 일이 아니다. 정말 놀라운 일은 학습 기회가 학습의 가장 중요한 조건이라는 것을 알고 있음에도 불구하고, 수백만 명의 학생들이 아주 어린 나이부터 낮은 수준의 수업에 배치되어 자신에게 필요하고 습득할 수 있는 내용을 배울 기회를 박탈당하고 있다는 사실이다. 내게 충격을 준 영국의 한 통계는 4세 때 한 반에 배치된 학생의 88%가 나머지 학창 시절 내내 같은 반에 머물렀다는 사실을 보여주었다(Dixon, 2002). 아이들의 미래가 4세 또는 14세에 이미 결정되어 버린다는 사실은 교사와 학교의 노력을 조롱하고 아동 발달과 학습에 관한 기본적인 연구 지식에 어긋난다. 아이들은 각기 다른 속도와 시기로 발달하며, 발달 단계에 따라 다양한 관심사, 강점, 성향을 드러낸다. 우리는 4세나 14세 아이가 무엇을 할 수 있는지 알 수 없다. 언제든지 잠재력을 인식해 키워줄 준비가 된 교사와 함께 높은 수준의 내용을 학습하고 흥미를 불러일으켜 줄 수 있는 환경이 우리가 학생들에게 제공할 수 있는 최고의 환경이다. 새로운 뇌과학은 언제든지 성장하고 재구성할 수 있는 뇌의 놀라운 능력을 발견했다. 이 사실은 학생이 자기 잠재력을 어떻게 생각하는지가 중요하다는 것을 증명하며, 수준별 학급 편성 방식과 같은 계열화 시스템은 학생들의 사전 성취 수준과 관계없이 학생들의 성취를 계속 제한하고 있음을 말해준다. 따라서 지식이 부족했던 시대에 개발된 낡은 계열화 시스템을 넘어서야 한다.

최근 몇 년 동안 800명이 넘는 수학 교사 리더 그룹을 대상으로 강연하면서 "현재 학교 교육 관행 가운데 학생들에게 고정 마인드셋 메시지를 주는 것은 무엇인가요?"라고 질문한 적이 있다. 강연에 참여한 모든 이들이 답을 써주었고, 그 답을 모았다. 이 책에서 다룬 여러 가지 기능, 특히 '평가 및 등급 매기기(8장 앞부분)'라는 답이 눈에 띄었지만, 확연하게 많은 사람이 써준 답은 '수준별 반 편성'이었다. 나는 교사들의 이 판단에 동의한다. 학생들을 현재 성취도에 따라 그룹으로 나누고 다르게 가르치는 것은 가장 강력한 고정 마인드셋 메시지를 학생들에게 주는 행위이다. 하위 그룹에 속하든, 상위 그룹에 속하든 반 편성 자체가 학생들에게 악영향을 끼친다(Boaler, 1997; 2013a; Boaler & Wiliam, 2001; Boaler, Wiliam & Brown, 2001). 캐럴 드웩과 함께 연구했으며 후에 스탠퍼드 대학교 부설 연구소 소장이 된 박사 과정 학생인 카리사 로메로Carrisa Romero는 반 편성에서 받은 고정 마인드셋 메시지로 가장 부정적인 영향을 받은 학생들은 바로 가장 높은 수준의 반에 배정된 학생이라는 사실을 발견했다(Romero, 2013).

수준별 반 편성에서 벗어나기

미국의 많은 학교에서 학생들은 6학년 또는 그 이전부터 계열화된 수학 수업에 배정된다. 여기서 말하는 계열화tracking란 학생들에게 더 높은 수준 또는 더 낮은 수준의 교과과정을 제공하는 별도의 학급을 구성하는 것을 의미한다. 여러 국가의 수학 성취도를 연구하는 국제 분석가들은 한 가지 중요한 사실을 발견했다. 가장 성공적인 국가는 가장 늦은 시기에, 가장 최소한으로 수준별 반 편성을 하는 국가라는 것이다. 예를 들어, 제3차 국제 수학 및 과학 연구에서 미국은 학생 성취도의 변동성이 가장 크다고 보고되었다. 즉, 수준별 반 편성을 가장 많이 한다는 의미다. 성취도가 가장 높은 국가는 한국이었는데, 수준별 편성을 최소한으로 하면서도 성취도가 가장 고르게 나타났다. 또한 미국은 성취도와 사회경제적 지위 사이에 가장 강한 연관성을 보여주었는데, 이는 수준별 반 편성에 기인한 결과였다(Beaton & O'Dwyer, 2002). 성취도 상위 국가인 핀란드와 중국, 두 나라 모두 수준별 반 편성을 하지 않고 모든 학생에게 높은 수준의 교과과정을 제공한다. 캘리포니아의 대규모 학군 중 하나인 샌프란시스코 통합 교육구는 10학년 이전의 모든 수준별 반 편성과 심화반을 없애는 과감한 조치를 단행했다. 10학년까지는 모든 학생에게 최고 수준의 기회를 제공한다. 모든 학생이 미적분을 수강할 수 있으며, 고학년이 된 다음에도 이와 같은 고급 수학 수업을 들을 수 있다. 샌프란시스코 통합 교육구의 이런 조치는 보기 드문 것으로 칭찬받을 만하다. 교육위원회는 연구 증거를 면밀하게 검토한 후 만장일치로 이전에 시행하던 수준별 반 편성 폐지에 동의하는 안건을 통과시켰다. 이 정책은 즉시 효과를 가져왔다. 대수 과목을 9학년으로 다시 옮기고 수준별 반 편성을 11학년으로 미루자, 대수 과목의 낙제율이 40%에서 8%로 떨어지고 3분의 1 이상의 학생이 고급 수학 수업을 들었다(Boaler et al., 2018). 대부분 학군에서는 훨씬 더 어린 나이의 학생들을 수준 높은 반과 낮은 반으로 가른다. 교육열이 높은 스탠퍼드 대학교 인근의 한 학군에서는 7학년이 되면 절반 정도의 학생이 수준 낮은 반에 배정되어 결국 미적분 수업을 듣지 못한다. 바로 이 시점에서 학부모는 이상하고 불쾌한 소리를 듣게 되는데, 바로 자녀의 미래에 대한 문이 닫히는 소리다. 모든 학생이 높은 수준의 수학을 열망하는 새로운 시대로 나아가기 위해서는 유연하며 탐구 기반의 반 편성으로 바꿔야 한다. 이에 대해서는 뒷부분에서 자세히 설명하겠다.

교사가 모든 학생에게 각각 적절한 수준의 과제를 내주는 것은 어려운 일이다. 교사들은 학생이 도전할 만하면서도 손도 대지 못할 정도로 어렵지는 않은 난이도가 어느 정도인지 알고 있다. 그 적당한 난이도를 이용하면 학생들이 능동적으로 수업에 참여하게 만들 수 있다. 성취 수준이 같은 학생들을 한 반에서 가르치면 수업 참여도를 쉽게 높일 수 있을 것 같다. 수준별 반 편성으로 같은 반에 속했다고 하더라도 학생들은 매우 다른 배경과 요구 사항을 가지고 있는데, 교사들은 그 반의 학생들은 모두 같은 수학 지식과 이해도를 가진다고 생각한다. 그러다 보니 특정 수준의 학생에게 초점을 맞춘 폭이 좁은 과제를 통해 수학을 가르친다. 이런 과제는 일부 학생에게는 너무 쉽지만, 일부 학생에게는 너무 어렵다. 따라서 수학 수업에서 '바닥은 낮고, 천장은 높은' 과제를 제공하는 것은 미국 수학 교육의 미래를 위해 매우 중요하다. 수준별 반 편성이 성취도를 떨어뜨리는 또 다른 분명한 이유는 모든 학생에게 강하게 전달되는 고정 마인드셋 메시지다.

학교와 교육청이 수준별 반 편성을 중단하기로 했을 때 발생하는 영향에 관한 연구 결과가 있다. 뉴욕시의 중학교는 대개 보통반과 고급반으로 나뉘어 있었는데, 뉴욕 교육청은 고급반을 없애고 모든 학생에게 고급 수학을 가르치기로 했다. 이 정책의 영향을 연구하기 위해 연구진은 수준별 반 편성으로 3년 동안 공부한 뒤, 같은 학급에서 3년 동안 공부한 성취도가 제각기 다른 학생들을 추적 관찰했다. 연구진은 6개 학생 집단을 고등학교 졸업 때까지 추적 관찰했다. 그 결과, 보통반 학생들이 고급반 학생들보다 더 많은 고급 수학 수업을 선택해 수강했을 뿐 아니라 수학을 더 좋아하며, 한 해 먼저 뉴욕주 시험을 통과했다. 나아가 연구진은 낮은 성취도를 보이다가 높은 성취도에 이른 학생들이 보여준 이러한 이점이 그들이 거친 다양한 성취 수준에서 나왔음을 보여주었다(Burris, Heubert & Levin, 2006). 이러한 연구 결과는 다른 연구에서도 계속 나타난다(예: Boaler, 2013b; 2019 참조). 수준별 반 편성의 악영향이 밝혀지고 있는데도 여전히 미국 대부분 학교에서 시행되고 있다. 다행히 수준별 반 편성의 해로운 영향에 대한 인식이 높아지는 시대로 전환되면서 많은 학군에서 학생을 그룹화하는 보다 효과적인 방법으로 바꾸고 있다(LaMar, Leshin & Boaler, 2020). 이 장의 나머지 부분에서는 모든 학생에게 기회를 주며 성장 마인드셋을 심어주는 몇 가지 그룹화 형태에 관해 설명하겠다.

성장 마인드 그룹화

질 바샤이Jill Barshay는 해칭거 포스트의 교육 담당 리포터다. 그녀는 내 책《수학은 무엇과 관련이 있나요?*What's Math Got to Do with It?*》를 읽고 나서 온라인 교사 과정을 수강한 후 수학을 가르치고 싶어졌다고 했다. 그녀는 브루클린의 한 차터스쿨에서 9학년 대수를 가르치기 시작했다. 하지만 8학년 때 대수를 선택하지 않아 사실상 수학을 포기한 학생들을 가르치는 일이 이렇게 어려울 것이라고 예상하지 못했다. 학생들은 자신들이 '똑똑한 아이'가 아니라고 말했는데, 질은 그런 학생들이 나쁜 행동을 자주 했다고 전했다. 안타깝게도 이것이 수준별 반 편성의 결과 중 하나이다. "의욕이 없는 학생들을 어떻게 도와야 하나요?"라는 질문을 자주 받는데, 내 대답은 항상 같다. 나는 학교 시스템에서 배우고 싶지 않은 학생은 단 한 명도 없다고 생각한다. 그러나 자신이 높은 수준에서 성취할 수 없다고 믿게 된 학생들이 많고, 성취할 수 없다고 믿는다면 다시 실패하는 것보다 못된 행동을 하면서 체면을 세우는 게 더 쉽다. 일부 교사는 나쁜 행동을 하는 학생들이 다른 학생들과 섞여 문제를 일으킬 것이라고 걱정한다. 하지만 학생들은 성취할 수 없다는 메시지를 받으면 나쁜 행동을 시작한다. 누가 이런 학생들을 탓할 수 있겠는가? 성취도가 다른 학생들이 섞여 있는 그룹을 가르친 경험을 통해 발견한 사실은 이렇다. 학생들은 자신이 성취할 수 있다고 믿기 시작하고 내가 그들을 믿는다는 것을 알게 되면, 못된 행동을 그만두고 무기력한 상태에서 벗어난다.

여러 해 동안 나와 함께 일했던 중학교를 소개하고자 한다. 그 학교는 성장 마인드셋 교육에 강한 의지가 있으며, 항상 성취 수준이 다른 학생들로 학급을 구성한다. 하지만 몇 년 전부터 학부모들에게서 일부 학생들을 위해 고등학교 수학을 배우는 선행 학급을 만들어달라는 압박을 받았다. 결국, 학교는 압박에 굴복해 수학 수업을 일반반과 고급반으로 나누었다. 이렇게 반이 나뉘자, 일반반과 고급반 모두에서 학습 동기를 잃어버리고 무기력해진 학생 수가 많이 증가했다. 비슷한 성취도의 학생이 서로 다른 반에 배정되면서 큰 문제를 겪었고, 많은 학생이 자기 능력에 대해 고정 마인드셋을 가지게 되었다. 고급반에 배정되었던 학생들이 수학을 싫어하기 시작해 상당수가 고급반 수업을 중도에 포기했다. 고급반 학생들이 더 큰 손해를 보게 된 것이다. 2년 만에 학교는 수준별 반 편성을 포기하고 다시 성취 수준이 다른 학생들을 같은 학급에 배정했다. 현재 이 학교에서는 누구나 기하 수업을 선택할 수 있다. 학부모로부터 받는 압박은 피하고, 모든 학생에게 잠재력에 대한 고정 마인드셋 메시지를 전하지 않으면서도 학생들이 원하면 누구나 고급 수학을 배울 기회를 주는 아주 탁월한 전략이다. 기하 수업을 모든 학생에게 하나의 선택지로 제공했다는 것이 매우 중요하다. 모든 학생에게 높은 수준의 기회를 제공하고 싶지만, 수준별 반 편성 시스템을 유지한 채 가르칠 수밖에 없는 교사는 어떤 반인지에 상관없이 모든 학생에게 높은 수준의 과제를 가르치도록 선택할 수 있다. 나와 함께 일해온 교사들은 수준별 반 편성이 학생들의 성취도를 제한하고 있다는 사실을 알고 있으며, 적절한 메시지와 가르침이 주어지면 낮은 수준의 수업에 속한 학생들도 높은 수준의 과제를 수행할 수 있다는 것을 알고 있다.

또 다른 중학교의 사례를 보자. 도시 지역의 이 학교 역시 앞의 학교와 마찬가지로 성장 마인드셋 교육에 전념하는 학교다. 이 학교는 수준별 반 편성에서 벗어나 학생들에게 성취도가 낮은 학생을 위해 만들어진 수업을 선택할 수 있도록 했다. 다시 말하지만, 이 수업은 원하는 모든 학생에게 제공되었고, 더 시간을 가지고 깊게 이해하려는 학생을 위한 것이었다. 이 추가 수업은 정규 수학 수업 이후에 진행되었는데, 보강을 위한 것이 아니라 정규 수업에서 다룬 내용을 다시 꼼꼼히 살피고 토론하며 내용을 더 깊이 파고들 기회였다. 많은 학생이 추가 수업을 선택했는데, 수학을 어려워하는 학생뿐만 아니라 깊이 있는 학습을 원하는 학생들도 수업을 선택했다. 누구라도 선택할 수 있는 수업이었으며, 성취도가 낮은 학생을 위한 수업이라는 암시를 주는 수업 제목을 달지 않았다는 것이 중요하다.

모든 학생이 성장 마인드셋과 기회를 가질 수 있는, 현재와는 다른 미래를 위해 헌신하고 성취 수준이 다른 학생들이 섞여 있는 학급을 선택해 가르치는 훌륭한 교사들이 있다. 그러나 다양한 성취도를 가진 학생들을 가르치려면 상당한 지식이 필요하다. 수준별 반 편성을 폐지하는 것만으로는 충분하지 않다. 여전히 소수의 학생만이 풀 수 있는 편협한 수학 문제로 가르친다면 아무 소용이 없다. 나는 수년 동안 교육을 통해 평등을 이루는 일에 헌신했고, 다양한 성취도를 가진 학생들로 이루어진 학급을 성공적으로 가르친 훌륭한 교사들과 함께 일할 수 있는 행운을 누렸다. 이 장의 나머지 부분에서는 다양한 성취도를 가진 학생들로 이루어진 학급을 효과적으로 가르치기 위한 중요한 전략 몇 가지와 이를 뒷받침하는 연구 결과를 함께 소개하겠다.

다양한 성취도의 학생으로 이루어진 학급 효과적으로 가르치기: 수학 과제

수준별 반 편성을 하지 않고 수학 수업을 진행할 때는 학생들에게 다양한 수준의 수학을 접하고 배울 기회를 제공하는 것이 매우 중요하다. 일부 학생에게만 적합한 닫힌 문제를 제시해서는 안 된다. 학생들이 수학을 다양한 수준으로 받아들이도록 독려하는 방법에는 여러 가지가 있다.

1. 개방형 과제 제공

5장에서 설명했듯이, 성취도가 각기 다른 학생 그룹에 닫힌 문제를 제시하면 다수의 학생은 문제가 너무 어려워 풀 수 없거나 너무 쉬워 도전하고 싶은 생각이 들지 않을 것이다. 그래서 '바닥은 낮고, 천장은 높은' 개방형 과제가 필수적이다(그림 7.1 참조). 이런 과제를 제시하면 모든 학생이 아이디어에 접근하고 매우 높은 수준까지 이를 수 있다. 다행스럽게

포켓 게임

원과 별

아이스크림 스쿱

그림 7.1 유큐브드의 정답 없는 과제

도 바닥은 낮고, 천장은 높은 과제는 성취도가 각기 다른 학생 그룹에 적합할 뿐 아니라 학생들의 흥미를 북돋우고 참여를 유도한다. 이는 중요한 수학을 가르치고, 흥미를 불러일으키고, 창의성을 북돋워 주는 과제이다. 5장에서 이러한 과제에 대한 다양한 예와 이를 제공하는 웹사이트 링크를 제시했다. 내가 알기로, 이런 과제를 통해 학생들에게 모든 내용을 가르치는 방법을 찾아낸 학교는 거의 없다. 하지만 나는 운 좋게도 그런 학교에서 3년을 보내면서 그 효과를 연구해 박사학위를 취득할 수 있었다.

영국 피닉스 파크 스쿨은 프로젝트 기반 방법을 사용해 큰 성공을 거둔 학교다. 이곳 교사들은 3년 동안 13~16세 학생들이 어느 수준에서든 도전할 수 있고, 전체 수학 커리큘럼을 배울 수 있는 다양한 바닥은 낮고, 천장은 높은 과제를 모았다. 어떤 학생이 수행하는 매우 높은 수준의 과제를 다른 학생은 다른 날에 약간 높은 수준으로 수행하기도 했다. 어떤 학생들이 주어진 날까지 수학을 더 높은 수준까지 배울지 예측할 수 없었고, 당연히 그래야 했다. 5장에서 '울타리로 둘러싸인 최대 영역' 문제를 예로 들었다. 어떤 학생들에게는 이 문제가 삼각법을 배우는 것이었고, 다른 학생들에게는 피타고라스 정리를 배우는 것이었으며, 다른 학생들에게는 도형과 넓이에 대해 배우는 것이었다. 교실에서 교사의 역할은 학생들이 공부하는 수학을 토론하고, 그들을 이끌고, 그들의 사고 폭을 넓히는 것이었다. 전통적인 교실에서는 교과서가 이런 역할을 한다고 여겼지만, 교과서는 학생이 무엇을 알고 있는지 또는 무엇을 알아야 하는지 알 수 없는 매우 무딘 도구에 불과하다. 성장 마인드셋 수업에서는 교사가 학생 개인 또는 그룹과 관련해 이러한 결정을 내리고, 학생의 수준에 맞게 도전하고, 지원하고, 생각을 확장할 수 있도록 지도한다. 학생들이 이런 교육 환경에서 매우 잘할 수 있는 이유 중 하나는 학생들이 개방형 과제를 수행할 때, 교사가 학생들에게 수학을 소개하고 서로 토론하면서 학생들과 상호작용하는 기회가 많기 때문이다. 이런 수업은 힘들지만, 특히 자신감이 부족하고 성취도가 낮았던 학생들이 도약하고 비상하는 모습을 볼 때 교사에게도 큰 보람이 된다.

몇 년 전, 나는 영국에서 다음에 설명하는 '복합 수업' 방법을 배워 자신이 근무하는 중·고등학교의 수준별 반 편성을 폐지하기로 한 교사들과 함께 연구를 진행했다. 그들은 특별한 연수를 받은 적도 없고 피닉스 파크 스쿨에서 사용하는 훌륭한 커리큘럼을 개발한 적도 없었지만, 바닥은 낮고 천장은 높은 과제를 몇 가지 모았다. 성장 마인드셋에 따라 그룹으로 나누어 새로운 수업을 시작한 첫 주가 끝날 무렵, 한 교사는 한 가지 과제를 내주자 "최하위 그룹에 속할 것 같았던" 학생이 가장 먼저 문제를 풀었다며 놀라움을 감추지 못했다. 시간이 지남에 따라 교사들은 성취 수준이 다양한 학생들이 보여준 다양한 창의적인 방법에 계속해서 놀라움과 만족을 표했다. 교사들은 학생들이 수준별 반 편성 폐지에 긍정적으로 반응하는 것을 보면서 기뻐했고, 성취 수준이 다양한 학생들이 섞여 있을 때 통제가 잘되지 않을까 걱정했는데 괜한 걱정에 불과했다는 사실에 다행스러워했다. 수준별 반 편성 폐지와 학생들이 잘 협력할 수 있을지 상당히 걱정하던 교사들의 이런 반응이 내게 매우 흥미로웠다. 교사들은 학생들에게 개방형 과제를 내주면 모든 학생이 관심을 두고 도전하고 서로 돕는다는 사실을 발견했다. 시간이 지남에 따라 성취도가 낮다고 생각했던 학생들도 더 높은 수준을 공부하기 시작했고, 교실은 잘하는 학생과 못하는 학생으로 나뉘지 않고 함께 배우고 서로 돕는 신나는 학생들로 가득 차게 되었다.

2. 과제 선택권 제공하기

성장 마인드셋 수업에서 모든 학생이 항상 같은 과제를 푸는 것은 아니다. 수학의 다양한 수준과 영역을 다루는 여러 과제를 받아 풀 수 있다. 중요한 것은 교사의 선택이 아닌 학생이 스스로 원하는 과제를 선택할 수 있다는 것이다. 피닉스 파크 스쿨의 수업을 참관했을 때, 학생들은 다음 두 가지 과제 중 하나를 선택할 수 있었다. 첫 번째 과제는 '넓이가 64인 평면 도형 조사하기', 두 번째 과제는 '부피가 216인 입체 도형 조사하기'였다. 분수에 관한 수업이 이루어지는 4학년 교실에서는 학생들에게 분수 조각과 퀴즈네어 막대를 사용해 1/4과 크기가 같은 분수를 최대한 많이 찾는 과제를 주었고, 추가 도전 문제로 2/3와 크기가 같은 분수를 찾는 문제를 주었다. 이러한 확장 활동과 추가 도전 과제 제공은 모든 수업에서 가능하다. 특정 학생에게만 도전 과제를 주는 게 아니라 모든 학생에게 주어야 한다.

때때로 일부 학생에게는 높은 수준의 과제를 강요할 필요가 있다. 과제를 제시할 때 절대 해서는 안 되는 두 가지가 있다. 학생이 스스로 낮은 수준의 과제만 할 수 있다고 생각하거나 교사가 그 학생은 높은 수준의 과제를 할 수 없다고 생각하는 일이다. 이 전략을 사용한 교사들은 학생들과 의사소통하면서 추가 도전 과제를 제공하기도 했다. 학생들은 자신이 공부하고 싶은 것이 무엇인지 생각해 보는 기회와 도전할 문제가 생기자 기뻐했다.

3. 개인별 경로

하버스톡 스쿨에서 성취도가 각기 다른 학생 그룹을 가르칠 때, 나는 도시의 다양한 성취도를 가진 그룹에서 사용할 수 있도록 설계된 수학 교재 시리즈를 사용했다. 이 교재는 개별 학습을 위한 중등 수학 과정 Secondary Mathematics Individualised Learning Experience의 약자인 SMILE이라고 불린다. 런던은 학생들의 전입·전출 비율이 높은, 놀랍고도 다양한 도시다. 런던 도심의 교사들에게는 다음 날 반이 바뀌거나 어제 가르쳤던 학생이 다른 반으로 옮겨가고, 새로운 학생이 들어오는 것과 같은 일이 흔하다. 런던 중심부의 많은 교사는 다양한 성취도를 가진 학생 그룹을 위한 교수법을 개발하는 데 헌신적인 노력을 기울였다. 그 노력 끝에 만들어진 SMILE은 교사가 학생들의 흥미를 유발하고 문화적으로 민감하게 반응하도록 설계한 수학 '카드'(실제로는 A4 용지 크기) 세트이다(그림 7.2 참조). 수천 장의 카드가 작성되었는데, 각각의 카드마다 다른 수학 내용이 적혀있다. 런던 시내 학교 교사라면 누구나 새로운 카드를 제출할 수 있었고, 시간이 지남에 따라 3천 장이 넘는 흥미로운 카드 컬렉션이 되었다. SMILE 카드로 수업하는 교사는 각 학생에게 10장의 카드를 준다. 학생이 카드를 푼 다음 교사에게 보여주면, 교사는 10장의 카드를 더 주는 방식으로 수업이 진행된다. 카드에는 내용 수준에 대한 정보가 포함되어 있지 않았으며, 학생들에게 수학적 아이디어를 함께 풀어나갈 파트너를 찾으라는 요청 사항이 많은 카드에 적혀있었다.

카드가 개별화되어 있기 때문에 학생들은 자신의 속도에 맞춰 카드를 풀 수 있고, 교사는 돌아다니며 학생들을 도와줄 수 있다. SMILE을 직접 가르친 경험에 비추어볼 때, 학생들은 자신의 성취가 자기 손에 달려있다는 것을 알고 신나게 카드를 모으는 등 참여도가 매우 높았다. 어떤 날은 카드가 아니라 학급 전체가 함께 수학 탐구 조사를 하기도 했다. SMILE은 개별화된 학습이 가능하고 학생의 결석으로 수업 흐름에 문제가 발생하지 않았기 때문에 다양한 성취도를 가진 학생들이 섞

그림 7.2 SMILE 카드

여 있는 도시 환경에서 매우 효과적이었다. SMILE 카드의 내용은 대체로 우수하지만, 런던 지역 학생을 위해 작성되었기에 런던에 관한 예가 많다. 따라서 다른 지역에서 사용할 때는 수정이 필요할 수도 있다(www.nationalstemcentre.org.uk/elibrary/collection/44/smile-cards에서 다운로드 가능).

기술의 발전으로 개인별 수학 학습이 더 광범위하게 이루어지고 있다. 칸 아카데미의 설립자 살 칸Sal Khan은 개인별 학습을 지지하는 대표적인 인물이다. 그는 수준별 반 편성이 가진 약점을 강조하면서 자신이 학습할 내용과 경로를 선택할 수 있다면, 학생이 어떤 출발점에서 시작하든 간에 놀랄 만큼 높은 수준에 이를 수 있다는 것을 보여주었다(Khan, 2012). 개별화, 즉 '개인화된' 수학 접근 방식을 통해 학생들은 자신의 속도에 맞춰 학습하고 다양한 수준에서 성취할 수 있다. 특정 학군이나 학교에서 학생의 성취 수준을 결정하는 게 아니라 학생 자신의 노력에 따라 다양한 수준의 성취도에 이를 수 있다는 것이 중요하다. 내가 살고 일하는 실리콘밸리의 많은 리더가 이 접근 방식을 이상적으로 여기는데, 아마도 하이테크 기업의 CEO들 중 상당수가 최고 수준의 수학 수업에 한계를 느꼈기 때문일 것이다. 내가 본 많은 개인 맞춤형 학습 시스템에 대해 걱정하는 바는 전적으로 개별화되어 풍부한 수학을 다루지 못하고 공동 학습의 기회가 포함되어 있지 않다는 것이다. 학생들이 컴퓨터 앞에 앉아 단답형 문제를 풀도록 하는 것은 개인별 진로를 위한 기회가 포함되어 있더라도 좋은 수학 경험이라고 생각하지 않는다. 일부 조직에서는 개인화된 온라인 경험을 개선하기 위해 노력하고 있는데, 그들이 무엇을 만들어낼지 궁금하다.

샌프란시스코만 지역에 있는 소규모 사립학교 역시 협력적이고 풍부한 수학으로 개인화된 경험을 만들어냈다. 이 학교의 교사인 레슬리 스쿨러와 크리스티나 레브스크는 스탠퍼드에서 열린 유큐브드 리더십 서밋에 참석해 수학 교사 과정인 '수학 학습 방법'을 수강했다. 두 교사는 고등학교에 다니는 학생들이 이미 중학교에서 정해진 진도를 따라가다 보니 하위권 학생은 고등학교 졸업 때까지 상위 과정으로 진학하지 못하는 것이 옳지 못하다고 생각해서 이에 변화를 주기로 결심했다. 새로운 시스템을 도입하는 데는 많은 계획과 노력이 필요했지만, 교사들은 수학을 싫어하고 절대 성공할 수 없다고 생각했던 학생들이 이제 수학을 좋아하고 STEM 분야의 미래를 향해 나아가고 있는 것을 발견하게 되었다. 새로운 접근 방식에서는 각 학생에게 담당 교사가 배정되어 학생의 목표를 설정하고 진행 상황을 모니터한다. 학생들은 매일 수업이 시작될 때 담임 교사와 만나 개방형 문제를 풀거나 수 또는 데이터에 관해 이야기하는 수업을 진행한다. 그다음 학생들은 각 과목(예: 대수, 기하, 대수 2, 삼각 함수)에 따라 다른 교실로 이동해 그룹으로 앉아 교재를 공부한다. 각 과목의 교사는 교실을 돌며 소그룹 지도를 하고, 앞으로 나아갈 수 있도록 이끄는 질문을 던져서 학생들이 과제를 계속할 수 있도록 지도한다. 학생이

한 주제를 마치면 평가 시험을 볼 수 있게 해달라고 요청하고, 담당 교사는 학생이 해당 주제에 대한 모든 자료를 완료했는지 확인한 후 평가 시험에 응시하게 해준다. 평가 시험에서 학생이 70% 이상의 점수를 얻으면 다음 주제로 자유롭게 넘어갈 수 있다. 70% 미만이면 담당 교사와 함께 복습을 진행한다. 또한 학생은 점수와 관계없이 모든 평가에 재응시할 수 있으며, 여러 번 응시할 경우 더 높은 성적을 적용한다. 학생이 해당 과정의 모든 과제를 완료하면 바로 다음 과정으로 넘어간다. 수업은 그룹 단위로 진행되며 같은 기간에 여러 코스가 진행된다.

이러한 접근 방식을 통해 학생들은 스스로 학습을 주도하고 코스에 대한 자료를 학습할 때마다 진도를 나갈 수 있다. 어떤 사람들은 자신의 속도에 맞춰 학습하는 학생들이 이해는커녕 얕은 내용을 빠르게 습득할 것이라고 걱정하지만, 이 시스템은 모든 학생에게 같은 기회와 요구 사항을 제공한다. 어떤 학생은 코스를 빠르게 진행하는 반면, 어떤 학생은 이전 시스템에서보다 느린 속도로 더 많은 것을 이해하면서 코스를 수강한다는 점을 반영해 교사들은 이 시스템을 운영한다. 이 시스템은 개인화된 수학 접근 방식의 첨단 기술 버전으로, 탐구적이고 연결된 심도 있는 수학을 위해 정기적으로 시간을 할애하고 있다.

다양한 성취도의 학생들이 섞인 그룹을 효과적으로 가르치기: 복합 수업(업데이트 포함)

성취 수준이 다른 학생들이 섞여 있는 교실에서 사용되는 수학 과제도 매우 중요하지만, 학생들이 함께 작업하는 방식을 설정한 규범과 기대치도 매우 중요하다. 숙련된 교사들은 학생들이 그룹에 불평등하게 참여하면 교실에서 그룹 학습이 실패할 수 있다는 것을 알고 있다. 학생들이 각자의 방법만을 계속 고집하고, 공동 학습을 위한 생산적인 규칙을 정해 놓지 않으면 일부 학생이 과제 대부분을 수행하고, 일부는 앉아서 놀고, 일부는 다른 학생들과 친하지 않다는 이유로 소외될 수 있다. 스탠퍼드의 사회학자 엘리자베스 코언Elizabeth Cohen은 교실에서 불평등한 그룹 학습 패턴을 관찰한 결과, 일부 학생은 중요한 지위를 부여받거나 맡는 반면 다른 학생은 낮은 지위를 부여받는 등 그룹 내 사회적 차이로 불평등한 행태가 일어난다는 것을 깨달았다(Cohen, 1994). 스탠퍼드 동료 교수 제니퍼 랭어 오수나Jennifer Langer-Osuna는 아이디어가 수학적으로 얼마나 우수한지가 아니라 그 아이디어를 말하는 학생이 그룹 내에서 인정받는 정도에 따라 아이디어가 채택된다는 것을 발견했다(Engle, Langer-Osuna & McKinney de Royston, 2014). 또한 그녀는 그룹 내 학생들의 지위 차이가 특정 인종, 계급 또는 성별에 대한 고정관념에서 비롯되는 경우가 많다는 사실을 발견했다(Esmonde & Langer-Osuna, 2013; Langer-Osuna, 2011). 코언은 레이철 로탠Rachel Lotan과 함께 교육학적 접근을 통해 학생들이 공평하게 그룹 과제를 수행하도록 하는 '복합 교육'을 설계했다. 이 방법은 모든 학년, 모든 학교, 모든 과목에서 사용할 수 있다(Cohen & Lotan, 2014).

4년에 걸친 미국 국립과학재단NSF 연구에서 나는 수학 교육에 대한 다양한 접근 방식을 비교했다. 대학원생으로 구성된 우리 팀은 서로 다른 고등학교 학생 700명 이상을 4년간 추적 관찰했다(Boaler, 2008; Boaler & Staples, 2008). 학생의 절반가량은 절차적인 수학 수업을 받고 시험을 치러 수준별로 반을 편성하는 학교에 다녔다. 나머지 절반은 수준별 반 편성에서 벗어나 수학 수업을 복합 수업으로 진행하는 캘리포니아의 도시 지역 레일사이드 고등학교에 재학 중이었다. 레일사이드의 학생들은 다른 학교에 비해 문화적 배경과 인종이 다양했으며 영어를 배우는 학생도 더 많았다. 레일사이드의 학생 중 약 38%는 라틴계, 23%는 아프리카계 미국인, 20%는 백인, 16%는 아시아 또는 태평양 섬 주민, 3%는 기타 그룹이었다. 전통적 방식으로 수학을 가르치는 학교에서는 75%가 백인, 25%가 라틴계/아시아인이었다. 연구 초기, 학생들이 중학교를 막 졸업했을 때 중학 수학에 대한 평가를 실시했다. 당시 레일사이드의 학생들은 연구에 참여한 다른 교외 학교의 학생들보다 상당히 낮은 수준의 성취도를 보였는데, 이는 학생들이 생활에서 해결해야 할 문제가 많은 도시 환경에서는 드문 일이 아니다(그림 7.3 참조).

1년 후, 레일사이드 학생들은 전통적 방식으로 공부하는 학생들을 따라잡았다(그림 7.4). 레일사이드 학생들은 2년 내 훨씬 더 높은 수준의 성취도를 달성했다(그림 7.5).

성적 향상뿐만 아니라, 레일사이드의 학생들은 수학을 더 즐기고 더 높은 수준으로 계속 발전시켰다. 레일사이드에서는 학생의 41%가 미적분과 고급 미적분 수업을 수강한 반면, 기존 방식으로 학습한 학생은 27%에 불과했다. 또한 학생들이 레일사이드에 다니는 동안 모든 인종적 성취도 불평등이 감소하거나 해소되었다(Boaler & Staples, 2008; Boaler, 2008, 2011; www.youcubed.org/category/making-group-work-equal/).

레일사이드의 공정한 관행을 알리고자 연구진과 레일사이드 교사들이 집필한 책이 출간되었다. 이 책은 교육학적으로 중요한 의미를 지녔다고 자부한다(Nasir, Cabana, Shreve, Woodbury & Louie, 2014).

이 장의 나머지 부분에서는 학교가 어떻게 이러한 인상적인 성과를 거

첫해 예비 평가

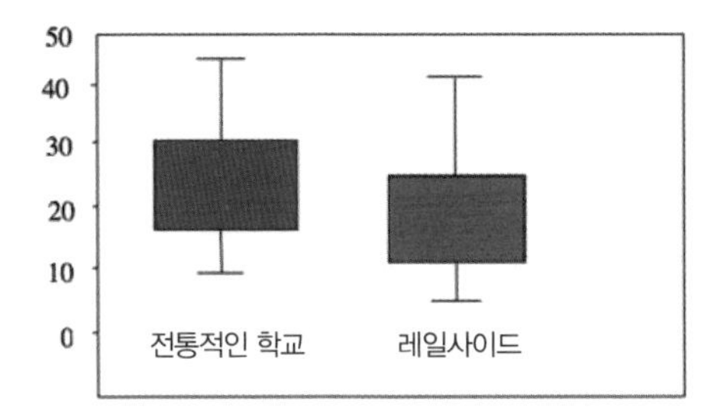

그림 7.3 예비 평가 시험 점수

첫해 평가

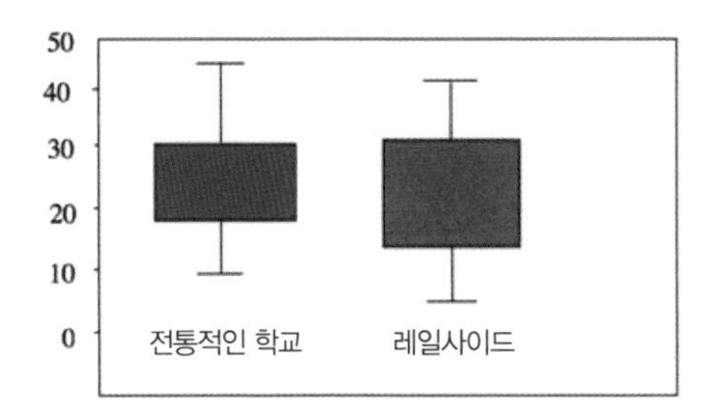

그림 7.4 첫해 평가 시험 점수

둘째 해 평가

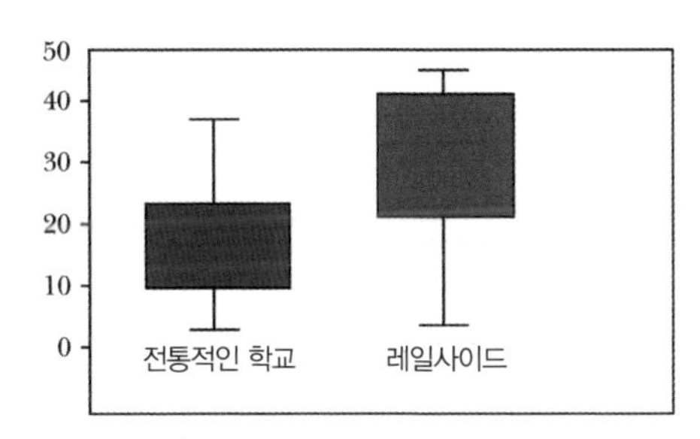

그림 7.5 둘째 해 평가 시험 점수

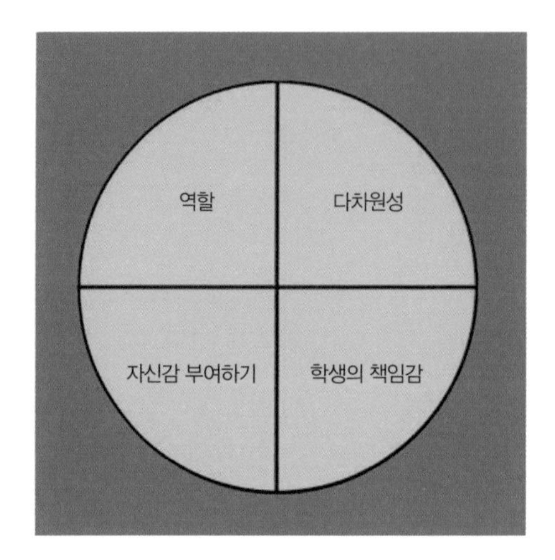

그림 7.6 복합 수업의 네 가지 원칙

둘 수 있었는지 복합 수업의 네 가지 원칙인 다차원성, 역할, 자신감 부여, 학생 책임감(그림 7.6 참조)에 따라 살펴본 다음, 복합 수업에 대한 나의 견해를 공유하겠다.

다차원성

수학의 다양한 측면 중 단 하나, 대개는 답을 얻기 위한 풀이 과정에만 가치를 두는 일차원적 수학 수업이 미국을 비롯한 세계 여러 나라에서 이루어지고 있다. 이런 편협한 기준 아래에서는 일부 학생이 좋은 성적과 교사의 칭찬을 받으며 상위권으로 올라가지만, 어떤 학생은 하위권으로 가라앉는다. 학생 대부분은 이런 위계질서에서 자신의 위치를 알고 있다. 이런 수업에서 성공하는 방법은 단 하나뿐이어서 일차원적이라고 부른다. 다차원 수학 수업에서 교사는 다양한 수학 방식을 장려한다. 예를 들어 수학자가 하는 일을 생각해 보면, 수학자는 계산할 때도 있지만, 좋은 질문을 하고 아이디어를 제안하고 서로 다른 아이디어를 연결하고 다양한 표현을 사용하고 다양한 경로를 통해 추론하고 기타 여러 가지 수학적 행위를 해야 한다. 수학은 광범위하고 다차원적인 과목이다. 복합 수업에서 교사는 수학의 다양한 측면을 바탕으로 학생을 평가한다. 복합 수업에서 지향하는 바가 다음과 같이 레일사이드의 교실 벽에 붙어 있다.

일하는 방식을 모두 잘하는 사람은 없지만, 누구나 그중 몇 가지는 잘한다.

연구 진행 과정 중 학생들에게 이런 질문을 던졌다. "수학을 잘하기 위해서는 어떻게 해야 할까요?" 전통적 수업을 받은 학생의 97%가 "주의 깊게 집중해야 한다."라고 똑같이 대답했다. 이는 낮은 성취도와 관련이 있는 수동적인 학습 행위다(Bransford, Brown & Cocking, 1999). 레일사이드 학생들에게 같은 질문을 했을 때, 다음과 같은 다양한 답이 돌아왔다.

- 좋은 질문하기
- 문제 다르게 표현하기
- 설명하기
- 논리 사용하기
- 증명하기
- 구체적 조작물 사용하기
- 아이디어 연결하기
- 다른 사람 돕기

레일사이드 1학년 학생인 리코는 인터뷰에서 "중학교 때는 수학 실력만 키웠어요. 하지만 여기서는 친구들과 함께 공부하면서 친구들을 돕고, 도움을 구하는 방법을 배우려고 노력합니다. 사회성, 수학 실력, 논리력을 키울 수 있어요."(레일사이드 학생, 1학년).

리코는 자신이 경험하고 있는 수학의 폭에 관해 이야기했던 것이다. 또 다른 1학년생 재스민은 "수학은 모든 사람과 상호작용하고 대화하고 질문에 답하는 과목이에요. '여기 교과서가 있네. 숫자를 보고 답을 알아내라'는 식으로는 안 되죠." "왜 수학이 그렇게 다른가요?"라고 물었을 때 그녀는 "수학에는 한 가지 방법만 있는 것이 아니에요. 수학에는 해석할 부분이 많아요. 정답이 하나만 있는 게 아니죠. 답을 얻는 방법은 여러 가지가 있어요. 수학은 이거 같아요. '그게 왜 말이 되는 거지?'"(레일사이드 학생, 1학년). 수학 시간에 학생들은 교과서와 숫자를 넘어 수학적 아이디어를 이해하고, 다양한 접근 방식을 고려하며, 자기 생각을 증명하면서 "그게 왜 말이 되는 거지?"라는 중요한 질문에 답한다. 재스민은 수학의 사회적인 면과 '해석적'인 특성을 강조했다.

레일사이드의 교사들은 수학 과제의 다양한 차원을 중시해 다차원적인 수업을 만들었다. 이는 교사들이 그룹에 적합한 문제라고 설명하는 풍부한 과제, 즉 혼자서는 해결하기 어렵고 그룹의 여러 구성원이 이바지해야 하는 문제를 제공함으로써 달성할 수 있었다. 래니 혼은 그룹에 적합한 과제를 "중요한 수학적 개념을 설명하고, 여러 가지 표현을 허용하며, 그룹의 집단적 자원을 효과적으로 활용하는 과제를 포함하며, 여러 가지 가능한 해결 경로가 있는 과제"라고 설명한다(Horn, 2005, 222쪽). 예시 7.1 및 7.2는 그룹에 적합한 것으로 여겨지는 두 가지 문제다. nrich.maths.org에서 가져온 이 문제들에 대한 유인물과 전체 과제는 부록에 실어놓았다.

숫자 정렬

간단한 직소 퍼즐을 해볼까요?

이 문제는 4명 정도의 그룹이 하도록 설계되었습니다(교사용 지침서와 심화 문제는 다음 링크에 있습니다. nrich.maths.org/6947&part=note).

1. 두 종류의 직소 퍼즐이 있습니다(아래 그림 참조). 두 직소 퍼즐을 완성한 다음, 정사각형 퍼즐 판에 각 퍼즐 조각에 쓰인 숫자를 적어주세요.

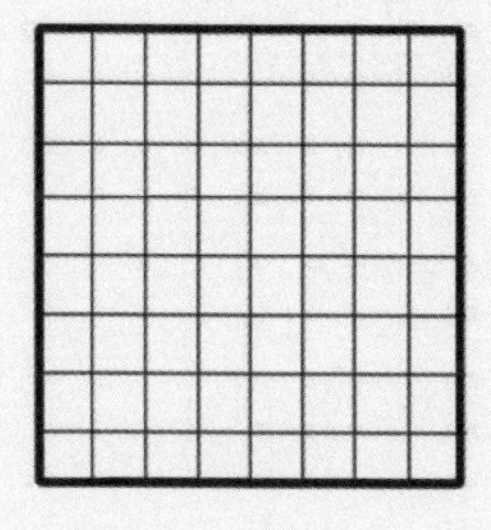

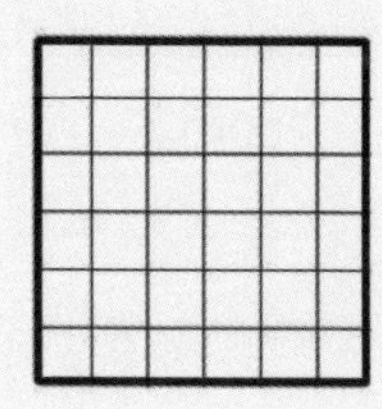

2. 작은 정사각형 퍼즐 판을 큰 정사각형 위에 원하는 대로 올려놓으세요. 단, 작은 정사각형 퍼즐 판이 큰 정사각형 안에 쏙 들어가야 합니다.

3. 겹친 정사각형들의 숫자끼리 더하면 어떻게 되는지 알아봅시다. 작은 정사각형 퍼즐 판을 투명한 종이에 복사하면 아래 큰 징사각형에 적힌 숫자를 볼 수 있어서 편리합니다.

4. 그룹에서 떠올린 아이디어를 살펴보세요.

예시 7.1 (계속)

작은 정사각형 퍼즐 판을 큰 정사각형 퍼즐 판 위에 놓는 모든 경우(36가지)를 관찰하면서, 이런 질문을 던질 필요가 있을 것입니다. "만일 우리가 이렇게 하면 어떻게 될까?" 조건을 하나 바꿔 조사해 보고 바꾸기 전의 결과와 비교해 보세요. 아마도 이런 질문이 나올 겁니다. "왜 이렇게 된 거지?"

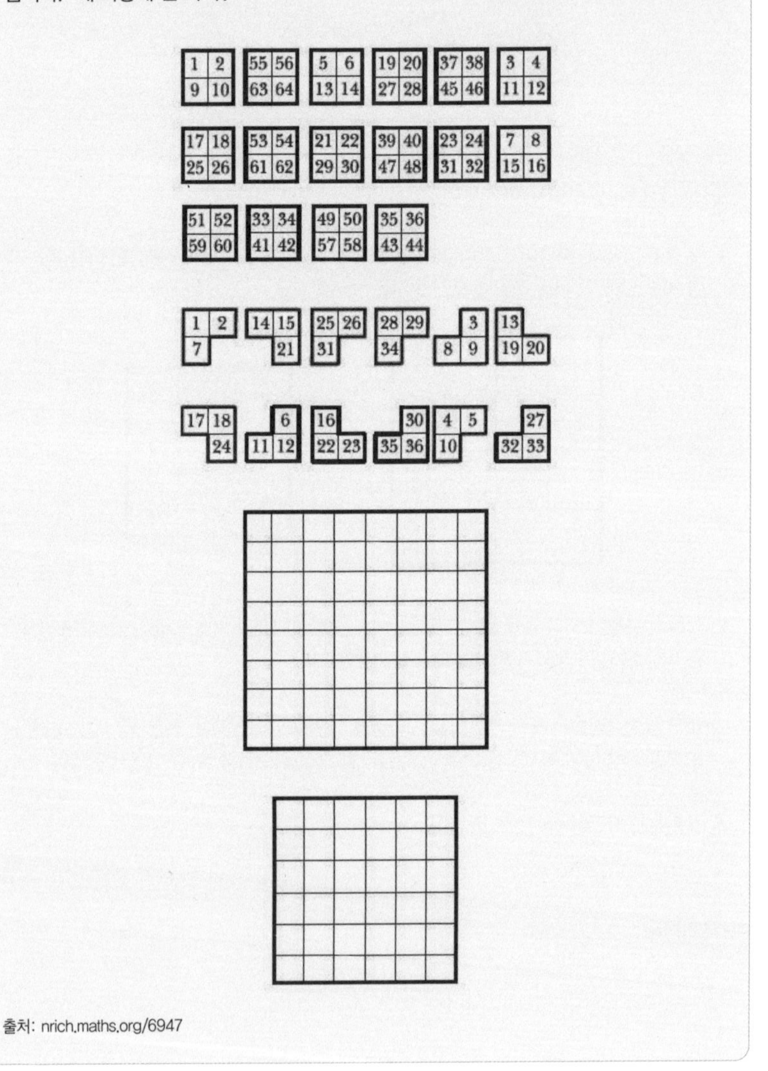

출처: nrich.maths.org/6947

예시 7.1

커지는 직사각형

넓이가 $20cm^2$인 직사각형을 상상해 보세요.

그 직사각형의 가로, 세로는 어떻게 될까요? 적어도 다섯 가지 경우를 적어보세요.

여러분이 생각한 직사각형의 가로, 세로가 2배로 커지는 모습을 상상해 보세요.

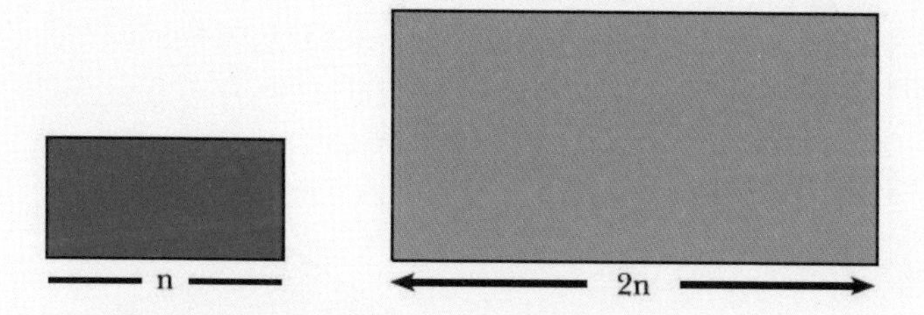

커진 직사각형의 가로, 세로 길이를 적고 넓이를 계산해 보세요. 어떤 규칙을 발견했나요?

넓이가 각기 다른 여러 직사각형을 가지고 시작해 봅시다. 각각의 가로, 세로를 2배로 늘려보세요. 이제 어떤 일이 일어날까요?

무슨 일이 일어나는지 설명할 수 있나요?

가로, 세로를 3배, 4배, 5배로 늘리면 직사각형의 넓이에는 어떤 변화가 생기나요? 가로, 세로를 분수 크기만큼 늘리면 넓이는 어떻게 되나요?

가로, 세로를 k만큼 늘리면 직사각형의 넓이는 어떻게 되나요?

여러분이 끌어낸 결론을 설명하고 증명하세요.

예시 7.2 (계속)

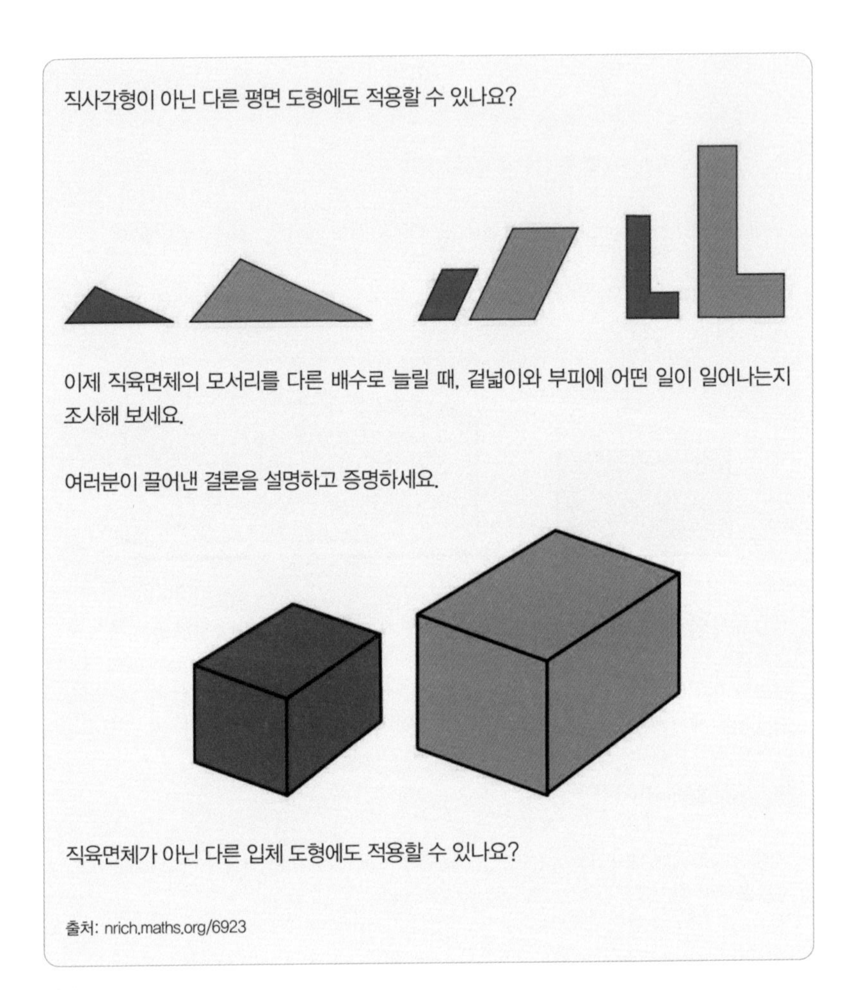

예시 7.2

세 번째 예(예시 7.3)는 레일사이드 학교에서 사용한 것이다. 교사는 먼저 특정 표현으로 나타나는 일차 함수 과제('도형 패턴'이라고 함)를 주고 학생들에게 예측해 보라고 요청한다. 예를 들면 10번째 도형을 예측해 보도록 하는 것이다. 어떤 팀은 기하학적으로, 어떤 팀은 표를 사용해 숫

일차 함수 과제

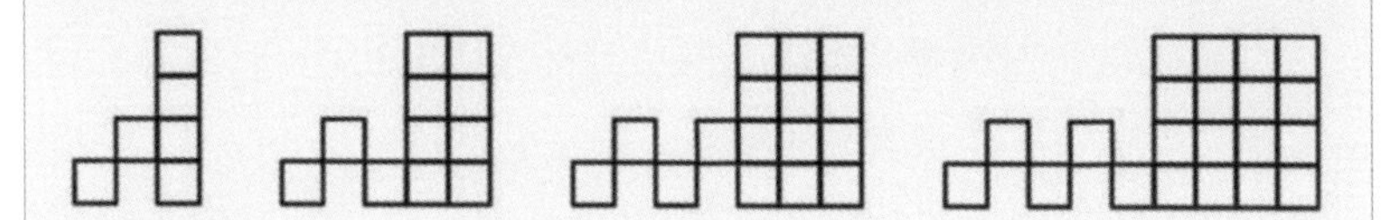

도형들은 어떤 규칙에 따라 커지고 있나요?

100번째 도형이 어떤 모양인지 예측할 수 있나요?

n번째 도형은 어떻게 생겼을까요?

예시 7.3

자로, 또 다른 팀은 문자를 이용해 대수적으로 나타내 보라고 요청한다. 각 팀의 해결책을 공유하도록 한 후, 교사는 이런 질문을 던진다. "또 다른 방법으로 답을 찾아본 사람이 있나요?"

이후 레일사이드의 교사들은 도전적인 과제를 줄 때, 학생들이 필요로 하는 정보를 모두 주지 않는 쪽으로 방향을 틀었다. 그래서 학생들은 그림 7.7과 같은 표와 그래프, 방정식, 패턴에 대한 기하학적 표현을 만들기 위해 함께 작업해야만 했다.

레일사이드에서 사용된 이런 과제 및 기타 과제에 대한 자세한 내용은 나시르와 그의 동료가 작성한 논문(Nasir et al., 2014)에서 확인할 수 있으며, 과제 대부분은 대학 준비 수학College Preparatory Mathematics, CPM 연계 교과서에 나와 있다. 한때 레일사이드의 교사들도 전통적 방식인 수준별로 학급을 구성해 가르쳤는데, 많은 학생이 수학 수업을 중도에 포기해 버렸다. 많은 학생이 초등학교 2학년 수준의 수학 지식만 가지고 학교에 입학했지만, 레일사이드의 교사들은 학생들이 수학에서 실패하는 이유가 학생의 수학 실력 부족 때문이라고 생각하지 않았다. 대신 교사들은 여름방학 동안 새로운 교과과정과 접근 방식을 계획할 수 있는 보조금을 신청했다. 복합 수업에 대해 배운 교사들은 수준별 반 편성을 폐지하고 모든 신입생이 수강할 수 있는 대수 입문 과정을 만들었다. 교사들은 이전에 대수 수업을 들어본 적이 있는 학생을 비롯해 모든 학생에게 도전적인 경험을 제공하고자 기존 과정보다 훨씬 더 깊이 있는 대수 과정을 설계했다.

레일사이드의 교사들은 평등한 교육과 성취 수준이 다양한 학생들로 이루어진 그룹 학습에 깊은 관심이 있었다. 그래서 수학에 대한 다양한 접근 방식을 제공하는 교과과정을 개발하고 구현하기 위해 함께 노력했다. 표준 교과서는 일반적으로 "일차 함수 그래프 그리기" 또는 "다항식의 인수분해"와 같은 수학적 방법을 중심으로 구성된다. 레일사이드 교사들은 "선형 함수란 무엇인가?"와 같은 포괄적인 아이디어를 중심으로 교과과정을 구성했다. 그들은 과제를 직접 설계하지 않고 CPM 및 대화형 수학 프로그램Interactive Mathematics Progrma, IMP과 같이 이미 발표된 다양한 교육과정에서 심도 있고 개념적인 수학 과제를 선택했다. 대수를 시각적으로 표현하는 방법뿐 아니라 대수에 대한 이해를 높이기 위해 그림 7.8과 같이 구체적 조작물을 사용하는 대수 실험 장비를 중심으로 교과과정을 구축했다(Picciotto, 1995).

다양한 표현이 대수 과목의 주제였으며, 이후 학교의 모든 과목에서 학생들은 자기 아이디어를 단어, 그래프, 표, 기호, 도표 등 다양한 방법으로 표현하도록 자주 요청받았다. 아이디어를 색으로 표현하는 '같은 색

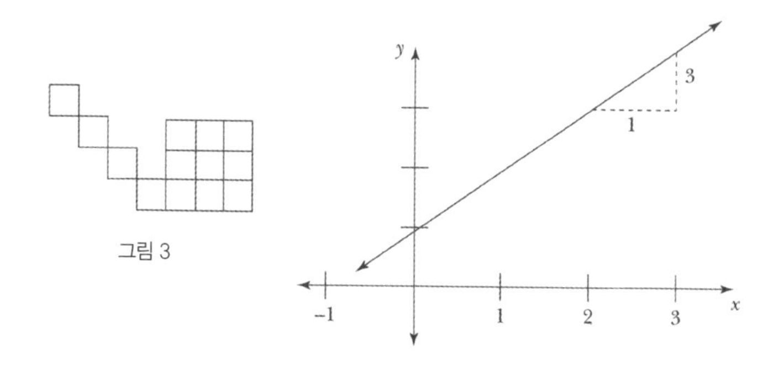

그림 7.7　대학 준비 수학(CPM) 커리큘럼의 과제

그림 7.8　대수 수업 도구로 만든 도형의 둘레를 구하는 학생들

칠하기'도 권장되었다. 예를 들어 수식, 다이어그램, 그래프, 표, 단락에서 x에 같은 색을 사용하는 것이다(예시 7.4 참조).

레일사이드 수학 수업의 다차원적 특성은 학생들의 성공률을 높이는 데 매우 중요한 요소였다. 레일사이드에서 학생들이 광범위하게 높은 성취도를 보인 이유를 분석해 보니, 수업에서 성공할 방법이 훨씬 더 많았

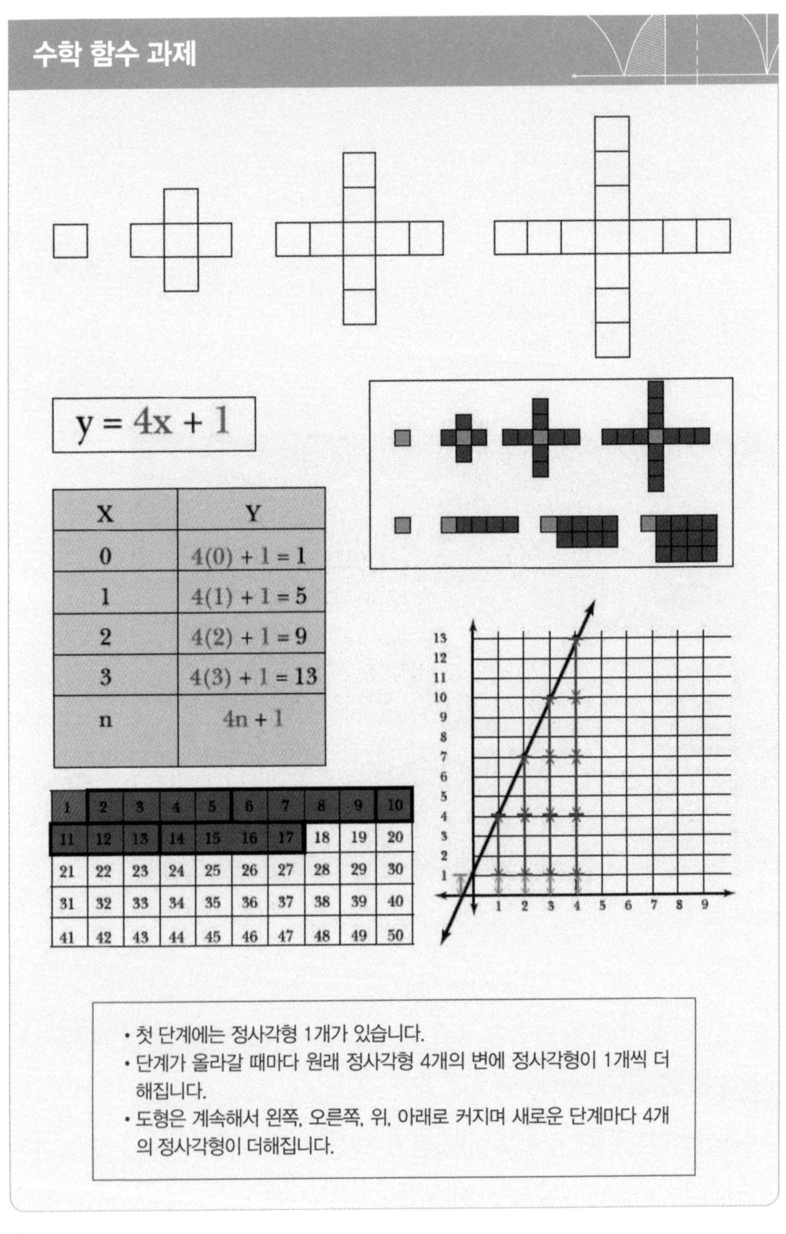

X	Y
0	$4(0) + 1 = 1$
1	$4(1) + 1 = 5$
2	$4(2) + 1 = 9$
3	$4(3) + 1 = 13$
n	$4n + 1$

1	2	3	4	5	6	7	8	9	10
11	12	13	14	15	16	17	18	19	20
21	22	23	24	25	26	27	28	29	30
31	32	33	34	35	36	37	38	39	40
41	42	43	44	45	46	47	48	49	50

예시 7.4

기 때문에 더 많은 학생이 성공했다는 것을 깨달았다. 레일사이드 학교를 연구한 이후, 나는 복합 수업 방법을 중심으로 구성된 교실에 관한 다른 연구를 수행했다. 안타깝게도 일부 교실에서는 다차원적 과제를 통해 가르치고 다차원적 작업에 가치를 부여하는 데 실패했다. 연구 결과, 학교에서 가르치는 편협한 수학이 교실에서 불평등을 초래하는 것으로 나타났다(LaMar, Leshin & Boaler, 2020). 공평한 결과를 위해 노력하는 학군에서도 편협한 수학은 공평성과 높은 성취도라는 목표를 제한했다. 우리의 분석에 따르면, 편협한 수학을 거슬러 올라갔더니 교육과정과 문제 설계의 지침으로 사용되는 표준에 이르게 되었다.

레일사이드에서 이룬 공평한 결과는 부분적으로 교사들이 선택한 큰 아이디어 덕분이었다. 교사들은 항상 문제 풀이 방법이나 편협한 내용이 아닌 큰 아이디어에 중점을 두고 가르쳤다. 이 큰 아이디어는 우리가 캘리포니아 교육청에서 의뢰를 받아 설정한 것과 유사하다. 그 내용을 유큐브드(www.youcubed.org/resources/standards-guidance-for-mathematics/)에서 확인할 수 있다. 예시 7.5에 통합 1, 통합 2의 두 고등학교 과정에서 다루는 주요 아이디어와 이들 사이의 연결이 나와 있다. 대수와 기하는 수학적 연결이 상당히 적어서(개별 콘텐츠를 통해 각각의 내용에 접근하도록 설계되었기 때문이다) 통합 수학 과정의 주요 아이디어를 공유하였다.

레일사이드의 교사들은 수학 과제의 다차원성을 중요하게 생각했고 평가에도 다차원적 방법을 사용하였다(8장 참조). 물론 캘리포니아주에서 시행하는 표준 평가는 수학의 다차원성을 중시하지 않지만, 학생들은 수업에서 성공하는 법, 수학을 이해하는 법, 수학에 대한 좋은 감정을 배웠기 때문에 그 시험에서 높은 수준의 성취도를 보였다. 또한 학생들은 어떤 문제가 나오더라도 기꺼이 도전할 수 있는 자신감을 가지고 시험에

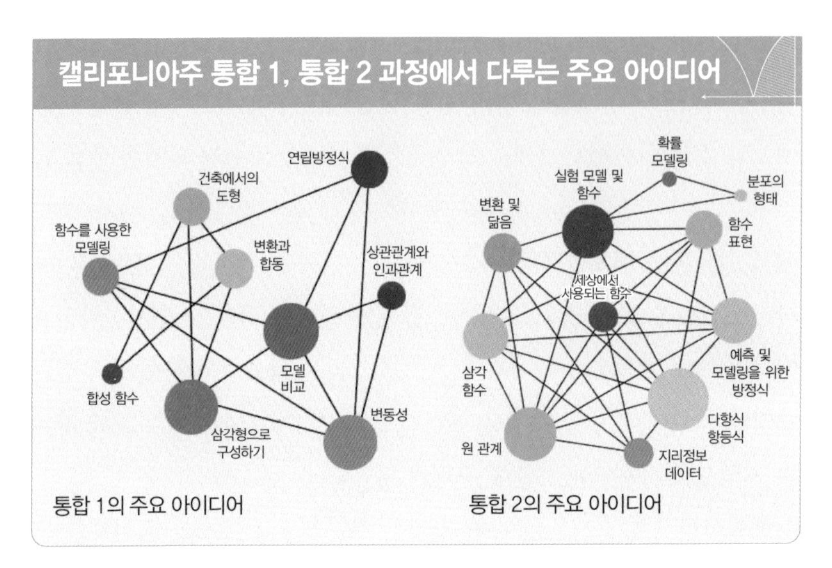

예시 7.5

임했다. 레일사이드 학생들의 수학 점수는 어느 과목보다 높았을 뿐 아니라 학군 내 다른 모든 학교보다 우수한 성적을 거두었다. 소득 수준이 가장 낮은 지역으로서는 매우 이례적인 일이었다.

내가 참관한 대수 수업에서는 학생들에게 몇 가지 지시 사항과 함께 흔히 주어지는 것보다 조금 더 어려운 문제가 제시되었다. 학생들에게 표와 그래프 등과 같은 수학적 도구를 이용해 여러 가지 종류의 신발 끈 길이를 알아내는 데 도움이 되는 공식을 $y = mx + b$라는 형식으로 만들라는 문제였다(예시 7.6 참조).

수업을 진행하던 교사는 학생들에게 그룹별로 구성원 한 명의 신발을 가지고 직접 신발 끈 길이를 구해 보라고 했다. 교사는 학생들에게 문제를 시작하는 방법에는 여러 가지가 있으며, 문제를 성공적으로 풀기 위해서는 팀원들 간 원활한 의사소통이 필요하고, 학생들이 서로의 말을 경

신발 끈

크기가 다른 신발마다 필요한 신발 끈의 길이는 얼마나 될까요?

신발 끈의 길이와 신발 크기의 관계를 살펴보세요.

각기 다른 크기의 신발을 만들 때 필요한 신발 끈 길이를 구하는 데 도움을 주는 방정식을 $y = mx + b$의 형태로 나타내 보세요.

출처: Guzel Studio/Shutterstock

예시 7.6

청하고 서로의 작업을 통해 생각할 기회를 주어야 한다고 말하며 문제를 도입했다. 또한 교사는 학생들이 여러 가지 방법을 사용해 자신의 작업을 보여주고 설명하면 더 좋은 점수를 받을 수 있다고 설명했다.

대부분 수학 문제와 마찬가지로, 많은 학생이 이 문제에서 가장 어려워했던 부분은 어떻게 시작해야 하는가였다. 신발 끈 길이를 구하는 데 도움이 되는 방정식을 만들라는 지시를 받은 학생들은 신발 끈 구멍수와 리본을 묶는 데 필요한 끈의 길이와 같은 방정식의 변수가 될 만한 요인

그림 7.9 크기가 다른 신발에 필요한 신발 끈 길이 구하는 공식을 만들고 있는 학생들

을 정하고, 필요한 신발 끈 길이를 y로 나타내는 방정식을 계산해야 했다.

많은 그룹이 문제를 어떻게 시작해야 할지 몰랐다. 한 그룹의 남학생 하나가 "이해가 안 돼요."라고 재빨리 말하자 같은 그룹원 중 한 명이 "저도 문제를 모르겠어요."라고 동조했다. 이때 그룹의 한 여학생이 문제를 큰 소리로 다시 읽어보자고 제안했다. 문제를 읽던 한 남학생은 다른 학생들에게 "이 신발과 저 방정식이 어떻게 연관된 거야?"라고 물었다. 다른 남학생은 자기 신발 끈 길이를 측정해 보자고 제안했다. 그룹은 끈의 길이를 측정하기 시작했는데, 한 남학생이 신발 끈 구멍수를 고려해야 한다고 말했다(그림 7.9 참조). 또 다른 학생들이 그룹이 고려해야 할 질문을 던지며 그룹 전체가 함께 문제를 풀어나갔다.

나는 학생들이 서로를 격려하고, 문제를 다시 읽고, 서로에게 질문하는 과정을 통해 문제를 풀어나간 사례를 많이 보았다. 학생들은 문제를 소리 내어 읽고, 막히면 서로에게 다음과 같은 질문을 하도록 격려받았다.

- 이 문제는 우리에게 무엇을 요구하는가?
- 이 질문을 어떻게 바꾸면 좋은가?
- 문제의 핵심은 무엇인가?

레일사이드 교사들의 접근 방식 중 하나는 그룹별로 문제를 주고, 각 그룹이 문제를 풀고 나면 후속 질문을 통해 학생들의 이해도를 평가하는 것이었다. 교사들이 학생들에게 던지는 질문과 학생들에게 문제를 다시 설명해 보라고 하는 등의 격려를 통해 학생들은 서로에게 비슷한 도움이 되는 질문을 하는 법을 배웠다. 얼마 지나지 않아 학생들이 끈 길이를 측정하고 끈 구멍과의 관계에 대해 생각하기 시작하면서 적극적으로 참여하는 분위기가 교실 전체에 퍼져나갔다. 학생들이 수업에 적극적으로 참여할 수 있었던 요인은 다음과 같다.

- 교사가 신중하게 문제를 설정하고 교실을 돌며 학생들에게 질문을 던지며 노력했다.
- 과제 자체로 충분히 개방적이고 도전적이어서 다양한 학생들이 아이디어를 낼 수 있었다.
- 질문하기, 다이어그램 그리기, 추측하기와 같은 다양한 수학 작업 방식을 중요시하고 장려하는 다차원적인 수업이었다.
- 실제 사물과 아이디어를 다루라고 요청했다.
- 서로 질문함으로써 서로를 돕는 법을 배운 학생들 사이에 높은 수준의 의사소통이 있었다.

많은 수학과에서 공동 과제를 채택하고 있지만, 레일사이드 학교만

그룹에서의 역할(미국 학생용)

진행자

반드시 그룹의 모든 사람과 함께 카드 내용을 차근차근 읽고 나서 과제를 시작하세요. "읽고 싶은 사람 없나요? 모두 내용을 이해했나요?"
그룹이 함께하세요. 모두의 의견이 잘 반영되었는지 신경 써주세요. "다르게 이해한 사람 있나요? 다음 단계로 넘어가도 되나요?" 모두 다 설명할 수 있는지 확인하세요.

기록자/리포터

그룹 활동 결과를 잘 정리하세요. 결과에 모두의 아이디어가 반영되어야 하고, 정돈되어 있어야 합니다. 그룹이 탐구한 수학과 논리, 관계성을 잘 전달할 수 있도록 색칠하거나 화살표를 그리고 다른 수학 도구를 이용하세요. "우리의 아이디어를 어떻게 보여줄까?" 선생님이 모이라고 할 때 활동 결과를 발표할 수 있도록 준비해 주세요.

자료 관리자

- 그룹을 위해 필요한 재료를 가져오세요.
- 모든 질문이 그룹 질문인지 확인하세요.
- 그룹 활동이 끝나면, 활동 중에 나온 계산 내용을 선생님께 보고하세요.

팀장

- 그룹 구성원에게 각 수학적 진술에 대한 근거와 다른 진술과의 관계를 계속 생각하게 하세요. "그렇다고 확신하는 이유가 뭐야? 그것들은 어떤 관계지?"
- 자기 그룹 외의 사람들과는 이야기하지 마세요!

예시 7.7

큼 높은 성공률과 인상적인 효율성을 보여주지 못했다(Leshin, LaMar & Boaler, 2020). 레일사이드 학생들이 잘할 수 있었던 이유 중 하나는 수학의 다차원적인 측면을 중요시해 다차원적으로 가르쳤고, 교사들이 학생들이 서로의 학습을 지원하도록 이끌었기 때문이다.

그룹에서의 역할(영국 학생용)

조직 관리자
- 그룹이 함께 문제에 집중하세요. 자기 그룹 외의 사람과는 누구와도 이야기하지 않도록 하세요.

자료 관리자
- 그룹에서 유일하게 자리를 벗어나 자, 계산기, 연필 등 그룹 활동에 필요한 도구를 가져올 수 있는 사람입니다.
- 선생님을 부르기 전에 모든 구성원이 준비됐는지 확인하세요.

아이디어 관리자
- 모든 아이디어가 구성원 모두가 이해할 만큼 설명되었는지 확인하세요.
- 이해되지 않은 부분은 아이디어를 낸 사람에게 물어보세요. 이해했다면 다른 구성원 모두 이해했는지 확인하세요.
- 중요한 설명을 다 적었는지 확인하세요.

총괄 관리자
- 모든 구성원의 아이디어를 경청했는지 확인하세요. 다른 그룹 구성원에게 의견을 내달라고 요청하세요.

예시 7.8

역할

학생들이 그룹에 배정되면 각자에게 역할을 주었다. 예시 7.7은 과제 지시문 중 하나인데, 학생들에게 주어진 문제와 역할이 설명되어 있다.

영국 교사들에게 복합 수업을 소개했을 때, 그들은 영국 정서에 맞고 위계가 덜 드러나는 방식으로 일부 역할을 변경했다. 영국 교사들이 수정한 역할의 명칭과 설명들이 예시 7.8에 나와 있다.

모든 학생에게 각자 역할을 주며 책임감을 심어주는 것은 복합 수업에서 중요한 부분이다. 영국의 예에서 볼 수 있듯이, 각 교실의 상황에 따라

그림 7.10 무작위로 그룹 및 역할 배정하기

교사는 역할을 조정할 수 있다.

복합 수업 교실에서는 그룹과 역할이 적힌 차트를 벽에 붙여놓는다. 학생들은 무작위로 그룹과 역할에 배정된다(그림 7.10 참조).

몇 주마다 학생들은 다른 그룹에 배정되고 다른 역할을 맡는다. 교사는 수업 중에 간간이 다른 역할에 대해 알려준다. 예를 들어 수업을 시작하기 전에 진행자 역할을 맡은 학생에게 정답을 확인하고, 풀이를 보여주거나 질문하는 것을 도와달라고 귀띔하는 식으로 말이다.

모든 교사는 학생들이 조별 과제를 시작하고 수학에 관해 신나게 이야기하고 나면 다시 불러 모으기 쉽지 않다는 것을 잘 알고 있다. 그러나 교사는 종종 새로운 정보나 새로운 방향을 알려줄 필요가 있다. 복합 수업에서 교사는 학급 전체를 조용히 시키지 않는 대신, 기록자나 리포터 역할의 학생들을 불러내 교사와 함께 회의한다. 이 회의에서 교사는 기록자나 리포터가 각 그룹으로 가져갈 정보를 제공하고, 기록자나 리포터들은 전달받은 내용을 각자의 그룹에 알려준다.

이 방법은 교사에게 큰 도움이 되며, 동시에 학생들에게는 책임감과 수학적 능력을 부여한다. 레일사이드 교실에서 상호 연결 체계, 즉 모든 사람이 중요한 일을 하고 학생들이 서로 의지하는 법을 배우는 시스템이 제대로 작동할 수 있었던 이유는 복합 수업에서 학생들에게 여러 역할을 주었기 때문이다.

자신감 부여

복합 수업에서 제시된 흥미롭고도 섬세한 접근 방식은 바로 '자신감 부여'다. 이 방법은 교사가 그룹에서 지위가 낮다고 생각되는 학생의 지위를 높이는 것이다. 예를 들면, 학생이 지적 가치가 있는 말이나 행동을 했을 때 칭찬해 그룹 또는 학급 전체의 주의를 집중시키는 것이다. 교사는 학생에게 아이디어를 발표하도록 요청하거나 전체 수업에서 학생의 작업을 공개적으로 칭찬할 수도 있다.

내 눈으로 직접 관찰하기 전까지는 '자신감 부여'의 정확한 개념을 완전히 이해하지 못했다. 어느 날 레일사이드 학교에서 학생 세 명으로 구성된 그룹이 작업하는 모습을 지켜보고 있었다. 교사가 다가오자 조용하게 있던 동유럽 소년 이반이 다른 두 명, 즉 작업의 흐름을 주도하는 라틴계 소녀들에게 무어라고 중얼거렸다. 이반은 정말 짧게 말했다. "이 문제는 우리가 마지막으로 풀었던 문제와 비슷해." 테이블을 둘러보던 선생님이 즉시 그 말을 알아차리고 "좋아, 이반. 그게 정말 중요한 점이야. 이 문제는 앞에 풀었던 문제와 비슷한데, 두 문제의 비슷한 점과 다른 점에 대해 생각해 봐야 해."라고 말했다. 나중에 여학생들이 선생님의 질문 중 하나에 대한 답을 제시하자 선생님은 "아, 그건 이반의 생각을 응용한 거구나."라고 말했다. 교사는 이반이 문제 해결에 큰 몫을 했다고 칭찬해 주었는데, 교사가 그렇게 개입하지 않았다면 모르고 지나갔을 것이다. 교사가 칭찬해 주자 이반은 눈에 띄게 가슴을 쭉 펴며 앞으로 내밀었고, 나중에는 소녀들에게 자기 아이디어를 다시 한 번 알려주기까지 했다. 복합 수업을 처음으로 고안한 코언(Cohen, 1994)은 학생에게 주는 피드백이 그룹 내 상황과 관련된 문제를 해결하려면 공개적·지적intellectual·구체적이어야 하고, 그룹 과제와 관련되어야 한다고 권고한다(231쪽). 공개적이어야 다른 학생들이 해당 학생이 아이디어를 제안했다는 사실을 알게 된다. 지적이어야 하는 이유는 그 피드백이 수학적 작업의 한 부분이기 때문이다. 그리고 구체적이어야 교사가 칭찬하는 내용을 학생이 정확히 알 수 있다.

학생들이 서로의 학습에 책임감을 느끼도록 가르치기

레일사이드 학교가 이룬 공평한 결과의 주요 부분이자 복합 수업의 핵심은 학생들이 서로의 학습에 책임감을 느끼도록 가르치는 것이다. 많은 학교에서 조별 과제를 사용하고 학생들이 서로에 대한 책임감을 키우기를 바라지만, 이는 여전히 어려운 과제다. 레일사이드의 교사들은 다양한 방법을 사용해 학생들이 협력하고 서로에 대한 책임감을 키울 수 있도록 돕고 있다. 교사들이 의논해 내린 중요한 결정 중 한 가지는 신입생들의 첫 대수 수업을 10주 정도 그룹 활동으로 하면서 협력하는 방법을 가르치기로 한 것이다. 이 기간에 학생들은 수학을 공부했지만, 사실 수학은 교사들의 부차적인 목표였다. 교사들의 최우선 과제는 학생들이 협력하는 법을 배우는 것이었다. 10주 동안의 수업이 끝난 후 레일사이드 학교의 수업을 참관한 사람들은 누구나 그 시간이 헛되지 않았음을 확인할 수 있었다. 학생들은 서로의 말에 귀를 기울이고, 상대의 의견을 존중하며 대화를 나누고, 서로의 아이디어를 바탕으로 자기 생각을 발전시켜 갔다.

학생들을 그룹으로 가르칠 때, 나 역시 상대의 의견을 존중하고 귀 기울여 듣는다는 규칙을 가장 먼저 세운다. 수학 과제를 소개하기 전, 항상 그룹이 함께하는 활동은 수학 과제를 할 때 다른 그룹 구성원이 하면 좋겠다고 생각하는 말이나 행동, 하지 않았으면 하는 말이나 행동에 관해 토론한다. 이 토론을 통해 나온 의견을 정리해서 사람들이 좋아하는 것과 싫어하는 것을 담은 두 개의 큰 포스터를 함께 만들어 벽에 붙인다(그림 7.11 참조). '싫어하는 것' 목록에는 보통 한 사람이 과제를 하고 나서 모든 사람에게 답을 말해주거나, "이건 너무 쉬워."라고 말하며 잘난 척하는 사람, 토론에서 다른 사람을 따돌리는 사람 등 내가 말리고 싶은 행동이 많이 올라오곤 한다. 학생들이 그룹 토론의 긍정적인 면과 부정적인 면에 대해 스스로 생각하고 목록을 작성할 때, 그룹에서 상호작용하는 방식에 대해 더 사려 깊이 생각한다는 것을 알게 되었다. 벽에 포스터를 붙이고 때때로 학생들과 그룹에게 우리가 정한 규칙들을 기억나게 이야기해 준다.

나는 학생들에게 무엇이 중요한지 설명하면서 수업을 시작한다. 수학 문제를 빨리 푸는 것은 중요하지 않다고 이야기한다. 수학을 어떻게 생각하는지 보여주는 것을 중요하게 여기며, 아이디어를 창의적으로 표현하는 것을 좋아한다고 말한다. 또한 학생들에게 서로의 생각을 경청하고 의견을 존중하는 것이 얼마나 중요한지 이야기한다. 고등학교 때 수

그림 7.11 학생들이 선호하는 그룹 활동 태도에 대한 포스터를 만들고 있는 교사

학 문제를 빨리 푼다는 이유로 높게 평가받았던 스탠퍼드 학부생을 지도할 때, 나는 이렇게 이야기한다. "어떤 수학 연구든, 나는 빨리 끝내는 사람을 높게 평가하지 않는다. 사실 빨리 끝내는 것은 깊이 생각하지 않는다는 것을 의미하기 때문이다." 학생들이 이 말을 깊이 생각하며 더 깊고 창의적인 방식으로 작업하는 것을 여러 차례 봤다. 9장에서는 학생들이 그룹 활동하며 협력하는 법을 배우는 데 도움이 되는 구체적인 활동을 공유하겠다.

레일사이드의 교사들은 그룹 구성원 중 한 명에게 그 그룹이 수행한 과제와 관련된 수학 문제를 물어보는 방식으로 그룹 전체가 책임감을 느끼도록 했다. 수행 과제에 뒤따르는 이 질문은 항상 개념적인 질문이었으며, 질문을 받은 학생만 답할 수 있었다. 대답할 학생은 늘 무작위로 선택

되었고, 다른 학생은 도와줄 수 없다. 선택된 학생이 질문에 답하지 못하면, 교사는 잠시 후 다시 물어보겠다고 하고 다른 학생에게 그룹의 모든 학생이 이해했는지 확인해야 한다고 말하고 그룹을 떠났다. 잠시 후 다시 돌아온 교사는 같은 학생에게 질문을 던졌다. 그 사이에 학생이 질문에 답하는 데 필요한 수학을 배울 수 있도록 돕는 것은 그룹의 책임이었다. 다음 인터뷰에서는 두 명의 여학생, 기타와 브리애나가 수학에 대한 자신들의 견해와 교사의 지도를 통해 배워온 책임감에 관해 이야기한다.

인터뷰 진행자 수학을 배우는 것은 개인적인 일인가요, 아니면 사회적인 일인가요?

기타 둘 다예요. 이해하면 다른 사람들에게 설명해야 하기 때문이죠. 그리고 때때로 그룹에 문제를 주면 모두 그 문제를 이해하고 풀어야 해요. 그래서 둘 다인 것 같아요.

브리애나 저도 둘 다라고 생각해요. 자기가 이해하고 있어야 남에게도 설명하고 도와줄 수 있으니까요. 다른 사람들에게 설명할 수 있으려면 스스로 제대로 알아야 해요. 선생님이 네 사람 중 누구에게 질문할지 알 수 없으니까요. 선생님이 누구를 선택하는지에 따라 그룹이 정답을 맞힐지 말지가 달려있어요. (레일사이드, 2학년)

앞의 인터뷰 내용에서 학생들은 교사가 그룹 구성원 중 한 명을 선택해 질문하는 것과 그룹 구성원에 대한 자신들의 책임감 사이에 관계가 있음을 알고 있었다. 또한 구성원 개인이 알아야 하는 목적이 다른 사람보다 더 잘하기 위해서가 아니라 그룹의 다른 구성원을 돕기 위해서라고 말하며 수학에 관한 흥미로운 사회적 지향점을 전해준다. 나는 중학생을 가르칠 때 한 학생에게만 질문하는 방식을 사용하지 않는다. 9장에서 설명하겠지만, 이는 책임자는 교사라는 서로 다른 역할의 위계질서를 강조하고 싶지 않기 때문이다. 내가 바라는 바는 교사와 학생, 모든 공동체 구성원이 함께 협력하고 수학적 아이디어와 연결고리를 함께 찾아내는 환경을 조성하는 것이다.

레일사이드의 교사들이 그룹 전체가 책임감을 느끼게 하는 또 다른 방법은 일부 사람들에게는 충격적일 수도 있다. 하지만 그룹 구성원이 서로에게 책임이 있다는 생각을 실제로 전달하는 방법이다. 때때로 교사들은 '그룹 테스트'라고 부르는 시험을 치르기도 했다. 학생들은 개별적으로 시험을 치르지만, 교사는 그룹당 한 장의 시험지(무작위로 선택)만 가져와 채점했다. 그러면 그 성적이 그룹에 속한 모든 학생의 성적이 된다. 이 방법은 학생들에게 모든 그룹 구성원이 수학을 이해했는지 확인해야 한다는 사실을 매우 명확하게 알려준다.

학생들은 8년 동안 개별적으로 수학을 공부해 왔고, 수학은 개별적이고 경쟁적인 학습이라는 생각을 가지고 레일사이드 학교에 입학했다. 하지만 이들은 레일사이드에서 이전에 배웠던 것과는 다른 수학, 학습 목표에 대해 배우고 빠르고 쉽게 적응했다. 학교에 들어온 지 얼마 지나지 않아 학생들은 수학을 서로 돕고 함께 협력해 공동의 목표를 추구하는 것으로 여기기 시작했다. 연구 첫 달에는 성취도가 높은 학생들이 항상 문제를 설명해야 한다며 불평했지만, 몇 개월이 지나자 태도가 바뀌었다. 그들은 그룹에 속해 자기 생각을 설명할 기회를 얻음으로써 더 깊이 이해할 수 있다는 것을 깨닫고 그룹에 속하는 것을 감사하게 생각하기 시작했다.

연구 후반부에 미적분학을 수강한 여학생 중 한 명인 이멜다는 자신이 배운 사회적 책임이 자신에게 어떤 도움이 되었는지 다음과 같이 설명했다.

> 사람들은 이것을 책임감이라고 생각하지만, 내 생각에는 우리가 그렇게 많은 수학 수업을 들으면서 점점 자라나는 어떤 것인 것 같아요. 어쩌면 고등학교 1학년 때는 '아 진짜, 도와주고 싶지 않아. 그냥 빨리 내 할 일이나 끝내고 싶어. 왜 우리가 그룹 테스트를 봐야 하는 거지?'라는 생각이 들었지만, AP 미적분학에 들어가면 '시험 보기 전에 그룹 테스트가 필요해.'라고 생각하게 돼요. 수학 수업을 들으면 들을수록, 수학을 더 많이 배울수록 그룹이 있다는 게 참 감사해요. (이멜다, 레일사이드, 4학년)

레일사이드 교사들의 목표는 아니었지만, 통계 분석 결과 성취도가 각기 다른 학생 그룹과 복합 수업으로 혜택을 가장 많이 받은 학생들은 초기에 높은 성취도를 보인 학생들인 것으로 나타났다. 이들은 레일사이드의 어느 학생들보다 학습 속도가 빨랐고, 다른 학교의 상위권 학생들보다 훨씬 더 높은 수준의 성취도를 보였다. 이는 부분적으로는 학생들이 자신이 이해한 것을 남에게 설명해 주면서 더 깊이 이해하고 다차원적으로 공부했기 때문이다. 성취도가 높은 학생 중 상당수는 절차에 따라 빨리 푸는 것이 익숙한 학생이었으며, 더 넓고 깊이 있게 학습하도록 격려한 것이 학생들의 성취에 큰 도움이 되었다.

또한 학생들은 다른 학생들의 가치에 대해 더 폭넓게 인식하게 되었고, 모든 학생이 문제 해결에 있어 무언가를 제공할 수 있다는 사실을 깨닫기 시작했다. 다양한 접근 방식을 경험하게 되자 학생들은 서로를 더욱 다차원적인 방식으로 바라보게 되었고, 자신과는 다른 시각과 이해로 수학을 보는 다른 학생의 방식을 소중히 여기게 되었다. 인터뷰에 참여한 여학생 중 두 명은 다음과 같이 말했다.

인터뷰 진행자 수학에서 잘하려면 무엇이 필요하다고 생각하나요?

아야나 다른 사람들과 함께 일할 수 있어야 해요.

에스텔 열린 마음을 가지고 모두의 생각에 귀 기울이는 거요.

아야나 내가 틀릴 수도 있으니까 다른 사람의 의견을 들어야 해요.

에스텔 모든 일을 해결하는 데는 다양한 방법이 있으므로 내가 틀릴 수도 있어요.

아야나 사람마다 일하는 방식이 다르므로 항상 다른 방법을 찾아서 해결책을 찾을 수 있어요.

에스텔 누군가는 방법을 찾기 마련이에요. 새로운 방법을 생각해 내면 우리는 항상 "세상에, 그런 생각을 하다니 참 대단해!"라고 말하죠. (아야나와 에스텔, 레일사이드, 4학년)

인터뷰에서 학생들은 학교에서 배운 수학 접근 방식 덕분에 다양한 문화, 계층, 성별을 가진 학생들을 소중히 여기는 법을 배웠다고 말했다.

로버트 저는 우리 학교가 좋아요. 주변 1마일 이내에 있는 학교들은 인종이나 그 비슷한 것으로 끼리끼리 나뉘어 있어요. 하지만 우리 학교에서는 피부색과 상관없이 누구나 한 사람으로서 존중받아요.

인터뷰 진행자 수학 접근 방식이 도움이 되나요, 아니면 학교 전체의 영향인가요?

존 수학 시간의 그룹 활동이 아이들을 하나로 모으는 데 도움이 돼요.

로버트 맞아요. 그냥 지정된 자리에 앉으면 그 주위에 있는 친구들만 사귀고 교실 반대편에 있는 친구들은 아예 모르는데, 그룹을 바꾸면 더 많은 친구와 어울릴 수 있어요. 수학 시간에는 대화가 중요해요. 모르는 것이 있으면 물어봐야 하고, 배운 것에 대해 이야기를 나눠야 해요. (로버트와 존, 레일사이드, 4학년)

레일사이드의 수학 교사들은 평등을 매우 중요하게 생각했지만, 일부에서 권장하는 것처럼 성별, 문화 또는 계급 문제를 제기하기 위해 고안된 특별한 커리큘럼 자료를 사용하지는 않았다(Gutstein, Lipman, Hernandez & de los Reyes, 1997). 대신 학생들에게 모든 사람이 수학을 보는 다양한 방식을 인식하도록 가르쳤고, 교실이 더욱 다차원적이 되면서 학생들은 다양한 문화와 환경에 있는 더 많은 학생 그룹의 통찰력을 이해하는 방법을 배웠다.

많은 학부모가 다양한 성취도의 학생이 섞여 있는 학급에서 높은 성취도를 보이는 학생들을 걱정한다. 낮은 성취도의 학생들이 이들에게 피해를 주어 성취도를 떨어뜨릴 것으로 생각하지만, 실제로는 그렇지 않다. 미국 시스템에서 높은 성취도를 보이는 학생들은 절차적 계산에 빨라 높은 성취도를 보이는 경우가 많다. 종종 이러한 학생들은 아이디어에 대해 깊이 생각하거나, 자신의 풀이 과정을 설명하거나, 다른 관점에서 수학을 보는 법을 배운 적이 없다. 아무도 그렇게 하라고 요구하지 않았기 때문이다. 다른 생각을 지닌 학생들끼리 작업하면 서로에게 도움이 된다. 더 깊이 생각하고 작업을 설명할 기회를 얻음으로써 이해의 폭을 넓힐 수 있다. 성취도가 낮은 학생의 존재로 그룹의 수준이 낮아지는 것이 아니라, 그룹 대화가 가장 높은 사고력을 가진 학생의 수준까지 올라가는 것이다. 비슷한 성취도의 학생들로만 그룹을 구성한다면 서로에게 도움이 되지 않을 것이다.

레일사이드의 학생들은 서로가 이해하고 느끼는 것이 다르다는 것을 깨달았지만, 다른 강점을 가진 친구들을 소중히 여기게 되었다. 잭은 이 점을 인터뷰에서 말해주었다.

> 모두 수준이 다르지만, 그 점이 서로에게 좋은 영향을 줘요. 모두 끊임없이 서로를 도와주고 가르쳐주기 때문이에요.

다른 고등학교의 접근 방식을 연구한 결과, 학생들은 서로 협력하는 것을 좋아하며 다양한 성취도의 학생이 섞여있고 그룹화된 교실에 있는 것을 좋아한다는 사실을 알게 되었다(LaMar, Leshin & Boaler, 2020). 평등한 교실을 만드는 데 특히 중요하다고 생각하게 된 두 가지 훈련 방법은 증명과 추론이다. 레일사이드에서 학생들은 항상 자신의 답에 대한 이유를 제시하며 증명해야 했다. 증명과 추론은 본질적으로 수학적 훈련법이지만(Boaler, 2013c), 이러한 훈련법은 평등한 교실을 이뤄나가는 데에도 흥미롭고 특별한 역할을 한다.

다음은 낮은 성적을 자주 받았던 2학년 후안과 인터뷰한 내용 중 일부이다. 그는 증명과 추론으로 어떤 도움을 받았는지 이야기했다.

> 다른 친구들은 대부분 다 이해하고 무엇을 해야 할지 알고 있었어요. 처음에는 "왜 이걸 넣었어?"라고 물어보고 문제를 푼 다음 다른 친구들과 비교해 보면 완전히 다른 답이 나오는 거예요. 그래서 "좀 베낄게."라고 했어요. 이제는 "왜 이렇게 하는 거야?"라고 묻기도 하고, "왜 그렇게 하는 건지 모르겠

다."라고 말하기도 해요. 그러면 친구들이 이렇게 대답하죠. "그래, 그의 말이 맞고 네가 틀렸어." 그러면 또 물어요. "왜? 이유가 뭐야?"(후안, 2학년)

후안은 증명이라는 훈련을 통해 도움을 받았으며, 다른 학생들에게 정답을 넘어 왜 그런 답을 했는지 설명해달라고 편하게 요구할 수 있었다고 이야기했다. 레일사이드에서 교사들이 신중하게 우선순위에 둔 메시지는 모든 학생이 두 가지 중요한 책임을 지라는 것이다. 바로 교실 곳곳의 포스터에 적힌 다음 문구가 강조하는 것이다.

필요할 때 항상 도움을 주고, 도움이 필요할 때 항상 도움을 요청하세요.

이 두 가지 책임 모두 평등한 교실을 만드는 데 중요했으며, 증명과 추론은 다양한 학생들의 학습에 도움이 되는 훈련법으로 떠올랐다.

레일사이드의 교실에서 몇 년간 지내면서 학생들이 다른 학교에 비해 서로를 더 존중한다는 것을 쉽게 알 수 있었다. 로버트와 존이 말했듯이 같은 인종끼리만 뭉치는 일이 다른 과목에 비해 수학 수업에서는 훨씬 적었다. 학생들은 함께 수학을 공부하면서 다른 문화권의 다양한 특성과 관점을 지닌 학생들을 고맙게 여겼다. 이 과정을 통해 학생들은 나중에 사회에 나가 상호작용할 때 정말 중요한 무언가를 배운 것으로 보인다. 나는 이를 관계적 형평성(Boaler, 2008)이라고 불렀는데, 이는 시험 점수의 평등보다는 문화, 인종, 종교, 성별 또는 기타 특성과 관계없이 타인을 존중하고 배려하는 형평성의 한 형태이다. 일반적으로 학생들은 영어 또는 사회 수업에서 이런 문제를 주제로 토론하거나 다양한 형태의 문학을 읽으면 다른 사람과 문화에 대한 존중을 배울 수 있다고 믿는다. 나는 모든 과목이 형평성 증진에 이바지할 수 있으며, 특히 문화적 또는 사회적 인식과는 거리가 먼 가장 추상적인 과목으로 여겨지는 수학이 중요한 역할을 할 수 있다고 본다. 레일사이드 학생들이 문화와 성별을 뛰어넘어 발전시킨 존중의 관계는 특정 문제를 그룹으로 해결할 때 다양한 통찰력, 방법, 관점을 중시하는 수학적 접근 방식이 있었기에 가능했다.

복합 수업에 대한 나의 적응

복합 수업을 하는 교사들과 협업하면서 많은 것을 배웠고, 복합 수업의 여러 측면과 다양한 방법을 뒷받침하는 원칙을 매우 높게 평가한다. 또한 평등에 초점을 맞춘 많은 교사가 복합 수업을 1990년대에 제시된 형태 그대로 이용하고 있다는 것을 알고 있다. 그럼에도 나는 수정된 형태의 복합 수업을 선호한다. 모든 시스템과 접근 방식은 새로운 아이디어를 더해 이익을 얻을 수 있다. 아무리 훌륭한 시스템이라도 진화하지 못할 이유가 없기 때문이다. 내가 사용하는 접근 방식이 더 낫다고 주장하지는 않지만, 이는 학생의 학습에 있어 상당한 장점이 있음이 증명된 방식으로 9장에서 설명할 것이다.

이전의 복합 수업 방식과 가장 큰 차이점은 바로 이것이다. 복합 수업 교실에서 나는 학생들이 과제에 집중하고 모두가 그룹의 속도에 맞춰 움직여야 한다고 지시받는 것을 보았다. 고등학교 복합 수업 교실에 대한 나의 가장 최근 연구에서 함께해야 한다는 요구는 학생들에게 스트레스를 유발했으며, 느린 학습자는 자신이 그룹을 방해하고 있다고 생각하고 빠른 학습자는 좌절감을 느꼈다(LaMar, Leshin & Boaler, 2020). 어떤 사람들은 그룹 규칙을 만드는 데 충분한 시간을 할애하지 않았을 때만 이런 일이 발생한다고 주장하기도 하지만, 나는 학생들이 과제를 함께해야 한다는 요구 사항이 학생들의 학습에 큰 도움이 되지 않는다고 생각해 내 수업에 포함하지 않는다. 내가 선호하는 것은 좀 더 유연한 접근 방식으로, 일부 학생은 자기 생각대로 계속 진행하거나, 다른 방향으로 과제를 수행하거나, 때로는 확장 과제를 선택할 수 있도록 허용한다. 개방형 과제는 자연스럽게 다양한 방향과 아이디어를 개발할 수 있으므로 어떤 경우든 가능하다. 나는 이 접근법을 사용할 때, 그룹 내 다른 학생들 때문에 소외되거나 기분이 나빠지는 학생이 없도록 주의한다.

학생들이 더 높은 수준의 작업을 할 수 있도록 하는 접근 방식의 한 가지 장점은 일부 학생들이 정말 흥미로운 곳에 이를 수 있다는 것이다. 매번 같은 학생이 참여하는 것은 아니며, 학생마다 다른 과제에서 아이디어를 확장해 흥미를 유발할 수 있다. 또 다른 장점은 학생들이 다양한 수준에서 과제를 수행하기를 원하고 학생들이 그룹의 속도에 맞추어 작업해야 한다고 생각하지 않는 학부모의 요구를 들어줄 수 있다는 것이다. 그렇다고 해서 다른 학생들보다 앞서기 위해 무리하게 앞서가는 학생을 허용하는 것은 아니다. 항상 그룹의 상태를 살피고 주의를 기울여 일어날지 모를 상황에 대비한다.

또한 나는 아주 드물게 역할을 부여하고, 이해 여부를 확인하려고 한 명의 학생에게만 질문을 던지지 않는다. 이렇게 수정한 방식은 복합 수업의 유연한 버전인데, 이 방식이 내 수업에는 적합하다고 생각한다. 다른 사람들, 특히 일 년 내내 학생들을 가르치는 사람들은 자신의 교육과 목표에 더 잘 부합하기 때문에 원래 버전을 선호한다는 것을 충분히 이해한다.

결론

공평한 성장 마인드셋 교육은 교사가 강의하고 배운 방법을 연습하기 위해 편협한 질문을 던지는 전통적인 교육보다 어려울 수밖에 없다. 광범위하고 개방적이며 다차원적인 수학을 가르치고, 학생들이 서로 책임감을 느끼도록 가르치며, 성장 마인드셋 메시지를 학생들에게 전달해야 한다. 하지만 이것은 수학 교사가 할 수 있는 가장 중요하고 보람 있는 교육이기도 하다. 교사는 몰입하고 성취도가 높은 학생들을 보는 것만으로도 성취감을 느끼고 힘을 얻는다. 나는 운이 좋게도 평등과 성장 마인드셋 교육, 그룹 수업에 전념하는 많은 교사와 함께 일할 수 있었다(물론 교사들이 이런 용어들을 직접 사용하지는 않았다). 이 장에서는 이런 훌륭한 교사들과 수년간 함께 일하고 연구를 수행하면서 얻은 몇 가지 통찰력을 공유했다. 성공적인 그룹 수업을 위해 내가 가장 좋아하는 전략인 복합 수업 전략은 이 책의 마지막 장인 9장에서 성장 마인드셋 수학 수업을 만들기 위해 권장하는 모든 규칙 및 방법과 함께 설명하겠다.

수학적 성장 마인드셋 평가하기

아이들이 수학을 이해하는 복잡한 방식은 내게 매우 흥미롭다. 학생들은 질문하고, 아이디어를 떠올리고, 표현을 그리고, 방법을 연결하고, 증명하고, 추론하는 등 다양한 방식으로 수학을 이해한다. 그러나 최근 몇 년 동안 학생들의 이해에 대한 이러한 다양하고 미묘한 복잡성을 모두 하나의 숫자와 문자로 축소해 학생의 가치를 판단하는 데 사용하고 있다. 교사들은 학생들을 시험하고 점수를 매김으로써 상처를 주고, 학생들은 자신과 수학을 문자와 숫자로만 정의하기 시작했다. 이러한 조악한 표현으로는 아이들의 지식을 적절하게 설명하지 못할 뿐만 아니라 많은 경우 잘못 표현하게 된다.

미국의 학생들은 너무 많은 시험을 치르는데, 특히 심한 과목이 수학이다. 오랫동안 학생들은 정답이 객관식으로 주어진 협소하고 절차적인 수학 문제로 평가받아 왔다. 이러한 시험에서 좋은 점수를 받기 위한 지식은 현대 사회에서 필요한 적응력, 비판적 사고, 분석적 사고와 거리가 멀다. 시험 성적으로는 직장에서의 성공을 전혀 예측할 수 없어서 구글과 같은 대기업에서는 학생들의 시험 성적에 관심을 두지 않겠다고 선언했다(Bryant, 2013).

좋은 시험의 중요한 원칙 중 하나는 중요한 것을 평가해야 한다는 것이다. 미국에서는 수십 년 동안 중요하고 가치 있는 수학 대신 시험 보기 쉬운 것을 평가해 왔다. 이에 따라 수학 교사들은 그토록 중요한 수학, 즉 폭넓고 창의적이며 성장하는 수학이 아닌 좁은 범위의 절차적 수학에 집중해 가르치는 데 초점을 맞춰왔다. 스마터 밸런스(smarterbalanced.org: 표준화된 테스트를 개발, 관리하는 미국의 교육 평가 컨소시엄_역자 주)와 PARC(osse.dc.gov/parcc: 대학 및 진로에 대한 평가를 위한 파트너십으로 영어와 예술, 수학 분야에서 표준화된 평가를 개발하고 관리한다_역자 주)를 통해 제공되는 공통 핵심 평가에는 객관식 답안뿐만 아니라 개방형 답안으로 생각하고 추론해야 한다는 요구 사항이 포함되어 있는데, 이는 커다란 진전이다.

표준화 시험이 편협한 범위의 수학을 평가한다는 것을 알고 있음에도 불구하고 수학 교사들은 질 낮은 표준화 평가를 모방한 시험을 교실에서도 사용해야 한다고 믿는다. 교사들은 학생들이 사회에 나가 성공하는 데 도움을 주기 위해 시험을 사용한다. 특히 일부 교사들, 특히 고등학교 수준의 교사들은 매주 또는 그보다 더 자주 시험을 시행한다.

수학 교사들은 다른 과목보다 더 많이 정기적으로 수학 시험을 봐야 한다고 생각한다. 수학이라는 과목이 성과에 관한 것이라 믿고 있으며, 일반적으로 시험이 수학과 자신에 대한 학생들의 관점을 형성하는 데 부정적인 역할을 한다는 사실을 고려하지 않기 때문이다. 내가 아는 많은 수학 교사는 한 해의 첫 수업이나 수학 수업 첫 시간을 시험으로 시작한다. 첫날부터 강력한 성과 중심의 메시지를 학생들에게 전달하는 것이다.

수학 수업 첫 시간이야말로 수학과 학습에 대한 성장 메시지를 주어야 하는 데 말이다.

핀란드는 국제 수학 시험에서 가장 높은 점수를 받는 국가 중 하나지만, 핀란드 학생들은 학교에서 시험을 치르지 않는다. 대신 교사들은 수업을 통해 얻은 학생의 지식에 대한 풍부한 이해를 바탕으로 학부모에게 보고하고 학업에 관해 판단을 내린다. 내가 영국에서 수행한 종단 연구에서 학생들은 13세부터 16세까지 3년 동안 개방형 프로젝트를 수행한 후 국가 표준화 시험을 치렀다. 학생들은 수업 시간에 시험을 치르지 않았고 과제물 채점도 하지 않았다. 학생들은 시험 전 마지막 몇 주 동안만 교사가 나눠준 시험지를 통해 절차를 평가하는 짧은 문제를 접했다. 학생들은 시험 문제에 답하는 방식이나 제한된 시간 내에 문제를 푸는 것에 익숙하지 않은데도 3년간 국가 표준화 시험 문제와 유사한 문제를 풀고 자주 시험을 치른 대조군 학생들보다 훨씬 높은 수준의 점수를 받았다. 프로젝트 기반 학습을 경험한 학생들이 국가 표준화 시험에서 좋은 성적을 거둘 수 있었던 이유는 자기 능력을 믿도록 배웠기 때문이다. 또한 학습에 대한 유용한 진단 정보를 받았고, 수학적 문제 해결사로서 어떤 문제도 해결할 수 있다는 것을 배웠기 때문이다.

연구 조사 과정에서 영국 시험위원회가 보관하고 있는 학생들의 국가 시험지GSCE에 접근할 권한을 갖게 되었다. 시험위원회는 연구 지식 발전에 도움이 될 것이라며 나의 이례적인 요청을 흔쾌히 허락했다. 시험위원회 사무실 깊숙한 곳에 있는 창문도 없는 작은 방에서 온종일 모든 학생의 시험 답안을 기록하고 분석했다. 새로운 사실을 많이 발견한 시간이었다. 개방형 프로젝트를 수행한 학생들은 시험 문제에 훨씬 더 많이 도전하고 문제를 인식하든 인식하지 못하든 해결하려고 노력했는데, 이는 모든 학생이 배워야 할 중요하고 가치 있는 습관이다. 또한 이 학생들은 배운 적이 없는 표준 방법을 평가하는 문제일지라도 풀려고 시도한 문제를 더 많이 맞혔다. 모든 문제를 절차적 문제와 개념적 문제로 나눈 결과, 두 학교의 학생들은 표준 방법을 간단히 사용하는 절차적 문제에서 같은 수준의 점수를 받았다. 프로젝트 기반 학생들은 더 많은 사고가 필요한 개념적 문제에서 훨씬 더 높은 수준의 성취도를 보였다. 학교에서 시험을 치르지 않은 학생들의 시험 성취도가 더 높다는 사실은 직관적이지 않은 것처럼 보일 수 있지만, 뇌와 학습에 관한 새로운 연구를 통해 이 결과를 이해할 수 있다. 시험 경험이 없는 학생들도 높은 수준의 점수를 받을 수 있는 이유는 이들이 성장 마인드셋, 자기 능력에 대한 긍정적인 믿음, 어떤 수학적 상황에서도 사용할 준비가 되어 있는 문제 해결 수학적 도구로 준비되어 있었기 때문이다.

학교를 졸업한 지 약 7년 후, 청년이 된 학생들을 대상으로 한 후속 연구에서 나는 각 학교의 학생 중 국가 시험에서 비슷한 수준의 점수를 받은 학생들을 짝지은 그룹을 인터뷰했다. 프로젝트 기반 학교에 다녔던 학생들은 직업적으로 상당히 높은 수준의 직종에 종사하고 있었으며, 수학 수업에서 배운 접근법을 자신의 직업과 삶에 적용하고 있다고 설명했다. 편협한 수학 문제를 통해 수학을 가르쳤던 학교에 다녔던 학생들은 이제 수학이 생활 곳곳에 존재함을 알게 되었고, 학교와 현실의 수학 접근 방식이 왜 그렇게 달랐는지 이해할 수 없다고 했다. 학생 중 한 명은 학교에서 수준별로 나눈 학급에 속했던 경험을 "심리적 감옥"이라고 묘사했다. 이 연구에 대한 자세한 내용은 논문(Boaler and Selling, 2017)에 실려있다.

지난 10년간의 시험 제도는 학생들에게 굉장히 부정적인 영향을 미쳤지만, 시험으로 끝나는 것이 아니라 학생들에게 성적을 전달하는 것 역시 마찬가지로 부정적인 영향을 미친다. 학생들은 성적을 받으면 주변 학생들과 비교하는 것 외에는 할 수 있는 일이 거의 없다. 절반 이상은 자신이 다른 학생들만큼 뛰어나지 않다고 판단해 버린다. 이를 '자아 피드백'이라고 하는데, 학습에 해를 끼친다고 밝혀진 피드백의 한 형태이다. 시험 점수와 성적을 자주 매기면 안타깝게도 학생들은 자신을 그 점수와 성적으로 보기 시작한다. 그들은 점수를 학습이나 성취를 위해 무엇을 해야 하는지 알려주는 지표로 생각하지 않고, 자신이 어떤 사람인지 나타내는 지표로 여긴다. 미국 학생들이 흔히 '나는 A야' 또는 '나는 D야'라고 자신을 등급으로 설명하는 것은 성적으로 자신을 정의하는 방식을 보여준다. 맥더모트(McDermott, 1993)는 학습 장애에 학생이 포착되는 과정에 관해 쓴 그의 논문에서 다르게 생각하고 학습하는 학생에게 라벨을 붙이고, 그 라벨에 따라 정의되는 방식을 설명했다. 성적과 시험 점수로 학생을 파악하는 것에 대해서도 비슷한 주장을 할 수 있다. 학생들은 오랫동안 끈기, 용기, 문제 해결력보다는 잦은 시험과 성적을 중시하는 성과 문화 속에서 성장했기 때문에 자신을 A 또는 D 학생이라고 표현한다. 수십 년 동안 미국 전역에서 사용된 전통적인 학생 평가 방법은 성적과 시험 점수가 학생에게 동기를 부여하고 학생의 성취도에 대한 정보가 유용할 것이라고 믿었던 계몽주의 시대(Kohn, 2011)에 고안되었다. 이제 우리는 성적과 시험 점수가 학생들에게 동기를 부여하기보다는 사기를 떨어뜨리고 학생들에게 고정적이고 해로운 메시지를 전달해 교실 성취도를 낮춘다는 것을 알고 있다.

등급제와 그 대안에 관한 연구들은 등급을 매기면 학생들의 성취도가 낮아진다는 일관된 결과를 보여준다. 예를 들어, 엘러워와 코노(Elawar & Corno, 1985)는 6학년 수학 숙제에 대한 교사의 반응 방식을 대조 연구했는데, 절반의 학생에게는 등급을 부여하고 나머지 절반에게는 등급 없이 진단적 의견을 제공했다. 의견을 받은 학생들은 대조군보다 학습 속도가 두 배 빨랐고, 남학생과 여학생 간의 성취도 격차가 사라졌으며, 학생들의 태도가 개선되었다.

버틀러(Butler, 1987; 1988)도 수업 과제에 등급이 부여된 학생과 진단 피드백을 받고 등급이 부여되지 않은 학생을 대조했다. 엘러워와 코노와 마찬가지로 진단 피드백을 받은 학생들은 훨씬 더 높은 수준의 성취도를 보였다. 버틀러의 연구에서 흥미로운 점은 세 번째 조건을 추가해 학생들에게 등급과 진단 피드백 모두를 제공했다는 점인데, 이는 두 가지의 장점을 모두 갖춘 것으로 생각할 수 있다. 하지만 등급만 받은 학생과 등급과 진단 피드백을 받은 학생의 점수가 똑같이 낮았고, 진단 피드백만 받은 그룹이 현저하게 더 높은 수준의 성취도를 보였다. 등급과 진단 피드백을 모두 받은 학생들은 등급에만 신경을 쓰고 집중하는 것으로 나타났다. 5, 6학년 학생 중 성취도가 높은(상위 25% GPA) 그룹과 성취도가 낮은(하위 25% GPA) 그룹 모두 진단 피드백만 받은 학생에 비해 등급을 받은 학생은 성과와 동기부여에서 결함이 있음을 발견했다.

펄프레이 등(Pulfrey et al., 2011)은 버틀러의 연구에 이어 같은 결과를 얻어냈다. 등급을 받은 학생과 등급과 진단 피드백을 함께 받은 학생 모두 진단 피드백만 받은 학생보다 성과가 낮고 동기부여가 부족했다. 거기에 더해 학생들이 등급을 위해 노력하고 있다고 생각하기만 해도 동기를 잃고 성취도가 낮아진다는 사실도 발견했다.

등급에서 진단 피드백으로 바꾸는 것은 중요한 변화이며, 교사가 학생들에게 개선 방법에 대한 지식과 통찰력이라는 놀라운 선물을 줄 수 있는 변화이다. 훌륭한 교사들은 이미 자신이 받는 급여보다 훨씬 더 많은 시간을 일하고 있어서, 진단 피드백을 작성하느라 시간을 더 쓰는 것을 걱정할 수도 있다. 내가 권장하는 해결책은 평가 횟수를 줄이는 것이다. 교사가 매주 채점하는 대신 가끔 진단 피드백을 제시한다면, 같은 시간을 투자하면서 성적에 대한 고정 마인드셋 메시지 대신 학생들에게 더 높은 성취도의 길로 나아갈 수 있는 통찰력을 제공할 수 있다. 성적은 학생의 학습에 대한 누적 정보를 제공하기 위한 것으로 총괄적인 성격을 지닌다. 그러므로 전체 학기(또는 코스)가 끝날 때 제공되는 것이 적절하다. 학기(또는 코스) 중에 이루어지는 평가는 형성적인 방식, 즉 학생과 교사에게 학습에 대한 정보를 제공하는 방식이어야 한다. 이 장의 뒷부분에서는 추가 시간을 투자하지 않고도 평가 방식을 전환한 여러 교사의 사례를 공유하겠다.

목적지 없는 경주

〈목적지 없는 경주*Race to Where*〉는 미국 학교 시스템으로 스트레스받고 있는 학생들을 다룬 다큐멘터리 영화이다(그림 8.1 참조). 몇 년 전에 개봉해 많은 관심과 호평을 받았으며, 《뉴욕타임스》는 '꼭 봐야 할 영화'라고 소개했다. 개봉 직후 전국의 영화관과 학교 강당에서 단체 관람이 이어졌다. 이 영화는 시험, 성적, 숙제, 과중한 학업이 학생들의 육체적·정신적 건강에 어떻게 악영향을 끼치는지 보여준다. '목적지 없는 경주' 캠페인은 수만 명의 교육계 종사자와 학부모의 공감을 얻고 있다. 이 영화를 보면 학생들에게 스트레스와 불안을 일으키는 주요 원인은 수학이다. 이 영화는 항상 수학을 잘하던 여고생 데본 마빈의 슬픈 이야기를 다

그림 8.1 〈목적지 없는 경주〉 포스터
출처: Courtesy of Reel Link Films.

루고 있다. 그녀는 수학을 자기 정체성의 일부로 여길 정도로 의욕이 넘치는 소녀였다. 어느 날 수학 시험에서 F를 받은 그녀는 자살을 선택했다. 데본과 다른 많은 학생에게 성적은 학습 과정에서 필요한 수학 영역에 대한 메시지를 전달한 것이 아니라, 자신이 어떤 사람인지에 대한 메시지, 즉 이제 F 학점을 받은 학생이라는 메시지를 전달한 것이다. 이 생각은 그녀에게 너무 큰 충격을 주었고, 그녀는 스스로 목숨을 끊기로 결심했다. 극단적 선택의 원인이 F 학점 하나만은 아니었을 것이 확실하지만, 적어도 10대 소녀에게 F 학점을 주는 것은 가혹한 처사라는 메시지를 주기에는 충분했다.

학생에게 평가 결과를 전달할 때, 중요한 기회가 생긴다. 명확한 피드백과 함께 잘 만들어진 과제와 질문은 학생들에게 높은 수준의 학습이 가능하다는 것을 알게 해주고, 더 나아가 어떻게 하면 그렇게 할 수 있는지를 알려주는 성장 마인드셋 경로를 제공한다. 안타깝게도 미국 교실의 대부분 평가 시스템은 정반대의 방식으로 학생에게 정보를 전달해 많은 학생이 자신이 실패자이며 수학을 배울 수 없다고 생각하게 만든다. 나는 최근 몇 년 동안 평가 방법을 등급과 점수가 있는 표준 시험으로부터 학생들의 학습에 필요한 정보를 제공하는 데 초점을 맞춘 평가와 성장 마인드셋 메시지를 제공하는 평가로 바꾼 교사들과 함께 일했다. 평가 방식을 바꾼 결과, 교실 환경이 극적으로 변화했다. 이전에는 학생들 사이에서 흔히 볼 수 있었던 수학 불안감이 사라지고, 대신 자신감이 자리 잡았다. 이에 따라 높은 수준에 도전하고자 하는 동기가 부여되었고, 이는 다시 적극적인 수업 참여로 이어져 마침내 성취도까지 높아졌다. 이 장에서는 고정 마인드셋 평가를 학습자에게 권한을 주는 성장 마인드셋 평가로 바꾸기 위해 학교 현장에서 만들어야 할 몇 가지 변화를 공유하고자 한다.

〈목적지 없는 경주〉의 감독인 비키 아벨스Vicky Abeles는 속편 〈평가를 넘어서Beyond Measure〉를 발표했다. 속편을 제작하는 과정에서 이루어진 미국 전역의 학생 및 학부모와의 인터뷰를 통해 그녀는 수학이 가장 변화가 필요한 과목이며, 다른 어떤 과목보다도 학생들의 대학 진학은 물론 고등학교 졸업에 대한 꿈을 깨뜨리는 과목이라는 사실을 깨달았다. 이 사실에 자극받은 비키는 수학에 관한 이슈를 다룬 새 영화를 제작하게 되었다. 새 영화에서 그녀는 지난 몇 년 동안 내가 수학 실패가 만연한 한 학군의 교사들과 함께 해온 작업을 영상에 담았다. 미국의 여느 도시와 마찬가지로 샌디에이고의 비스타 학군에서는 절반 이상의 학생이 대수에서 낙제한 후 실패를 반복하는 악순환에 빠져들었다. 하지만 수학 과목에서의 실패는 수학 하나로 끝나지 않는다. 비스타 지역 고교 졸업생 중 대학 준비 과정인 'A-G 컴플리션'(A-G Completion: 고교 필수 과정 완료)을 받은 학생의 비율은 24%라는 충격적인 수치를 기록했다. 다행히도 비스타에는 혁신적인 교육감 데빈 보디카Devin Vodicka와 수학 담당자 캐시 윌리엄스가 있었다. 그들은 변화가 필요하다는 것을 알고 있었고, 이를 실현하기 위해 시간과 에너지를 투자할 준비가 되어 있었다. 나는 그

다음 해 1년 동안 학군의 모든 중학교 교사와 함께 수학 교수법과 학생들의 성공을 위한 그룹 조직법, 성장 마인드셋 평가 방법에 대한 전문성을 개발하는 시간을 가졌다.

비스타 교육청의 수학 담당자 캐시 윌리엄스는 모든 중학교 교사가 원하든 원하지 않든 1년 동안 나와 함께 일해야 한다고 결정했다. 즉, 내가 처음 교사들을 만났을 때 교사들의 변화에 대한 동기부여 수준은 매우 다양했다. 은퇴를 앞두고 있었던 프랭크를 아직도 기억한다. 그는 평생 사용한 전통적인 교육 모델을 바꾸려고 하지 않았다. 내가 진행하는 워크숍의 처음 몇 세션 동안 그는 아무 감흥 없이 앉아 있었지만, 점차 다른 교사들과 마찬가지로 흥분하기 시작했다. 내가 공유한 연구의 중요성을 인식한 프랭크는 자신이 학생들에게 더 나은 수학의 미래를 제공할 수 있다는 것을 깨달았다. 그해 말 진행된 워크숍의 한 세션에서 프랭크는 발표를 맡았는데, 그는 주말에 아내와 함께 방수포에 실물 크기의 그래프를 만들었고, 학생들에게 그래프 주위를 걸어 다니며 그래프 관계의 의미를 이해하도록 도와준 수학 수업이 얼마나 훌륭했는지 여러 교사 앞에서 이야기해 주었다. 학생들과 함께 새로운 아이디어를 시도하고 학생들의 참여도가 높아지는 것을 보면서 모든 교사에게서 프랭크와 같은 변화가 나타났다.

나는 교사들의 든든한 지지자다. '낙오학생방지법No Children Left Behind' 정책은 별 도움이 되지 않는 교수법을 사용하도록 강제함으로써 많은 교사의 전문성과 열정을 박탈했다. 현재 내가 교사들과 함께 일하는 중요한 부분은 교사들이 전문성을 회복하도록 돕는 것이다. 비스타에서 진행한 전문성 개발 세션에서 교사들은 자신을 창의적이고 매력적인 수학을 위한 자신만의 아이디어가 담긴 교육 환경을 설계할 수 있는 크리에이터로 다시 인식하기 시작했다. 이는 훨씬 더 가치 있는 교사의 역할이며, 나와 함께 일하는 모든 교사에게 권장하는 역할이다. 이 과정을 진행하면서 나는 교사들이 활기를 되찾는 것을 지켜보았다. 함께 시간을 보내는 날마다 교실의 에너지가 높아졌다. 1년 동안 교사들은 워크시트로 진행하는 수학 수업을 탐구 기반 수학 수업으로 바꾸었다. 모든 학생이 높은 성취도를 보일 수 있도록 가르치기 위해 수준별 반 편성을 폐지했으며, 평가 방법을 고정 마인드셋 평가에서 성장 마인드셋 평가로 바꾸었다. 함께 일했던 많은 교사에게서 이러한 변화가 일어나는 것을 보았다. 이러한 변화는 교사를 전문가로서 대우하고 연구 아이디어의 도움을 받아 학생에게 긍정적인 학습 및 평가 경험을 제공하기 위해 자신의 판단을 사용하도록 초대할 때 이루어진다.

비키 아벨스와 그녀의 팀은 최신 영화 〈평가를 넘어서〉에서 학군의 중학생 몇 명을 인터뷰해 전문성 개발을 한 이후 교실에서 일어난 변화에 대해 들어보았다. 델리아라는 한 여학생은 전년도에 한 과제에서 F를 받은 후 수학을 포기했고, 다른 모든 수업에서도 노력하지 않게 되었다고 말했다(그림 8.2 참조). 인터뷰에서 그녀는 다음과 같이 가슴 아프게 말했다. "숙제에서 F를 받았을 때 제가 아무것도 아닌 사람처럼 느껴졌어요. 그 수업에서 낙제했으니 다른 모든 수업에서도 낙제하는 게 낫겠다고 생각했죠. 노력조차 하지 않았어요." 영화 후반부에서 그녀는 수학 수업의 변화와 이제 잘할 수 있다는 용기를 얻게 된 계기에 관해 이야기했다. "저는 수학을 정말 싫어했어요. 정말 싫었는데 지금은 수학에 유대감이 생기고, 마음이 열리고, 살아있다는 느낌이 들고, 에너지가 더 넘치는 것 같아요."

델리아가 수학에 대해 느낀 점을 설명할 때 '열려있다'라는 단어를 사

그림 8.2 영화 〈평가를 넘어서〉의 델리아

출처: Reel Link Films.

용한 것은 낮은 시험 점수와 성적에 대한 두려움 없이 수학을 배울 때 학생들에게서 자주 듣게 되는 감정이다. 창의적이고 탐구적인 수학을 가르칠 때 학생들은 강력한 지적 자유를 느낀다. 수업 시간에 4장에서 언급했던 '수 이야기'를 해봤던 3학년 학생들을 인터뷰하면서 그 활동을 어떻게 생각하는지 물었다. 인터뷰에서 나이 어린 딜런이 가장 먼저 한 말은 "자유로움을 느낀다."라는 것이었다. 이어서 그는 다양한 수학 전략을 중시함으로써 자신이 원하는 방식으로 수학을 다룰 수 있고, 아이디어를 탐구하고 숫자에 대해 배울 수 있다고 느꼈다고 설명했다. 성장 마인드셋 수학으로 공부할 때의 차이를 학생들은 '자유롭다', '열려있다', '개방적'과 같은 단어로 설명한다. 이러한 차이는 수학 성취도를 넘어 학생들의 삶 전반에 영향을 미치게 될 지적 역량 강화로 이어진다(Boaler, 2015a; Boaler & Selling, 2017).

영화에서 델리아가 이야기했던 것처럼, 학생들이 자기 잠재력에 대해 갖게 되는 인식은 학습과 성취도, 그리고 무엇보다도 동기부여와 노력에 영향을 미친다. 델리아는 수학에서 F를 받자, 자신이 실패한 사람처럼 느껴져 수학뿐만 아니라 다른 모든 수업도 포기했다. 성적에 대한 이러한 반응은 드문 일이 아니다. 다른 학생들보다 낮은 점수를 받은 학생들은 더 이상 공부할 수 없다고 판단해 학업을 포기하는 경우가 많으며, 학습 부진 학생이라는 정체성을 갖게 된다. 성취도가 높은 학생에게 부여되는 성적과 점수도 마찬가지다. 학생들은 자신이 'A 학점 학생'이라 생각하게 되고, A 학점을 받지 못할까 봐 노력하거나 도전하는 것을 회피하게 되는 불안정한 고정 마인드셋 학습 경로에 들어선다. 이런 학생들은 어떤 과제에서든 B 학점 이하의 등급을 받으면 큰 충격을 받는다.

최근 교사들을 대상으로 등급제의 부정적인 영향에 대한 프레젠테이션을 진행한 후, 경험 많은 한 고등학교 교사가 내게 찾아왔다. 그는 20년 넘게 고등학교 수학 교사로 재직하는 동안 항상 채점해서 학생들에게 등급을 매겼는데, 작년에는 그러지 않았다고 했다. 그는 이 변화에 따른 영향이 놀라웠다고 말했다. 교실 전체가 더 열심히 공부하고 더 높은 수준의 성취를 이루는 열린 학습 공간으로 바뀌었다는 것이다. 그는 등급을 매기는 대신 학생들이 최대한 많은 문제에 답하는 방식으로 평가를 진행했다고 말했다. 문제가 어려워서 답을 맞힐 수 없게 되면, 시험지에 선을 긋고 나머지 문제는 책에서 도움을 얻어 답하는 방식이었다. 시험을 마친 학생들은 자신들이 그은 선 아래에 있는 문제, 즉 어려워서 잘 풀지 못했던 문제를 수업 시간에 함께 토론하며 풀었다고 했다. 그는 이런 평가 방식을 통해 학생들이 무엇을 어려워하는지, 수업 토론의 주제가 무엇이어야 하는지를 빠르고 쉽게 파악할 수 있었다고 했다. 이 평가 방식을 통해 학생들에게 성장 마인드셋 메시지를 전할 수 있었을 뿐만 아니라 자신이 가르치고 있는 수학에 대한 정보를 얻을 수 있었다고 말했다.

평가에 관한 또 다른 연구에서 디버스(Deevers, 2006)는 점수 대신 긍정적이고 건설적인 피드백을 받은 학생이 향후 과제 수행에 더 성공적이라는 사실을 발견했다. 또한 그는 안타깝게도 학생들의 학년이 높을수록 교사들이 건설적인 피드백은 덜 주고 등급을 매기는 방식의 평가를 더 많이 한다는 사실을 발견했다. 나아가 공부를 잘할 수 있다는 잠재력과 가능성에 대한 인식이 5학년에서 12학년까지 꾸준히 감소하는 현상으로부터 그는 교사의 평가 관행과 학생의 신념 사이에 분명하고 놀라운 관계가 있음을 발견했다. 수학 교사가 학생들에게 고정 마인드셋 시험을 자주 치르고 등급을 매겨야 한다는 전통적인 고등학교 평가 문화가 수십 년 동안 만연해 있었다. 그래서 접근 방식을 바꾸고 '열린' 교실을 만들어 학생들의 동기부여와 학습에 즉각적인 변화를 목격했다는 경험 많은 고등학교 교사의 이야기를 듣고 특히 기뻤다.

우리는 학생들이 학습에 흥미와 관심을 가지기 바란다. 학생들이 학습하는 아이디어에 흥미를 가지게 되면 동기부여와 성취도가 높아진다. 두 가지 유형의 동기, 내재적 동기와 외재적 동기를 연구한 수많은 연구가 있다. 내재적 동기는 학습하는 과목과 아이디어에 대한 관심에서 비롯되며, 외재적 동기는 더 좋은 점수와 성적을 받을 수 있다는 생각에서 비롯되는 동기이다. 수학을 수십 년 동안 성과 중심 과목으로 가르쳤기 때문에 수학 교실에서 가장 동기를 부여받는 학생은 보통 외재적 동기를 부여받는 학생이다. 그 결과 일반적으로 수학 수업에 대해 긍정적으로 느끼는 학생들만이 높은 점수와 성적을 받는 경우가 많다. 성적을 중요하게 생각하는 교사 대부분은 성적이 학생들에게 성취동기를 부여한다고 생각하기 때문에 성적을 사용한다. 높은 수준의 성취를 이룰 수 있는 일부 학생들에게는 동기를 부여하지만, 나머지 학생들에게는 그렇지 못하다. 안타깝게도 성취도가 높은 학생들이 계발하는 외재적 동기는 장기적으로는 도움이 되지 않는다. 여러 연구에 따르면 내재적 동기를 계발하는 학생은 외재적 동기를 계발하는 학생보다 더 높은 수준의 성취도를 보이며(Pulfrey, Buchs & Butera, 2011; Lemos & Verissimo, 2014), 내재적 동기는 학생들이 과목을 더 높은 수준으로 추구하고 중도 탈락하지 않고 끈질기게 버티도록 격려한다(Stipek, 1993).

딸이 5학년이 되었을 때, 내재적 동기부여와 외재적 동기부여의 효과 차이를 직접 경험했다. 딸은 점수를 주거나 등급을 매기지 않고 최소한의 시험만 치르는 지역 공립 초등학교에 다니고 있어서 5학년 때까지는 실제 과제에 대한 피드백만 받았다. 딸이 집에 돌아와서 자신이 배운 아이디어에 대해 신나게 이야기하는 모습을 보면서 내재적 동기가 발달하고 있다는 것을 알 수 있었다. 그런데 딸의 5학년 때 교사는 교실을 풍부하고 흥미로운 활동으로 가득 채우는 뛰어난 능력을 갖추었지만, 모든 학생의 과제에 점수를 매겼다. 그는 지역 중학교에서 모든 것을 평가하고 등급을 매기기 때문에 학생들이 미리 그것을 경험하는 편이 좋다고 했다. 알피 콘Alfie Kohn은 이러한 접근 방식을 'BGUTI better get used to it'라고 부르는데 '익숙해지는 것이 좋다'는 뜻이다. 학교에서 점수와 등급을 매기는 평가 방식을 사용하는 이유는 학생들이 나중에 이런 방식을 경험하게 될 것을 알고 익숙해지기를 바라기 때문이다. 딸은 5학년 한 해 동안 커다란 변화를 겪었다. 갑자기 성적에만 신경을 쓰고 걱정하기 시작한 것이다. 딸은 자신이 배우고 있는 아이디어에 관한 관심과 흥미를 잃어버리고 제출한 과제에서 받을 성적에 대해 끊임없이 걱정했다. 이와 비슷한 변화에 대해 클레어라는 학생이 묘사한 내용을 콘은 2011년 논문(Kohn, 2011)에서 다음과 같이 인용했다.

처음으로 내 작문 숙제에 빨간색 글씨로 등급이 적혔던 때를 기억해요. …

갑자기 모든 기쁨이 사라졌어요. 좋은 등급을 받으려고 쓴 글은 저를 위한 탐구가 아니었으니까요. 글 쓰는 즐거움을 다시 찾고 싶어요. 되찾을 수 있을까요?

클레어가 묘사한 대로 그녀의 탐구심과 기쁨은 사라졌다. 딸의 경우 6학년 때 등급을 매기지 않는 학교로 전학해 다시 학습에 대한 흥미가 돌아오는 해피엔딩을 맞이했다. 그러나 다른 많은 학생에게는 이런 일이 쉽지 않다. 중학교에 올라가면 등급이 더 중요해지고, 배우고 있는 것에 대해 동기부여를 얻기 쉽지 않다.

점수와 등급을 매기는 평가가 모든 성취 수준의 학생들에게 상처와 부정적 영향을 준다는 사실을 밝혀주는 증거(Boaler, 2015a)를 비롯해 더 자세한 내용은 《수학은 무엇과 관련이 있나요?》에서 설명하고 있다. 또한 기존의 평가 관행의 영향에 관한 알피 콘의 논문(Kohn, 1999; 2000)과 책도 추천한다. 이 장의 나머지 부분에서는 성장 메시지를 통해 폭넓은 지식과 성공으로 향하는 긍정적인 경로로 학생을 이끄는 성장 지향적인 평가 방법에 초점을 맞추려고 한다. 이는 교사가 교실에서 할 수 있는 가장 중요한 변화이다.

학습을 위한 평가

몇 년 전, 영국의 두 교수 폴 블랙과 딜런 윌리엄Dylan Wiliam(폴 블랙 경과 딜런 윌리엄 교수는 모두 런던 대학교에서 나의 좋은 동료였으며, 폴 블랙 경은 나의 논문 지도교수이자 멘토이기도 하다)은 평가에 관한 수백 건의 연구를 메타 분석하는 과정에서 놀라운 사실을 발견했다. 평가의 형식이 가진 영향력은 매우 커서 만일 교사들이 평가 관행을 바꾸고 이를 활용하면 국제 연구 기관에서 측정한 국가 성취도를 중위권에서 상위 5위권으로 끌어올릴 정도라는 것이다. 블랙과 윌리엄은 교사들이 현재 '학습을 위한 평가'라고 불리는 것을 사용한다면 학급 규모 축소와 같은 다른 교육 정책보다 훨씬 더 큰 긍정적 효과를 거둘 수 있다는 사실을 발견했다(Black, Harrison, Lee, Marshall & Wiliam, 2002; Black & Wiliam, 1998a; 1998b). 이들은 연구 결과를 작은 소책자로 발간했는데, 발간 후 처음 몇 주간 영국에서 2만 부 이상 판매되었다. 학습을 위한 평가는 이제 많은 국가에서 국가 정책으로 자리 잡았으며, 방대한 연구 결과에서 나온 근거를 바탕으로 학생들에게 성장 마인드셋 메시지를 전달한다.

평가에는 형성 평가와 총괄 평가의 두 가지 유형이 있다. 형성 평가는 학습에 정보를 제공하며 학습을 위한 평가의 핵심이다. 형성 평가는 학생이 학습의 어느 단계에 있는지 파악해 교사와 학생이 다음에 알아야 할 내용을 결정하는 데 사용된다. 이와는 대조적으로, 총괄 평가의 목적은 학생의 학습을 요약해 학생이 어느 정도까지 도달했는지 최종적으로 파악하는 것이다. 미국 교육의 한 가지 문제는 많은 교사가 총괄 평가를 형성 평가로 사용한다는 점이다. 즉, 학생이 아직 그 내용을 배우는 도중에 최종 점수나 등급을 매긴다. 수학 교사들은 종종 매주 총괄 평가 시험을 치른 다음 시험 결과가 알려주는 내용을 확인하지도 않고 다음 주제로 넘어간다. 학습을 위한 평가를 통해 학생들은 자신이 알고 있는 지식과 알아야 할 지식, 그리고 이 둘 사이의 격차를 줄이는 방법을 알게 된다. 학생들은 자신들이 발전할 수 있는 학습 경로에 대한 정보를 얻게 되고, 이것은 성장 마인드셋 계발에 도움이 된다.

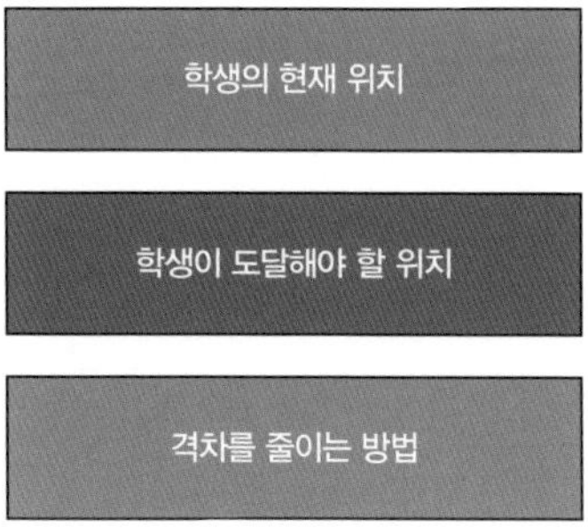

학생의 현재 위치

학생이 도달해야 할 위치

격차를 줄이는 방법

그림 8.3 학습을 위한 평가

학생들이 하나의 과정을 배우는 몇 주 또는 몇 달 동안은 총괄 평가가 아니라 형성 평가를 하는 것이 매우 중요하다. 나아가 성장 마인드셋을 위한 평가로도 생각할 수 있는 학습을 위한 평가 접근 방식은 다양한 전략과 방법을 제공한다.

학습을 위한 평가의 중요한 원칙 중 하나는 학생에게 자신의 학습에 관해 책임지도록 가르치는 것이다. 학습을 위한 평가의 핵심은 학생이 가장 필요한 학습을 스스로 조절하고 결정할 수 있으며, 학습을 개선하는 방법을 아는 자율적인 학습자가 되도록 권한을 부여하는 것이다. 학습을 위한 평가는 (1) 학생에게 학습한 내용을 명확하게 전달하고, (2) 학생이 자신의 학습 경로에서 현재 위치와 도달해야 할 목표를 인식하도록 도우며, (3) 현재 위치와 도달해야 할 목표 사이의 격차를 줄이는 방법에 대한 정보를 제공하는 세 가지 부분으로 구성된다고 생각할 수 있다(그림 8.3 참조).

이러한 접근 방식을 학습에 '대한' 평가가 아닌 학습을 '위한' 평가라고 부르는 이유는 교사와 학생이 학습을 위한 평가에서 얻는 정보를 통해 교사는 더 효과적으로 지도할 수 있고, 학생은 할 수 있는 수준까지 최대한 배울 수 있기 때문이다. 학습을 위한 평가를 사용하는 교사는 학생의 성취도보다 학생 스스로 학습 경로를 정하도록 동기를 부여하는 데 더 많은 시간을 쓴다. 학습을 위한 평가 방식으로 전환한 영국의 한 교사는 "나 자신보다 아이들에게 더 집중하게 되었다."라고 말했다(Black et al., 2002). 그는 학생들이 스스로 더 배우는 길을 택하도록 동기를 부여하는 강력한 전략을 갖춘 덕분에 교사로서 더 큰 자부심을 느끼게 되었다.

학생의 자기 인식과 책임감 개발하기

가장 강력한 학습자는 자기 성찰적이며 자신이 알고 있는 것에 관해 생각하는 메타 인지에 능하고 스스로 학습을 제어할 줄 안다(White & Frederiksen, 1998). 전통적인 수학 수업이 실패하는 가장 큰 요인은 학생들이 자신이 무엇을 배우고 있는지, 광범위한 학습 상황에서 자신이 어느 위치에 있는지 모른다는 것이다. 공식을 암기하는 데는 집중하지만, 수학의 어떤 분야를 공부하고 있는지조차 모르는 경우가 많다. 수학 교실에 들어가서 무엇을 공부하고 있는지 물으면 종종 학생들은 다음과 같이 단순히 자기가 풀고 있는 문제를 이야기한다.

조 볼러 무엇을 공부하고 있나요?

학생 연습 문제 2번이요.

조 볼러 그렇군요. 그럼 실제로 공부하는 건 뭐죠? 어떤 수학을 공부하고 있나요?

학생 아, 죄송해요. 4번 문제를 풀고 있어요.

학생들은 자신이 배우고 있는 수학 영역에 대해 생각하지 않고, 배우는 내용의 수학적 목표가 무엇인지 모른다. 자기가 내용을 아는지 모르는지를 판정하는 것은 교사이기 때문에 수동적으로 끌려가고 있을 뿐이다. 평가 전문가들은 학생들의 이런 모습을 '매일 할 일을 지시받지만, 배가 어디로 가고 있는지 전혀 모르는 선원'에 비유한다.

화이트와 프레데릭슨(White & Frederiksen, 1998)의 연구 조사는 성찰의 중요성을 보여준다. 연구진은 물리학을 배우는 7학년 학생 12개 학급을 대상으로 연구를 진행했다. 연구진은 학생들을 실험 그룹과 대조 그룹으로 나누고, 모든 그룹은 힘과 운동에 관한 단원을 배웠다. 그다음 대조군은 각 수업 내용을 주제로 토론하는 시간을 가졌고, 실험군은 자신들이 배우고 있는 과학에 관해 자기 및 동료를 평가하는 시간을 가졌다. 연구 결과는 극적이었다. 서로 다른 세 가지 평가에서 실험 그룹은 대조 그룹보다 우수한 성적을 거두었다. 특히 성취도가 낮았던 학생들의 성적이 가장 크게 향상되었다. 이들은 배우고 있는 과학과 스스로에 관해 깊이 생각하고 난 뒤에 최고 득점자와 같은 수준에 이르렀다. 심지어 중학생인데도 고등학교 물리학 시험에서 AP 물리학 학생들보다 더 높은 점수를 받았다. 연구진은 학생들의 이전 낮은 성취도의 상당 부분이 실력이 부족해서가 아니라 정말 알아야 하는 것이 무엇인지 몰랐기 때문이라는 결론을 내렸다.

유감스럽게도 많은 학생이 이와 같은 상황에 있다. 학생들에게 반드시 배워야 할 것이 무엇인지 전달하는 것은 매우 중요하다. 자기평가와 동료평가 모두 학생들이 무엇을 배워야 할지 깨닫고 학습을 위한 소중한 도구인 자기 성찰을 하는 데 도움이 된다.

학생들이 자신이 배우고 있는 수학 내용이 무엇인지, 학습 과정에서 자신이 어느 위치에 있는지를 생각하게 만드는 많은 전략이 있다. 지금부터 내가 좋아하는 9가지 전략을 공유하겠다.

1. 자기평가

학생들이 자신이 배우고 있는 수학 내용이 무엇인지 알고 더 다양한 학습 경로에 대해 인식하도록 돕는 데 가장 중요한 전략 두 가지는 자기평가와 동료평가이다. 자기평가에서 학생들은 학습 중인 수학에 대한 명확한 진술을 받고, 자신에게 해당하는지 스스로 평가하면서 배운 내용과 무엇을 더 공부해야 하는지 생각하게 된다. 학생이 받는 진술에는 '평균과 중간값의 차이를 알고 각각 어떤 상황에서 쓰이는지 이해했다'와 같은 수학 내용과 '나는 문제를 풀기 위해 끝까지 노력하고 문제가 어려워도 계속 시도하는 태도를 배웠다'와 같은 수학적 태도가 포함된다.

배울 수학에 대한 명확한 진술을 가지고 각 단원의 학습을 시작하면, 학습 경로에 대한 로드맵 역할을 하므로 학생들이 학습 목표를 이해하는 데 도움이 된다. 진술의 명확성을 통해 학생들은 중요한 수학적 개념과 방법에 집중할 수 있으며, 개선해야 할 부분을 쉽게 파악할 수 있다. 학생들에게 자기평가를 요청했을 때, 학생들이 자신의 학업에 관해 얼마나 이해하고 있는지를 놀랄 만큼 정확하게 평가한다는 사실이 연구를 통해 밝혀졌다(Black et al., 2002).

자기평가는 다양한 수준으로 세분화해 개발할 수 있다. 교사는 학생들에게 한 시간의 수업에서 배울 수학 내용을 보여주거나, 한 단원 또는 전체 학기나 한 학기처럼 더 긴 시간 단위에서 학습할 수학을 보여줄 수도 있다. 예시 8.1은 장단기 자기평가 기준의 예시이다. 이 기준에 더해 수업 중, 수업을 마치기 직전 또는 집에서 자신의 학습을 되돌아볼 수 있는

자기평가: 다각형

	혼자 할 수 있고 나의 풀이 과정을 친구나 선생님에게 설명할 수 있다.	혼자 할 수 있다.	도움을 줄 예가 필요하다.
주어진 수치의 직선과 선분을 그리시오.			
평행선과 평행한 선분을 그리시오.			
서로 만나는 직선과 서로 만나는 선분을 그리시오.			
주어진 둘레 길이를 가지는 다각형을 그리시오.			
주어진 넓이의 정사각형 또는 직사각형을 그리시오.			
직사각형이나 정사각형으로 나눠 넓이를 구할 수 있는 정다각형이 아닌 도형을 만드시오.			

출처 : 로리 말레

예시 8.1

시간이 주어져야 한다.

초등 3학년 교사 로리 말레를 내가 진행한 전문성 개발 워크숍에서 만났다. 워크숍 내내 우리는 성장 마인드셋을 장려하는 방법에 관해 깊이 고민했고 함께 일하게 되었다. 예시 8.1에서 보여주는 자기평가는 로리가 제공한 것이다. 이 자기평가에서는 학생들에게 세 가지 선택 사항이

대수 1 자기평가

단원 1 – 1차 방정식과 부등식

- □ 변수가 하나인 일차 방정식을 풀 수 있다.
- □ 변수가 하나인 일차 부등식을 풀 수 있다.
- □ 특정한 변수에 대해 수식을 풀 수 있다.
- □ 변수가 하나인 절댓값이 들어있는 방정식을 풀 수 있다.
- □ 변수가 하나인 복잡한 일차 부등식을 풀고 그래프를 그릴 수 있다.
- □ 변수가 하나인 절댓값이 들어있는 부등식을 풀 수 있다.

단원 2 – 수학적으로 관계 나타내기

- □ 수식을 풀 때, 단위를 사용하고 해석할 수 있다.
- □ 단위 변환을 할 수 있다.
- □ 식의 부분을 식별할 수 있다.
- □ 문제와 맞는 변수가 하나인 방정식이나 부등식을 쓸 수 있다.
- □ 문제와 맞는 변수가 두 개인 방정식이나 부등식을 쓸 수 있다.
- □ 방정식에 대입할 수 있는 적절한 값을 말하고 그것이 옳다는 것을 입증할 수 있다.
- □ 해답을 주어진 상황의 문맥에서 해석하고 그것이 합당한지 판단할 수 있다.
- □ 좌표축에 방정식의 그래프를 적절한 이름을 붙이고 적절한 척도를 이용해 그릴 수 있다.
- □ 그래프 위 한 점의 좌표를 방정식에 대입하면 실제 방정식을 만족시킨다는 것을 증명할 수 있다.
- □ 두 함수의 성질을 그래프, 표, 대수적으로 비교할 수 있다.

단원 3 – 함수 이해하기

- □ 그래프, 표 또는 순서쌍이 함수를 나타내는지 판별할 수 있다.
- □ 함수 표기법을 읽을 수 있으며 함수의 출력과 입력이 어떻게 짝지어지는지 설명할 수 있다.
- □ 정수를 입력으로 하고 주어진 수열을 출력으로 하는 함수를 만들 수 있다.
- □ 그래프의 주요 특징인 절편, 함수의 증감, 최댓값과 최솟값 등을 그래프와 표, 방정식을 이용해 알아낼 수 있다.
- □ 함수의 정의역과 공역이 그래프에서 어떻게 표현되는지 설명할 수 있다.

단원 4 – 일차 함수

- □ 함수의 평균 변화율을 계산하고 해석할 수 있다.
- □ 일차 함수의 그래프를 그리고 절편을 알아낼 수 있다.
- □ 좌표 평면에 일차 부등식의 그래프를 그릴 수 있다.

예시 8.2 (계속)

☐ 일차 함수의 평균 변화율이 상수라는 것을 증명할 수 있다.
☐ 등간격 구간에서 변화율이 같은 상황을 구분하고 일차 함수로 나타낼 수 있다는 것을 알 수 있다.
☐ 등차수열, 그래프, 표 또는 관계성을 묘사한 것으로부터 일차 함수를 만들 수 있다.
☐ 실제 세계의 관계가 직선으로 나타날 때, 직선의 기울기, y 절편, 직선 위의 다른 점의 의미를 설명할 수 있다.

단원 5 – 연립 일차 방정식과 부등식

☐ 그래프를 이용해 연립 일차 방정식을 풀 수 있다.
☐ 대입법을 이용해 연립 일차 방정식을 풀 수 있다.
☐ 가감법을 이용해 연립 일차 방정식을 풀 수 있다.
☐ 그래프를 이용해 연립 일차 부등식을 풀 수 있다.
☐ 선형 프로그래밍 문제를 위한 제약 조건을 쓰고 그래프를 그릴 수 있으며 최댓값 또는 최솟값을 찾을 수 있다.

단원 6 – 통계적 모델

☐ 분포된 자료를 대표하는 값을 설명할 수 있다(평균 또는 중앙값).
☐ 자료가 분포된 정도를 설명할 수 있다(4분위수 간 영역 또는 표준편차).
☐ 자료를 수직선 위에 나타낼 수 있다(점으로 표현하기, 히스토그램, 상자그림).
☐ 두 개 또는 그 이상의 자료 집합이 같은 척도로 그려져 있을 때, 그 모양, 가운뎃값, 분포된 모양으로 그들의 분포를 비교할 수 있다.
☐ 문제 문맥 속에 있는 자료 집합의 모양, 가운뎃값, 분포된 모양에서의 차이를 해석할 수 있고 극단적인 자룟값이 주는 영향을 설명할 수 있다.
☐ 두 가지 변수에 대해 표로 표현된 자료를 읽고 해석할 수 있다.
☐ 문제 문맥 속에 있는 상대 도수의 의미를 해석하고 설명할 수 있다.
☐ 산점도와 그에 맞는 최적선을 그리고, 최적선의 방정식을 쓸 수 있다.
☐ 예측을 위해 최적 함수를 사용할 수 있다.
☐ 함수가 적절하게 맞는지 판정하기 위해 잔차그림을 분석할 수 있다.
☐ (기계를 이용해) 상관계수를 계산하고 해석할 수 있다.
☐ 상관관계는 인과관계를 의미하지 않는다는 것과 인과관계는 산점도로 설명되지 않는다는 것을 인식할 수 있다.

단원 7 – 다항식과 함수

☐ 다항식의 덧셈, 뺄셈을 할 수 있다.
☐ 다항식의 곱셈을 할 수 있다.
☐ 다항식의 인수분해를 할 수 있다.

예시 8.2

□ 인수분해로 이차 방정식을 풀 수 있다.
□ 이차 방정식의 근과 쉽게 구할 수 있는 다른 점을 이용해 이차 함수 그래프의 개형을 그릴 수 있다.

단원 8 – 이차 함수
□ 이차식을 완전제곱식으로 바꿀 수 있다.
□ 절편, 최댓값 또는 최솟값, 대칭 등의 주요 특징을 이용해 이차 함수 그래프를 그릴 수 있다.
□ 공학 기계의 도움 없이 함수의 그래프를 평행이동, 대칭이동한 모습을 알아볼 수 있다.
□ 산점도를 그릴 수 있고, 공학 기계를 이용해 최적 이차 함수를 찾고 예측에 사용할 수 있다.

단원 9 – 이차 방정식
□ 합과 곱이 유리수 또는 무리수가 되는지 설명할 수 있다.
□ 완전제곱식으로 나타내어 이차 방정식을 풀 수 있다.
□ 제곱근을 찾아서 이차 방정식을 풀 수 있다.
□ 근의 공식을 이용해 이차 방정식을 풀 수 있다.

단원 10 – 비선형 관계
□ 지수법칙을 이용해 유리수 지수가 있는 대수적 표현을 간단히 할 수 있다.
□ 절편, 최댓값 또는 최솟값 등을 이용해 제곱근 함수 또는 세제곱근 함수를 그릴 수 있다.
□ 절편, 최댓값 또는 최솟값 등을 이용해 계단 함수, 절댓값 함수를 포함한 구간에 따라 정의된 함수를 그릴 수 있다.

단원 11 – 지수 함수와 지수 방정식
□ 등간격에서의 지수 함수 함숫값은 등비수열로 나타난다는 것을 설명할 수 있다.
□ 등간격에서 변화비가 같은 상황을 지수 함수로 나타낼 수 있다는 것을 구분할 수 있다.
□ 일차 함수, 이차 함수, 지수 함수의 변화율을 그래프와 표를 이용해 비교할 수 있다.
□ 지수 법칙을 이용해 지수 함수를 다시 쓸 수 있다.
□ 실생활 문제에서 지수 함수의 매개변수를 해석할 수 있다.
□ 절편, 최댓값 또는 최솟값, 점근선 등의 주요 특징을 이용해 지수 함수의 그래프를 그릴 수 있다.
□ 산점도를 그릴 수 있고, 공학기계를 이용해 최적 지수 함수를 찾고 예측에 사용할 수 있다.

출처: 리사 헨리

예시 8.2

그림 8.4　자기 성찰 얼굴 이모티콘

제공된다.

일부 교사, 특히 어린이들을 가르치는 교사는 학생들에게 자신의 학습을 되돌아보고 말로 설명하라고 하기보다 그림 8.4에 있는 웃는 얼굴과 같은 이모티콘으로 표현하라고 하는 편이 좋다.

말로 설명하거나 이모티콘을 이용하는 두 가지 방법 모두 학생이 자신이 배운 내용과 개선할 부분에 관해 깊이 생각하도록 유도한다.

두 번째 자기평가 예시는 오하이오주 브루클랜드에서 활동하는 고등학교 수학 전문 교사 리사 헨리가 만든 것이다. 리사는 23년 동안 고등학교 수학을 가르치고 있다. 4년 전부터 리사는 등급을 매기는 것에 대해 불만을 품었다. 그녀가 매긴 등급이 학생들이 알고 있는 내용을 나타내지 못한다는 것을 깨달았기 때문이다. 리사는 학생들과 공유한 기준에 따라 평가하기로 했다. 친절하게도 그녀는 예시 8.2에 제시된 대수 1 과정 전체를 위한 자기평가 진술을 다른 교사들에게 공유해주었다. 헨리는 이제 학생들은 기준에 따라 자신을 평가하고, 교사인 자신은 전체 성적 대신 학생들이 무엇을 알고 무엇을 모르는지를 판단해 학생들을 평가하므로 학생들의 지식과 이해에 대해 더 많이 알게 되었다고 말한다.

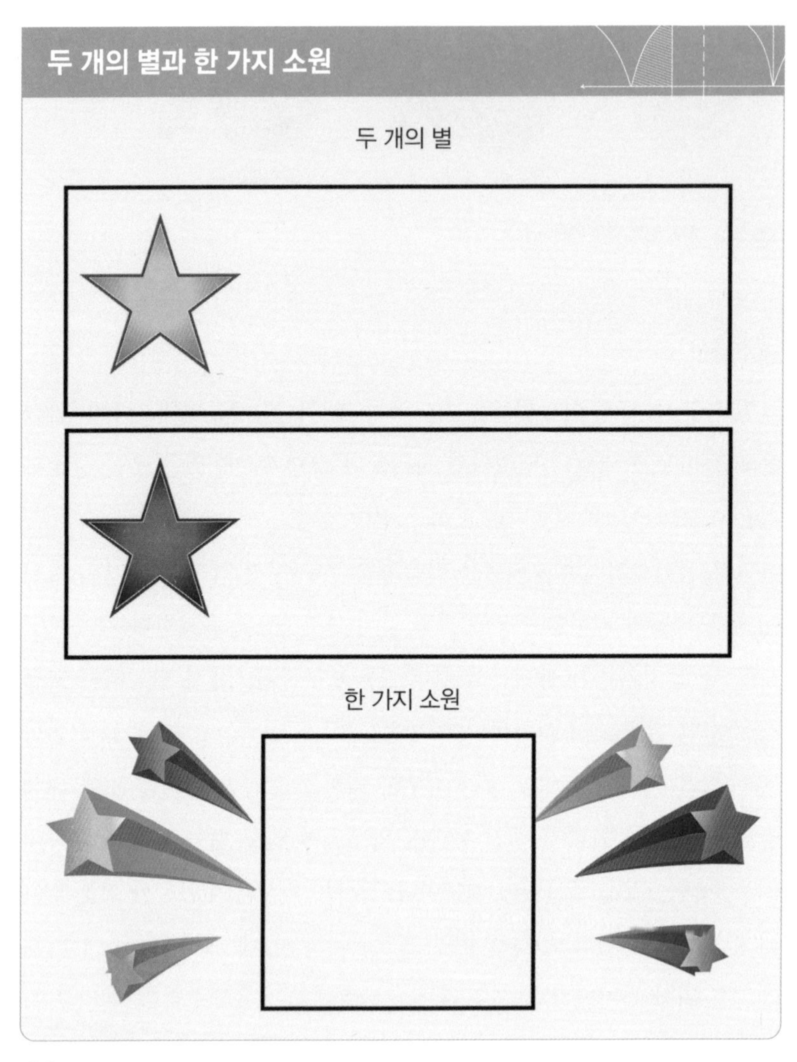

예시 8.3

2. 동료평가

명확한 평가 기준을 학생에게 제공한다는 점에서 동료평가 역시 자기

평가와 유사한 전략이다. 하지만 자신이 아니라 학생들이 서로의 학업을 평가한다는 점에서 다르다. 학생들은 서로의 학업에 관해 평가하면서 자기가 배우고 있는 수학과 배워야 하는 수학이 무엇인지 인식하는 기회를 얻는다. 학생들은 종종 다른 학생으로부터 비판이나 변화에 대한 제안을 들을 때 더 개방적인 태도를 보이며, 동료끼리는 일반적으로 서로 이해하기 쉬운 방식으로 의사소통한다. 이런 이유로 동료평가의 효과가 크다.

동료평가 방법 중 내가 가장 좋아하는 것은 "두 개의 별과 한 가지 소원"(예시 8.3 참조)이라고 이름 붙인 것이다. 학생들에게 동료 학생의 과제를 살펴보고, 평가 기준을 사용하거나 사용하지 않고 두 가지 잘한 점과 개선할 부분 하나를 고르라고 한다.

자신이 학습하고 있는 내용에 대해 명확한 정보를 주고 정기적으로 그 내용을 되돌아보게 하면 학생들은 자신의 학습에 대한 책임을 키우게 된다. 일반적으로 교사만이 강력한 지식을 지녔다고 생각한다. 동료평가는 학생들을 이 강력한 지식을 공유하는 길드(동업 조합)로 초대하는 것이다. 강력한 지식을 지니게 된 학생들은 자신의 학습을 스스로 관리함으로써 학업에 성공하게 된다.

3. 되돌아보기 시간

학생들이 학습 중인 아이디어에 대해 지식을 습득하기 위한 효과적인 방법 가운데 하나는 학생들에게 되돌아볼 시간을 주는 것이다. 수업 마지막에 예시 8.4와 같은 질문을 던져서 배운 내용을 되돌아보게 한다.

4. 신호등

'신호등'은 학생들에게 수업 내용을 되돌아보도록 유도하면서 교사에

되돌아보기

오늘 우리가 공부한 중요한 아이디어는 무엇인가요?

오늘 나는 무엇을 배웠나요?

오늘 내가 떠올린 좋은 아이디어는 무엇인가요?

오늘 배운 지식을 어떤 상황에서 쓸 수 있나요?

오늘 공부한 것에 대해 질문이 있나요?

이 수업을 통해 생각하게 된 새로운 아이디어는 무엇인가요?

예시 8.4

게 중요한 정보를 제공하는 수업 활동이다. 이 활동은 여러 가지 변형이 가능하지만, 모두 학생이 무엇을 이해하는지, 어느 정도 이해하는지 또는 무엇을 더 공부해야 하는지를 나타내기 위해 빨간색, 노란색, 초록색(그림 8.5 참조)과 같은 색을 사용한다. 교사는 수업 시간에 학생들에게 세 가지 색깔의 종이컵을 나눠주고 상황에 따라 적당한 색깔의 종이컵을 책상 위에 올려놓으라고 한다. 교사가 설명을 멈추고 처음부터

그림 8.5 신호등
출처: Dimitar Marinov/Adobe Stock

다시 살펴보길 원하는 학생들은 빨간 컵을, 수업이 너무 빨리 진행되는 것 같다고 느끼는 학생들은 노란 컵을 올려놓는다. 이런 식으로 교사는 각각의 상황을 정할 수 있다. 처음 신호등 활동을 시작했을 때, 어떤 교사는 학생들이 컵을 올려놓기를 꺼렸지만 자신의 상황을 교사에게 전달하는 데 무척 유용함을 깨닫고는 기꺼이 올려놓았다고 알려왔다. 어떤 교사는 초록색 컵을 올려놓은 학생이 학급의 나머지 학생들에게 아이디어를 설명하게 했다. 한 단원의 마지막이나 하나의 과제를 마무리한 다음에 얻는 피드백은 너무 늦다. 신호등 활동을 이용하면 교사가 실시간으로 피드백을 받을 수 있어서 학생과 교사 모두에게 큰 도움이 된다. 컵 대신 빨간색, 노란색, 초록색 색종이를 같은 크기로 잘라 구멍을 내어 고리에 끼워 사용할 수도 있다.

5. 조각그림 그룹

조각그림 그룹에서 함께 공부하는 학생들은 특정한 현상, 새로운 방법 또는 흥미로운 읽기에 관해 전문가가 된다. 그다음 이 그룹을 나누어 각기 다른 영역의 전문가들이 모여 새로운 그룹을 만든다. 새로운 그룹의 구성원들은 자기가 배운 새로운 지식을 서로에게 가르친다. 이 활동이 제대로 효과를 보기 위해서는 그룹의 구성원이 다른 그룹으로 옮겨갔을 때 모두 무언가 다른 것을 서로에게 가르칠 수 있어야 하므로 적어도 네 가지의 전문 지식 영역이 필요하다. 그림 8.6에서 보여주듯이 32명으로 구성된 학급은 8개 그룹으로 나눌 수 있다.

6장에서 그룹 학습을 제안했는데, 조각그림 그룹 활동을 통해 학생들은 각자가 전문가가 되는 경험을 하면서 수학을 잘할 수 있는 사람이 따로 있다는 고정관념을 깨뜨리게 된다.

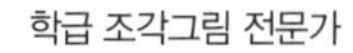

학급 조각그림 공유

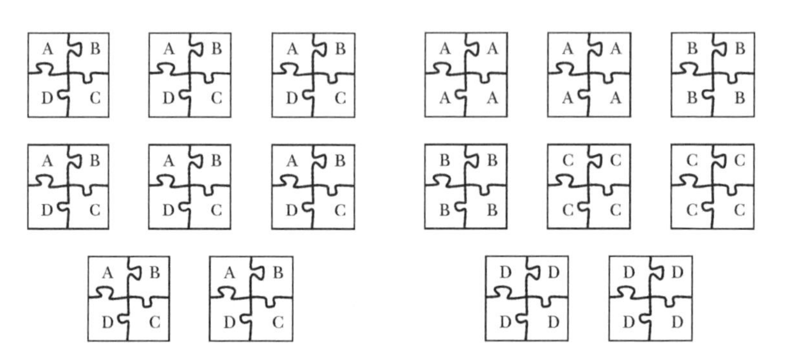

그림 8.6 조각그림 그룹

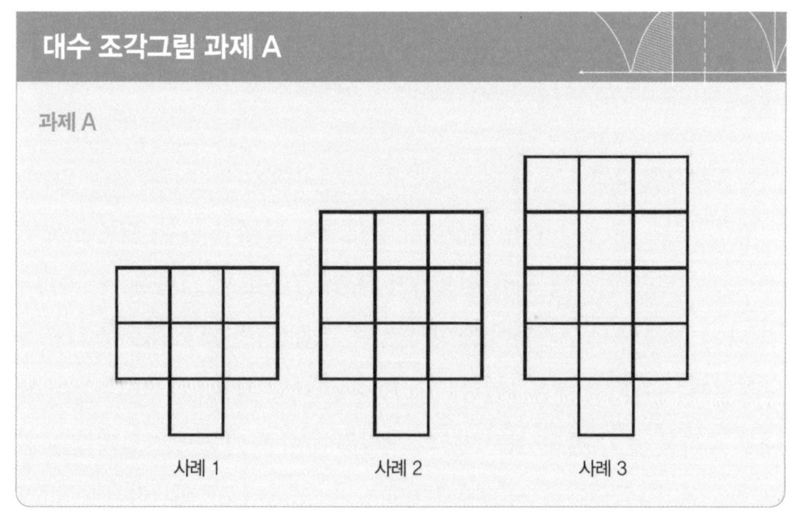

예시 8.5

예시 8.5~8.8까지 주어진 패턴을 그룹별로 연구하는 활동은 조각그림 그룹 활동의 또 다른 예가 된다. 교사는 네 가지 패턴을 네 그룹에 하나씩 나눠주고, 각 그룹에게 도형이 커지는 모습을 설명하는 포스터를 만들

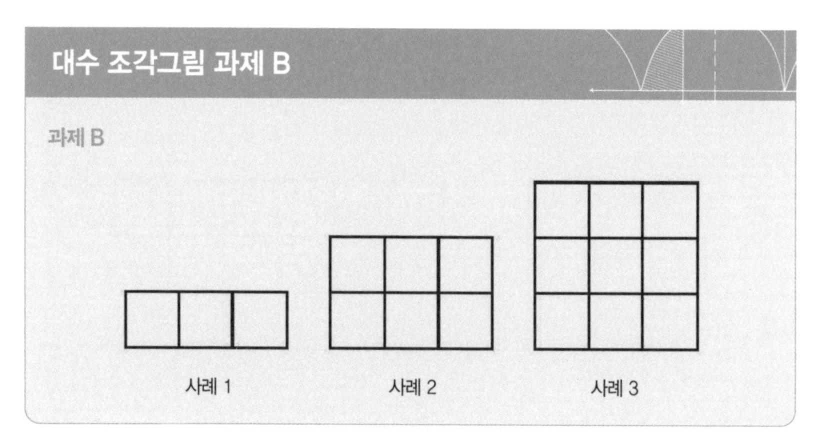

예시 8.6

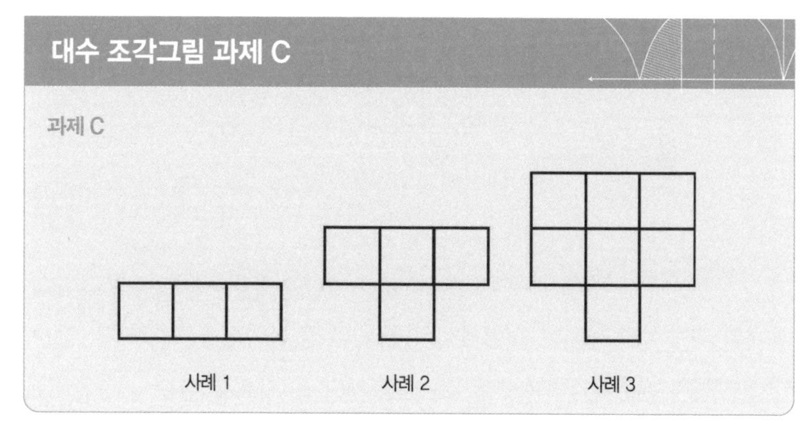

예시 8.7

도록 한다. 이때 표와 방정식, 그래프, 패턴의 일반화 등 다양한 방식으로 도형이 커지는 모습을 표현하게 한다. 이 과정에서 각 그룹의 구성원은 자기 그룹이 맡은 패턴에 대한 전문가가 된다.

그다음 각 그룹에서 한 명씩 나와 새로운 그룹을 만든다. 이제 새로운 그룹의 구성원들은 전문가가 되었던 과제를 다른 구성원과 공유한 뒤, 각

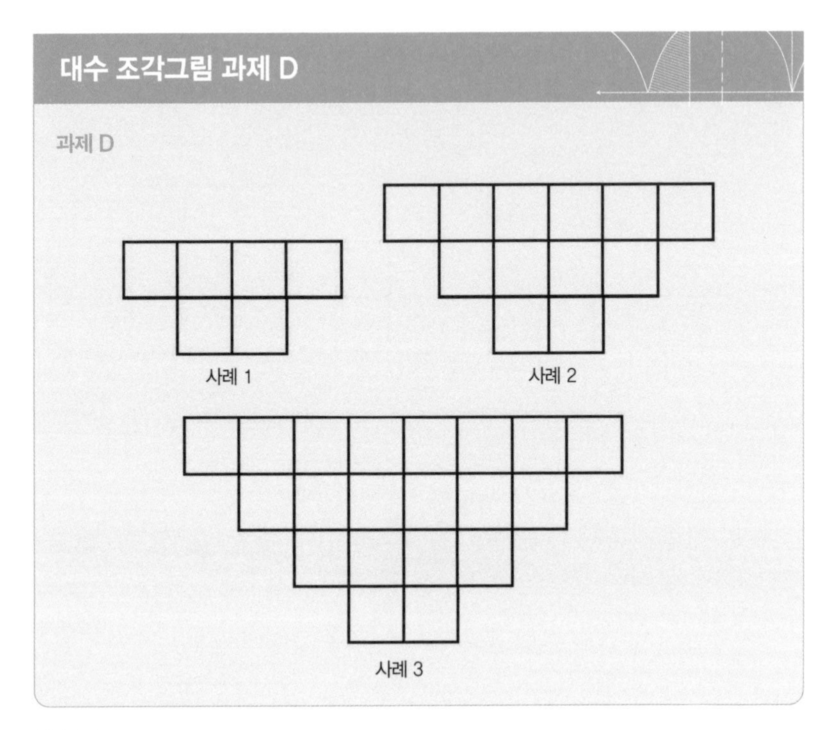

예시 8.8

과제의 대수적인 패턴과 표현에서의 공통점 및 차이점을 토론한다.

학생들은 전문가가 되어 자기가 배운 새로운 지식을 다른 구성원에게 가르칠 때, 다시 한 번 배우고 있는 지식을 확실히 알게 된다.

6. 나가는 표

나가는 표는 수업 마지막에 학생들에게 나눠주는 종이로, 학생들에게 표를 주고 수업에서의 학습에 대해 생각해 보도록 하는 장치이다(예시 8.9 참조). 교실을 나가기 전에 이 표를 작성해 교사에게 돌려주도록 한다. 표를 작성하면서 학생들은 다시 한 번 수업을 되돌아보게 되며, 교사

나가는 표

나가는 표		이름: 날짜:
오늘 내가 배운 세 가지	흥미로웠던 두 가지	내가 하고 싶은 질문 한 가지

예시 8.9

는 학생들의 학습과 다음 수업을 위한 중요한 정보를 얻게 된다.

7. 온라인 양식

교사들이 사용하는 효과적인 전략 중 하나는 학생들에게 수업 중에 실시간으로 온라인 양식을 작성해 교사의 컴퓨터로 아이디어를 보내도록 요청하는 것이다. 학생들에게 수업에 대한 의견이나 생각을 보내라고 요청할 수 있다. 직접 자기 의견을 말하기를 꺼리는 학생들도 온라인으로 의견을 전해주라고 하면 기꺼이 참여할 것이다. 수업에서 배운 내용을 적어달라고 할 수도 있고, 특정 주제에 대해 투표할 수도 있으며, 다른 학생에게는 보이지 않게 신호등 표시를 보내는 등 온라인 양식을 활용하는 여러 방법이 있다.

8. 수학 낙서

4장에서 언급한 대로 가장 강력한 학습이 일어나는 순간은 두뇌가 기존에 쓰는 경로가 아닌 다른 경로를 사용할 때라고 뇌과학이 말해주고

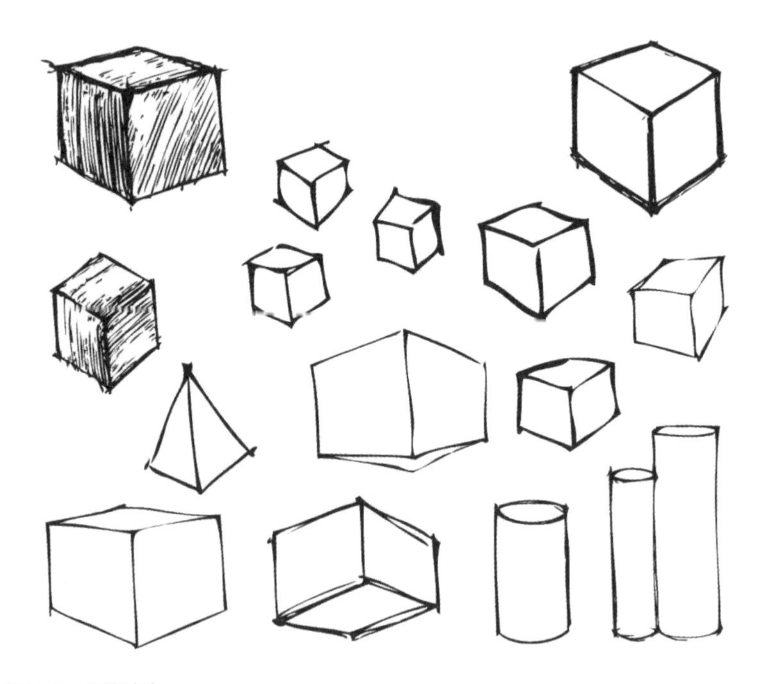

그림 8.7 수학 낙서

있다. 이 발견은 평가 관행을 바꾸는 것 이상으로 대단히 큰 교육적 의미가 있다. 학교 수업에서 많은 부분을 차지하는 형식적, 추상적 내용의 수학 학습은 학생들이 시각적, 직관적 사고를 이용할 때 강화되고 수치적 사고와 연결됨을 알려준다. 시각적, 직관적 사고를 북돋는 좋은 방법은 아이디어를 그림으로 그려보는 것이다(그림 8.7).

학생들에게 이해한 내용만을 글로 쓰라고 하는 대신, 되돌아보기 활동이나 수업 후에 이해한 내용을 스케치나 만화, 낙서로 보여달라고 요청하라. 수학 아이디어를 매우 인상적이며 재미있게 표현한 바이 하트Vy Hart의 동영상을 추천한다.

- 나선과 피보나치수열, 식물의 성장(1부)
  www.youtube.com/watch?v=ahXIMUkSXX0
- 삼각형 파티
  www.youtube.com/watch?v=o6KlpIWhbcw&list=PLF7CBA45AEBAD18B8&index=7

9. 평가 시험지 만들기

학생들에게 자신만의 질문을 만들거나 다른 학생들이 볼 시험지를 만들어달라고 부탁하라. 시험 질문 만들기는 무엇이 중요한지 학생 스스로 파악하는 데 도움이 되며, 학생이 창의적으로 생각할 여지를 준다. 학생들은 수학 시험지 만들기 과제를 무척 좋아한다.

진단 피드백

앞에서 설명한 모든 전략은 학생들이 현재 무엇을 배우고, 어느 위치에 있어야 하는지를 알려주는 데 있어서 매우 중요하다. 이와 더불어 결정적으로 중요한 것은 학생들이 자신의 위치와 자신이 있어야 하는 위치 사이의 간격을 어떻게 줄일 것인가 하는 점이다. 이 영역에서 다른 어떤 것보다 효과적인 방법은 교사가 학생들에게 그들의 학업에 대해 진단 피드백을 주는 것이다. 교사가 학생에게 줄 수 있는 최고의 선물은 지식과 아이디어를 학생의 수학적 발전을 격려하는 긍정적 메시지와 함께 피드백하는 것이다.

엘런 크루스는 나와 함께 비스타 교육구에서 일했던 교사다. 전문성 개발 워크숍을 진행하는 동안 점수나 등급을 진단 피드백으로 대체했을 때의 긍정적 영향을 보여주는 연구 결과를 엘런을 비롯한 다른 교사들과 공유했다. 엘런이 교사로 있던 학교는 캘리포니아주 교육청의 '교육 프로그램 개선Program Improvement' 대상이었다. 다시 말해, 교육청에서는 엘런의 학교를 성적이 매우 나쁜 학교로 여기고 있었다. 그 학교는 다양한 인종의 학생을 수용하고 있었는데, 90%가 라틴계이고, 10%는 다른 인종이었다. 43%의 학생이 영어를 배우고 있었고, 86%는 무상 급식 지원 대상자였다. 교육 프로그램 개선 대상 학교들이 일반적으로 그렇듯이 엘런의 학교 관리자들은 평가에 집중하고 있었다. 평가 문항과 단원 평가는 표준화된 선다형 객관식 문제로 구성되어 있었다. 학교는 소위 '개선'에 집중하고 있었으며, 교사들은 평가 결과 분석 소프트웨어가 생성한 보고서를 검토하느라 시간을 보내고 있었다. 각 학생에게 색상을 할당한 분석 소프트웨어는 다음과 분석 내용을 쏟아냈다. "파란색 학생은 주 시험에서 좋은 성적을 거둘 것이지만 빨간색 학생은 가능성이 거의 없다.", "양 끝에 있는 학생들의 성적이 오르면 학교 전체의 점수에 큰 영향을 미치게 되니, 최하위 학생인 녹색 학생과 최상위 학생인 노란색 학생을 집중

관리하라."

'개선'은 좋은 것이지만 그 개선을 위해 학교에서 사용했던 방법은 학생 개인에게 도움이 되는 것이 아니었다. 학교의 시험 점수에 도움이 되는 학생 그룹을 우선순위에 두는 방법이었다. 학교는 성취도가 높든 낮든 상관없이 신경을 덜 써도 되는 학생들을 추리기 위해 시험 점수에 따라 학생들을 색상으로 구분했다. 살아있는 아이들을 한낱 통계 자료로 취급하는 이런 방법이 미국 전역에서 사용되고 있다. '개선'이라는 허울 좋은 이름 아래 가혹한 판단이 내려지고 그에 따라 학생들에게 꼬리표를 붙이는 일이 일상적으로 일어나고 있다.

이러한 성과주의 문화에서 엘런은 학생들에게 설문 조사를 했는데, 학생들이 가지고 있는 시험에 대한 불안감이 높다는 사실을 발견했다. 학생들은 수많은 시험을 치렀고, 학교 관리자들은 교사에게 좋은 성적이 중요하다고 강조하도록 지시했다. 이 문화를 바꾸고자 했던 엘런이 첫 번째로 한 일은 단원 평가를 중단하고 더 작은 평가로 대체하는 것이었다. '시험', '테스트', '퀴즈'라는 말을 쓰지 않고 작은 평가를 '알고 있는 것을 보여줄 기회'라고 불렀다. 선다형 문제를 없애고 수학 문제에 풀이 과정과 답을 적어달라고 했다. 또한 지역 교육청의 학력 평가 시험 대비를 중단했다. 대신 그녀는 학생들에게 불안감을 주지 않고 "그냥 최선을 다하고 시험에 대해 걱정하지 마세요."라고 말했다. 시험 준비를 하지 않았는데도 엘런의 학생들이 받은 점수는 이전과 다르지 않았고, 불안감은 줄어들었다. 엘렌이 내게 말했던 대로, 학생들이 수학 수업을 즐기기 시작했다는 점이 중요했다.

그러나 엘런은 이 정도 성과에 만족하지 않았다. 그녀는 한 걸음 더 개선하는 방향으로 나아갔다. 다음 해, 그녀는 8학년을 가르치는 동료 교사

네가 할 수 있는 것을 보여줘: 자기평가

개인에게서 우리가 중요하게 여기는 것	(필요하다면) 증명하세요	
끈기 • 끝까지 했나요? • 다른 방법으로 시도했나요? • 질문했나요? • 어디서 막혔는지 설명했나요?		했습니다 확인
다양한 표현 글 그림 차트 다이어그램 그래프 하나 이상의 풀이 과정 데이터 표		했습니다 확인
명확한 예측 • 사고 과정을 설명했나요? • 어떻게 답을 구했나요? 또는 어디서 막혔나요? • 아이디어: 화살표, 색깔, 단어, 숫자		했습니다 확인
결과물 • 과제를 완성했나요? 또는 어디서 막혔나요? • 최선을 다해 과제를 했나요?		했습니다 확인

출처: 엘런 크루스

예시 8.10

애넷 윌슨, 앤절라 타운젠드와 함께 성적 및 등급 매기기를 중단하고, 대신 수학적 진단 피드백을 빨간색 글씨로 적어주기 시작했다. 그들은 평가라는 말 대신 '네가 할 수 있는 것을 보여줘'(예시 8.10)라는 이름을 붙였다. 점수 대신 진단 피드백을 제공하자 학생들은 피드백을 읽고 해석하기 시작했으며 때로는 질문을 하기도 했다. 엘런은 학생들이 요청하면 점수를 알려주었다. 처음에는 진단 피드백을 주는 데 너무 많은 시간이 들었다고 그녀는 이야기했다. 110명의 학생 모두에게 정기적으로 피드백을 주어야 했기 때문이었다. 그래서 학생에게 가장 도움이 될 때 진단 피드백을 주어야 한다는 것을 깨달았다고 했다. 이것이 진단 피드백에 대한 완벽한 접근 방식이다. 과제를 확인하거나 등급을 매기는 것보다 많은 시간이 들지만, 진단 피드백은 학생에게 훨씬 더 도움이 된다. 때때로 피드백은 전문적으로 중요한 시기에 주어져야 하는 값진 선물이다. 하지만 자주 주어질 필요는 없다.

엘런은 이제 많은 학생이 수학 공부를 더 열심히 할 뿐 아니라 최선을 다하려 애쓴다고 했는데, 이것이 이상적인 결과이다. 평가 방법을 완전히 새롭게 바꿔 유용한 정보를 얻은 덕분에 엘런은 교수법을 개선할 수 있었고, 이 정보를 가지고 교육 계획을 세웠다. 엘런이 교수법과 평가 방법을 바꾼 다음 해에 그녀가 가르쳤던 학생 가운데 고등학교에 진학한 학생들의 성적이 크게 향상되었고, 고등학교 대수 수업의 중도 포기 비율도 절반으로 줄었다.

최근 몇 년 동안, 콜로라도에 있는 한 훌륭한 고등학교 수학 부서의 연구 결과를 알게 되었다. 이 학교 교사들은 '통합'이라고 불리는 고등학교 교과과정 중 하나를 사용하는데, 실제로 수학의 다양한 부분을 통합해 학생들에게 현실 세계와 비슷한 문제를 제시하는 과정이다. 통합 수학에 관해 너무나 많은 교재가 나와 있는데, 대부분이 짜깁기식으로 엮여있다. 출판사들은 통합 수학으로 전환되어야 한다고 주장하면서 대수학과 기하학 교과서를 가져다가 각각의 단원을 흩어놓은 다음 번갈아 끼워넣어 만든 새로운 교과서를 '통합' 교과서라고 부른다. 너무 어이없어 웃음이 나올 지경이다. 통합 수학의 목적은 학생들에게 세상의 문제와 비슷한

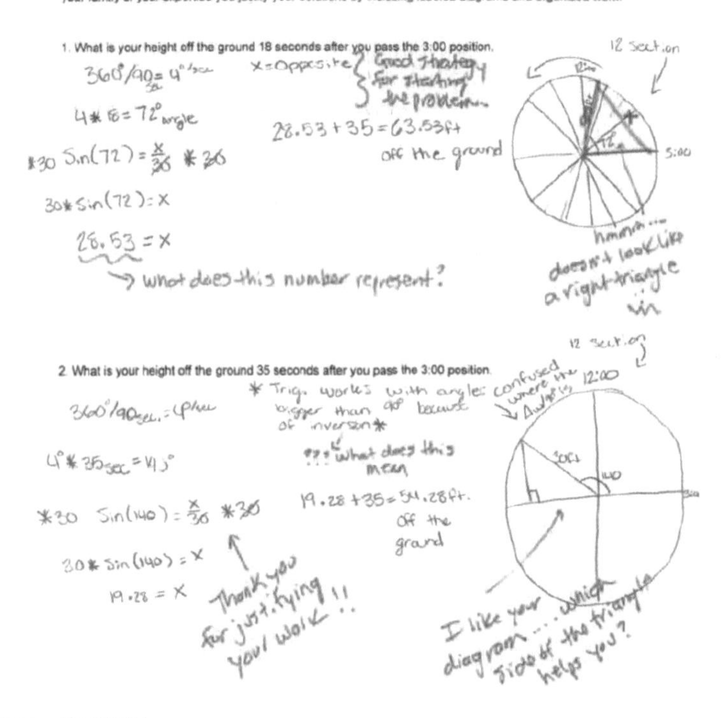

High Dive – Checkpoint 1 Name

While on a road trip with your family, you stop for lunch in a small town that has a Ferris wheel. This Ferris wheel has a radius of 30 feet, the center of the wheel is 35 feet above the ground, and the wheel completes one full rotation in 90 seconds. (The Ferris wheel still rotates counter clockwise.)

You want to impress your family by telling them how high off the ground you are at certain times. To convince your family of your expertise you justify your solutions by including labeled diagrams and organized work.

1. What is your height off the ground 18 seconds after you pass the 3:00 position.

$360°/90_{sec} = 4°/sec$

$4 * 18 = 72°$ angle

$*30$ $\sin(72) = \frac{x}{30}$ $*30$

$30 * \sin(72) = x$

$28.53 = x$

→ what does this number represent?

x = Opposite — Good strategy for starting the problem

$28.53 + 35 = 63.53$ ft off the ground

12 section

3:00

hmmm... doesn't look like a right triangle

2. What is your height off the ground 35 seconds after you pass the 3:00 position.

$360°/90_{sec} = 4°/sec$

$4° * 35_{sec} = 140°$

$*30$ $\sin(140) = \frac{x}{30}$ $*30$

$30 * \sin(140) = x$

$19.28 = x$

* Trig. works with angles bigger than 90° because of inversion *

??: what does this mean

$19.28 + 35 = 54.28$ ft. off the ground

Thank you for justifying your work!!

12 section

confused where the Δ will go

12:00

30ft

140

I like your diagram.... which side of the triangle helps you?

그림 8.8 하이 다이브

문제, 즉 수학의 다양한 부분을 함께 사용해야 하는 문제를 해결하도록 하는 것이다. 내가 아는 한, 미국에는 실제로 통합된 고등학교 커리큘럼이 두 개밖에 없다. 하나는 코어 플러스(Core Plus: 수학, 과학, 영어, 사회과 등 기본 과목을 넘어서는 교육과정. 종종 학생들이 특정한 관심 분야를 더 깊이 연구할 수 있도록 하는 AP 수업, 우등 과정, 선택 과정 등을 포함한다_역자 주)

이고, 다른 하나는 대화형 수학 프로그램(Interactive Mathematics Program, IMP: 4년 연속으로 대학 진학을 준비하는 수학에 도전할 수 있도록 고안된 통합 고등학교 수학 교과과정_역자 주)이다. 콜로라도의 교사들은 IMP를 사용하고 있다. 이 학교의 교사들은 높은 품질의 교과과정뿐만 아니라 모든 학생이 높은 수준에 도달할 수 있도록 수준별 반 편성 수업을 폐지했으며, 최근 몇 년 동안 학생들에게 성적을 부여하지 않고 있다. 성적 대신 '하이다이브High Dive' 프로젝트에 대한 교사의 의견과 같이 모든 과제와 프로젝트에 대한 진단 피드백을 제공하고 있다(그림 8.8).

콜로라도 교사들의 이런 노력에 관해 설명한 논문을 유큐브드에 올려두었다. 이 논문은 나와 유큐브드 팀 크리스티나 댄스와 에스텔라 우드버리가 작성한 것인데, 콜로라도의 교사들뿐만 아니라 일리노이와 샌디에이고의 다른 고등학교 교사들의 혁신적인 평가 방법에 관해 설명하고 있다. 이 교사들은 모두 성적 평가의 부정적인 영향을 깨닫고 학생에게 점수 및 등급 부여를 그만두려고 노력하고 있다(www.youcubed.org/resource/assessment-grading/).

점수 및 등급 부여에 관한 조언

불행하게도 많은 교사가 지역 교육청이나 학교 행정 부서의 요구로 학생에게 점수 및 등급을 부여해야 하는 경우가 있다. 성적 평가는 과정 마지막에만 이루어지는 것이 이상적이다. 과정이 진행되는 중에는 점수나 등급을 부여하지 않는 것이 좋지만, 학생들의 더 나은 학습을 위한 정보가 필요한 경우에만 형성 평가를 통해 등급을 부여해야 한다. 다음은 공정하게 등급을 부여하는 방법과 등급을 부여하면서도 긍정적인 성장 메시지를 지속해서 전달하는 방법에 관한 조언을 정리한 것이다.

1. 더 높은 등급을 얻기 위해 과제를 다시 제출하거나 시험을 다시 치를 수 있어야 한다. 학생에게 성과가 아니라 배우는 것 자체에 신경을 쓰라는 것이 궁극적인 성장 마인드셋 메시지다. 일부 교사는 학생들이 그저 등급을 올리는 방법으로 이용할 수 있어서 불공정한 처사라고 말하기도 한다. 하지만 우리는 그런 아이들 마음 중심에 있는 배움에 대한 노력을 소중하게 여겨야 한다.

2. 등급을 공유하는 대상은 학생들이 아니라 학교 관리자들이어야 한다. 교육과정이 다 끝나기 전에 등급을 매겨야 한다는 것이 교사가 학생에게 성적을 알려줘야 한다는 의미는 아니다. 상담을 통해 성적을 올리는 방법을 알려주거나 서면으로 진단 피드백을 학생에게 제공하라.

3. 다차원 등급을 사용하라. 많은 교사가 수학이 폭넓다는 것을 알고 있으며 수업에서 다차원적인 수학을 높게 평가한다. 하지만 학생을 평가할 때는 오직 절차적인 질문에 옳은 답을 적었는지에 집중한다. 나와 함께 일했던 최고의 교사들은 등급을 매길 때 시험 성적뿐 아니라 수학에 관련된 모든 활동(예를 들어 학생이 질문했는지, 다른 풀이 방식, 근거, 증명 과정을 보여주었는지, 또는 생각을 발전시켜 나갔는지)을 기록해 반영한다. 즉, 수학의 다차원적인 면을 평가한다. 다양한 수학 활동으로 평가하면 더 많은 학생이 성공한다.

4. 100점 만점 기준으로 점수를 주지 말라. 등급을 매기기 위한 과제 몇 가지를 정해놓고 각각에 대해 100점 만점을 기준으로 과제를 내지 않았거나 마무리를 제대로 하지 못했을 때 0점을 주는 관행은 불공정한 처사다. 더글라스 리브스Douglas Reeves는 이러한 관행은 논리적이지 못하다는 것을 보여주었다. A, B, C, D 등급을 받은 학생들 간의 차이는 모두 10점이지만 D와 F 사이는 60점이다. 한 번 과제를 내지 않으면 A를 받을 수 있는 학생이 D로 떨어질 수 있다는 것을 의미한다. 리브스는 4점 만점 기준으로 점수를 매길 것을 권한다.

A = 4

B = 3

C = 2

D = 1

F = 0

이렇게 점수를 주면 각 등급 사이의 간격이 모두 같다.

A = 91 +

B = 81 – 90

C = 71 – 80

D = 61 – 70

F = 0

이 경우는 수학적으로 전혀 의미 없는 척도다(Reeves, 2006).

5. 수업 초기에 내주었던 과제를 최종 평가에 포함하지 말라. 수업 초기의 과제를 평가에 포함하는 것은 이전 수업 내용으로 등급

을 매기는 것이다. 등급은 그 수업에서 배운 것을 평가하는 것이지 이전 수업에서 배운 것을 평가하는 것이 아니다. 학생들이 그 수업에서 배운 것에 대해 주어진 과제와 활동 내용으로 매겨져야 한다.

6. 숙제는 등급을 매기는 데 포함하지 마라. 6장에서 설명했듯이, 숙제는 교육에서 불공정한 관행 중 하나다. 등급을 매기는 데 숙제를 포함하는 것은 학생들에게 스트레스만 줄 뿐 불공정한 결과를 가져올 가능성이 크다.

결론

학생을 평가할 때, 교사는 학생에게 성취도가 아닌 학습에 대한 정보를 제공해 학생이 좀 더 빨리 성공으로 가는 길에 들어서게 하고, 수학과 학습에 대한 강력한 성장 마인드셋 메시지를 전달하는 놀라운 기회를 얻게 된다. 성적과 시험을 학습 평가 방식으로 변경하면 학생의 성취도, 자기 신념, 동기부여 및 향후 학습 경로에 강력하고 긍정적인 영향을 미친다는 상당한 연구 증거가 있다. 이 장에서는 이러한 변화를 가져온 헌신적이고 통찰력 있는 교사들의 작업 중 일부를 공유했다. 마지막 장에서는 성장 마인드셋 수학 교실을 만들고 유지할 수 있는 모든 방법을 검토하겠다.

Chapter 9

성장 마인드셋을 위한 수학 교육법

이 책을 쓴 목표는 수학 교사, 교육계 리더, 학부모에게 학생들이 수학을 개방적이고 성장하며 배우는 과목으로 받아들이고, 스스로 학습 과정에서 강력한 주체가 될 수 있는 다양한 교수 아이디어를 제공하는 것이었다. 마지막 장을 쓰면서 나는 아이들의 잠재력에 대해 생각하는 방식부터 책임감 있고 스스로 조절하는 학습자를 만드는 평가 형태에 이르기까지 꽤 긴 여정을 지나왔음을 깨달았다. 이 장에서는 이 책 전반에 걸쳐 다루었던 일련의 교수 아이디어를 발췌하여 제공할 텐데, 이 아이디어들은 성장 마인드셋 수학 교실을 만들고 유지하는 데 도움이 될 것이다. 앞에서 언급했던 아이디어들을 요약하고 간추려 성장 마인드셋 수학 교실 구성을 돕는 간결한 가이드를 제공할 것이다.

교실 규칙 정하기

학생은 교사가 자신에게 어떤 기대를 하고 있는지 잘 모르는 채로 수업에 참여한다. 수업을 시작하는 처음 며칠, 심지어 수업 첫날의 처음 몇 시간은 교실 규칙을 세우기에 아주 좋은 시간이다. 나는 종종 학생들에게 내가 중요하게 생각하는 것과 그렇지 않은 것에 관해 이야기하며 수업을 시작한다. 학생들에게 하는 이야기는 다음과 같은 것들이다.

- 나는 학생 한 사람 한 사람을 믿으며, 수학머리나 수학 유전자 같은 것은 없다고 생각한다. 모든 학생이 최고 수준에 이를 것이라 기대한다.
- 나는 실수와 어려움을 아주 좋아한다. 학생들이 어려움을 겪는 순간마다 두뇌는 성장하고 연결되며 강화된다.
- 실패와 어려움은 수학을 할 수 없다는 것을 의미하지 않는다. 오히려 수학과 학습의 가장 중요한 부분이다.
- 나는 학생들이 빨리 문제를 푸는 것을 중요하게 생각하지 않는다. 나는 학생들이 흥미로운 경로와 표현을 만들어내는 심층적인 작업을 하는 것을 중요하게 생각한다.
- 누군가가 더 빠르게 또는 더 쉽게 문제를 풀었다고 해서 그 사람이 수학을 더 잘한다고 볼 수 없다. 속도는 중요하지 않으며, 수학자 중 많은 수가 매우 느린 사고방식을 가지고 있다.
- 나는 학생들의 질문을 정말 좋아한다. 그 질문들을 포스터에 붙여 학급 전체가 생각해 볼 수 있도록 벽에 걸어놓을 것이다.

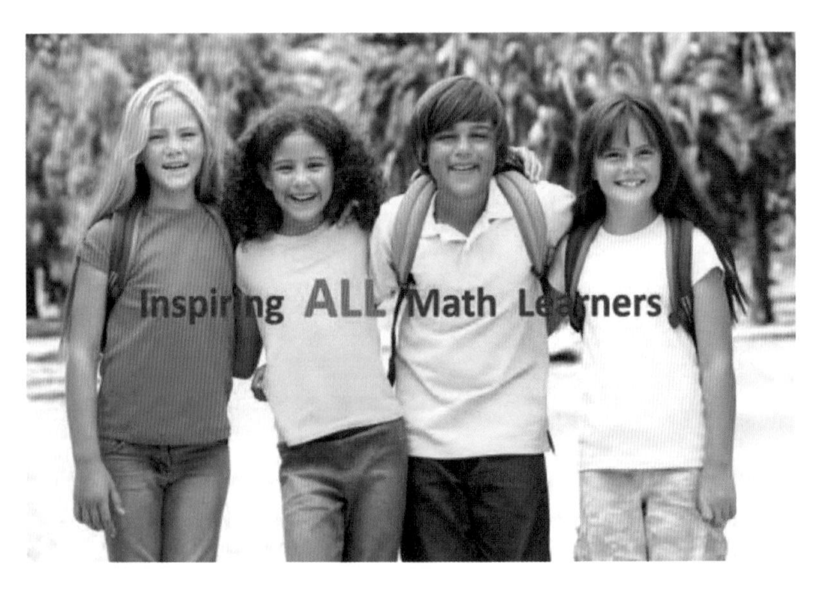

그림 9.1　수학을 배우는 모든 이에게 영감 불어넣기

출처: Catherin Yeule/GettyImages

그러나 이 모든 이야기는 그저 말일 뿐이다. 확실히 중요하고 좋은 말이지만, 학생들이 이런 이야기가 교사의 행동으로 증명되는 것을 보지 못한다면 아무런 쓸모가 없다.

우리는 한 해 동안 수업을 진행하면서 지켜야 할 일곱 가지 중요한 규칙을 유큐브드에 올려 많은 교사와 공유하고 있다. 이 책의 각 장에서 각각의 규칙을 세워가는 방법을 살펴보았다. 일부 교사는 수업을 시작할 때 이 포스터를 교실 벽에 붙여놓은 것이 도움이 되었다고 했다(예시 9.1 및 부록 B의 수학 수업에서 긍정적인 규칙 설정 및 유큐브드 포스터 섹션 참조).

학생들에게 규칙과 기대에 대해 알려주는 것뿐 아니라, 학생들이 그룹 학습을 할 때 자신들이 원하는 규칙에 관해 직접 소통하도록 하는 것 역시 중요하다.

수학 수업에서 격려해야 할 긍정적인 규칙

1. 누구나 수학을 최고 수준까지 배울 수 있다.
   학생이 자신을 믿도록 격려하라. '수학 천재'는 없다. 누구나 노력하면 자신이 원하는 최고 수준에 도달할 수 있다.
2. 실수는 소중한 것이다.
   실수를 통해 두뇌가 성장한다. 어려움을 겪거나 실수하는 것은 좋은 일이다.
3. 질문은 정말 중요하다.
   항상 질문하라. 항상 질문에 답하라. 자신에게 물어보라. '왜 그게 말이 되는 거지?'
4. 수학은 창의력과 이해력에 관한 것이다.
   수학은 매우 창의적인 과목이다. 그 핵심은 패턴을 시각화하고 다른 사람이 이해할 수 있는 해법을 만들어내고 토론하고 비평하는 것이다.
5. 수학은 연결과 소통에 관한 것이다.
   수학은 다양한 분야와 연결된 과목이며 의사소통의 한 형태이다. 수학을 언어, 그림, 그래프, 방정식 등 여러 가지 다른 형태로 나타내보라. 그리고 그것들을 연결하라. 색깔로도 표현해 보라.
6. 깊이가 속도보다 훨씬 더 중요하다.
   로랑 슈바르츠와 같은 최고의 수학자는 천천히, 그리고 깊이 생각한다.
7. 수학 수업은 성적이 아니라 학습에 관한 것이다.
   수학은 성장을 배우는 과목이다. 배우는 데는 시간이 걸리고 노력이 필요하다.

예시 9.1

그룹 과제를 주기 전에 나는 7장에서 검토한 것처럼 수학 문제를 함께 풀 때 다른 학생들이 하지 않았으면 하는 행동이나 말, 했으면 하는 행동이나 말에 관해 그룹에서 토론하게 하고 규칙을 정한 후에 포스터로 만들도록 한다. 이러한 과정은 학생들이 긍정적인 규칙을 정하는 데 도움을 준다.

7장에서 언급한 레일사이드 학교 교사들은 학생들에게 그룹 활동을 잘하는 방법, 즉 서로 경청하고 존중하며 서로의 아이디어를 발전시키는 방법을 가르치면서 좋은 그룹 활동을 매우 신중하게 장려했다. 교사들은 고등학교 첫 10주 동안 학생들이 배우는 수학에 초점을 두지 않고 집단 규범과 상호작용 방식에 중점을 두기로 했다. 학생들은 수업 시간 내내 함께 수학을 공부했지만, 교사들은 내용 적용에 대해서는 걱정하지 않았고 학생들이 상호 존중하는 그룹 활동을 배우는 것에만 관심을 두었다. 이러한 신중한 교수법 덕분에 성공적인 그룹 학습이 가능했으며, 고등학교 4년 동안 학생들의 수학 성취도가 놀랍게 상승했다(Boaler & Staples, 2008).

참여 퀴즈

그룹 활동을 장려하는 전략 중 내가 가장 좋아하는 전략은 학생들에게 참여 퀴즈를 풀도록 요청하는 것이다. 그룹 활동 초기에 사용하길 권하는 전략인데, 자주 사용해도 좋다. 지금은 이 전략을 '참여 끌어내기'라고 부른다. 복합 수업을 개념화한 코언과 로탠(Cohen & Lotan, 2014)은 등급을 매긴 '참여 퀴즈' 아이디어를 추천한다. 부정적인 고정 메시지를 전달하는 개인별 등급은 매기지 않고, 그룹 활동에만 등급을 매긴다. 하지만 어느 그룹이 그룹 활동을 잘했는지 점수를 매기는 것은 참여 퀴즈의 최종 목표가 아니다. 상호작용 방식이 중요하며 그룹 내 학생 간 상호작용 상태를 교사가 알고 있다는 것을 학생들에게 강력하게 전달하는 것이 목표다. 이 그룹화 전략을 배워 사용해 본 교사들은 이 방법으로 학생들이 그룹 활동에 참여하는 방식이 급속도로 달라졌다고 내게 말해주었다.

참여 퀴즈를 진행하려면 학생들이 그룹 활동으로 수행할 과제를 선택한 다음, 교사가 중요하게 생각하는 작업 방식을 보여줘야 한다. 예를 들어, 예시 9.2와 9.3은 레일사이드 교사들이 제공한 슬라이드다. 첫 번째 슬라이드에서는 교사가 가치를 두는 수학적 작업 방식을 강조해서 보여준다. 더 어린 학생들에게 적용하려면 예시 9.2보다 짧아야 할 것이다. 두 번째 슬라이드에서는 좋은 그룹 작업으로 이끄는 상호작용 방식에 중점을 두고 있다.

이 내용을 화면에 띄우는 대신 교실 벽에 포스터로 붙여놓을 수도 있다. 일단 이 내용을 학생들에게 제시한 다음, 그룹 활동을 시작하게 한다. 학생들이 그룹으로 함께 과제를 수행하는 동안 교사는 각 그룹의 행동을 주의 깊게 관찰하면서 의견을 작성한다. 그러기 위해서는 의견을 그룹별로 구분해서 적을 수 있는 여러 장의 종이, 또는 구획이 나뉜 화이트보드 등이 필요하다. 32명의 학생을 4명씩 8개의 그룹으로 나눴다면 다음과 같이 구분해 의견을 적는다.

1.	2.	3.	4.
5.	6.	7.	8.

관찰 의견을 쓸 때는 수업 중에 교실을 돌아다니면서 학생들이 실제 사용한 말을 인용해 쓰기를 권한다. 어떤 교사는 관찰 의견을 공개적으로 작성하는데, 교실 맨 앞에 있는 칠판에 써놓기도 한다. 종이에 관찰 의견을 쓴 후 게시판에 붙여놓는 교사도 있다. 수업 마지막에는 관찰 의견을 적은 차트를 완성해 그룹마다 등급을 매기거나 그룹 활동에 관한 피드백을 줄 수 있어야 한다. 다음은 참여 퀴즈를 진행한 후 교사가 작성한 참여 퀴즈 평가의 예이다.

참여 퀴즈의 수학적 목표

만일 우리 그룹이 다음과 같다면, 오늘 과제를 성공적으로 해낼 것입니다.
- 패턴을 찾고 설명하기
- 생각을 입증하고 여러 방식으로 표현하기
- 다양한 접근 방식, 표현을 연결하기
- 단어, 화살표, 숫자, 색깔로 아이디어를 명확하게 전달하기
- 팀원과 선생님에게 아이디어를 명확하게 설명하기
- 다른 팀원의 생각을 이해하기 위해 질문하기
- 더 깊이 생각하게 만드는 질문하기
- 그룹 외부의 사람들이 우리 그룹의 생각을 이해할 수 있도록 발표 구성하기

이 모든 일을 다 잘하는 사람은 없지만, 누구나 잘하는 것 한 가지는 있습니다. 오늘 과제를 성공적으로 해내려면 우리 그룹 구성원 모두가 필요합니다.

출처: 카를로스 카바나

예시 9.2

참여 퀴즈의 그룹 목표

참여 퀴즈를 하는 동안, 나(선생님)는 다음 사항을 관찰할 것입니다.
- 책상에 앉아 열심히 참여하는가?
- 발표 시간을 공평하게 분배하는가?
- 함께 문제를 해결하려고 끝까지 노력하는가?
- 그룹 구성원은 서로의 의견을 경청하는가?
- 그룹 구성원은 서로에게 질문을 많이 하는가?
- 그룹이 정한 규칙을 잘 지키는가?

출처: 카를로스 카바나

예시 9.3

빠른 시작 모두 함께 과제 수행 토론 – 매우 훌륭함 함께 잘 지냄 "모든 사람이 그 모양을 어떻게 보는지 알아보자." A+	4명 모두 과제 수행 각자 과제 수행 후 확인 좋은 질문을 던짐 "다른 수가 되면 어떻게 될까?" 그룹 내 역할 수행 잘했음 A+	"너희는 어떻게 생각해?" 책상 가운데 도형 만듦 서로 문제 푼 것을 확인 A+	옷에 관해 이야기함 과제 수행 연기 중단한 그룹 개별 수행, 토론 없음 B
여러 아이디어 시도 서로에게 질문 과제에 관해 이야기함 A	과제 수행 속도 느림 과제 수행 연기 책상 가운데 도형 만듦 여러 아이디어 확인 토론 – 좋음 A	"혹시 다른 방법 찾았니?" 서로에게 잘 설명함 의미에 관한 훌륭한 논쟁 A+	잘 시작했음 조용히 읽음 수업 시간 내내 집중 좋은 질문을 던짐 A+

관찰 의견을 반드시 상세하게 적을 필요는 없다. 하지만 상세한 관찰 의견은 교사가 중요하게 여기는 것이 무엇인지 학생들이 이해하고, 다른 학생과 어떻게 상호작용해야 하는지에 대해 주의 깊이 생각하도록 돕는다. 내게 이 방법을 배운 스탠퍼드 학부생과 교사들도 참여 퀴즈를 즐겼다. 내가 노트패드를 들고 관찰 의견을 적으려고 그들이 앉아있는 책상 주위를 다니면 과장된 몸짓으로 적극적인 모습을 보이고 깊이 있는 질문을 던지곤 했다. 학생들 역시 참여 퀴즈를 즐기면서 그룹 활동에 잘 참여하기 위해 무엇을 해야 하는지 훨씬 더 명확하게 깨닫게 된다.

나는 참여 퀴즈의 효과가 매우 크다고 믿는다. 학생들을 그룹 활동에 참여시키는 데 어려움을 겪었던 교사들은 이 방법을 사용한 뒤 학생들의 긍정적인 변화에 놀라곤 했다. 놀랍도록 짧은 시간 안에 학생들은 서로에게 좋은 질문을 던지고 어떻게 하면 다른 팀원이 동등하게 참여할 수 있는지 생각하기 시작했다. 학생들이 그룹 활동에 잘 참여하고 서로를 존중하며 좋은 질문을 하면, 교실은 학생과 교사 모두를 위한 최고의 공간이 된다.

모든 학생을 신뢰하라

학생에게 교사가 자신을 신뢰한다는 것이 얼마나 중요한지 알고 있었다. 교사로서 알고 있던 이 사실을 최근에 학부모로서 다시 뼈저리게 경험했다. 딸이 영국에서 학교에 다니던 다섯 살 때, 담임 선생님이 다른 학생에게는 더 어려운 수학 문제를 준다는 것을 알아채고는 집에 와서 내게 그 이유를 물었다. 선생님이 자기가 잠재력을 가지고 있다고 생각하지 않는다는 것을 깨달았을 때, 딸의 자신감은 산산이 조각났고 고정 마인드셋을 가지게 되었다. 이것이 오랫동안 딸의 학습과 자신감에 상처를 주었음은 물론이다. 몇 년이 지난 현재, 부모인 우리의 도움과 훌륭한 교사의 노력 덕분에 변화한 딸은 성장 마인드셋을 가지게 되었고 수학을 무척 좋아한다. 선생님이 딸에게 신뢰하지 않는다고 말하지 않았는데도 그 메시지는 겨우 다섯 살 꼬마도 느낄 정도로 분명하게 전해졌다.

딸이 영국에서 다녔던 학교는 2학년부터 수준별 반 편성을 했지만, 내가 교장 선생님에게 수준별 반 편성의 악영향에 관한 연구 결과를 보내고 다양한 성취 수준의 학생으로 구성된 그룹을 가르치는 전략을 공유한 이후에 이러한 관행을 중단했다. 교장 선생님은 학교가 이렇게 바뀐 후 수학 수업이 달라졌고, 학교 전체의 성취도가 높아졌다는 편지를 보내주셨다. 빨간색 반, 파란색 반과 같은 이름으로 수준별 반 편성을 하더라도 학생들은 그 의미를 금방 알아채게 되고 더욱 고정된 마인드셋을 가지게 된다. 딸의 학교에서 낮은 반에 들어가게 된 아이들은 집에 와서 "똑똑한 친구들은 전부 다른 반에 갔어."라고 말했다. 수학뿐만 아니라 일반 학습자로서 자기 잠재력에 대해 받은 메시지는 이 아이들에게 큰 충격을 주었다. 우리가 국가적으로 취해야 할 첫 번째 조치는 고정 마인드셋에서 비롯된 구시대적인 방식에서 벗어나 모든 학생에게 자신이 최고의 수준에 이를 수 있다고 알려주는 것이다.

교사가 자신을 신뢰한다는 사실이 학생에게 얼마나 중요한지 최근 연구에서도 확인되었다. 수백 명의 학생이 고등학교 영어 수업을 대상으로 한 실험에 참여했다. 참여한 모든 학생은 에세이를 작성했고, 교사로부터 그에 대한 비판적인 진단 피드백을 받았다. 참여한 절반의 학생은 피드백 하단에 한 문장을 더 받았다. 추가 문장 외에 다른 차이는 없었고 심지어 누가 추가 문장을 받았는지 교사들은 전혀 몰랐다. 그런데 추가 문장을 받은 학생들은 1년 후에 유의미하게 더 높은 수준의 성취를 달성했다. 단 한 문장으로 학생들의 학습 경로를 놀랍게 변화시키는 기적을 낳을 수 있다는 것이 믿기지 않는다. 그 기적의 한 문장은 바로 이것이다.

> "네게 이 피드백을 주는 이유는 너를 믿기 때문이야."

이 문장을 받은 학생들은 1년 후 더 높은 성취를 보였다. 특히 이런 효과는 교사가 자신을 낮게 평가한다는 느낌을 받는 유색인종 학생들에게서 유의미하게 나타났다(Cohen & Garcia, 2014). 이 결과를 교사 대상 워크숍에서 자주 공유하는데, 학생에게 교사로부터 신뢰받는다는 느낌이 얼마나 중요한지 교사들은 충분히 이해하고 있다. 교사들이 학생들의 모든 과제에 이 같은 문장을 적어주길 바라는 게 아니다. 만일 그렇게 하면 학생들은 그 문장이 진짜가 아니라고 생각하게 되어 오히려 역효과를 낳을 것이다. 교사의 말과 학생들에 대한 교사의 믿음은 강력한 힘을 가졌음을 강조하고, 교사들이 항상 긍정적인 믿음 메시지를 심어주도록 격려하기 위해 이 연구 결과를 공유한다.

교사는 격려하는 말로 학생에게 긍정적인 기대감을 전달할 수 있다. 동기가 부여된 것처럼 보이거나 쉽고 빠르게 학습하는 학생에게는 쉽게 전달할 수 있다. 하지만 학습 속도가 늦거나 의욕이 없어 보이는 학생에게 긍정적인 믿음과 기대를 전하는 것이 훨씬 중요하다. 또한 학생이 개념을 이해하는 속도가 수학 잠재력을 나타내지 않는다는 점을 인식하는 것도 중요하다(Schwartz, 2001). 쉬운 일은 아니지만, 학생들이 수학 과제를 끝내기 전에 누가 잘할지 편견을 갖지 않아야 한다. 교사는 항상 어떤 학생이든지 정말 잘 해낼 수 있을 거라는 열린 기대를 하고 있어야 한다. 늘 수학을 어려워하고 굉장히 질문을 많이 하거나 앞으로 나가지 못하는 학생들이 있다. 이들은 수학적 잠재력을 지녔지만, 고정 마인드셋 때문에 어려움을 겪고 있을 가능성이 크다. 어린 나이에 수학에 관한 부정적인 경험을 했거나 부정적인 메시지를 받은 학생도 있을 수 있고, 두뇌 성장과 학습 기회를 얻지 못해 낮은 수준에 머물게 된 학생도 있을 것이다. 좋은 수학 교육과 긍정적인 메시지, 교사의 높은 기대(가장 중요한!)를 받으면 이런 학생들도 높은 수준으로 도약할 수 있다. 교사는 이런 학생들에게 좋은 환경을 만들어주고 학습 경로를 자유롭게 해 주는 사람이 될 수 있다. 이런 사람은 단 한 사람이면 충분하다. 학생들이 결코 잊지 못할 한 사람이면 된다.

노력과 실패를 중요하게 생각하라

교사는 학생들에게 관심을 쏟고 학생들이 잘하기를 바라며, 학생들이 수학에 대해 긍정적인 감정을 느끼는 것이 중요하다는 것을 알고 있다. 그래서 학생들이 문제 대부분을 바르게 풀 수 있도록 수학 수업을 설계하는 것일지도 모른다. 하지만 새로운 뇌 연구 결과에 따르면 학생들에게 필요한 것은 이런 수업이 아니다. 가장 생산적인 교실은 학생들이 복잡한 문제를 공부하고, 위험을 무릅쓰도록 격려받으며, 애써 노력하고 실패하면서 어려운 문제에 도전하는 데 만족감을 느끼는 교실이다. 즉, 수학 과제는 학생들이 두뇌를 성장시키고 연결할 기회를 제공하기 위해 어려워야 하지만, 그렇다고 해서 학생들을 좌절시킬 정도로 지나치게 어려우면 안 된다. 난도를 높이지 말고 과제의 성격을 바꿔야 한다. 바닥은 낮고 천장은 높은 과제는 교사에게 있어 최고의 동료라고 할 수 있다. 편협한 질문만으로는 모든 학생에게 적절한 도전을 제공할 수 없다. 과제의 바닥이 낮다는 것은 누구나 그 아이디어에 접근할 수 있다는 것을 의미한다. 과제의 천장이 높다는 것은 학생들이 아이디어를 높은 수준으로 가져갈 수 있다는 것을 의미한다.

과제를 바꿀 뿐만 아니라, 교사들은 노력과 실패가 좋은 것이라는 메시지를 학생들에게 자주 전달해야 한다. 내가 가르치는 스탠퍼드 학부생 중 상당수는 지금까지 살아오면서 늘 높은 수준의 성취도를 달성해 왔으며 '똑똑하다'는 말과 함께 해로운 고정 마인드셋 피드백을 자주 들어왔다. 대학교에서 더 열심히 공부하고도 B 학점을 받았을 때, 이들 중 일부는 당황한 나머지 무너져 자기 능력을 의심하게 된다. 어렵고 힘든 과제

(실제로는 배울 가치가 많은 과제)를 수행할 때, 이들은 쉽게 자신감을 잃고 자신이 스탠퍼드 대학교에 다닐 만큼 '똑똑한지' 의심하기 시작한다. 성과주의 문화에서 자란 이들은 힘들게 노력하고 실패하는 것을 결코 가치 있다고 여겨본 적이 없다. 내가 맡은 신입생 반의 학부생들은 수업 시간에 배운 아이디어가 자신들에게 매우 중요했고, 노력하는 것이 좋다는 것을 배운 덕분에 STEM 수업을 계속 들을 수 있었으며, STEM 진로를 포기하지 않게 되었다고 말했다.

4장에서 논의한 것처럼 '천재'로 여겨지는 사람들조차도 열심히 노력했지만 실패한 경우가 많다는 점을 지적하면서 '노력에 의한 성취'의 신화를 깨기 위해 노력해야 한다. 또한 수학을 잘하는 학생을 키우는 '쉬운 성취'를 중시하는 것도 지양해야 한다. 그 대신 끈기와 열심히 생각하는 것을 중요시해야 한다. 학생들이 실패하고 애써 노력하는 것은 두뇌가 성장하고 시냅스가 활성화되며 미래에 더 강해질 수 있는 새로운 경로가 개발되고 있다는 의미이다.

성장을 칭찬하고 도움주기

캐럴 드웩이 유치원 아동을 대상으로 연구했을 때, 어떤 아동은 실패를 경험해도 끈기 있게 계속 시도하는 반면, 어떤 아동은 쉽게 포기하고 쉬운 과제만 계속하려고 했다. 3, 4세 아동에게서도 끈기 있는 태도와 그렇지 않은 태도가 분명하게 드러났다.

연구진은 아동들과 함께 역할극을 하면서 아동들에게 연구진의 과제에 응답하는 어른 역할을 해달라고 했다. 끈기 있는 아이들은 더 많은 시간을 주거나 다른 접근 방식을 사용하면 성공할 수 있다고 말했다. 끈기가 없는 아이들은 과제를 끝마치지 못했으니 방에 앉아 있어야 한다고 말했다. 끈기가 없는 아동은 자신에게 개인적인 한계가 있고 실패는 나쁜 것이라는 피드백을 받은 것으로 보인다(Gunderson et al., 2013). 이 연구뿐만 아니라 마인드셋에 관한 다른 많은 연구(Dweck, 2006a; 2006b; Good, Rattan & Dweck, 2012)는 학생에게 제공하는 피드백 및 칭찬의 형태가 매우 중요함을 알려준다. 학생에게 고정 마인드셋을 심어주는 한 가지 방법은 학생들에게 고정된 칭찬, 특히 똑똑하다는 칭찬을 하는 것이다. 학생들은 자신이 똑똑하다는 말을 들으면 처음에는 기분이 좋지만, 노력했는데도 실패했을 때는 자신이 그다지 똑똑하지 않다고 믿기 시작한다. 학생들은 '똑똑함'이라는 고정된 척도로 자신을 계속 판단하게 되는데, 이런 판단은 자신에게 상처를 입힌다. 많은 스탠퍼드 학부생이 그랬던 것처럼, 똑똑하다는 긍정적인 피드백을 많이 받더라도 해가 될 수 있다.

교사와 학부모는 아이들에게 똑똑하다거나 영리하다고 말하는 대신 아이들이 사용한 특정 전략에 초점을 맞춰 칭찬해야 한다. '그런 것을 배웠다니 대단해' 또는 '문제에 대해 생각하는 방식이 마음에 들어'와 같은 칭찬이 좋다. 우리는 사람을 평가할 때 똑똑하다, 영리하다라고 표현하는 것에 익숙해서 이런 말을 쓰지 않기가 쉽지 않다. 내가 가르치는 학부생들은 이 부분에 대해 매우 노력한 결과, 이제는 '좋은 사고력을 가지고 있다', '열심히 배우고 노력한다', '끈기 있는 사람이다'라고 칭찬한다.

학생들이 문제를 틀렸을 때 '그건 틀렸어'라고 말하는 대신, 학생들의 생각을 함께 살펴보고 바로잡아주면 된다. 예를 들어, 학생이 1/3과 1/4을 더해 2/7이라는 답을 냈다면 다음과 같이 말할 수 있다. "아, 네가 뭘 하는지 알겠다. 우리가 알고 있는 덧셈을 해서 위쪽과 아래쪽 숫자를 더했구나. 하지만 이것들은 분수이니까 더할 때는 분수를 구성하는 개별 숫자가 아니라 분수 전체에 대해 생각해야 해." 학생들의 생각에는 항상 자기 나름의 논리가 있다. 그 논리를 찾아내는 것은 아주 좋은 일이다. 학생에게 '실패했다'라는 생각을 주지 않기 위해서가 아니라 학생의 사고를 존중하기 위해서다. 학생이 과제를 완전히 잘못 풀었다고 하더라도 그 과제가 너무 어렵다는 생각을 주지 않도록 조심해야 한다. 자칫 학생이 자기 능력에 한계가 있다고 생각할 수 있기 때문이다. 대신 전략에 초점을 맞춰 다음과 같이 말해주는 편이 좋다. "이 과제를 푸는 데 필요한 방법을 아직 배우지 못해서 그래. 곧 배우게 될 거야."

학생에게 너무 많은 도움을 주어 과제의 인지적 요구를 빼앗지 않는 것 역시 중요하다. 프랑스의 수학 교육학자 기 브루소Guy Brousseau는 전 세계의 교사와 연구자들이 인식하고 있던 이런 현상을 '교수적 계약'이라고 이름 붙였다(Brousseau, 1984; 1997). 브루소는 수학 수업 시간에 교사가 도움을 요청하는 학생에게 불려 다니는 일반적인 상황에 관해 설명한다. 학생은 도움을 받기를 기대하고, 교사는 학생을 돕는 것이 자신의 역할이라는 것을 알기 때문에 교사는 문제를 세분화해 더 쉽게 만든다. 그렇게 함으로써 그 문제의 인지적 요구가 사라지게 만든다. 브루소는 이런 결과를 교사와 학생이 함께 초래했다는 점을 지적한다. 교사와 학생 모두 교실에서 정립된 '교수적 계약'을 이행하면서 기대되는 역할을 수행한 결과, 학생은 학습 기회를 잃었다. 계약에 따라 학생들은 어려움을 겪지 않고 도움받기를 기대하며, 교사는 자신의 역할이 학생을 돕는 것임을 알기 때문에 학생을 도와주면서 자신도 모르게 학습 기회를 빼앗는 경우가 많다. 교과서 저자들도 비슷한 과정에 처해 학생들이 답할 수 있도록 문제를 작게 조각내고 있다. 나는 학생들이 도움을 요청할 때 그들에게 필요한 수학적 사고를 내가 제시하지 않으려고 매우 조심한다. 그 대신 학생들에게 문제를 직접 그려보라고 한다. 그러면 언제나 학생들은 새로운 아이디어를 떠올린다.

최근에 2학년 교사 나디아 보리아에 관한 글을 읽었는데, 이런 구절이 있었다. 그녀는 학생들이 도움을 청할 때 이렇게 대답한다고 한다. "잠깐 생각해 보자. 선생님 뇌가 커지면 좋겠니? 아니며 너희 뇌가 커지면 좋겠니?"(Frazier, 2015).

아주 멋진 대답이다. 교사는 전문적인 지식과 직관으로 모든 상호작용을 판단해 학생들이 언제 더 어려움을 겪고 낙담하지 않을 수 있는지 판단해야 한다. 하지만 때로 학생을 도와주지 않는 것이 우리가 줄 수 있는 최선의 도움인 경우가 많다는 점을 기억해야 한다.

수학 수업에서 학생들을 위해 설정하는 규칙, 학생들을 돕고 격려하는 방법, 학생들에게 전달하는 메시지는 매우 중요하지만, 수학이 성장하는 과목이라는 것을 보여주지 않는 한 학생들에게 성장 마인드셋 메시지를 전달하는 것은 도움이 되지 않는다는 점을 아무리 강조해도 지나치지 않다. 이 장의 나머지 부분에서는 교사가 학생들에게 개방적이고 성장하며 창의적인 수학을 가르치는 데 사용할 수 있는 전략과 방법에 초점을 맞출 것이다.

열린 수학 만들기

수학을 개방적이고 성장하며 학습하는 과목으로 가르쳐라

학교와 가정에서 다루는 수학 문제는 대부분 편협하고 절차적이며 공식에 맞춰 계산해야 하는 것이다. 학생들이 수학 시간의 대부분을 이러한 방식으로 공부하면 수학은 정답과 오답이 정해진 과목이라는 생각을 전달하기 때문에 수학이 성장하는 과목임을 진정으로 믿기는 매우 어렵다. 정답이 하나뿐인 좁은 문항이 일부 있는 것은 합리적이지만, 이러한 문항은 학생들이 수학적 이해력을 키우는 데 필요하지 않으며, 사용하더라도 적은 수의 문항만 사용해야 한다. 수학 과제는 학습을 위한 충분한 공간을 제공해야 한다. 학생들에게 단순히 정답을 제시하도록 요구하는 대신, 탐구하고 창조하며 성장하는 기회를 제공해야 한다.

어떤 수학 과제든 정해진 답이 아닌 다양한 답이 존재하는 형태로 만들 수 있다. 그렇게 열린 형태의 과제를 제시하면 더 많은 학생이 참여하고 배우게 된다. 다음은 수학 과제를 열린 형태로 만드는 세 가지 예이다.

1. 학생들에게 1/2÷1/4의 답이 무엇이냐고 묻는 대신, 1/2÷1/4의 답을 추측해 보고, 그 추측이 옳음을 적어도 하나의 시각적 표현을 포함해 증명해 보게 하라. 5장에서 설명한 대로 캐시 험프리스는 학생들에게 1÷2/3의 답을 구해보라고 하면서 이렇게 말했다. "아마 이 문제를 푸는 방법을 알고 있을 거야. 하지만 오늘은 방법이 중요하지 않아. 네 답이 왜 옳은지 설명해주렴."
2. 대수 수업에서 자주 제시되는 '$\frac{1}{3}(2x+15)+8$을 간단히 하라'라는 문제의 답을 구하게 하는 대신, '$\frac{1}{3}(2x+15)+8$와 같은 값을 갖는 식을 모두 찾아라'라는 문제를 제시하라. 그림 9.2에서 그 예를 볼 수 있다.
3. 100번째 경우에 정사각형 몇 개가 있는지 묻는 대신, 패턴이 어떻게 커지는지 물어보라. 학생이 이해하고 있는 방법을 사용해 100번째 경우로 일반화하도록 요청하라(그림 9.3 참조).

$\frac{1}{3}(2x+15)+8$	$\frac{2x+15}{3}+8$	$\frac{2}{3}x+5+8$
$\frac{2x}{3}+13$	$\frac{2x+15+24}{3}$	$\frac{1}{3}(2x+39)$

그림 9.2 대수 예제

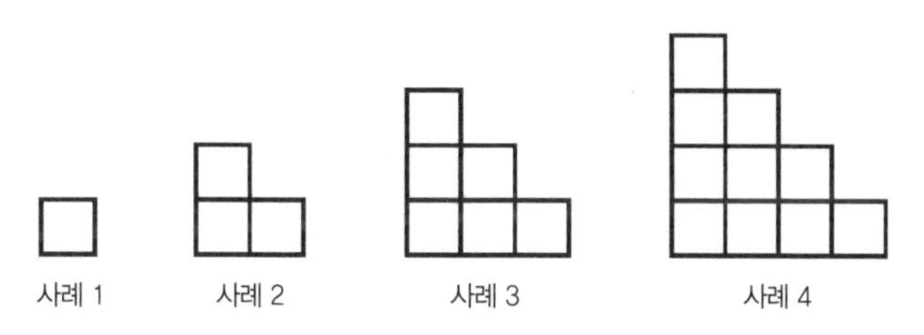

그림 9.3 계단

5장에서 자세히 설명했듯이, 어떤 수학 과제든 정해진 답이 아닌 다양한 답이 존재하는 열린 형태로 만들 수 있다. 예를 들어 학생들에게 다음과 같은 주제로 토론해 보라고 할 수 있다.

- 수학을 보는 방법
- 아이디어를 표현하는 방법
- 문제 및 전략에 대한 다양한 각도에서의 접근
- 다양한 방법 사용해 보기 – "왜 이 방법을 선택했나요? 이 방법이 어떻게 작동하나요? 이 방법은 지난주에 배운 방법과 어떤 관련이 있나요?"

개방형 수학 과제를 수행할 때, 학생들은 수학을 성장에 대한 과목으로 인식하게 되고 탐구자의 입장에 서게 된다. 학생들은 이제는 정답만 찾는 것이 아니라 아이디어를 탐구하고, 연결고리를 만들고, 성장과 배움을 중시하게 된다. 이러한 탐구와 동시에 학생들은 교과과정 표준에 명시된 방법과 공식 등 형식적 수학도 학습하게 된다. 표준 방법이 필요한 상황에서 이를 배우게 되므로 자연스레 학습 동기와 흥미가 따라온다(Schwartz & Bransford, 1998). 앞에서도 여러 번 강조했듯이, 가장 완벽한 개방형 수학 문제는 바닥이 낮고 천장이 높은 문제다(유큐브드 웹사이트 www.youcubed.org/tasks/의 과제 모음과 "영감을 주는 수학을 배우는 일주일 Week of inspirational Math"의 과제 참조). 내가 어떤 과제가 개방형 수학 과제인지 아닌지 판단하는 기준은 학생들이 학습할 수 있는 공간을 제공하는지 여부이다.

학생들에게 수학자가 되라고 격려하라

수학자들은 자신의 주제를 창의적이고 아름답고 심미적인 것으로 여긴다. 모든 아이는 수학자가 하는 일을 할 수 있으며, 아이에게 작은 수학자가 되라는 격려는 매우 큰 힘이 될 수 있다. 학생들에게 아이디어, 즉 수학적 추측conjecture을 만들도록 격려하는 것이 중요하다. 내가 본 교사 중 가장 놀라운 사람은 데버라 볼Deborah Ball이다. 교사였던 그녀는 후에 미시간 대학교 교육대학의 학장이 되었다. 데버라는 3학년 학생들에게 수학을 가르치면서 그들이 수학자 역할을 하도록 수업을 진행했다. 즉, 학생들 스스로가 수학에 관해 탐구하고 추측하게 했다. 수업 중에 학생들이 수학적 아이디어에 대한 합의에 도달하면 '운영 중 정의'라고 이름 붙이고 더 깊이 탐구한 후에 다시 돌아가서 다듬고 구체화했다. 어떤 수업 시간에 3학년 학생 션은 자연수 6에 관한 제안 하나를 했다. 숫자 6은 짝수일 수도 있고 홀수일 수도 있다고 주장했다(온라인에서 이 수업을 촬영한 동영상을 확인할 수 있다. 수학 교수법과 학습Mathematics Teaching and learning to Teach, 2010; http://deepblue.lib.umich.edu/handle/2027.42/65013).

션이 이렇게 추측한 이유는 6은 둘씩 묶어 셀 때 3개의 묶음이 되지만, 4나 8과 같은 다른 짝수처럼 똑같은 수의 두 묶음으로 나뉘기 때문이다. 학급의 많은 학생이 션과 논쟁을 벌였고, 짝수에 대한 학급의 '운영 중 정의'를 되돌아보았다. 교사 대부분은 션에게 그가 틀렸다고 이야기해주고 넘어갔을 테지만, 데버라는 그의 발상에 흥미를 느꼈다. 학생들 사이의 생동감 넘치는 토론이 뒤따랐는데, 교사와 수학자를 포함한 다양한 배경을 지닌 시청자들을 사로잡았다. 수업 시간에 아이들은 션이 맞는지 틀리는지를 교사에게 묻지 않고 션의 추측을 함께 생각하는 데 깊이 몰두했다. 만일 션이 맞는지 물었다면 더 이상의 토론은 가능하지 않았을 것이다. 이 3학년 학생들은 교사에게 묻는 대신, 션에게 그의 추측을 증명해 보라고 하면서 짝수에 대한 여러 가지 다른 정의를 이용해 6은 짝수이며 동시에 홀수가 될 수 없다는 반대 증거를 션에게 보여주었다. 토론 중간에 데버라는 션이 숫자 6에 대해 뭔가를 제안했다는 것을 깨닫고 10과 같이 홀수와 2의 곱으로 이루어진 다른 수, 수학적인 이름이 없는 이런 수에 이름을 붙여주기로 했다. 그 이름은 바로 '션 수'였다. 션의 관찰은 틀리지 않았다. 그는 다른 특성을 가진 몇 개의 수를 지적했다. 그해의 마지막 토론에서 학생들은 수를 탐구하고 그러한 특성을 가진 수가 나올 때마다 간단하게 '션 수'라고 부르게 될 것이다. 절차적인 수학에 질려서 흥미를 잃는 많은 3학년 학생들과 달리 이 학생들은 자신들의 생각과 아이디어를 나눌 수 있었다. 이들은 학급에서 만든 '운영 중 정의'와 명제를 이용해 추측하고 증명하는 것을 무척 좋아했으며, 그 과정에서 정규 수학을 배웠다. 추측하고 논리적으로 증명하면서 매우 즐거워하는 이 학생들은 누가 봐도 작은 수학자들이었다(Ball, 1993).

어떤 사람들은 아이들을 수학자라고 부르자는 아이디어에 경악하지만, 종종 꼬마 예술가나 꼬마 과학자라고 편안하게 칭한다. 이것은 6장에서 설명한 것처럼 수학이 위치한 토대 때문이다. 대학원에서 오랜 기간 수학을 공부한 사람만이 수학자가 될 수 있다는 생각에 맞설 필요가 있다. 우리는 마지막까지, 즉 학생 대부분이 수학을 포기하는 대학원 시절까지 학생들이 진짜 수학을 계속해서 경험할 수 있도록 노력해야 한다. 수학자가 되어보게 하는 것이야말로 수학이 모든 것을 탐구하는 폭넓은 과목임을 알리는 가장 좋은 방법이다.

수학을 패턴과 연결에 관한 과목으로 가르쳐라

수학은 패턴을 연구하는 학문이다. 그림 9.4에 표시된 것과 같이 패턴을 확장하라는 요청을 받는 문제를 풀 때, 사람들은 패턴을 활용하고 있다는 사실을 잘 알고 있다.

하지만 산수나 더 추상적인 수학 영역을 배울 때도 학생이 할 일은 패턴을 찾는 것이다. 나는 내 아이들에게 스스로 패턴을 찾아보도록 격려해 왔는데, 막내딸이 여덟 살이었을 때 흥미로운 발견을 했다며 내게 이야기해 주었다. 막내딸은 이제 막 나눗셈 방법으로 '전통적인 알고리즘'을 배웠지만, 다음과 같은 문제를 받고는 배운 방법을 적용할 수 있는 문제가 몇 개 되지 않는다는 것을 알아챘다.

$$6\overline{)18} \qquad 7\overline{)35} \qquad 8\overline{)27}$$

$$8\overline{)96} \qquad 6\overline{)72} \qquad 7\overline{)83}$$

그림 9.4 패턴 끈

몇 문제 풀어보더니 딸이 말했다. "음, 패턴을 찾을 수 있어요. 계속해서 나누는 방법(딸이 배운 '전통적인 알고리즘'을 말한다)은 첫 번째 숫자가 나누어지는 수보다 클 때만 쓸 수 있어요." 전통적인 알고리즘으로 나눗셈을 배우면 학생들이 수를 전체로 보지 못하거나 자릿값을 제대로 이해하지 못하는 경우가 종종 있어서 나는 학생들에게 전통적인 알고리즘을 통해 나눗셈을 가르치는 것을 좋아하지 않는다. 하지만 딸이 나눗셈 방법을 맹목적으로 따라 하지 않고 숫자 패턴을 찾으려 했다는 사실이 기뻤다. 전통적인 알고리즘이 유용하지 않다는 의미가 아니다. 여러 가지 나눗셈 방법 중 한 가지로 이해했다면 도움이 될 수 있다. 학생들이 나눗셈을 배울 때, 나눗셈의 개념과 관계있는 수에 대한 이해를 장려하는 방법을 사용해야 한다.

교사가 수학적 방법을 가르칠 때 실제로는 패턴을 가르치는 것이다. 즉, 항상 일어나는 무언가, 일반적인 무언가를 보여주는 것이다. 1보다 큰 숫자에 10을 곱하면, 그 답에는 항상 0이 들어있다. 원의 둘레를 반지름의 두 배로 나누면 항상 파이(π)라는 숫자가 나온다. 이런 것들이 패턴인데, 수학을 방법과 규칙이 아니라 패턴으로 볼 때 학생들은 수학에 흥미를 가지게 된다. 또한 '이 경우의 일반적 특성은 무엇일까?'라는 질문을 던져 학생들이 패턴의 본질에 대해 생각하도록 유도할 수도 있다. 최고의 수학자이자 미국 공영 방송 〈수학 하는 남자*Math Guy*〉의 키스 데블린은 대중을 위한 훌륭한 책을 여러 권 펴냈다. 그중 내가 좋아하는 《수

학: 양식의 과학》에서 데블린은 수학자가 하는 일들, 즉 그의 표현에 따르면 자연계와 인간의 정신 속에서 일어나는 모든 패턴을 이용하고 연구하는 일을 보여준다. 또한 데블린은 그의 책에서 패턴은 "사람이 인지할 수 있는 모든 종류의 규칙성"을 포함하며 "수학은 모든 가능한 패턴을 분류하고 연구하는 것이다."라는 위대한 수학자 월터 워윅 소여Walter Warwick Sawyer의 말을 인용해 패턴과 수학을 정의한다. 또한 데블린은 "수학은 숫자에 관한 것이 아니라 삶에 관한 것이다. 우리가 사는 세계에 관한 것이다. 아이디어에 관한 것이다. 그리고 종종 무미건조하고 쓸모없는 것으로 묘사되어 왔지만 결코 그렇지 않다. 수학은 창의성으로 가득 차 있다."라고 이야기한다(Devlin, 2001).

학생들을 패턴 찾기의 세계로 초대하라. 수학의 모든 영역과 모든 수준에서 학생들이 적극적으로 패턴을 찾게 하라.

3장에서 수학자 마리암 미르자하니를 소개했다. 그녀는 수학자이자 스탠퍼드 대학교의 전 동료이다. 여성으로서 수학의 최고 명예인 필즈상을 최초로 수상했을 때, 그녀는 전 세계 뉴스의 첫머리를 장식했다. 그녀가 수학의 발전에 지대한 공헌을 했다는 뉴스와 그녀의 연구가 미분기하학, 복소해석학, 동역학계를 포함한 수학의 여러 분야를 연결한 방식에 대한 기사가 쏟아졌다. 마리암은 연구 과정을 회상하며 이렇게 말했다. "나는 사람들이 서로 다른 분야 사이에 세워놓은 가상의 경계를 가로질러 넘나드는 것을 좋아합니다. 매우 재미있고 새로운 경험이죠. … 여러 가지 도구가 있는데 어떤 것이 제대로 작동할지 모릅니다. 낙관론자가 되어 사물을 연결하려고 노력하는 것, 그것이 수학입니다." 이것은 수학을 공부하는 모든 학생이 가져야 할 마인드셋이다.

학생들은 방법 간의 연결고리를 만들고 관찰하면서 실제 수학을 이해하기 시작하고 수학을 훨씬 더 좋아하게 된다. 6장에서 논의한 바와 같이, STEM 분야에 더 많은 여성이 진출하기 위해서는 수학 교육에서 이런 경험이 필수적이다. 표준 교육과정은 이와는 정반대로 수학을 단절된 주제의 목록으로 제시한다. 그렇기에 교사는 항상 연결에 관해 이야기하고 높이 평가하며 학생들에게 연결에 대해 생각하고 토론하도록 요구해야 한다. 유큐브드에서 제공하는 수학적 연결성에 대한 동영상은 비례 추론이라는 주제 아래 분수, 그래프, 삼각형, 비율, 피타고라스 이론, 표, 그래프, 도형, 기울기, 곱셈이 모두 어떻게 연결되는지 보여준다(스탠퍼드 대학교에서 열린 2015년 유큐브드 세미나 www.youcubed.org/resources/tour-mathematical-connections/). 존재하지 않는다고 생각할 수 있는 수학 분야 간의 연결을 보여주기 위해 이 동영상을 만들었다. 교사들은 학생들에게 연결을 생각하도록 돕는 데 이 동영상이 유용하게 사용되었다고 했다. 학생들이 다양한 방식으로 수학적 연결을 탐구하고 관찰하도록 권해야 한다.

다음은 수학에서 연결성을 강조하는 몇 가지 방법이다.

- 문제를 해결하는 다른 방법을 제시해 보라고 한 다음, 방법들 사이의 연결성을 그림으로 그려보고, 토론하게 하라. 예를 들어, 방법들이 어떻게 비슷하거나 다른지, 하나의 방법이 다른 방법 대신 사용될 수 있는 이유를 이야기해 보게 하라. 5장의 그림 5.1에 주어진 수에 관한 문제를 해결하면서 연결성을 강조할 수 있다.
- 학생들에게 문제를 풀면서 수학 개념들이 어떻게 연결되는지 그려보라고 하라. 예를 들어, 예시 9.4와 그림 9.5에서 제시된 두 문제를 생각해 보게 하라.

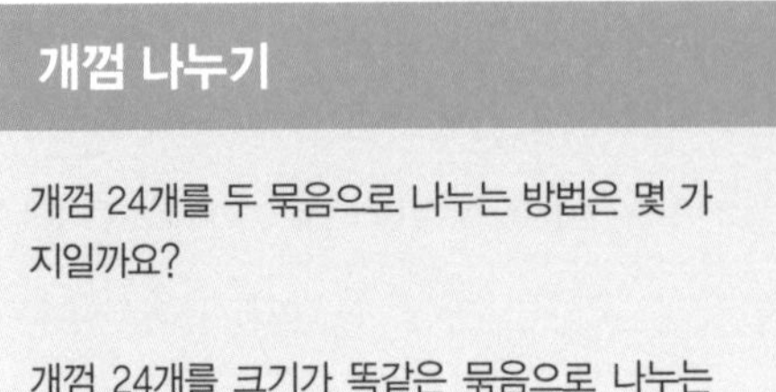

개껌 나누기

개껌 24개를 두 묶음으로 나누는 방법은 몇 가지일까요?

개껌 24개를 크기가 똑같은 묶음으로 나누는 방법은 몇 가지일까요?

모든 조합을 보여주는 시각적 표현으로 찾아낸 답을 나타내세요.

예시 9.4

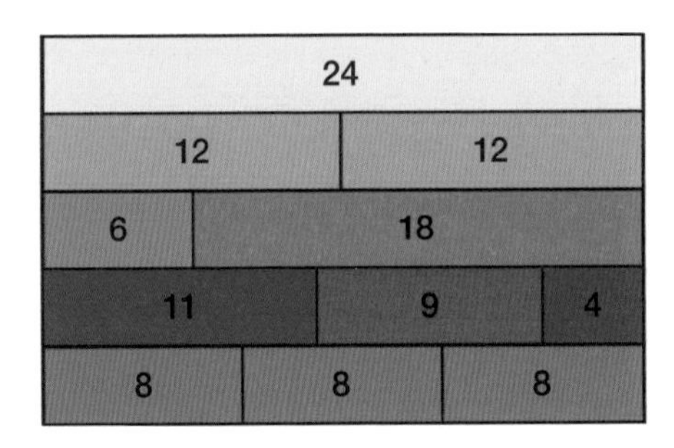

그림 9.5 개껌 나누기 해답

교사는 학생들이 두 가지 이상의 표현을 만들게 하고, 학생들이 찾아낸 해답의 수와 학생들이 그린 그림을 연결하게 한다. 이런 활동을 통해 학생들은 두뇌의 새로운 경로를 사용하게 된다.

모눈종이나 수직선을 이용하는 학생도 있을 것이고, 레고 블록이나 다른 작은 물건을 이용하는 학생도 있을 것이다. 교사는 학생들에게 같은 것으로 묶는 것(특히 덧셈과 곱셈)에 대해 생각할 때 사용할 수 있는 다양

수학적 연결 강조하기

분수 3/4, 6/8, 12/16를 그래프로 나타내보세요.

위의 분수를 닮은 삼각형으로 나타내보세요.

분수들을 수, 그래프, 삼각형으로 달리 표현할 때, 같은 점과 다른 점은 무엇일까요? 각각의 다른 표현에서 같은 색깔로 표시되는 특징을 찾을 수 있나요?

예시 9.5

한 방법을 생각하고 서로 어떻게 연관되어 있는지 생각해 보라고 요청할 수 있다.

예시 9.5에 제시된 다양한 활동은 학생에게 수학의 다른 영역과 그 사이의 연결성에 특별히 초점을 맞추도록 하는 활동이다. 많은 학생이 수학을 연결성 없는 주제들의 나열이라고 생각하는데, 이런 학생은 수학에서 성공하기 힘들다. 수학을 연결된 아이디어의 집합으로 보는 학생이 수학에서 성공한다(PISA, 2012). 교사는 이러한 관점을 적극적으로 권장할 필요가 있다. 특히 학교에서 사용하는 교과서가 이와 반대되는 관점에서 기술되어 있다면 더욱 그렇다. 다양한 분야, 주제, 아이디어와 연결된 수학은 학생에게 영감을 주며 매력적이다. 모든 교사는 학생이 연결성이라는 수학의 본성을 볼 수 있게 해야 한다.

창의적이고 시각적으로 수학을 가르쳐라

나는 수업에서 흥미롭고 도전적인 문제를 제시하고 학생들의 사고를 높이 평가함으로써 그들의 창의성을 북돋운다. 나는 학생들에게 수학 문제를 빨리 푸는 것은 중요하지 않다고 말한다. 내가 정말 보고 싶은 것은 아이디어를 흥미롭게 표현하기, 창의적인 풀이 방법이나 해결책이라고 말한다. 내가 수학을 이런 방식으로 소개하면, 학생들은 놀랄 만큼 창의적인 사고를 발휘한다.

학생들이 수학을 시각적으로 사고하도록 하는 것은 매우 중요하다. 시각적 사고를 통해 내용을 이해할 수 있고 두뇌의 다른 경로를 사용할 수 있기 때문이다. 수학을 포함한 핵심 과목과 미술을 연결해 가르치는 4학년 담당 교사 어맨다 쿤라바는 학생들에게 핵심 과목에서 어떤 종류의 미술 수업을 즐겼는지 질문했을 때를 이렇게 묘사했다. "한 학생이 조용히 그러나 열정적으로 자신이 시각적 예술을 좋아한다고 설명했어요. 창조 행위가 '나쁜 것을 잊게' 해주기 때문에 예술 수업이 '일주일에 한 번 이상' 필요하다고 이야기했어요."(Koonlaba, 2015)

예술과 시각적 표현이 치유 및 창의적 역할만 하는 것은 아니다. 예술과 시각적 표현은 그 어떤 것보다 쉽게 개념, 아이디어 등을 이해할 수 있게 해주는 결정적인 역할을 담당한다. 아이디어를 시각화해 그려보라고 하면 학생들은 나의 기대를 훨씬 뛰어넘어 열띤 참여를 보여준다. 또한 시각적으로 나타내지 않았다면 결코 발견하지 못했을 수학적 아이디어를 이해하게 된다. 다른 학생보다 시각적 아이디어를 쉽게 찾지 못하는 학생들이 있다. 하지만 그런 학생들이야말로 시각적 아이디어의 도움을 가장 많이 받는다.

학생들에게 아이디어, 방법, 해결책 및 문제를 그림으로 그려보라고 할 뿐만 아니라, 항상 시각적 아이디어를 수치적 표현이나 대수적 방법, 해결책과 연결 지으라고 요청해야 한다. 5장에서 보여준 것처럼, 같은 색으로 칠하기는 이러한 연결을 권장하는 좋은 방법이다. 다음 두 가지 예에서 기하와 분수, 나눗셈을 이해하는 데 색깔이 얼마나 도움이 되는지 알게 될 것이다. 5장에서는 대수와 평행선에서 같은 색으로 칠하기를 이용하는 예를 제시했다. 학생들이 각도 관계에 대해 학습할 때, 삼각형의 세 각을 다른 색으로 색칠한 후 떼어내어 한 점에 모아 세 각의 관계를 보여주면 각 사이의 관계를 더 잘 기억하게 된다.

분수에 대한 이해 역시 같은 색으로 칠하기를 이용하면 이해도를 훨씬 높일 수 있다(예시 9.6 및 그림 9.6).

티나 룹튼, 세라 프랫, 케리 리처드슨이 함께 만든 나눗셈에 대한 같은 색으로 칠하기 활동이 특히 마음에 든다. 이들은 학생들에게 나눗셈 퀼트를 이용해 나눗셈 문제를 풀어보라고 제안했는데, 이 방법을 통해 학생들은 실제로 수를 똑같은 크기의 그룹으로 나누고 나머지를 확인할 수 있다(그림 9.7 참조). 이 활동에 대한 자세한 내용은 이들의 논문에서 확인할 수 있다(Lupton, Pratt & Richardson, 2014).

수학적 아이디어를 다양한 방식으로 표현하는 것은 수학자와 고급 문제 해결자가 사용하는 중요한 수학적 관행이다. 수학자들은 작업할 때 그래프, 표, 단어, 식, 그리고 잘 알려지지 않은 그림과 낙서 등 다양한 방법으로 아이디어를 표현한다. 마리암 미르자하니는 어려운 수학 문제를 다음과 같이 설명한다.

> "세부 사항을 모두 적을 필요는 없어요. 하지만 무언가를 그리는 과정은 어떻게든 연결되도록 도와줘요." 미르자하니는 그녀의 세 살짜리 딸 아나시타가 때때로 "아, 엄마가 다시 그림을 그리고 있어!"라고 소리친다고 말한다. "아마도 딸은 나를 화가로 생각하는지도 몰라요." (Klarreich, 2014)

컬러 코딩 브라우니

샘은 팬 하나에 브라우니를 만들었어요. 샘은 브라우니 한 판을 똑같은 크기의 24개 조각으로 나누고 싶어요. 샘은 5명의 친구와 똑같이 나눠 먹고 싶어 합니다. 브라우니 한 판을 조각내고 색칠해 샘과 친구들이 몇 조각씩 먹을 수 있는지 보여주세요.

예시 9.6

샘은 팬 하나에 브라우니를 만들었어요. 샘은 브라우니 한 판을 똑같은 크기의 24개 조각으로 나누고 싶어요. 샘은 5명의 친구와 똑같이 나눠 먹고 싶어 합니다. 브라우니 한 판을 조각내고 색칠해 샘과 친구들이 몇 조각씩 먹을 수 있는지 보여주세요.

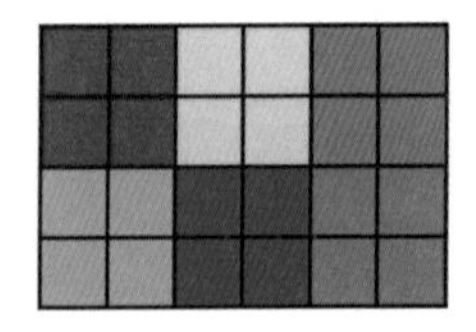

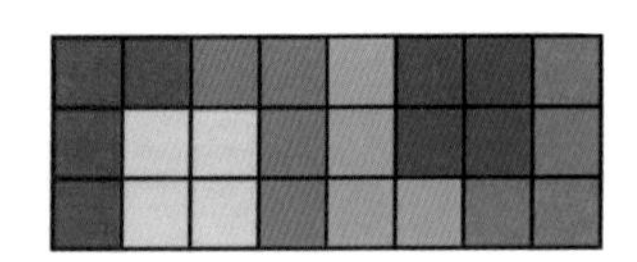

그림 9.6 컬러 코딩 브라우니

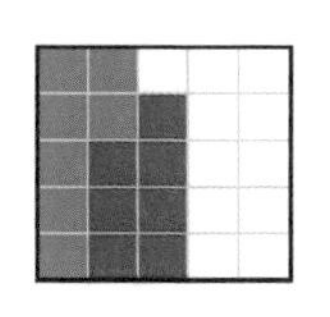
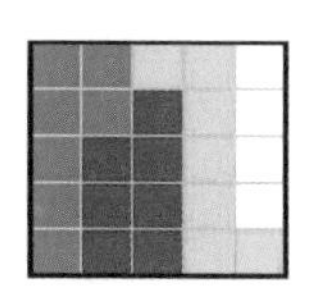
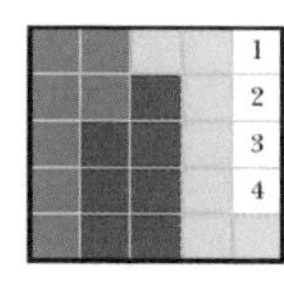

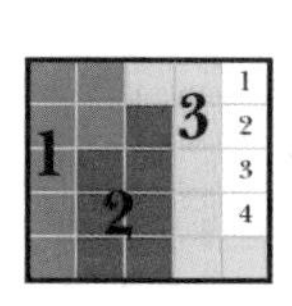

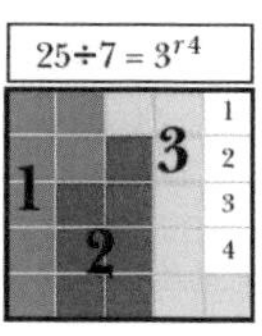

그림 9.7 나눗셈 퀼트

출처: Lupton et al., 2014

내게 풀어야 하는 복잡한 수학 문제가 생기면, 나는 그린다. 문제를 해결하고 수학을 이해하는 가장 좋은 방법이 바로 그리는 것이다. 학생들이 문제를 풀다가 벽에 부딪혀 더 이상 나아가지 못하고 있을 때, 이렇게 질문한다. "문제를 그림으로 그려봤어요?" 처음에는 쉽지 않지만, 학생들은 곧 어떻게 그리는지 알게 되고 그림을 통해 도움을 얻는다. 8장에서 학생들에게 그림을 그리고 낙서를 권하는 더 자세한 아이디어를 소개했다.

즐겁게 수학적 사고를 하고 표현할 수 있다면 학교에서 배우는 수학과 일상생활 모두에서 매우 큰 도움이 될 것이다.

직관과 생각의 자유를 권장하라

스미스소니언을 위한 로봇을 만드는 서배스천 스런과 같은 높은 수준의 수학 사용자들이 직관을 이용해 수학적 아이디어를 개발하는 방식을 5장에서 이야기했다. 리온 버튼Leone Burton은 70명의 연구직 수학자를 인터뷰하고 그들이 맡은 업무의 본질을 조사했다. 그들 중 58명은 업무에서 직관이 중요한 역할을 한다고 이야기했다. 루벤 허시는《도대체 수학이란 무엇인가?*Is Mathematics Really?*》에서 우리가 "수학적인 연습을 한다면 누구라도 직관적인 사람이 될 수 있다."라고 말했다(Hersh, 1999).

그러나 직관이라는 것은 무엇인가? 학생들은 교실에서 직관을 쓰는 경우가 거의 없는데 왜 수학자들의 업무에서는 직관이 큰 역할을 할까? 교사들은 어떠한 수학 문제를 가지고도 학생들에게 직관을 이용하도록 권할 수 있다. 학생들에게 문제 푸는 방법을 가르치기 전에 풀 수 있는지 묻는 것만으로 충분하다. 어느 학년이든 직관적으로 생각할 수 있다. 초등학교 교사들은 학생들에게 방법을 가르치기 전에 스스로 문제 해결 방법을 생각해 보라고 요청하면 된다. 예를 들어, 넓이 공식을 주기 전에 바닥 깔개 넓이를 어떻게 구할 수 있을지 물어본다. 중·고등학교에서는 직접 측정하기 힘든 매우 높은 물체의 높이를 구하는 방법을 물어본다(이 예는 당시 대학원생이었던 메이어, 셀링, 선과 함께 만든 과제이다. www.youcubed.org/tasks/simpsons-sunblocker/). 5장에서 학생들에게 레몬의 부피를 구하는 문제를 직관적으로 생각하고 추측하라는 과제를 내준 미적분 예비 수업에 관해 이야기했다. 교사가 관행에서 벗어나 작은 변화를 주는 것만으로 학생들에게 직관을 사용할 기회를 줄 수 있다.

학생들에게 직관을 사용해 수학적 아이디어에 대해 생각하도록 요청하는 것은 학생들을 개방적이고 자유롭게 생각하도록 초대하는 것과 같다. 수 이야기를 통해 학습한 3학년 아이들에게 이 활동을 어떻게 생각하는지 물었을 때, 딜런이 가장 먼저 한 말은 "우리는 자유롭고 뭐든지 원하는 대로 할 수 있어요. 수를 작게 나눌 수도 있어요."였다. 〈목적지 없는 경주〉의 감독의 두 번째 다큐멘터리인 〈평가를 넘어서〉에 등장하는 델리아도 탐구 수학 프로젝트에 참여한 후 자기 경험에 대해 비슷한 방식으로 이야기했다. "이제 수학과 연결된 듯 느껴요. 마음이 열려있고, 살아있다는 느낌이 들고, 훨씬 힘이 넘치는 것 같아요." 같은 작품에 나왔던 니코는 연습 문제를 풀며 공부했던 이전의 수학과 탐구 기반의 협력적 수업을 비교했다. "작년 수학 수업은 선생님도 아시다시피 모두 각자 자기 문제만 풀었어요. 하지만 올해 수업은 개방적인 도시 같다는 생각이 들어요. 우리 모두 함께 새롭고 아름다운 세상을 만들어가고 있어요."

개방적인 수학 시간에 자기 아이디어를 사용해 창조적이고 아름다운 수학을 경험한 학생들은 수학에 관해 이야기하면서 '자유롭다', '개방적이고 활기차게 살아있는 느낌이다', '새롭고 아름다운 세계를 함께 만들고 있다'고 말했다. 이런 반응은 탐구 기반 수학이 가져올 수 있는 변화의 효과를 말해준다. 학생들이 이렇게 말할 수 있던 이유는 지적인 자유가 주어졌고, 매우 강력하고 마음을 움직이는 경험을 했기 때문이다. 학생들에게 직관을 사용하고 자유롭게 사고하도록 요청할 때 학생들은 수학과 세계, 그리고 자신에 대해 새로운 관점을 갖게 되며, 학습과의 관계를 변화시키는 지적 자유를 얻게 된다.

데버라 볼이 집필한 참여적이고 도발적인 논문에는 전설적인 심리학자 제롬 브루너의 말이 인용되어 있다.

> "어떤 과목이든 지적으로 올바른 형식으로 전달하면 어떤 발전 단계에 있는 아동도 효과적으로 가르칠 수 있다는 가설에서 우리는 시작한다. 이것은 대담한 가설이며 교육과정의 본질에 대한 핵심적인 생각이다. 이 가설에 모순이 있다는 증거는 어디에도 없다. 이 가설을 지지하는 상당한 양의 증거들이 쌓여가고 있다." (Bruner, 1960을 Ball, 1993에서 인용)

이 문장은 많은 이에게 어려울 수 있다. 내가 처음 이 아이디어를 소개했을 때, 스탠퍼드 학생들도 당황스러워했다. 하지만 학생들은 기꺼이 미적분학의 아이디어를 어린아이들과 함께 토론하는 방법에 대해 생각했다. 데버라 볼은 "아이들이 궁금해하고 생각하고 상상하는 것은 사실은 깊은 사고를 요구하는 어려운 일"이라고 확신했다(Ball, 1993, 374쪽).

표준 교육과정에 규정된 수학의 계층 구조에서 교사와 학생을 벗어나게 해 4차원, 음의 공간, 미적분, 프랙털 등 흥미를 끌 수 있는 더 높은 수준의 아이디어를 탐구하게 해준다면, 모든 연령대의 학생에게 진정한 수학적 흥미를 느끼고 강력한 아이디어를 탐구할 기회를 줄 수 있다. 어린 아이에게 형식적인 고등 수학을 가르치자는 것이 아니다. 다만 브루너와 볼이 말하는, 수학의 어떤 부분이든지 지적으로 올바른 형식으로 표현하면 모든 연령대의 학생에게 소개할 수 있다는 가능성이 무척 마음에 든다. 이 점이 매우 흥미롭고 중요한 생각이다.

속도보다 깊이에 가치를 두어라

전 세계 수학 교실에서 바꿔야 할 한 가지는 수학에서는 깊이보다 속도가 더 중요하다는 생각이다. 수학은 이런 생각에서 오는 병폐를 가장 많이 겪고 있는 과목이며, 수학을 배우는 사람 역시 이 생각 때문에 고통받는다. 그러나 마리암 미르자하니, 스티븐 스트로가츠, 키스 데블린, 그리고 로랑 슈바르츠와 같이 자신의 업적으로 최고의 영예를 얻은 우리 시대 최고의 수학자들은 모두 천천히, 그리고 깊이 일한다. 4장에서 로랑 슈바르츠의 말을 인용했다. 원래 문장은 더 긴 문장이었다. "중요한 것은 사물 그 자체와 각각의 사물 사이의 관계를 깊이 이해하는 것이다." 천천히 생각했기 때문에 학창 시절에 '바보'라고 놀림 받았다고 이야기하면서 슈바르츠는 독자에게 수학을 사실과 빠른 업무에 관한 얕은 지식이 아니라 깊이와 연결성에 관한 것으로 이해해 주기를 강력하게 요구한다.

수학은 항상 사고의 깊이와 관계성이 강조되어야 하는 과목이다. 최근 중국을 방문한 나는 여러 중·고등학교에서 많은 수학 수업을 참관했다. 중국은 PISA 및 다른 시험에서 상당한 격차를 두고 세계의 나머지 나라를 능가하는 성과를 보여주었다(PISA, 2012). 이런 결과를 보고 중국의 수학 수업이 속도와 훈련에 초점을 맞추고 있다고 생각하기 쉽다. 하지만 내가 참관한 수업은 사뭇 달랐다. 내가 관찰한 모든 학교에서는 한 시간 수업에서 세 문제 이상 다루지 않았다. 교사는 탐구 중심으로 수학 개념을 가르쳤다. 심지어 여각과 보각의 정의처럼 정의와 공식에 중점을 두는 부분조차 그랬다. 수업 중 교사는 예를 가지고 학생과 함께 여각과 보각의 의미를 탐구했다. 교사가 학생들에게 '질문을 깊이 생각해 보라'고 요청하고 질문들과 떠오른 아이디어에 관해 토론했다(www.youcubed.org/high-quality-teaching-examples/). 여각과 보각에 관한 토론은 이 주제를 다룬 참관 수업에서 한 번도 보지 못했던 깊이 있는 수준으로 이끌었다. 교사는 학생들의 아이디어를 가지고 옳지 않은 진술을 만들어 제시함으로써 학생들의 도전 의식을 자극했다. 그리고 학급 전체가 정의는 보존하면서 각 사이의 가능한 모든 관계를 함께 깊이 고려했다.

다음은 여각과 보각에 관해 배우는 미국의 전형적인 수업 시간을 녹화한 동영상에서 일부 자막을 가져온 것이다. 동영상은 여러 국가의 수업에 대한 TIMSSTrends in International Mathematics and Science Study(추이변화 국제비교 연구_역자 주)에서 가져왔다(Stigler & Hiebert, 1999).

교사 여기에 직각인 각과 보각이 있어요. 각 A는 어떤 각에 수직일까요?

학생들 70도요.

교사 따라서 각 A는 얼마인가요?

학생들 70도요.

교사 이제 보각이 있어요. 어느 각이 각 A의 보각인가요?

학생들 B요.

교사 B이고, 또 다른 각은요?

학생들 C요.

교사 한 각과 그 각의 보각을 더하면 얼마가 되나요?

학생들 180도요.

위의 자막에서 우리가 볼 수 있는 건 교사가 학생들을 끌어가는, 답이 하나뿐인 한정적인 질문들뿐이다. 내가 참관했던 중국의 수업에서는 교사가 "한 각과 그 각의 보각을 더하면 얼마인가요?"와 같은 질문은 하지 않았다. 대신, "두 개의 예각은 보각이 될 수 있을까요? 서로에게 보각이 되는 각들은 예각이 될 수 있을까요?"라고 질문했다. 정의와 관계성에 대해 더 깊이 생각하게 하는 질문이다. 다음은 미국의 수업과 크게 대조되는 중국의 수업 중 일부이다.

학생 두 개의 크기가 같은 각이 있고 그 각의 합이 180도라면 그 각들은 두 개의 직각이 될 수밖에 없습니다. 왜냐하면, 예각은 항상 90도보다 작아서 두 예각의 합은 180도보다 클 수 없습니다.

교사 그래서 두 각이 서로 보각이라면, 그 각들은 반드시 둔각이어야 한다는 건가요?

학생 그렇지 않습니다.

교사 아니라고요? 왜죠? 나는 두 각이 서로 보각이면, 반드시 둘 다 둔각이어야 한다고 생각해요.

학생 제 생각엔 하나는 예각이고 하나는 둔각일 수 있어요.

교사 그녀가 말한 건, 둘 다 예각일 수는 없지만 하나는 예각이고 하나는 둔각일 수 있다는 말이네요.

학생 예를 들어, 문제에서 각 1과 각 5와 같은 상황이에요. 한 각은 예각이에요. 다른 각은 둔각이고요.

교사 그렇군요. 두 각이 서로 보각이라면, 반드시 하나는 예각이고 하나는 둔각인가요?

학생 그건 아직 정확하지 않습니다. 두 각이 서로 보각이면, 적어도 한 각은 예각이라고 말해야만 합니다.

다른 학생들 아니요, 적어도 한 각이 90도보다 큽니다.

학생 두 각이 모두 직각인 경우는 예외입니다.

미국과 중국의 수업은 상당히 달랐다. 미국 수업에서는 교사가 던진 절차적인 질문에 학생들이 유일한 정답을 말했다. 교사는 교과서에 실린 대로 각에 대한 쉬운 예를 들어 질문했고, 학생들은 배운 정의를 가지고 답했다. 중국 수업에서 교사는 문장을 완성하는 질문을 던지지 않았다. 학생의 아이디어를 듣고 그와 관련된 도발적인 문장을 만들었고, 학생들은 이 문장에 관해 생각하면서 온전히 이해하게 되었다. 교사가 만든 문장은 학생들을 추측과 논리, 다른 각 사이의 관계성에 대해 생각하여 답을 내도록 유노했다.

수업의 후반부에서는 학생들이 논의한 각도 관계를 설명하고 유지할 수 있는 다양한 다이어그램을 그리는 데 중점을 두었다. 이를 위해 학생들은 삼각형의 변을 뒤집고 회전하고, 교사 및 다른 학생들과 아이디어에 관해 이야기를 나눴다. 이를 통해 중국 학생들은 내가 상상하지 못했던 폭과 깊이로 각에 관해 탐구했다. 각 사이의 관계를 시각적 다이어그램으로 표현하는 방법을 토론하는 동안 한 학생이 이렇게 말했다. "정말 흥미롭네요." 미국 수업에서 이렇게 말하는 학생은 많지 않을 것이다.

TIMSS는 다른 국가의 수업과 비교했을 때 미국의 수업이 "폭은 1마일, 깊이는 1인치"라는 결론을 내렸다(Schmidt et al., 2002). 다른 국가, 특히 일본의 수업은 개념적이고 더 깊으며 학생 토론이 더 많다는 결론을 내렸다. 분석가들은 일본 학생의 성취도가 더 높은 이유로 미국과 비교했을 때 더 깊이 있는 일본의 토론과 학습 내용을 꼽았다(Schmidt et al., 2002; Schmidt, McKnight & Raizen, 1997).

수학에서 깊이의 중요성에 대한 학부모의 이해 부족과 빠른 진도가 유익하다는 그릇된 신념이 결합하면, 학부모들은 가능하면 일찍 학년을 뛰어넘어 더 높은 수준의 수학을 가르치라고 요구하게 된다. 그러나 수학 학습은 경주가 아니다. 깊이 있는 수학이 학생에게 영감을 주고 수업에 계속 참여하도록 격려해 수학을 잘 배우게 한다. 수학을 잘 배운다는 것은 당장 문제 몇 개를 잘 풀게 하는 것이 아니라 미래에 높은 수준의 학습을 위한 토대를 세워주는 일이다. 진도를 빨리 끝내라고 강요받은 학생들은 대개 어느 순간 수학을 포기하기 쉽다(Jacob, 2015; Boaler, 2015b). 우리는 모든 학생이 생산적으로 수학 수업에 참여하기를 원한다. 그러려면 어떤 학생이라도 수학이 너무 쉽다고 느끼게 해서는 안 되고, 학생들이 이미 배운 아이디어를 반복하게 해서도 안 된다. 뛰어난 학생을 격려하는 가장 좋은, 그리고 가장 중요한 방법은 그들에게 다른 학생들과 함께하면서도 아이디어를 깊게 다룰 기회를 제공하는 것이다. 물론 다른 학생들도 언젠가는 그 아이디어를 깊이 생각하게 될 것이다. 나는 스탠퍼드 대학교에서 이런 방식으로 수업했다. 문제를 일찍 풀어 답을 낸, 뛰어난 학생에게 기존 문제를 확장하도록 요청했다.

지난주에는 스탠퍼드 학부생들에게 직접 문제를 모델링하도록 각설탕

상자를 가지고 '색칠된 정육면체'라고 부르는 문제를 냈다(예시 9.7, 그림 9.8 참조).

일부 학생들은 각설탕으로 3×3×3 정육면체와 같은 작은 상자를 만들고 펜으로 겉면에 색을 칠하면서 정육면체의 면이 어떻게 나뉘는지 생각했다.

학생들이 5×5×5 정육면체 문제를 풀고 나면, 원하는 방식으로 문제를 확장해서 해결해 보라고 했다. 바로 이것이 그 수업의 가장 중요한 부분이었으며 많은 학생에게 더 많은 학습 기회를 주는 계기였다. 어떤 그룹은 정육면체 대신 정육면체로 만든 피라미드 모양으로 답을 구하는 방법을 고려했고(그림 9.9), 다른 그룹은 더 작은 사면체로 이루어진 피라미드의 관련성을 구했으며, 또 다른 그룹은 정육면체를 4차원으로 옮겨 갈 때와 n차원으로 이동하는 경우의 관계를 구했다.

학생에게 문제를 확장할 기회를 주면, 학생들은 거의 항상 수학을 깊이 있게 탐구할 수 있는 창의적이고 풍부한 기회를 얻을 수 있다. 이는 학생들에게 매우 가치 있는 일이다.

수학적 모델링을 사용하여 수학과 세상을 연결하라

학생들이 수학을 싫어하는 주된 이유는 수학의 추상적인 성격과 세상과의 관련성이 없다는 인식 때문이다. 수학은 우리 주변 어디에나 존재하므로 이런 인식은 학교에서 받는 수학 교육이 반영된 것이다. 사실 수학은 사람들이 사회에서 잘 기능하는 데 필수적인 새로운 '시민권'이라고 불릴 정도로 인생에서 성공적으로 기능하는 데 매우 중요하다(Moses & Cobb, 2001). 학교에서 전통적인 수학 교육을 받은 적이 있는 24세 정도의 젊은이들을 인터뷰하고 그들의 삶과 일에 수학이 얼마나 관련 있는지

색칠된 정육면체

가로 1, 세로 1, 높이 1인 정육면체들로 이루어진 가로 5, 세로 5, 높이 5인 정육면체를 상상해 보자. $5\times5\times5$ 정육면체의 바깥 면은 파란색으로 색칠되어 있다. 다음 질문에 대해 생각해 보자.

3개의 면이 파란색으로 색칠된 작은 정육면체는 몇 개인가?

2개의 면이 파란색으로 색칠된 작은 정육면체는 몇 개인가?

1개의 면이 파란색으로 색칠된 작은 정육면체는 몇 개인가?

한 면도 색칠되어 있지 않은 작은 정육면체는 몇 개인가?

예시 9.7

그림 9.8　색칠된 정육면체

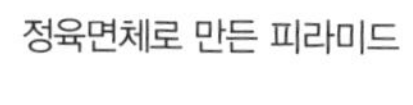

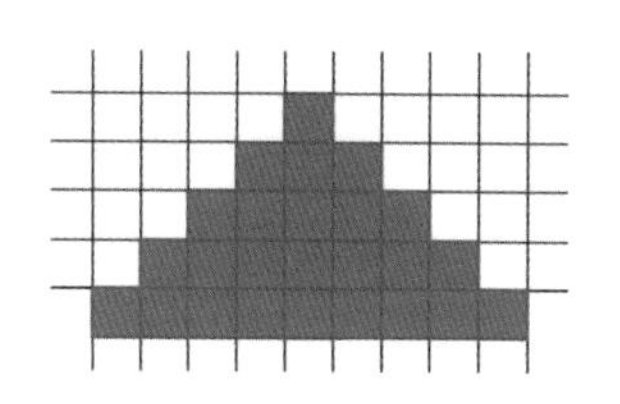

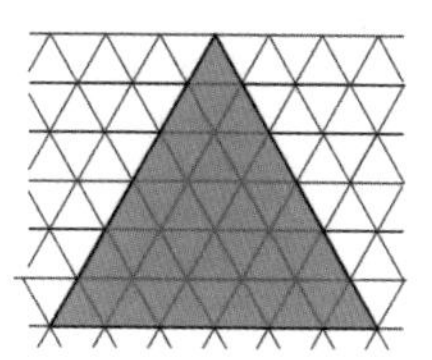

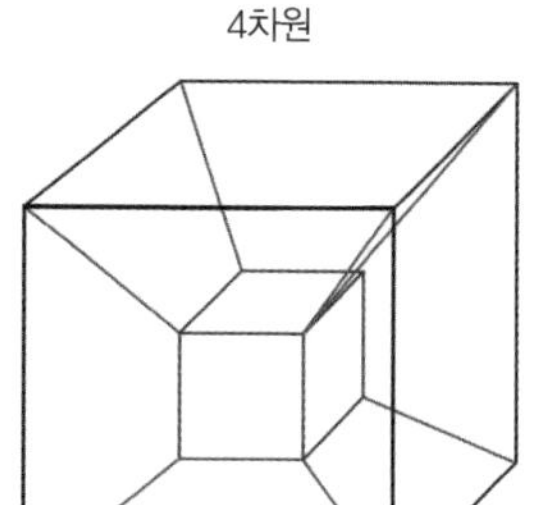

그림 9.9 확장된 정육면체 문제

물었을 때, 그들은 자신들이 받은 수학 교육에 대해 실망감을 표시했다. 청년들은 지금 세상 곳곳에서 수학을 볼 수 있고, 매일 업무에서 수학을 사용하고 있지만, 학교에서 경험한 수학으로는 수학의 진정한 본질과 미래에 대한 중요성을 전혀 느낄 수 없었다고 말했다. 수학이 죽은 과목이 아니라 사회생활에 필수적인 과목이라는 사실만 알았어도 학교 수학 수업에 대한 동기부여 측면에서 큰 차이가 있었을 것이라고 말했다(Boaler & Selling, 2017).

수학을 흥미롭고 현실 세계와 관련된 과목으로 만들어야 한다는 필요성 때문에 종종 출판사들은 '가짜 상황'(Boaler, 2015a)을 만들어낸다. 그 결과, 학생들은 '같은 선로에서 서로를 향해 전속력으로 달려오는 기차'와 같이 현실과는 거리가 먼 가짜 실제 문제를 풀게 된다. 이러한 상황은 학생들이 수학을 유용한 과목으로 인식하는 데 도움되지 않는다. 수학을 다른 세상의 것, 또는 비현실적인 것으로 보여주기 때문에 의도한 것과 정반대의 인상을 심어줄 뿐이다. 가짜 실제 문제를 잘 풀기 위해, 학생은 마치 문제들이 진짜인 것처럼 자신이 알고 있는 실제 상황을 모두 무시해야 한다. 예를 들어 다음과 같이 전형적인 문제를 살펴보자(Boaler, 2015a).

- 조가 6시간 만에 끝낼 수 있는 일을 찰리는 5시간 만에 끝냈다. 두 사람이 2시간 동안 함께 일했다면, 전체 일을 얼마 만에 끝냈을까?
- 식당에서 베이컨 치즈 피자 1/8 조각을 2.5달러에 판다. 베이컨 치즈 피자 한 판은 얼마일까?
- 파티에 온 다섯 명의 친구들을 위해 피자를 다섯 조각으로 나눴다. 친구 셋은 자기 몫을 먹었는데 네 명의 친구들이 더 왔다. 남은 피자 두 조각은 어떤 분수로 나눠야 할까?

위의 문제 모두 교과서에 실린 것으로, 학생들이 수학 시간에 푸는 전형적인 문제이다. 그러나 이 문제들은 모두 말이 되지 않는다. 누구나 다른 사람과 함께 일할 때와 혼자 일할 때의 속도가 다르다. 피자는 조각으로 살 때보다 한 판 전체를 사면 더 싸다. 파티에 친구들이 더 오면 남은 조각을 작게 잘라 나눠 먹지 않고 피자를 더 주문한다. 가짜 상황을 계속 문제로 다루다 보면 학생들은 수학을 실생활과 관련 없는 무의미한 것으로 여기게 된다. 사실, 많은 학생은 수학 수업에 들어갈 때 자신들의 상식을 문밖에 두고 떠나야 하는 이상하고 신비한 '수학 나라'로 들어간다는 것을 알고 있다.

그렇다면 가짜 상황을 사용하지 않고 수학의 광범위한 사용과 응용성을 보여줄 수 없을까? 세상에는 우리가 수학으로 설명할 수 있는 매혹적인 상황들이 가득하다. 내 온라인 강좌는 눈송이와 거미의 집짓기, 저글링과 춤, 돌고래의 언어를 통해 학생들에게 수학의 광범위한 사용과 응용성을 보여준다. 강좌에서 다루는 수학은 초등 수준에서부터 고등학교 수준까지 있다(2014년 개설된 스탠퍼드 온라인 강좌 기준, lagunita.stanford.edu).

모든 수학 문제가 실생활에 관한 것이어야 하는 것은 아니다. 또 그럴 수도 없다. 학생들이 중요한 양적 사고를 배우는 데 도움을 주는 최고의 문제는 특정 상황에 관련된 것이 아니기 때문이다. 하지만 학생들이 수학의 응용성을 이해하려면 적어도 일정한 기간 실생활 변수를 가지고 수학 문제를 풀어보는 것이 중요하다.

콘래드 울프럼은 TED 강의에서 수학을 질문을 제기하고 수학적 모델을 만드는 데 집중하는 과목으로 봐달라고 강력히 주장한다(Wolfram, 2010). 그는 세상에서 수학이 맡은 가장 핵심적인 역할은 모델링이라고 강조한다. 미국 교과과정 역시 수학적 연습 표준으로 모델링을 강조한다.

MP4: 수학을 활용하여 모델링하라

내 의견으로는 미국 공통교육과정CCSS의 가장 중요한 공헌은 학생들이 수학적 지식을 배울 때 반드시 수행해야 하는 수학적 연습을 포함했다는 점이다. '수학을 활용하여 모델링하기'는 여덟 가지 수학 연습 표준 중 하나이다(글상자 참조).

모델링은 실제 문제를 문제 해결에 도움될 수 있는 순수한 수학적 형태로 단순화하는 것으로 생각할 수 있다. 수학의 전 분야에서 모델링이 일어나지만, 일반적으로 학생들은 모델링이 무엇인지 모르고, 모델링 과정을 생각해 본 적도 없다. 이 책의 초판을 쓴 이후 등장한 흥미로운 계획 중 하나는 K-12 데이터 과학을 수학에 통합하는 것이다. 내 지인들은 주로 교육계 또는 수학계에 종사하는 사람들이다. 그런데 어느 날, 전혀 다른 분야에서 일하는 사람으로부터 전화를 받았다. 전화한 사람은 《괴짜

수학에서의 CCSS.MATH.PRACTICE.MP4 모델

수학에 능숙한 학생들은 매일의 삶과 사회, 그리고 일터에서 일어나는 문제를 해결하는 데 자신이 알고 있는 수학을 적용할 수 있다. 초등 저학년은 덧셈식을 써서 상황을 나타내는 정도로 간단하게 수학을 적용할 수 있다. 초등 고학년과 중학생은 학교 행사를 계획하거나 지역사회의 문제를 분석하는 데 비례 추론을 적용할 수 있다. 고등학교 단계에서는 기하를 이용해 문제를 만들거나 관심 있는 하나의 변수가 다른 변수에 따라 양적 변화를 하는지 함수를 이용해 표현할 수 있다. 자신이 알고 있는 것을 적용할 수 있는 수학에 능숙한 학생들은 가정을 세우고 어림해 복잡한 상황을 간단하게 만들고, 나중에 다시 고칠 필요가 있다는 것도 안다. 이런 학생들은 실제 상황에서 중요한 수량들을 알아낼 수 있고, 다이어그램, 양방향 표, 그래프, 순서도 및 수식 등의 도구를 사용해 수량들 사이의 관계를 분석할 수 있다. 통상적 상황의 맥락에서 수학적 결과를 해석할 수 있으며 결과가 이치에 맞는지 깊게 따져보고 수학적 모델이 목적에 부합하지 않으면 수정할 수 있다.

출처: Common Core State Standards Initiative, 2015.

경제학》의 작가로 유명한, 시카고 대학교의 경제학자인 스티븐 레빗이었다. 그는 고등학교 수학을 바꾸는 데 도움을 줄 수 있겠느냐고 물었고 나는 흔쾌히 동의했다. 그 이후로 많은 일이 일어났는데, 그중 하나는 유큐브드에서 구글과 협력해 데이터 과학에 관한 1년짜리 고등학교 과정을 개발하는 것이었다. 스탠퍼드 대학교가 위치한 캘리포니아에서는 학생들이 대수 2 대신 데이터 과학을 수강할 수 있다고 학교에 알려왔다. 6장과 7장에서 설명한 것처럼 이러한 변화는 수 세기 동안 수학을 괴롭혀온 불평등을 해소할 수 있는 잠재력을 가지고 있으며, 미국 전역에 도입되고 있다. 하지만 데이터 과학은 고등학교에서만 중요한 것이 아니다. 유치원부터 모든 학년의 교사가 데이터 관점을 취할 수 있다. 유큐브드에서 '수 이야기'와 비슷한 구조로 '데이터 이야기'를 시작했을 때, 모든 학년의 교사들이 열광적으로 반응했다. '데이터 이야기'는 학생들과 데이터 시각화를 공유하고 학생들이 무엇을 알아차리고 궁금해하는지, 무엇을 궁금하게 만드는지 물어보는 것이다. 이는 데이터 시각화가 무엇을 보여주는지 또는 어떤 질문을 제기하는지에 대한 토론으로 이어질 수 있다. 이를 통해 학생들은 삶에 매우 중요한 데이터 리터러시를 개발할 수 있다. 학생들이 데이터 리터러시를 개발하는 데 도움이 되는 자세한 정보와 리소스는 유큐브드의 데이터 과학 섹션에서 찾을 수 있다.

론 페드키우는 스탠퍼드 대학교의 응용수학자이자 컴퓨터 특수 효과 전문가이다. 2008년 〈캐리비안의 해적〉, 2015년 〈스타워즈 에피소드 III〉에서 그가 만든 수학 모델로 구현한 시각 효과로 아카데미상을 받기도 했다. 페드키우는 23세까지 순수수학을 공부한 후 응용수학 분야로 진출했다. 물체의 회전, 모의 충돌, '떨어지는 물방울 조각을 수학적으로 봉합하는' 새로운 알고리즘을 디자인하는 것이 그의 작업이다.

수학적 모델링은 형사 사건에도 사용되며 잔인한 살인 사건 해결에 도움을 주었다. 미국 드라마 〈넘버스〉는 FBI 요원인 형이 수학 천재 동생의 도움을 받아 로스앤젤레스에서 일어나는 다양한 범죄를 해결해 나가는 과정을 그린 수사 시리즈물이다. 이 시리즈물의 첫 번째 이야기에서는 잔인한 연쇄 살인범의 실화를 선보였다. FBI 요원은 지도에 살인 위치를 표시해 추적했지만, 패턴을 발견하진 못했다. 드라마에서 FBI 요원은 난처한 상황에 빠졌는데, 수학은 패턴을 연구하는 거라는 수학자 동생의 말을 떠올렸다. 그는 동생에게 도움을 요청했고, 수학자 동생은 범인이 자신의 근거지 가까이에서 범행을 저지르지만 너무 가까운 곳은 피한다, 범행을 저지르지 않는 완충 지대buffer zone를 둔다는 것과 같은 연쇄 살인범에 대한 주요 정보를 입력하고 단순화된 수학적 모델을 이용해 범인의 근거지를 나타내는 x표들 사이의 패턴을 찾아냈다. 이 모델은 범인이 근거지로 삼을 만한 곳을 가리키는 '핫 존Hot zone'을 보여주었다. FBI 요원은 그 지역에 살았던 특정 연령의 사람들을 조사해 결국 범인을 잡았다. 이 에피소드는 킴 로소모 박사의 실화를 바탕으로 만들어졌는데, 그는 전 세계의 경찰들이 사용하는 프로세스인 범죄 지역 타기팅Criminal Graphic Targeting, CGT의 수학적 모델을 개발했다.

실생활의 문제를 실제 자료와 제약 조건을 기반으로 수학을 이용해 해결하라는 것은 상황을 모델링하라는 뜻이다. 울프럼이 말했듯이, 학생들은 현실에 맞닥뜨린 문제를 해결하기 위한 모델을 만들고 약간의 계산 과정을 거친 다음(이 부분은 계산기나 컴퓨터로 할 수 있다), 얻어낸 답으로 문제를 해결했는지 아니면 모델을 수정해야 하는지 봐야 한다. 그는 현재 학생들이 수학 시간의 80%를 계산하는 데 쓰고 있다는 점을 지적했다. 모델을 만들고 수정해 실제 문제 해결에 적용하는 방법을 익혀야 할 시간을 단순 계산 연습에 쓰고 있다는 것이다.

대수 수업에서 학생들에게 대수를 이용해 모델링하라고 하기보다는 계산하라고 하는 경우가 더 많다. 루스 파커가 제공한 다음 문제를 보자.

> 다이어트 중인 남자가 칠면조 고기를 사려고 가게에 들어갔다. 칠면조 고기 세 조각을 넣은 한 봉지의 무게는 1/3파운드이나. 그런데 다이어트 중인 그가 하루에 먹을 수 있는 양은 1/4파운드이다. 제대로 다이어트를 한다면 칠면조 한 봉지에 든 세 조각 중 얼마나 먹을 수 있을까?

많은 사람이 어렵게 느끼는 문제이다. 그러나 어렵게 느끼는 부분은 계산이 아니라 문제 해결을 위한 모델을 설정하는 부분이다. 아동들이 이 문제를 풀기 위해 만든 우아한 시각적 해결 방법은 다른 논문에서 확인할 수 있다(Boaler, 2015a). 여기서는 4학년 학생이 제시한 해결책을 소개하겠다.

> 세 조각이 1/3파운드이므로 1파운드는 아홉 조각이다(그림 9.10 참조).
> 남자가 먹을 수 있는 양이 1/4파운드이므로 아홉 조각의 1/4만큼 먹을 수 있다(그림 9.11 참조).
> 그러므로 남자가 먹을 수 있는 양은 2와 1/4 조각이다.

이와 대조적으로 어른들은 답을 찾는 데 어려움을 겪었고, 답과 상관없는 $\frac{1}{3} \times \frac{1}{4}$을 계산하거나 대수를 사용하려 했지만 어떻게 하는지 기억하지 못했다. 대수를 사용하려면 다음과 같은 비례식을 세워야 한다.

> 3 조각 : $\frac{1}{3}$파운드 = x 조각 : $\frac{1}{4}$파운드
> 그다음 비례식 내항의 곱이 외항의 곱과 같다는 것을 이용한다.
> $\frac{1}{3}x = \frac{3}{4}$이고 $x = \frac{9}{4}$이다.

이 문제를 푼 어른들은 모델을 세우고 식을 만드는 데 어려움을 겪었다. 대수 수업을 몇 년이나 들었는데도 상황을 해석하고 모델을 세워본 적이 없다. 학생들은 변수를 옮기고 많은 식을 정리하는 연습을 하지만, 문제를 스스로 만드는 경우는 거의 없다. 이것이 울프럼이 이야기했던 중요한 과정, 즉 모델을 세우는 과정이다. 울프럼이 최근에 낸 책(2020)은 이 중요한 사고를 확장하고 모델링과 데이터 과학을 수학에 통합하는 방법을 제시한다.

모든 연령의 학생들이 모델링을 할 수 있다. 예를 들어, 유치원생들에

그림 9.10 아홉 조각

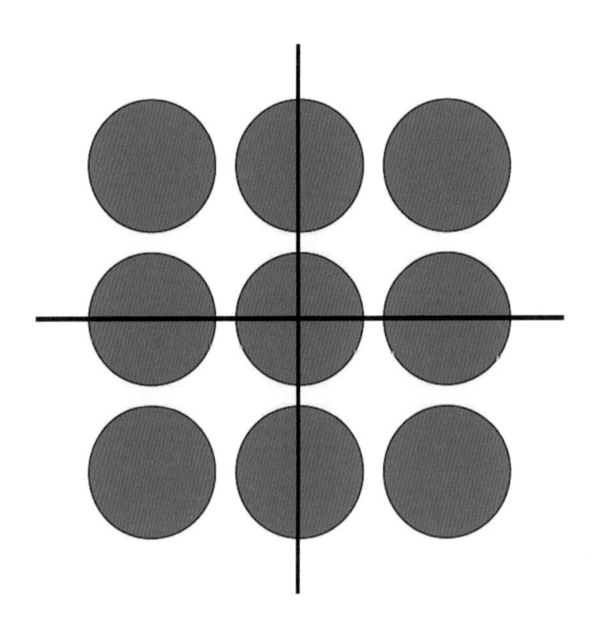

그림 9.11 네 부분으로 나뉜 아홉 조각

게는 반의 모든 아이가 카펫에 앉을 수 있도록 자리표를 만들라고 할 수 있다. 반의 아이들을 도형이나 물체로 나타내면서 모든 아이가 카펫에 앉는 좋은 방법을 찾을 수 있다. 이것은 상황을 모델링하는 예이다. 이 경우에는 모델링하기에 복잡한 존재(아이들)를 나타내는 모양이나 물체를 사용한다(www.youcubed.org/tasks/moving-colors/). 때로 수학적 모델을 이용해 실제 상황을 훨씬 더 간단하게 나타낼 수 있다. 유치원 예제에서 어린이를 나타내는 모양은 크기나 움직임을 고려하지 않는다. 칠면조 고기 조각의 예에서 고기 조각들은 똑같은 크기와 무게를 가진 것으로 간주된다.

중학생 또는 고등학생이 풀어볼 수 있는 좋은 모델링 문제는 유명한 '묶여 있는 염소 문제'이다. 예시 9.8에 있는 문제의 확장 버전은 캐시 윌리엄스가 작성했다.

실제 상황을 설정한 문제는 아니지만, 학생들이 실제 상황의 측면을 고려하고 이를 사고에 사용하도록 유도하는 맥락을 설정하고 있다. 학생들은 염소가 움직여야 하는 공간에 대해 궁금해할 것이다. 문제 조건으로 울타리 몇 개를 더할 수도 있다. 1피트짜리 울타리 60개를 더해 헛간의 넓이가 최대가 되도록 만들라는 문제로도 확장할 수 있다. 풍부한 수학적 주제를 다룰 수 있는 이 문제는 5장에서 이미 설명한 문제이다. 나무 심기에 대해 학생들은 여러 가지 생각을 할 수 있다. 염소가 나무를 먹으면 어떻게 될까? 어떤 나무를 심는 게 가장 좋을까? 염소가 나무를 먹지는 못하지만, 나무 그늘에 쉬게 하려면 어디에 심어야 할까?

이 상황은 학생들이 풍부한 질문을 하고 조사할 여지가 많은 수학적 상황이다. 학생들은 상황을 모델링하고 표현을 구성하는 두 가지 중요한 수학적 연습을 해야 한다(그림 9.12 참조).

실제 데이터를 사용하기 좋은 방법은 학생들에게 잡지, 신문, 인터넷에

묶여있는 염소

헛간 구석에 밧줄로 묶여있는 염소 한 마리를 상상해 보자. 헛간은 가로 4피트, 세로 4피트, 밧줄의 길이는 6피트이다.

이 상황에 대해 궁금한 점은 무엇인가?

이 상황을 그림으로 그려보자.

질문이 있는가?

해는 헛간 동쪽에서 떠서 서쪽으로 진다. 염소는 그늘을 좋아한다. 어디에 나무를 심어야 하는가? 어떤 나무를 심고 싶은가?

출처: 캐시 윌리엄스

예시 9.0

있는 실제 숫자와 데이터를 가지고 작업하도록 하는 것이다. 내가 좋아하는 주제인 사회 정의에 관한 이슈를 함께 가르칠 수 있는 활동을 예로 들어보겠다. 학급에서 세계의 여러 대륙을 나타내는 그룹을 만들어보라고 한다. 그다음 각 대륙에 해당하는 세계 자산 비율을 조사하고, 자산을 쿠키로 나타낸다면 자기 그룹이 몇 개의 쿠키를 얻을 수 있는지 조사하게 한다(예시 9.9 참조). 학생들은 모델링하고, 추론하고, 지식을 적용할 뿐만

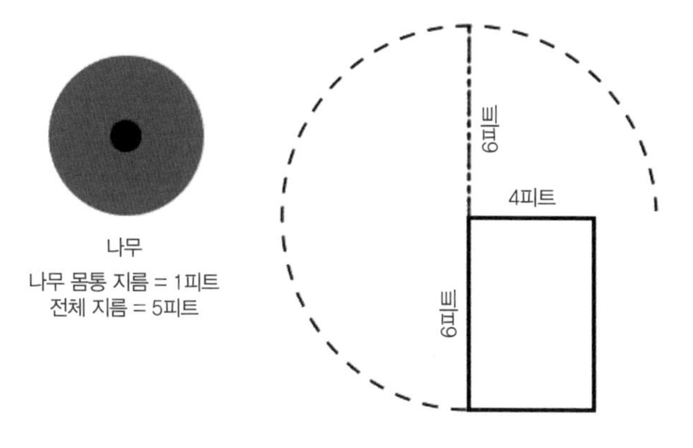

그림 9.12 묶여있는 염소 모델

아니라 세계와 부의 분배 방식에 대한 실제적이고 중요한 정보를 배우게 된다. 이러한 정보는 학생들이 먹을 수 있는 쿠키로 나타나기 때문에 더욱 실감 나게 다가올 것이다. 일부 대륙을 나타내는 그룹이 얻게 되는 쿠키의 양은 매우 적기 때문에, 나중에 함께 나눠 먹을 쿠키를 여분으로 준비해 두는 게 좋다.

올림픽 및 기타 스포츠 데이터는 수학적 문제와 데이터 과학에 대한 풍부한 기회를 제공한다. 스포츠 데이터를 이용할 때는 성평등을 염두에 두어야 한다. 예시 9.10에도 수학적 모델링이 포함된다.

현실의 문제를 가지고 수업할 때는 실제 데이터와 상황을 이용하고, 꼭 필요할 때만 의도된 상황을 제시해야 한다. 학생들이 이치에 맞는 판단을 할 수 없는 가상의 수학 나라로 들어가게 해서는 안 된다. OECD의 PISA 팀은 수학 평가에서 미국 학생들의 강점과 약점을 분석했다. 미국 학생의 약점은 수업에서 사용된 인위적인 상황과 어느 정도 관련이 있었다. 이런 인위적인 상황은 실생활의 변수를 사용하는 것이 아니라 무시하

세계 자원 모의실험

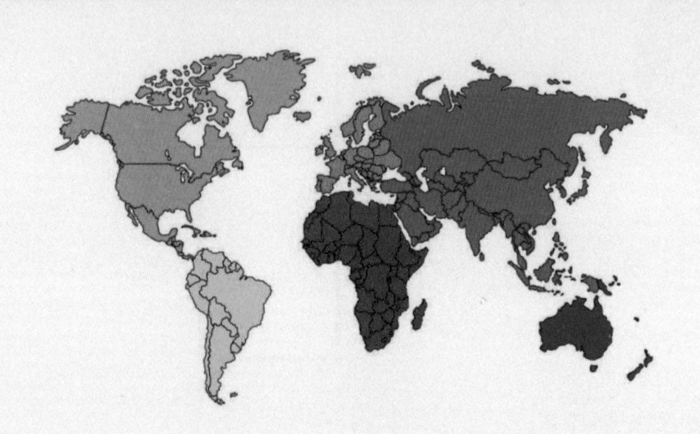

1. 각 대륙에 살고 있는 세계 인구의 백분율을 찾으세요.

2. 각 비율에 해당하는 우리 학급의 인원수를 계산하세요.

3. 각 대륙의 세계 자산의 백분율을 계산하세요.

4. 각 대륙의 자산을 쿠키 개수로 계산하세요.

표 1 세계 자산 자료

대륙	2000년 인구수 (단위 : 백만 명)	인구수 백분율	자산(GDP, 단위 : 1조 달러)	자산 백분율
아프리카	1,136		2.6	
아시아	4,351		18.5	
북아메리카	353		20.3	
남아메리카	410		4.2	
유럽	741		24.4	
오세아니아/호주	39		1.8	
계	7,030	100%	71.8	100%

예시 9.9 (계속)

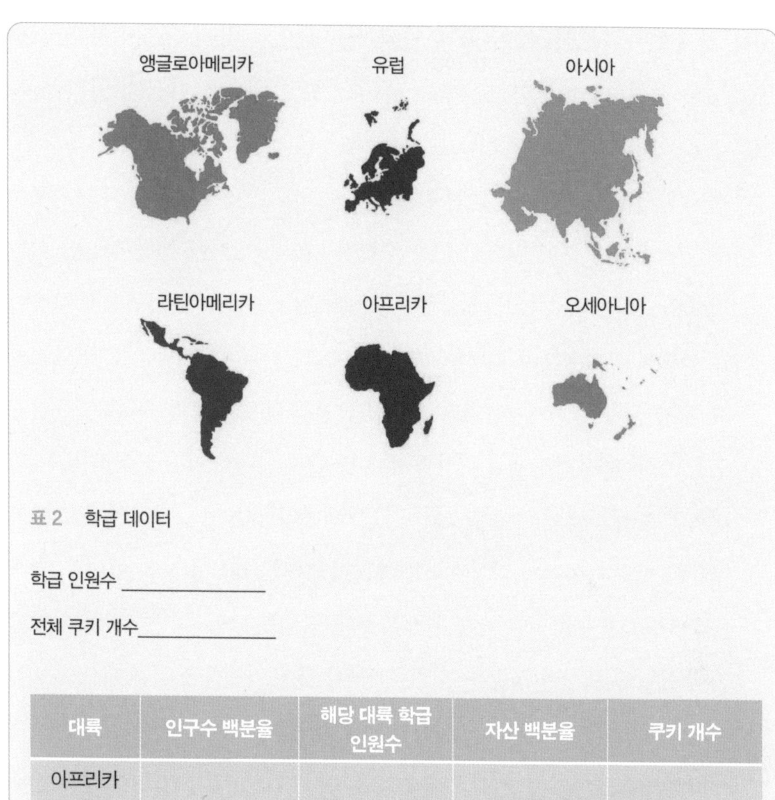

표 2　학급 데이터

학급 인원수 ______________

전체 쿠키 개수______________

대륙	인구수 백분율	해당 대륙 학급 인원수	자산 백분율	쿠키 개수
아프리카				
아시아				
북아메리카				
남아메리카				
유럽				
오세아니아/호주				
계	~ 100%		~100%	

출처: 국제통화기금; 인구통계국 샤메인 멩그램(Charmaine Mangram)

예시 9.9

도록 가르친다. 학생들이 수학 수업에 적극적으로 참여하고 수학에서 성공하도록 격려하는 방법으로 PISA 팀이 권고한 내용은 다음과 같다.

> 미국 학생들은 도표에서 단일 값을 추출하거나 잘 구조화된 공식을 다루는 등 인지적인 부분이 덜 요구되는 수학적 기술과 능력에 특히 강점이 있는 것으로 나타났습니다. 또한 실생활의 상황으로 구성된 문제나 수학적 용어로 변환하고 실생활의 문제를 수학적 측면으로 해석하는 등 기술과 능력을 요구하는 부분에서 특히 약점을 보였습니다. 약점을 보인 부분은 "문맥은 신경 쓰지 말고, 문장에서 숫자를 뽑아 몇 가지 타당한 계산을 하라"라는 피상적인 수업 전략이 실패할 수밖에 없는 과제입니다. 이 피상적인 전략은 학생들이 학교 수학에서 살아남고 시험을 통과하는 데는 도움이 됩니다. 그러나 PISA의 수학적 학습 능력 과제를 수행할 때는 수학의 기초가 잘 잡혀있어야 합니다. 미국 학생들은 이러한 과제에 특히 어려움을 겪는 것으로 보입니다. 이러한 연구 결과가 시사하는 바에 대해 한 가지 분명한 권고 사항은 이러한 활동에 필요한 기본 기술을 소홀하지 않고 수학적 모델링(실제 상황을 이해하고, 수학적 모델로 옮기고, 수학적 결과를 해석하는 것)과 같은 고치원적인 활동에 훨씬 더 집중하는 것입니다. (OECD, 2013)

PISA 팀은 미국 학생들이 약점을 보이는 질문에서 나타나는 현상을 관찰했다. 미국 학생들은 문맥을 무시하고 그저 숫자만 사용해 잘못된 답을 내는 경향이 있었다. 이것은 미국 전역에서 쓰이는 교과서에 나오는 문제들이 가짜 상황으로 구성되어 있기 때문이다. 안타깝게도 미국 학생들이 일반적으로 수학 수업에서 배우는 전략은 그들이 직장에 들어갔을 때 별반 도움이 되지 않는다. 학생들에게는 실제 상황을 고려하고, 실제

축구 골키퍼

만일 당신이 축구 골키퍼이고, 상대 팀에서 공격수 한 명이 자기 팀 선수들에게서 떨어져 당신에게 달려오고 있다면, 당신이 서 있어야 하는 가장 좋은 위치는 어디인가요? 상대 팀 공격수가 슛하는 위치에 따라 어느 위치가 가장 좋은지 세밀하게 그림으로 그려보세요.

예시 9.10

변수를 사용하며, 실제 상황에서 얻어지는 데이터를 이용하는 수업이 필요하다. 학생들은 실제 상황을 가지고 수학적 모델을 세우고 문제를 해결하는 방법을 배울 필요가 있다. 이 과정에서 데이터 리터러시, 즉 데이터를 읽고 이해한 것을 바탕으로 분석 결과를 전달하는 능력을 개발하는 방법을 배워야 한다. 이 모든 것을 배우는 과정은 학생들의 미래를 위해 매우 중요하다.

학생들이 질문, 추론, 증명, 의심하도록 격려하라

수학자가 해야 하는 제1 순위는 흥미로운 질문을 제기하는 것이다. 이 수학적인 실천은 수학 교실에서 거의 무시되지만 수학 작업의 핵심이다. 공립학교 3학년 교사 닉 푸트는 내 두 딸을 모두 가르친 덕분에 수학에 관해 토론할 기회가 많았다. 닉은 때때로 학생들에게 상황을 주고 학생들 스스로 수학적 질문을 내놓게 했다. 닉의 수업을 참관했던 어느 날, 그는 다음과 같은 상황을 제시했다.

> 여러분은 예쁜 팔찌 몇 개를 사고 싶어요. 그래서 무지개 정원 가게에 갔더니 이런 조건으로 팔찌를 팔고 있어요.
>
> 두 가지 색깔 팔찌: 1개에 50센트 또는 3개에 1달러
>
> 세 가지 색깔 팔찌: 1개에 1달러 또는 3개에 2.50달러
>
> **팔찌 재료**
>
> - 고무줄 600개들이 한 봉지: 3달러 또는 4봉지에 10달러
> - 야광 고무줄 600개들이 한 봉지: 5달러
> - 고무줄 팔찌 만들기 세트: 5달러

그는 학생들을 그룹으로 나누어 이 상황을 주제로 토론하고 질문을 만들라고 했다. 예시 9.11은 닉이 자주 사용하는 수업용 인쇄물이다.

학생들은 자신들의 관심사와 일치하는 상황이 제시되자 즐거워하면서 다음과 같은 질문을 만들었다. 왜 팔찌가 비쌀까? 학생들은 팔찌를 직접 만드는 데 드는 비용을 알아보고, 상점에서 파는 비용에 대해 생각하면서 이 문제를 해결했다. 학생들이 내놓은 진짜 질문이 높은 참여와 학습을

그림 9.13 판매용 팔찌

출처 : mervas/Shutterstock

끌어냈다.

취업 전선에 뛰어들어 첨단 기술 세계에 들어선 사람들에게 요구되는 한 가지는 상황과 빅데이터에 관한 질문을 제시하는 것이다. 이미 회사는 거대한 데이터를 처리하고 데이터에 대해 창의적이고 흥미로운 질문을 할 수 있는 사람을 높이 평가하고 있다. 학생들에게 하나의 상황을 생각한 다음 스스로 질문을 제시해 보라고 하면 즉각적으로 자기 생각과 아이디어를 끌어내며 흥분하고 즐거워한다. 이러한 수업은 약간의 시간만 있으면 충분히 구현할 수 있다. 학생들이 나중에 수학이 필요할 때, 스스로 문제를 제시할 능력을 학교에서 키워줘야 한다.

콘래드 울프럼은 고용주로서 자신이 필요로 하는 사람은 컴퓨터처럼 빠르게 계산하는 사람이 아니라고 말한다. 그에게 필요한 사람은 추측할 수 있고, 자신의 수학적 경로를 이야기할 수 있는 사람이다. 직원들이 자신의 수학적 경로를 다른 사람에게 설명하는 것이 매우 중요하다. 업무를 수행하거나 조사할 때, 그런 수학적 경로를 다른 사람이 이용할 수 있고, 사고 과정이나 논리에 오류가 있는지 확인할 수도 있기 때문이다. 이것이

우리가 궁금한 것들

팀 구성원:
날짜:

우리가 궁금한 것들

그림이나 숫자, 글을 이용해 여러분의 질문에 어떻게 답해야 하는지 보여주세요.

우리가 연구하고 싶은 것

그림이나 숫자, 글을 이용해 여러분의 질문에 어떻게 답해야 하는지 보여주세요.

출처: 닉 푸트

예시 9.11

수학적 업무의 핵심이며, 이것을 추론이라고 부른다.

학부모에게 수학에 관해 이야기할 때가 많은데, 특히 성취도가 높은 학생의 부모들은 이런 질문을 던진다. “우리 아이는 자기 혼자 빨리 문제를 풀고 답을 낼 수 있는데, 왜 그룹에서 자기가 이미 푼 것을 다른 아이들과 토론해야 하죠?” 나는 부모들에게 이렇게 설명한다. “자신이 푼 것을 설명하는 것은 추론이라고 부르는 수학적 연습입니다. 그것이 수학이라는 학문의 핵심입니다.” 학생들이 수학적 아이디어에 대한 논리를 제시하고 자기 생각을 증명해 보일 때, 그들은 수학에 참여하고 있다. 3장에서 말했듯이 과학자들은 가설을 제안하고 이론을 개발하며, 이론을 입증하거나 뒤집는 반례를 찾는다. 수학자들은 추측을 제안하고 수학적 경로에 대해 추론하며 아이디어 사이의 논리적인 연결을 증명한다(Boaler, 2013c).

5장에서는 학생들에게 회의주의자가 되라고 하는 수업 전략을 소개했다. 이 전략을 통해 학생들은 서로 높은 수준의 추론을 하도록 자극한다. 이 전략은 학생들에게 추론을 가르치고 회의주의자 역할을 해보게 하는 훌륭한 방법이다(심지어 학생들은 회의주의자 역할을 즐기기까지 한다). 5장에서 설명했듯이 추론은 핵심적인 수학적 연습일 뿐만 아니라 모든 학생이 아이디어에 접근하는 데 도움이 되므로 형평성을 증진하는 수업 방식이기도 하다. 학생들이 회의론자 역할을 하면 정말 이해하지 못해 묻는 것이라 하더라도 부끄러워하거나 두려워하지 않는다.

멋진 기술과 조작물로 가르치라

수학을 열린, 시각적이며 창의적인 세계로 초대할 때 다양한 종류의 기술과 학습 도구가 도움이 된다. 퀴즈네어 막대, 멀티 큐브 및 패턴 블록은 모든 수준의 학생들에게 도움이 된다. 나는 스탠퍼드에서 대학생들을 가르칠 때도 이러한 도구들을 사용한다.

계산과 그래프 작성을 위한 강력한 도구가 많이 있는데, 내가 가장 좋아하는 것은 무료 온라인 계산기인 Desmos이다. 예전에는 학생들이 비싼 그래프 계산기를 사지 않으면 대수학 수업을 제대로 이해할 수 없었다. Desmos는 학생들을 위해 이런 상황을 바꿔놓았다. 훌륭한 무료 수업을 제공하고 수학에 대한 시각적이고 창의적인 접근 방식을 장려한다. 나는 Desmos 팀으로부터 글로벌 수학 아트 콘테스트의 심사위원을 맡아달라는 요청을 받았다. 결선 진출자의 멋진 작품을 그림 9.14에서 확인할 수 있다.

학생들이 2차원과 3차원에서 기하학적 아이디어를 탐색하고 각도와 선을 움직여 관계를 탐색하도록 해주는 것은 매우 중요하다. 이것은 펜과 종이로는 할 수 없는 강력한 사고thinking이다. 아이패드용 지오메트리 패드Geoometry Pad와 지오지브라GeoGebra를 사용하면 교사와 학생이 $y = mx + b$ 및 삼각비와 같은 기하학 및 대수적 아이디어를 움직이는 모습으로 볼 수 있다. 바이츠 아리스메틱 LLCBytes Arithmetic LLC가 만든 지오메트리 패드의 기본 버전은 무료이다.

탭 탭 블록Tap Tap Blocks과 같은 기타 앱은 학생들이 공간 패턴과 대수 패턴을 만들고 풀면서 3차원으로 구축하는 데 도움이 된다(그림 9.15 참조). 학생들은 3D 시뮬레이션 공간에 물체를 배치하고 회전시킬 수 있다. 탭 탭 블록은 폴 행가스가 만든 무료 앱으로 iOS에서 실행된다.

탭 탭 블록으로 시도해 볼 만한 좋은 활동은 학생들에게 다른 각도에서 본 도형의 모습을 보여주고 원래 도형을 만들어보라고 한 다음, 학생 스스로 새로운 도형을 만들고 친구에게 문제로 내보라고 하는 것이다. 예를 들면 다음과 같다.

> 주황색 1개, 노란색 1개, 진한 파란색 1개, 녹색 2개, 하늘색 2개, 빨간색 2개, 보라색 3개 블록이 있는 이 모양을 만들 수 있나요? 다음은 다양한 각도에서 본 모습입니다(그림 9.16 참조).

이러한 다양한 앱과 웹사이트는 학생들이 개념적, 시각적 사고를 할

글로벌 수학 아트 콘테스트 결선 작품

View all finalists

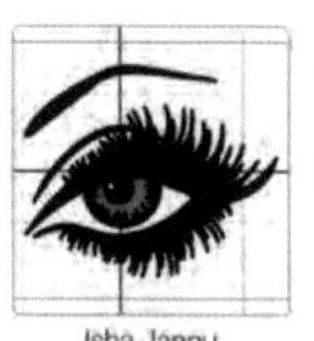
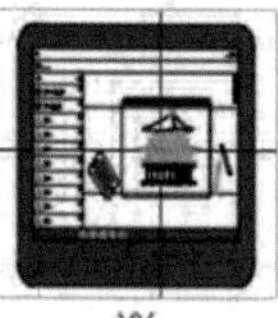

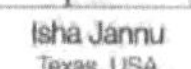

그림 9.14 Desmos 수학 아트 결선 작품

출처: www.desmos.com/art/.

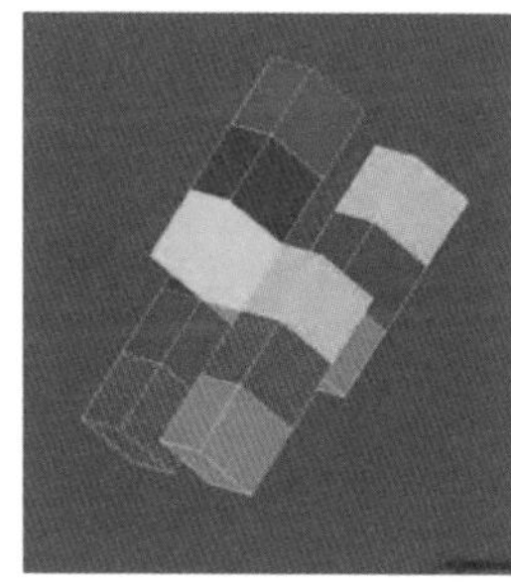
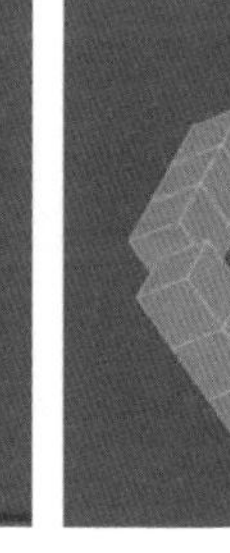
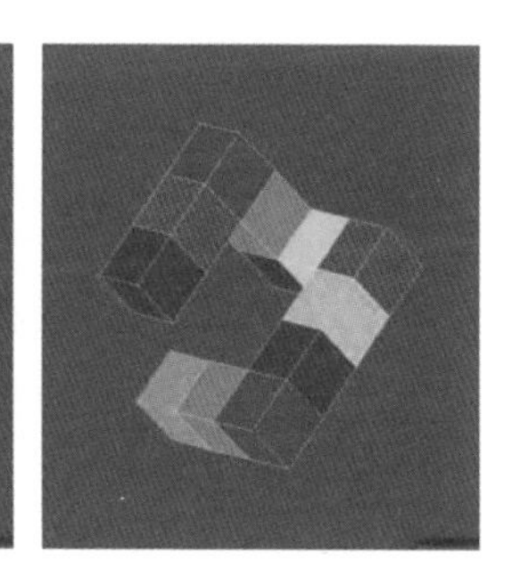

그림 9.15 탭 탭 블록

출처: 폴 행가스 - tappopotamus.com

수 있는 생산적인 방법을 제공한다. 하지만 이들이 이러한 기능을 제공하는 유일한 앱, 게임 또는 사이트는 아니다. 수많은 수학 앱과 게임이 학생을 돕는다고 주장하지만, 학습 연구에 기반을 둔 앱은 매우 드물며 수학을 개념적이고 시각적인 과목으로 보여주는 앱과 게임은 거의 없다. 학생의 참여를 유도하기 위한 기술을 선택할 때는 절차와 계산을 빠르게 하는 것이 아니라 학생들이 사고하고 연결하도록 동기를 부여하는 기술을 사용해야 한다.

수학은 광범위하고 다차원적인 과목이며, 교사가 수업과 평가를 통해

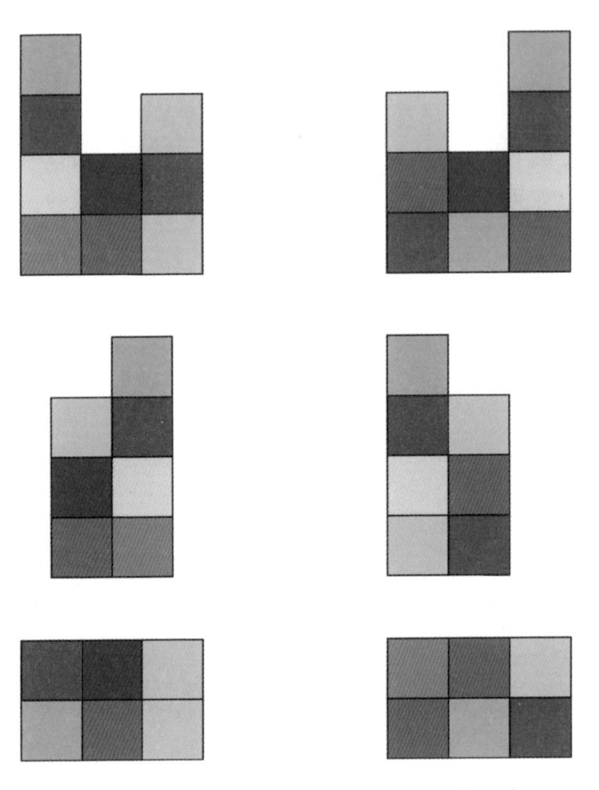

그림 9.16　탭 탭 블록으로 만든 모양을 6개의 방향에서 바라본 모습

수학의 다차원성을 받아들일 때 더 많은 학생이 수학에 접근하고 수학에 흥미를 느낄 수 있다. 수학을 개방하면 수학에 몰입하고 잘할 수 있는 학생의 수와 범위가 넓어진다. 이는 수학을 인위적으로 확대하거나 지나치게 단순화하는 것이 아니라 학교 수학을 실제 수학, 세상의 수학에 더 가깝게 만드는 것이다.

아이디어를 실천에 옮기라

여러 가지 교수법 아이디어를 제시했는데, 이 중 적어도 몇 가지는 독자 여러분에게 도움이 되기를 바란다. 이 책을 마무리 짓기 전에, 내가 경험한 수학 마인드셋 접근 방식의 실제 사례를 소개하면서 그 방법이 학생들의 성취에 어떤 영향을 미쳤는지 공유하겠다.

수학 마인드셋 접근법의 개발은 유큐브드의 공동 이사인 캐시 윌리엄스와 유큐브드 팀 구성원, 박사 과정 학생들과 함께 앉아서 다음과 같은 질문을 던지면서 시작되었다. "학생들이 이런 방식으로 수학을 경험한다면 어떤 일이 일어날까요?" "그림 9.17의 왼쪽 열에 나열된 특성에서 오른쪽 열에 표시된 특성으로 수학을 가르친다면 어떻게 될까요?"

우리는 스탠퍼드에서 여름방학 캠프를 운영하기로 했다. 지역 교육청과 협력해 7, 8학년에 올라갈 학생들에게 무료 수학 체험에 관심이 있는지 물어봐달라고 했다. 수학에 대해 부정적인 경험을 한 학생을 중심으로 대상자를 찾아봐달라고 부탁했는데, 교육청에서는 그런 학생들을 충분히 찾을 수 있다고 했다. 성취 수준이 다양한 학생들이 캠프에 참여했지만, 이들 모두 캠프 첫날 인터뷰에서 자신은 '수학 천재'는 아니라고 말했다. 이 학생들 가운데 대부분은 수학 천재는 수업 시간에 나온 질문의 답을 빨리 찾는 사람이라고 말했다. 수학에서 속도가 중요하다는 믿음은 우리가 캠프에서 깨뜨려야 할 잘못된 신념 중 하나였다.

우리 캠프에 참가한 학생들은 모두 각 학군에서 MARS Mathematics Assessment Resource Service 평가를 치렀다. 이 평가 시험은 표준화된 시험이지만, 일반적인 문제보다 더 많은 개념적 문제를 추론하도록 요구하는

"수학 천재"냐 아니냐	→ 무한한 잠재력
속도와 절차	→ 깊이와 창의성
한 가지 방법, 단 하나의 답	→ 다양한 아이디어
숫자, 계산	→ 시각화, 탐구
정답 찾기	→ 노력을 높이 평가하기
개인 작업	→ 협업

그림 9.17 수학 마인드셋 접근법으로의 변화

시험이다. 일부 문제는 대수적 추론을 평가하는데, 우리 캠프도 대수학에 중점을 두었기 때문에 사전 평가로 이런 문제를 선택했다. 캠프가 끝날 때 똑같은 문제를 내어 학생들의 이해력이 향상했는지 확인했다. 캠프에서 대수학을 가르칠 계획은 없었지만, 캠프 마지막 날에 푸는 이 문제가 캠프 중 학습을 측정하는 유용한 척도가 될 수 있다는 생각이 들었다. 우리는 학생들에게 시험이 자신의 가치를 측정하는 것이 아니라 자신이 알고 있는 것을 보여주는 기회임을 알려주었다.

사전 및 사후 테스트로 수행된 표준 테스트에서 학생들이 보여준 성취도 향상에 우리는 깜짝 놀랐다. 그림 9.18에 나와 있는 것처럼 학생들의 성취도는 2.8년 동안 학교에 다닌 것과 맞먹을 정도였다. 그래프에 따르면 모든 학생의 성취도가 향상되지는 않았지만, 이전 성취도가 낮음, 중간, 높음에 속했던 학생에게서 상당한 향상이 있었다. 캠프에서는 학생의 '수준'에 따라 반을 나누지 않았다. 앞에서 언급한 바와 같이 성취도가 높은 학생들의 일부 학부모는 다양한 성취도의 학생이 섞여있는 그룹에서 자녀가 불이익을 받지 않을까 걱정하지만, 이 데이터는 그렇지 않음을 보여준다.

캠프 기간 동안 우리는 기회가 있을 때마다 학생들에게 성장 마인드셋

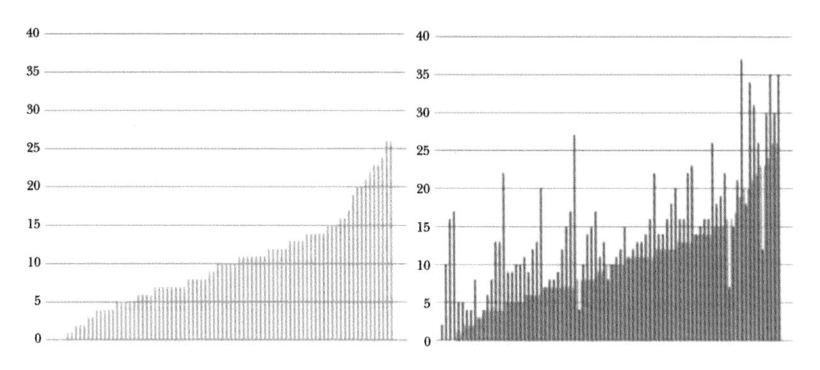

그림 9.18 유큐브드 여름 캠프 사전, 사후 평가. 각 막대는 캠프 전후의 표준화된 시험(대수 MARS 질문)에서 82명의 학생 점수를 나타낸다.

메시지를 전달했다. 캠프에는 4개의 반이 있었는데, 첫날에 나는 각 반에 가서 약 12분간 학생들에게 속도는 중요하지 않다는 것, '수학 천재'라는 것은 없다는 것, 두뇌는 항상 성장하고 변화한다는 것, 실수와 노력을 소중히 여긴다는 것 등의 메시지를 전했다(이 메시지는 현재 약 50만 회 조회된 유큐브드의 동영상에서도 볼 수 있다). 이러한 메시지를 계속해서 전달할 뿐만 아니라 학생이 실수할 때마다 이를 축하하고 모두의 학습에 도움이 된다고 말했다.

캠프의 또 다른 중요한 측면은 학생들에게 주어진 수학 과제가 바닥은 낮고 천장이 높으며 대부분 시각적이라는 점과 학생들이 문제를 풀기 전에 문제를 어떻게 보는지 물어본다는 점이었다. 나중에 학생들은 그룹을 돌며 각 구성원에게 "어떻게 보셨나요?"라고 묻는 데 익숙해졌고, 덕분에 이전보다 훨씬 더 그룹 구성원 모두에게 참여할 기회가 고르게 주어졌다고 했다. 과제가 가진 '바닥은 낮고 천장이 높은' 특성이 매우 중요했다. 학생들에게 이 특성으로 이해력을 키울 수 있고, 과제를 통해 성장을 보고 경험할 수 있다고 이야기했기 때문이다. 캠프에서의 접근 방식에 대한 자세한 내용은 다음의 링크에서 확인할 수 있다. www.youcubed.org/evidence/our-teaching-approach/

단 4주 만에 2.8년의 성장이라는 이 캠프의 놀라운 결과를 교사 및 다른 사람들과 공유했을 때, 사람들은 이런 질문을 던졌다. "캠프가 열린 곳이 스탠퍼드 캠퍼스여서 이런 결과가 나온 걸까요?", "교단에 섰던 경험이 있는 당신이 캠프를 진행했기 때문에 이런 결과가 나온 걸까요?" 나는 정규직 수학 교사 대부분보다 수학 수업에 대해 잘 모르기 때문에 후자의 질문이 특히 당황스러웠다. 몇 년 후 우리가 주최하고 연구한 행사를 통해 이 두 가지 질문에 대한 완벽한 답을 얻었다. 처음 캠프를 개최한 후 몇 년 동안 우리는 스탠퍼드에서 워크숍을 열어 커리큘럼을 공유하고 캠프에 참석한 교사들에게 캠프의 교육적 접근 방식을 가르쳤다. 그다음 미국 전역에서 진행된 다른 유큐브드 캠프에 관한 연구 조사를 조직했다. 그해에 브라질과 스코틀랜드에서도 캠프가 열렸지만, 표준화된 측정치를 사용하기 위해 미국 캠프만 연구에 포함했다. 그림 9.19에서 볼 수 있듯이 이 캠프들은 표준화된 시험에서 비슷한 성취도 향상을 보였다. 이 수치는 또한 학생들이 유큐브드 접근법을 경험한 시간이 많을수록 성취도가 더 크게 향상되었음을 보여주며, 이는 접근법이 효과 있다는 것을 보여주는 또 다른 형태의 증거로 여겨진다.

또한 캠프가 끝난 후에도 학교로 돌아간 학생들을 추적 조사해 여름 캠프 참여 사실이 학생들의 지속적인 수학 성취도에 영향을 미쳤는지 확인했다. 캠프에 참가했던 학생들은 학교에서 다양한 형태의 수학 교육(많은 학생이 성취도 저하의 원인이라고 말한 절차적 워크시트 접근법도 포함된다)을 받기 때문에 캠프 참가 여부가 얼마나 영향을 미칠 것인지 궁금했다. 연구 결과, 캠프에 참가한 학생들은 이듬해에 비교 그룹 학생들보다 훨

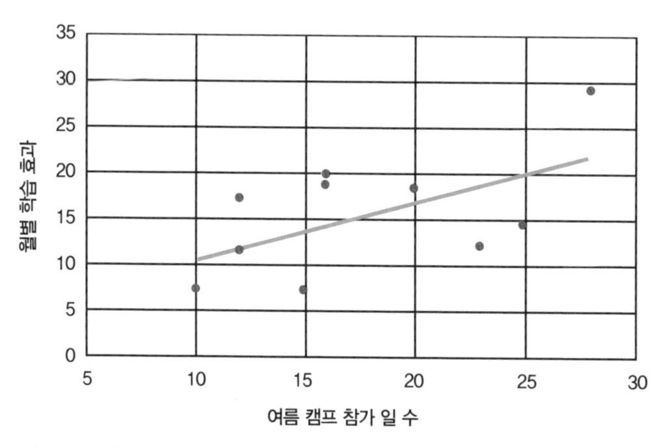

그림 9.19 미국에서 진행된 10개 캠프에서 얻어진 학생들의 평균 학습 효과

씬 높은 수학 학업 평점을 달성한 것으로 나타났다(0.52 SD; n = 2,417; p 〈0.001). 놀랍고 아름다운 결과였다.

유큐브드 여름 캠프의 한 가지 원칙은 학생들이 수학적 자유를 경험해야 한다는 것이다. 학생들은 성적이나 시간 압박 없이 주어진 과정과 정규 학년의 내용을 학습한다. 학생의 학습에 도움이 된다면 하나의 과제에 충분히 시간을 들인 후, 과제를 마치고서 다른 과제를 선택하도록 하는 것을 권장한다. 이런 접근 방식은 정기적인 평가가 있는 학기 중보다 여름 캠프 기간에 따르기 쉬운 방법이다. 그러나 일반적인 학교의 교사도 이런 방식으로 가르치면 학생들의 성취도에 큰 영향을 미친다(Boaler, 2019). 나는 학생들이 좋은 성적이나 시험 점수를 얻기 위해서가 아니라 수학을 좋아하기 때문에 수학을 경험하는 데 시간을 써야 한다고 믿는다. 우리 캠프에서는 학생들이 과제에 열중해 쉬는 시간을 잊어버리는 경우가 매우 많았다. 이러한 깊은 몰입이 학생들의 성취도에 큰 변화를 불러왔고 앞으로의 학습 경로를 바꾸어놓았다.

독자 여러분의 지역에서 유큐브드 여름 캠프를 개최하거나 수업에 사용할 교수법을 배우고 싶다면, 스탠퍼드에서 열리는 대면 워크숍에 참가해 볼 것을 권한다. 직접 방문하기 어려운 경우를 위해 온라인 강좌도 제공하고 있다. 수학 마인드셋이라는 온라인 강좌에는 캠프의 접근 방식이 설명되어 있으며 30개 이상의 캠프 수업 동영상이 포함되어 있다. (www.youcubed.org/resource/online-courses-for-teachers/ 참조)

결론

성장 마인드셋 수학 경로는 학생들에게 성취와 행복, 자기 존중감을 가져다준다. 이런 성장 마인드셋 수학 경로를 세워줄 수 있는 사람들이 바로 교사와 학부모, 지도자들이다. 실패하지 말아야 하고, 실수하지 말아야 하며, 수학을 잘하는 것은 일부 학생들만 가능하며 성공은 쉽고 노력이 필요하지 않아야 한다는 잘못된 생각으로부터 학생들을 해방해야 한다. 우리는 학생들에게 이제껏 묻지 않았던 질문을 하고 전통적이고 상상의 경계를 넘어간 아이디어를 생각할 수 있는 창의적이고 아름다운 수학을 소개해야 한다. 우리는 학생들이 성장 수학 마인드셋을 발전시키도록 해야 한다. 이 책이 창의적이고 성장하는 수학과 마인드셋으로 나가는 여정을 시작하는 분들에게 도움이 되었으면 한다. 혹시 그 여정 중에 잠시 지친 분이 있다면, 이 책이 다시 활기를 불어넣을 수 있기를 바란다. 개방적인 수학과 이를 지원하는 학습 메시지를 장려할 때, 교사와 부모로서 우리는 스스로 지적 자유를 계발하며 다른 이에게도 자유에 대한 영감을 준다.

나와 함께 이 여행의 첫걸음을 내디딘 여러분에게 감사의 인사를 전한다. 이제 여러분이 다른 사람들을 이 길로 초대할 때이다. 사람들을 속박하고 있는 인위적인 규제와 규칙에서 풀어주고, 누구나 수학에 대해 무한한 잠재력을 가지고 있음을 알려주어야 한다. 열린 수학 안에서 우리는 무엇이든 할 수 있다. 학생들이 스스로 질문하고 타고난 창조성과 호기심을 발휘할 기회를 줄 수 있다. 풍부하고 창조적이며 성장하는 수학을 경험하면, 학생들의 생각과 태도가 바뀌는 것은 물론 그들이 세계와 상호작용하는 방식이 달라진다.

학생들을 자유롭게 놓아줄 때, 아름다운 수학은 자연스레 따라오기 마련이다.

부록

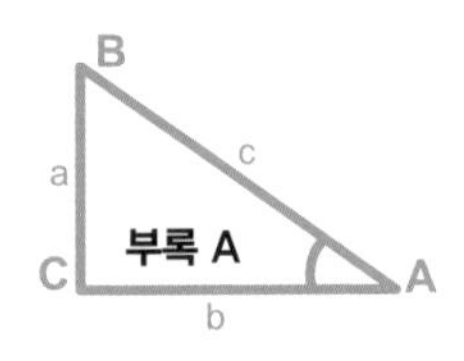

수학 숙제: 수업 돌아보기

파트 1: 주관식 서술 문항

선택한 질문에 자세히 답하세요. 완전한 문장으로 작성해 다음 수업에서 발표할 수 있도록 준비하세요.

1. 오늘 수업 시간에 배우거나 토론했던 중요한 수학적 개념, 아이디어는 무엇인가요?

2. 오늘 수업에서 해결되지 않아 질문하고 싶은 것은 무엇인가요? 질문이 없다면 비슷한 문제를 적고 풀이 과정을 쓰세요.

3. 오늘 수업 중 내(또는 친구)가 했던 실수나 잘못 이해했던 개념을 적어주세요. 이것으로부터 무엇을 배웠나요?

4. 오늘의 문제(또는 문제들)에 나(또는 우리 모둠)는 어떻게 접근했나요? 그 접근법은 성공적이었나요? 그 접근법에서 무엇을 배웠나요?

5. 나와 다른 방식으로 문제를 푼 친구는 어떻게 접근했는지 자세히 적어주세요. 그 접근법은 내 것과 어떻게 비슷하고 달랐나요?

6. 오늘 소개된 새로운 단어 또는 용어는 무엇인가요? 새로 알게 된 단어의 뜻은 무엇인지 예를 들거나 그림을 그려 설명해 주세요.

7. 오늘 수업에서 가장 중요한 수학적 토론은 무엇인가요? 그 토론에서 무엇을 배웠나요?

8. ________와/과 _______은/는 어떻게 비슷한가요?(또는 다른가요?)

9. ________을/를 바꾼다면 어떻게 될까요?

10. 이 단원에서 나의 강점과 약점은 무엇인가요? 약점을 개선하기 위한 계획은 무엇인가요?

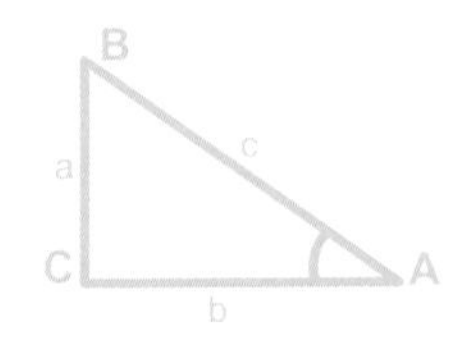

도형 과제

도형이 어떻게 커지고 있나요?

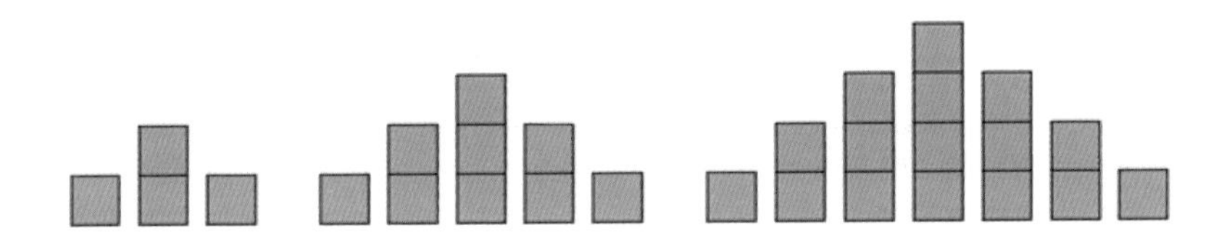

출처: 루스 파커, MEC 강좌에서 사용되는 과제

퀴즈네어 막대 기차

주어진 막대와 길이가 같은 기차를 몇 개나 만들 수 있는지 찾아보세요. 예를 들어, 연두색 막대와 길이가 같은 기차는 아래 그림과 같이 네 개 만들 수 있습니다.

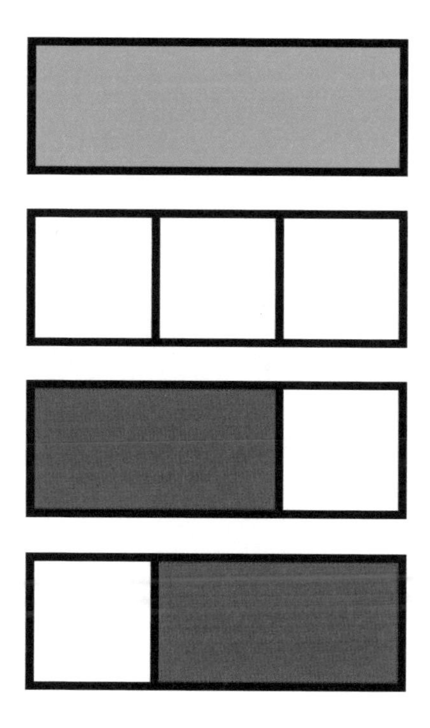

출처: 루스 파커, MEC 강좌에서 사용되는 과제

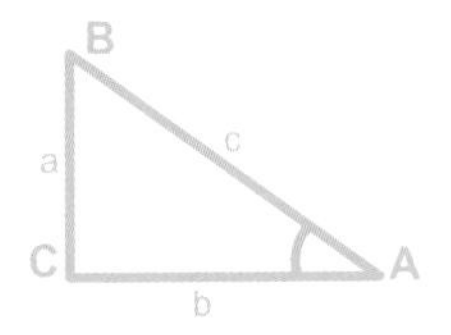
B
a
c
C
A
b

파스칼의 삼각형

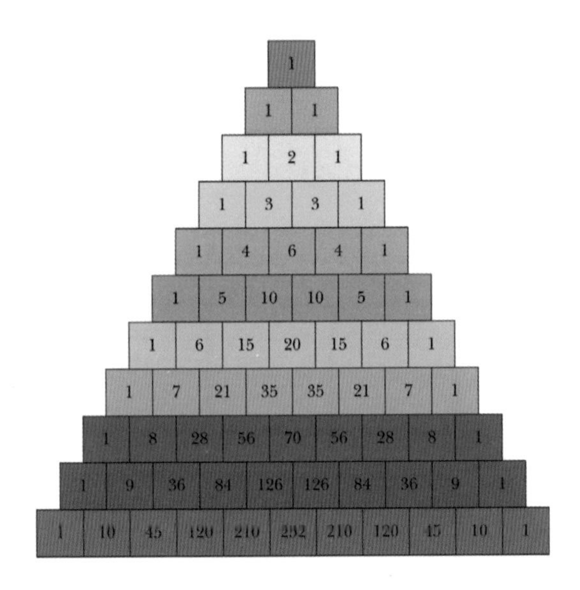
1
1 1
1 2 1
1 3 3 1
1 4 6 4 1
1 5 10 10 5 1
1 6 15 20 15 6 1
1 7 21 35 35 21 7 1
1 8 28 56 70 56 28 8 1
1 9 36 84 126 126 84 36 9 1
1 10 45 120 210 252 210 120 45 10 1

음의 공간 과제

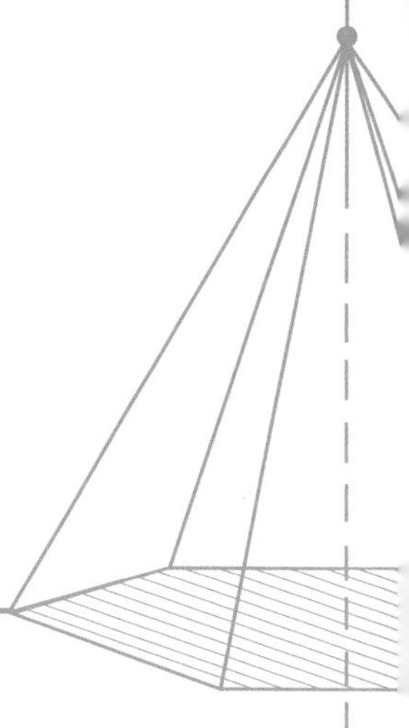

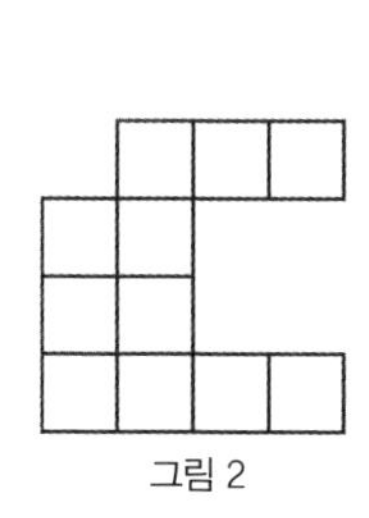
그림 2

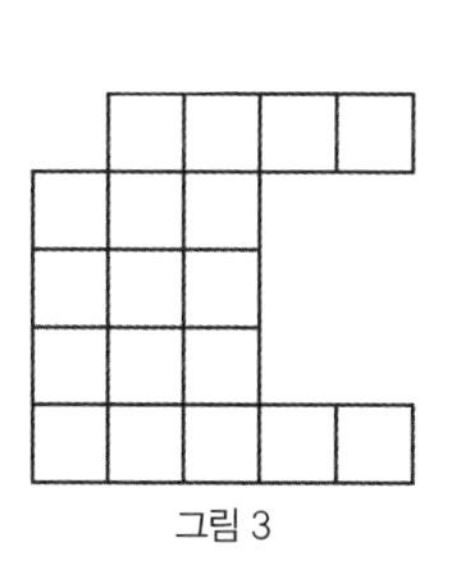
그림 3

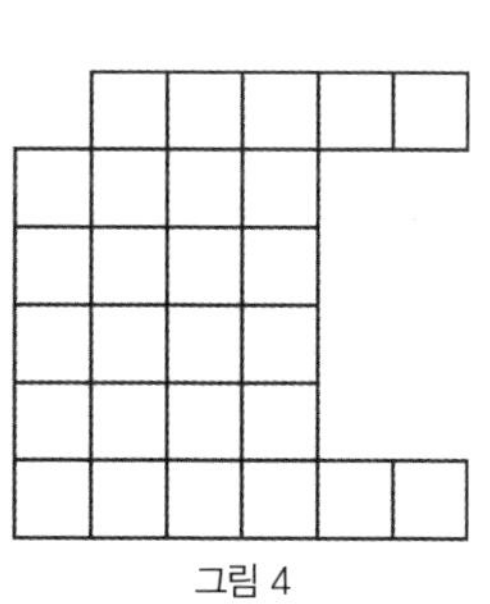
그림 4

1. ‘그림 100’은 어떤 모양일까?

2. 이 패턴을 거꾸로 적용한다고 상상해 보자. ‘그림 –1’에는 몇 개의 타일이 있을까?

3. ‘그림 –1’은 어떤 모양일까?

출처: 카를로스 카바나의 문제를 개작함.

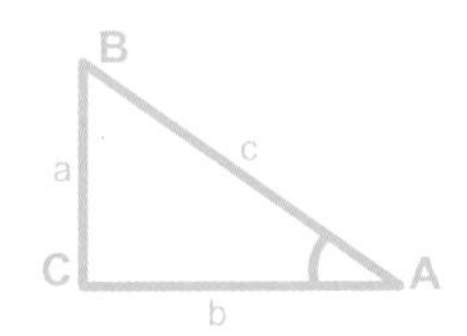

사변형을 찾아라!

평행한 변이 몇 쌍인가?

길이가 같은 변이 몇 쌍인가?

	0	1	2
0			
1			
2			

네 개의 4

네 개의 4와 수학 기호만으로 1에서 20까지의 수를 만들 수 있을까?

- **조금 더 깊이 들어가기**

  - 각각의 수를 네 개의 4로 만드는 한 가지 이상의 방법을 찾을 수 있을까?

  - 20 이상의 수를 만들 수 있을까?

  - 네 개의 4를 이용해서 음의 정수를 만들 수 있을까?

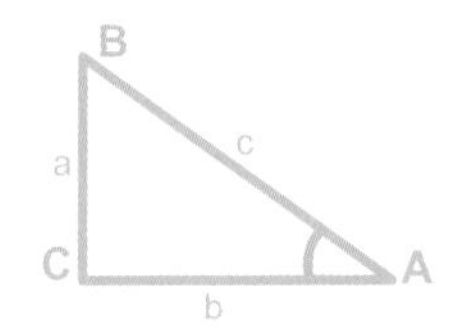

뉴스레터

여러분은 이 수학 주제에 대해 배운 내용을 가족, 친구들과 공유하기 위해 뉴스레터를 작성하고 있습니다. 아이디어에 대해 여러분이 이해한 바를 자세히 설명하고 배운 수학적 아이디어가 중요한 이유를 적어볼 기회입니다. 수업 시간에 했던 활동 중 흥미로웠던 몇 가지에 관해 설명해도 좋습니다.
뉴스레터를 만들 때, 다음과 같은 자료를 이용할 수 있습니다.

- 여러 가지 활동에 대한 사진
- 스케치
- 만화
- 인터뷰/설문 조사

배운 내용을 기억하는 데 도움을 주기 위해, 우리가 했던 활동 일부를 다음에 적어두었습니다.

다음 네 개의 섹션을 준비해 주세요. 과제에 맞게 섹션 제목을 바꿀 수 있습니다.

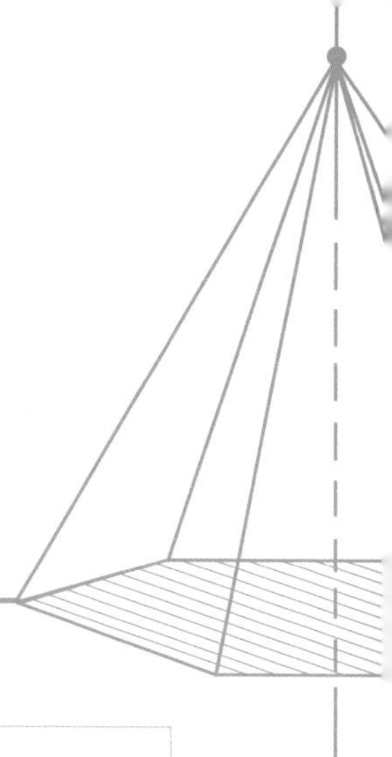

머리기사	새로운 발견
수학적 핵심 아이디어와 그 의미를 적어도 두 가지 다른 방법으로 설명하세요. 말로, 간단한 도형 그림으로, 사진이나 숫자, 방정식 등을 이용하세요.	우리가 직접 했던 활동 중 개념을 이해하는 데 도움을 준 것을 적어도 두 개를 고르세요. 각 활동에 대해 다음을 설명하세요. • 활동을 고른 이유 • 활동을 통해 배운 점 • 활동에서 어려웠거나 흥미로웠던 점 • 활동하면서 사용했던 전략
연결성	**앞으로의 계획**
수학적 아이디어나 다른 학습과 연결할 수 있는 처리 과정을 배우는 데 도움이 된 활동을 하나 더 고르고 다음을 설명하세요. • 활동을 고른 이유 • 활동으로부터 배운 수학의 핵심 아이디어 • 이 아이디어와 무엇을, 어떻게 연결할 수 있는지 • 연결의 중요성과 앞으로 어떻게 사용하게 될 것인지	다음에 대해 정리하면서 뉴스레터의 내용을 요점 정리하세요. • 유용한 수학적 핵심 아이디어는 무엇인가? • 핵심 아이디어에 대해 여전히 의문이 생기는 점은 무엇인가?

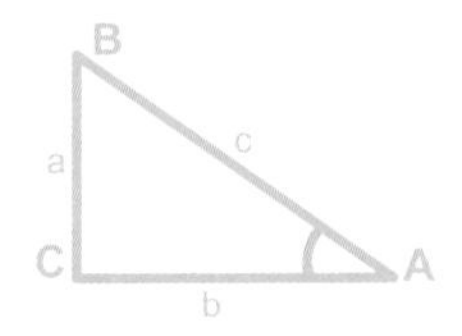

멀리뛰기

멀리뛰기 팀에 들어가려고 하는데, 팀에 들어가려면 평균 5.2 미터를 뛰어야 한다. 팀 코치는 요일별로 여러분의 최고 점프를 보고 평균을 낸다고 한다. 이번 주 5일간의 여러분의 기록은 아래와 같다.

	미터
월요일	5.2
화요일	5.2
수요일	5.3
목요일	5.4
금요일	4.4

운 나쁘게도, 금요일에 몸이 좋지 않아서 기록이 나쁘다.

여러분의 멀리 뛰기실력을 상당히 잘 표현해 주는 평균을 구하려면 어떻게 해야 할까요? 여러 가지 방법으로 평균을 구하고 어떤 방법이 가장 공정한지 생각한 다음, 그 방법이 가장 공정하다고 생각하는 이유에 대한 논거를 제시하세요. 여러분의 방법을 설명하고 다른 사람에게 그 접근 방식이 가장 좋다는 것을 설득해 보세요.

평행선을 지나가는 직선

1. 크기가 같은 각끼리 같은 색으로 색칠하세요.
2. 맞꼭지각과 보각을 찾아보세요.
3. 각 사이의 관계를 적어보세요. 그림에 사용했던 색을 이용해 적어보세요.

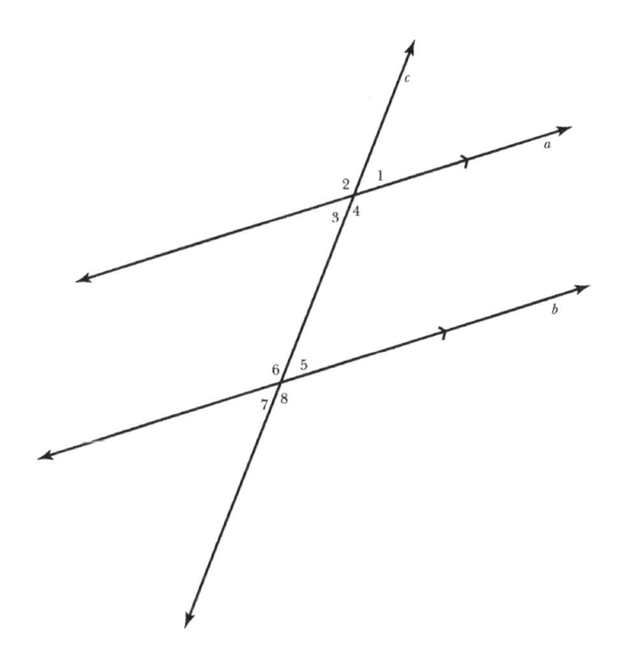

맞꼭지각:

보각:

각 사이의 관계:

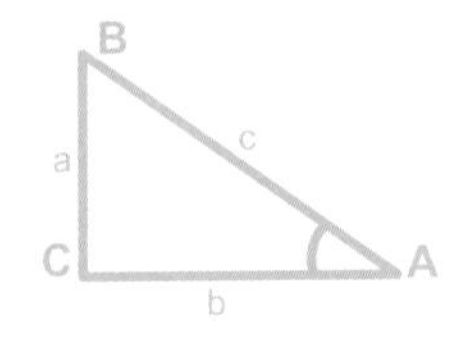

계단 문제

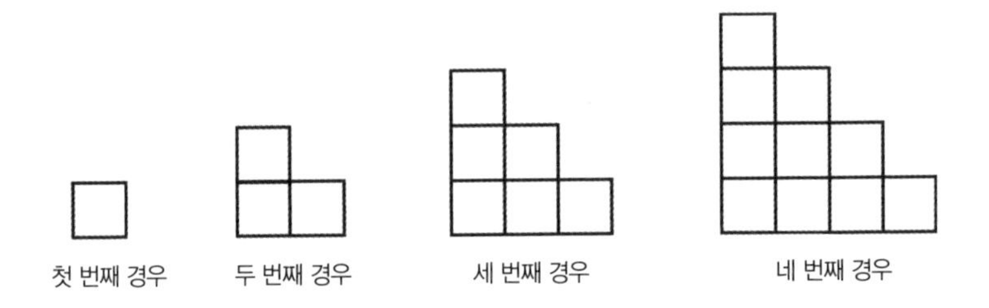

- 도형이 어떻게 커지고 있는가?

- 100번째 경우에는 정사각형이 몇 개일까?

- n번째 경우에는 정사각형이 몇 개일까?

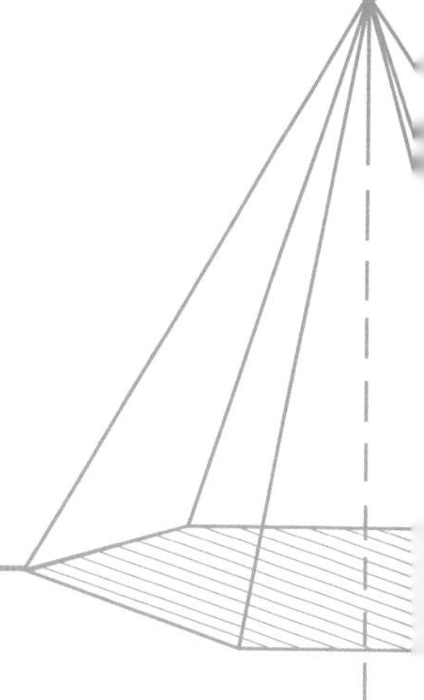

종이접기

짝과 같이하는 활동입니다. 두 사람은 번갈아 가며 회의론자와 설득하는 사람 역할을 맡습니다. 설득하는 사람은 상대를 이해시켜야 하는데, 모든 주장에 대해 이유를 설명해야 합니다. 회의론자는 쉽게 설득되어서는 안 됩니다. 이치에 맞는지 따져보고 근거와 이유를 요구해야 합니다.

다음의 각 문제에서 한 사람은 도형을 만들고 회의론자인 상대를 이해시켜야 합니다. 다음 문제로 넘어가면 역할을 바꾸세요.

정사각형 종이를 접어서 새로운 도형을 만듭니다. 그다음 새로 만든 도형의 넓이가 특정한 값이 된다는 것을 어떻게 알았는지 설명하세요.

1. 원래 정사각형 넓이의 정확히 1/4이 되는 정사각형을 만드세요. 짝이 그 도형이 정사각형이고 넓이가 원래 도형의 1/4이라는 것을 알도록 설명하세요.
2. 원래 정사각형 넓이의 정확히 1/4이 되는 삼각형을 만드세요. 짝이 그 도형의 넓이가 원래 도형의 1/4이라는 것을 알도록 설명하세요.
3. 앞서 만든 삼각형과 합동이 아닌, 넓이가 원래 도형의 1/4이 되는 또 다른 삼각형을 만드세요. 짝이 그 도형의 넓이가 원래 도형의 1/4이라는 것을 알도록 설명하세요.
4. 원래 정사각형 넓이의 정확히 1/2이 되는 정사각형을 만드세요. 짝이 그 도형이 정사각형이고 넓이가 원래 도형의 1/2이라는 것을 알도록 설명하세요.
5. 넓이가 원래 정사각형의 1/2이고, 4번에서 만든 정사각형과 방향이 다른 정사각형을 만드세요. 짝이 그 도형의 넓이가 원래 도형의 1/2이라는 것을 알도록 설명하세요.

출처: Driscoll, 2007, 90쪽 내용 각색. heinemann.com/products/E01148.aspx

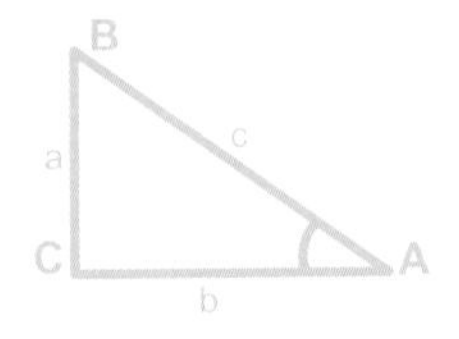

원뿔과 원기둥

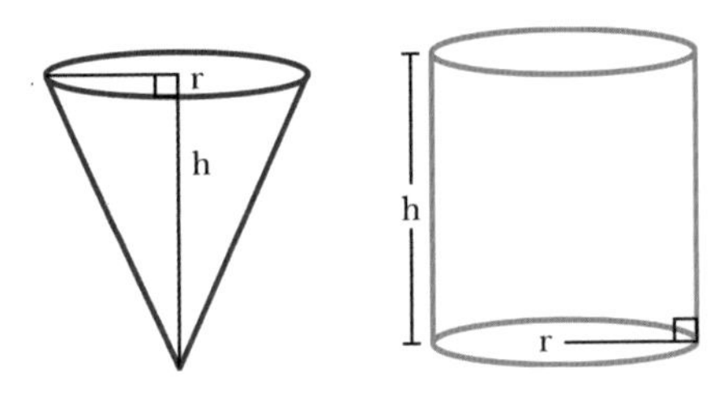

그림의 원뿔과 원기둥은 높이와 반지름이 같다. 원뿔의 부피와 원기둥의 부피 사이에는 어떤 관계가 있을까? 어떤 관계가 있을지 추측해 보고 그림이나 모형, 색칠하기를 이용해서 다른 친구를 이해시켜 보라.

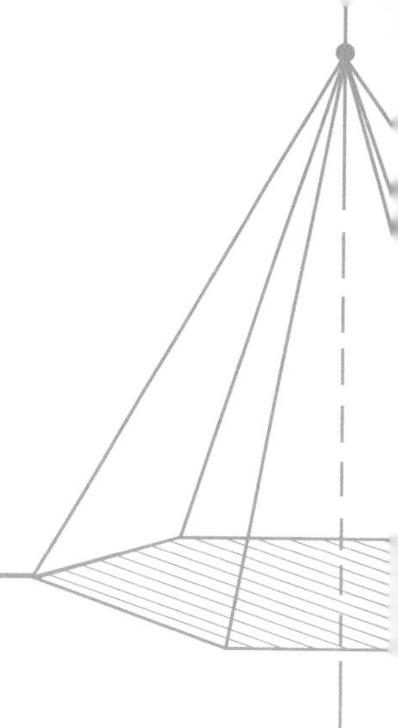

나의 숙제: 오늘 수업 돌아보기

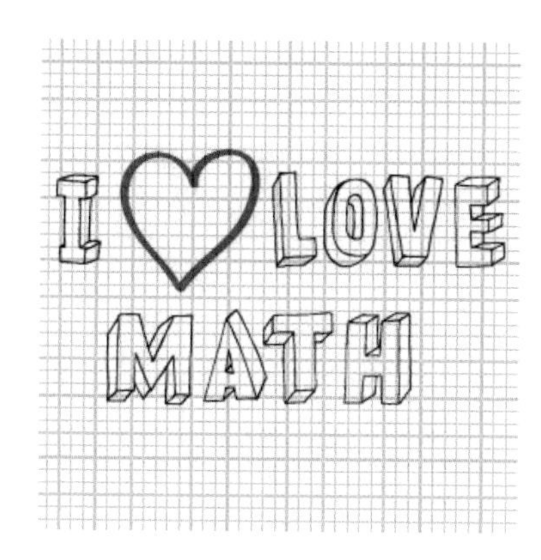

- 오늘 배운 중요한 아이디어는 무엇인가요?

- 어려운 부분이 있었거나 질문이 있나요?

- 오늘 수업의 아이디어를 실생활에 어떻게 사용할 수 있을까요?

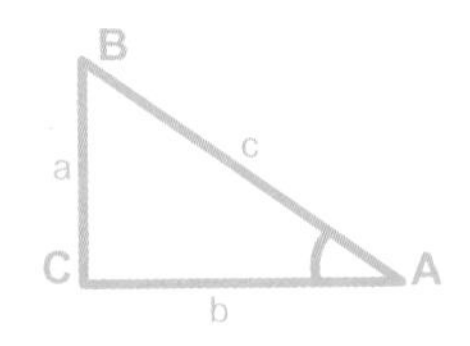

숫자 정렬

간단한 직소 퍼즐을 해볼까요?

이 문제는 4명 정도의 그룹이 하도록 설계되었습니다(교사용 지침서와 심화 문제는 다음 링크에 있습니다. nrich.maths.org/6947&part=note).

1. 두 종류의 직소 퍼즐이 있습니다(아래 그림 참조). 두 직소 퍼즐을 완성한 다음, 정사각형 퍼즐 판에 각 퍼즐 조각에 쓰인 숫자를 적어 주세요.

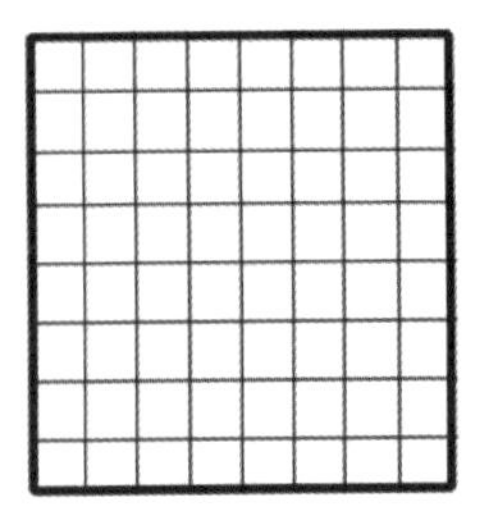
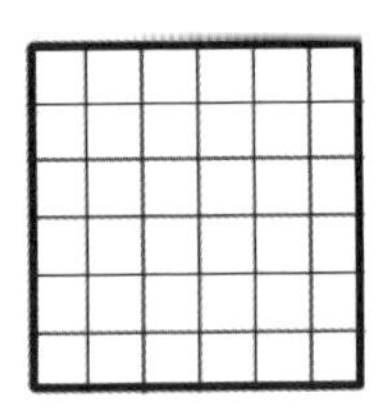

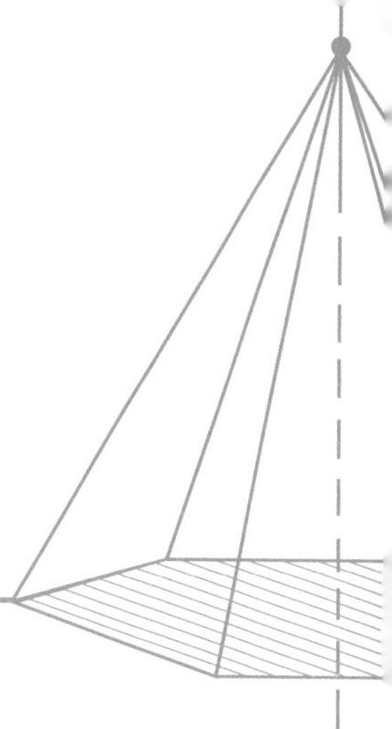

2. 작은 정사각형 퍼즐 판을 큰 정사각형 위에 원하는 대로 올려놓으세요. 단, 작은 정사각형 퍼즐 판이 큰 정사각형 안에 쏙 들어가야 합니다.

3. 겹친 정사각형들의 숫자끼리 더하면 어떻게 되는지 알아봅시다. 작은 정사각형 퍼즐 판을 투명한 종이에 복사하면 아래 큰 정사각형에 적힌 숫자를 볼 수 있어서 편리합니다.

4. 그룹에서 떠올린 아이디어를 살펴보세요.

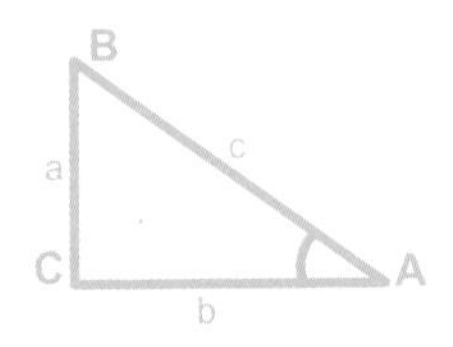

작은 정사각형 퍼즐 판을 큰 정사각형 퍼즐 판 위에 놓는 모든 경우(36가지)를 관찰하면서, 이런 질문을 던질 필요가 있을 것입니다. “만일 우리가 이렇게 하면 어떻게 될까?” 조건을 하나 바꿔 조사해 보고 바꾸기 전의 결과와 비교해 보세요. 아마도 이런 질문이 나올 겁니다. “왜 이렇게 된 거지?”

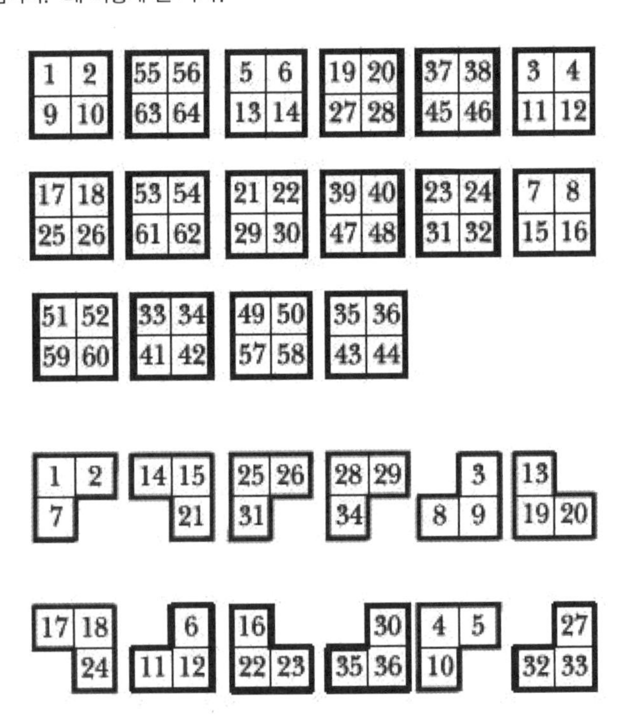

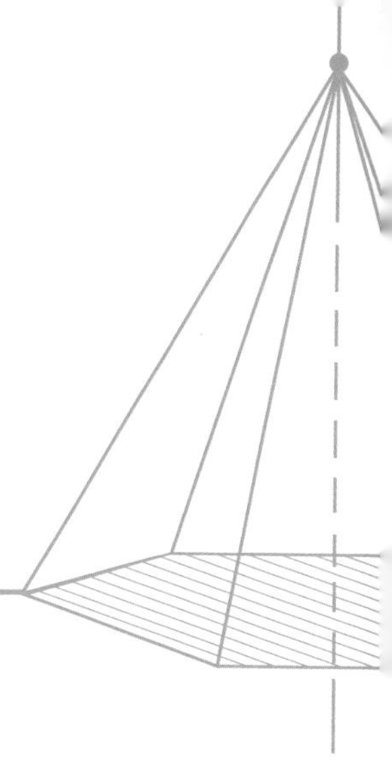

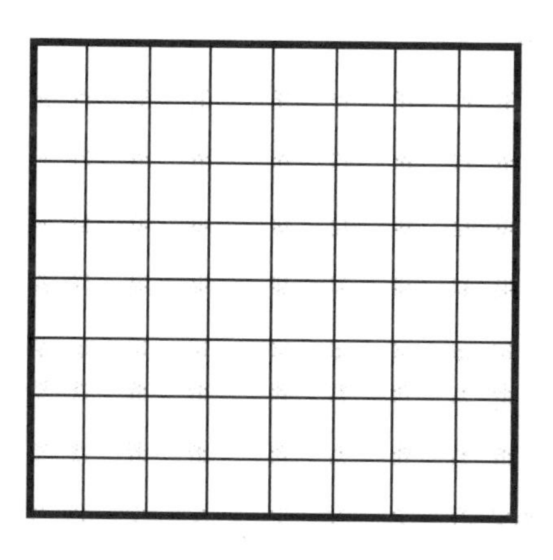

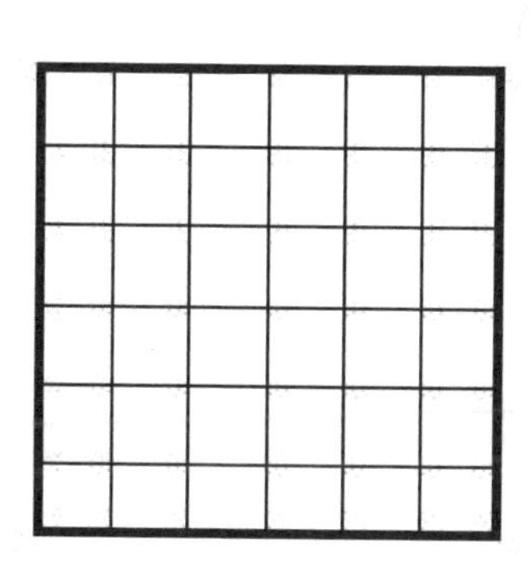

출처: nrich.maths.org/6947

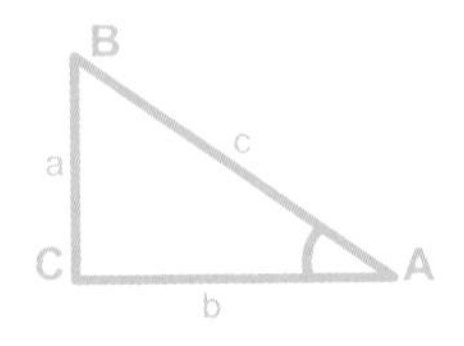

커지는 직사각형

넓이가 $20cm^2$인 직사각형을 상상해 보세요.

그 직사각형의 가로, 세로는 어떻게 될까요? 적어도 다섯 가지 경우를 적어보세요.

여러분이 생각한 직사각형의 가로, 세로가 2배로 커지는 모습을 상상해 보세요.

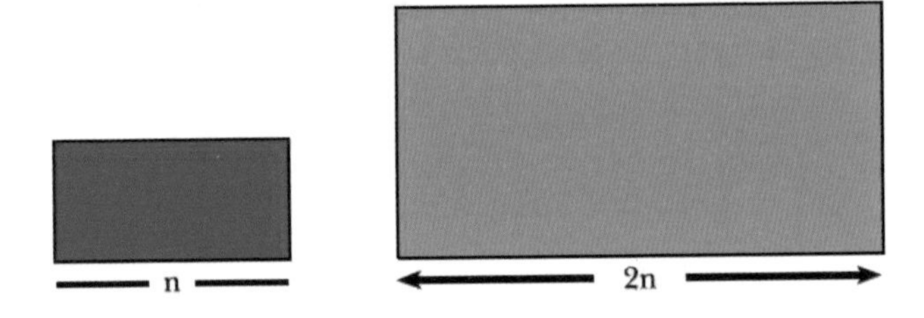

커진 직사각형의 가로, 세로 길이를 적고 넓이를 계산해 보세요.
어떤 규칙을 발견했나요?

넓이가 각기 다른 여러 직사각형을 가지고 시작해 봅시다.
각각의 가로, 세로를 2배로 늘려보세요. 이제 어떤 일이 일어날까요?

무슨 일이 일어나는지 설명할 수 있나요?

가로, 세로를 3배, 4배, 5배로 늘리면 직사각형의 넓이에는 어떤 변화가 생기나요?
가로, 세로를 분수 크기만큼 늘리면 넓이는 어떻게 되나요?

가로, 세로를 k만큼 늘리면 직사각형의 넓이는 어떻게 되나요?

여러분이 끌어낸 결론을 설명하고 증명하세요.

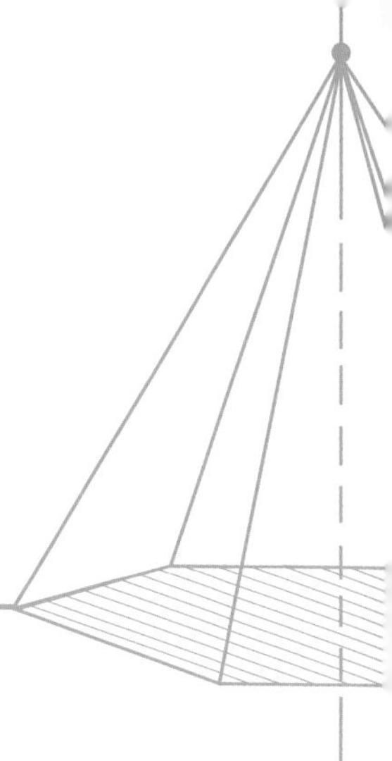

직사각형이 아닌 다른 평면 도형에도 적용할 수 있나요?

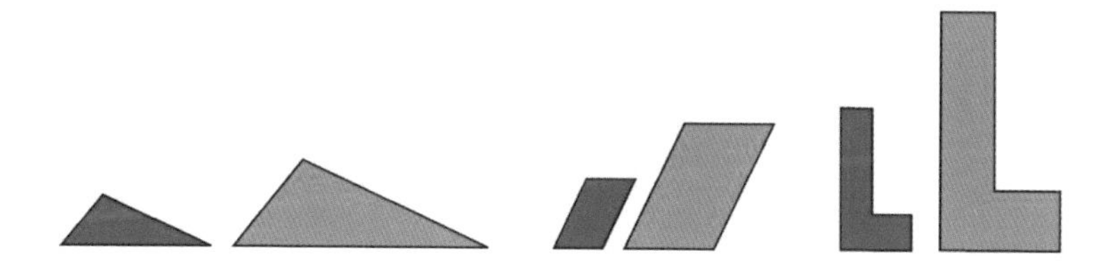

이제 직육면체의 모서리를 다른 배수로 늘릴 때,
겉넓이와 부피에 어떤 일이 일어나는지 조사해 보세요.

여러분이 끌어낸 결론을 설명하고 증명하세요.

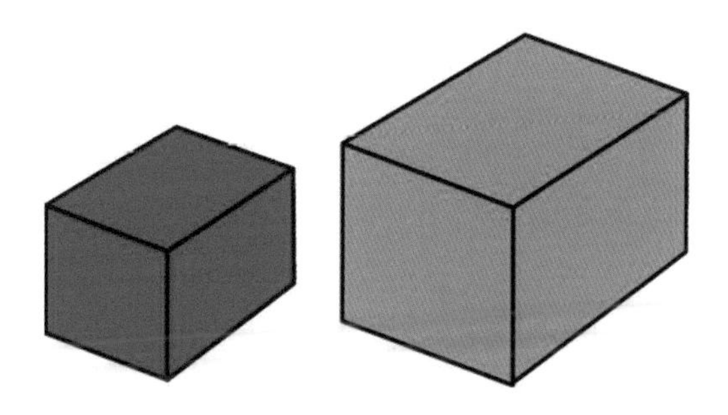

직육면체가 아닌 다른 입체 도형에도 적용할 수 있나요?

출처: nrich.maths.org/6923

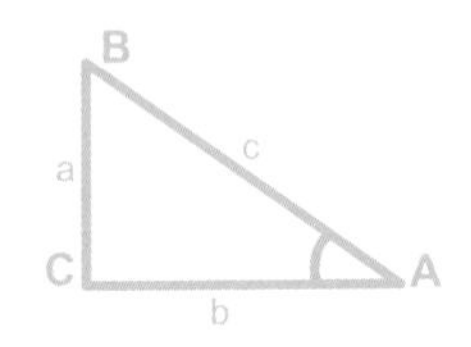

일차 함수 과제

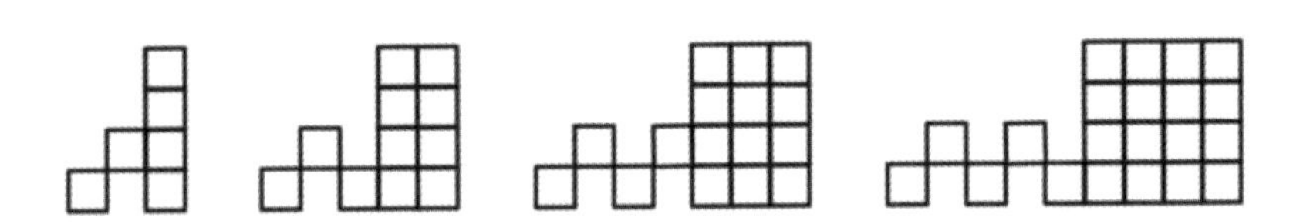

도형들은 어떤 규칙에 따라 커지고 있나요?

100번째 도형이 어떤 모양인지 예측할 수 있나요?

n번째 도형은 어떻게 생겼을까요?

수학 함수 과제

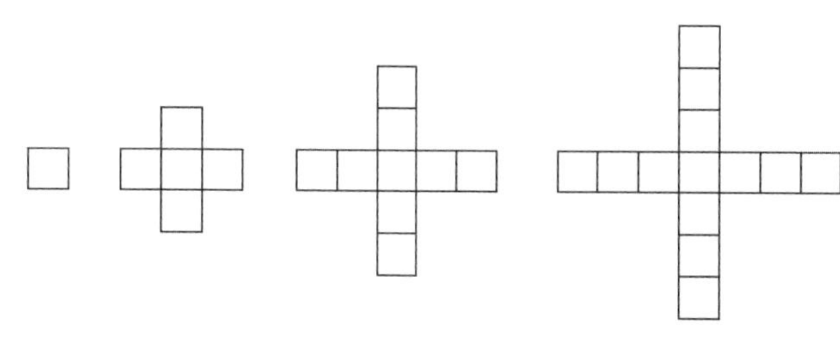

$$y = 4x + 1$$

X	Y
0	$4(0) + 1 = 1$
1	$4(1) + 1 = 5$
2	$4(2) + 1 = 9$
3	$4(3) + 1 = 13$
n	$4n + 1$

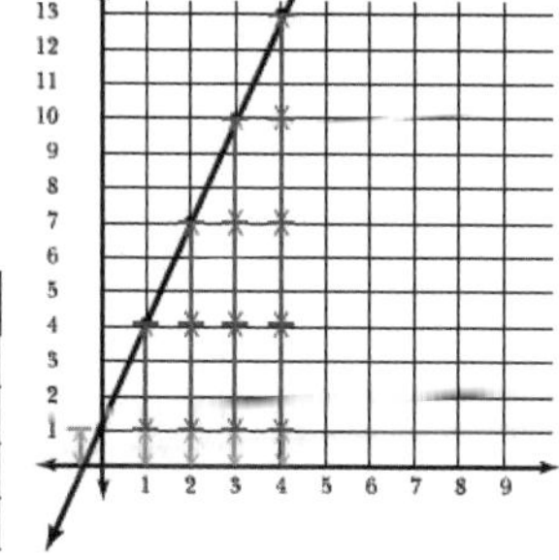

1	2	3	4	5	6	7	8	9	10
11	12	13	14	15	16	17	18	19	20
21	22	23	24	25	26	27	28	[illegible]	[illegible]
31	32	33	34	35	36	37	38	39	40
41	42	43	44	45	46	47	48	49	50

- 첫 단계에는 정사각형 1개가 있습니다.
- 단계가 올라갈 때마다 원래 정사각형 4개의 변에 정사각형이 1개씩 더해집니다.
- 도형은 계속해서 왼쪽, 오른쪽, 위, 아래로 커지며 새로운 단계마다 4개의 정사각형이 더해집니다.

신발 끈

크기가 다른 신발마다 필요한 신발 끈의 길이는 얼마나 될까요?

신발 끈의 길이와 신발 크기의 관계를 살펴보세요.

각기 다른 크기의 신발을 만들 때 필요한 신발 끈 길이를 구하는 데 도움을 주는 방정식을 $y = mx + b$의 형태로 나타내 보세요.

출처: Guzel Studio/Shutterstock

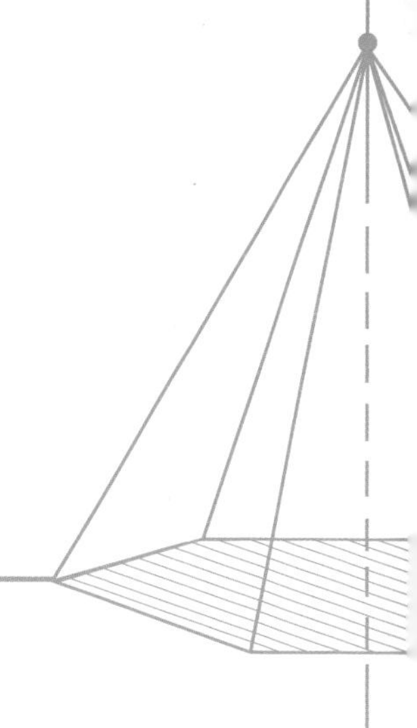

그룹에서의 역할(미국 학생용)

진행자

반드시 그룹의 모든 사람과 함께 카드 내용을 차근차근 읽고 나서 과제를 시작하세요. "읽고 싶은 사람 없나요? 모두 내용을 이해했나요?"
그룹이 함께하세요. 모두의 의견이 잘 반영되었는지 신경 써주세요. "다르게 이해한 사람 있나요? 다음 단계로 넘어가도 되나요?" 모두 다 설명할 수 있는지 확인하세요.

기록자/리포터

그룹 활동 결과를 잘 정리하세요. 결과에 모두의 아이디어가 반영되어야 하고, 정돈되어 있어야 합니다. 그룹이 탐구한 수학과 논리, 관계성을 잘 전달할 수 있도록 색칠하거나 화살표를 그리고 다른 수학 도구를 이용하세요. "우리의 아이디어를 어떻게 보여줄까?" 선생님이 모이라고 할 때 활동 결과를 발표할 수 있도록 준비해 주세요.

자료 관리자

- 그룹을 위해 필요한 재료를 가져오세요.
- 모든 질문이 그룹 질문인지 확인하세요.
- 그룹 활동이 끝나면, 활동 중에 나온 계산 내용을 선생님께 보고하세요.

팀장

- 그룹 구성원에게 각 수학적 진술에 대한 근거와 다른 진술과의 관계를 계속 생각하게 하세요. "그렇다고 확신하는 이유가 뭐야? 그것들은 어떤 관계지?"
- 자기 그룹 외의 사람들과는 이야기하지 마세요!

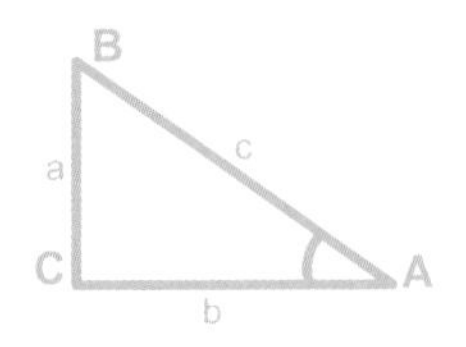

그룹에서의 역할(영국 학생용)

조직 관리자

- 그룹이 함께 문제에 집중하세요. 자기 그룹 외의 사람과는 누구와도 이야기하지 않도록 하세요.

자료 관리자

- 그룹에서 유일하게 자리를 벗어나 자, 계산기, 연필 등 그룹 활동에 필요한 도구를 가져올 수 있는 사람입니다.
- 선생님을 부르기 전에 모든 구성원이 준비됐는지 확인하세요.

아이디어 관리자

- 모든 아이디어가 구성원 모두가 이해할 만큼 설명되었는지 확인하세요.
- 이해되지 않은 부분은 아이디어를 낸 사람에게 물어보세요. 이해했다면 다른 구성원 모두 이해했는지 확인하세요.
- 중요한 설명을 다 적었는지 확인하세요.

총괄 관리자

- 모든 구성원의 아이디어를 경청했는지 확인하세요. 다른 그룹 구성원에게 의견을 내달라고 요청하세요.

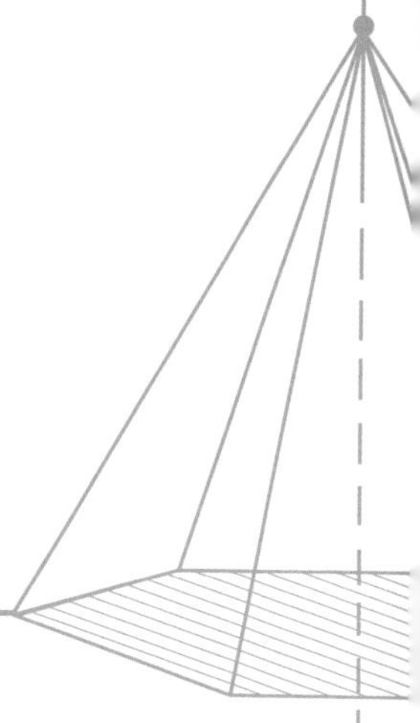

자기평가: 다각형

	혼자 할 수 있고 나의 풀이 과정을 친구나 선생님에게 설명할 수 있다.	혼자 할 수 있다.	시간이 더 필요하다. 도움을 줄 예가 필요하다.
주어진 수치의 직선과 선분을 그리시오.			
평행선과 평행한 선분을 그리시오.			
서로 만나는 직선과 서로 만나는 선분을 그리시오.			
주어진 둘레 길이를 가지는 다각형을 그리시오.			
주어진 넓이의 정사각형 또는 직사각형을 그리시오.			
직사각형이나 정사각형으로 나눠 넓이를 구할 수 있는 정다각형이 아닌 도형을 만드시오.			

출처 : 로리 말레

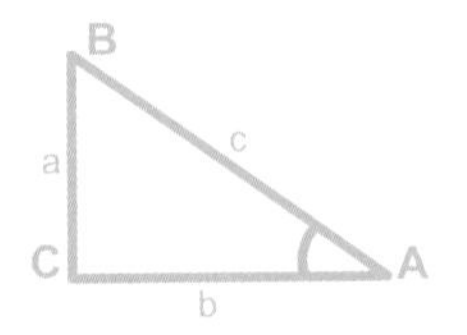

대수 1 자기평가

단원 1 – 1차 방정식과 부등식

- ☐ 변수가 하나인 일차 방정식을 풀 수 있다.
- ☐ 변수가 하나인 일차 부등식을 풀 수 있다.
- ☐ 특정한 변수에 대해 수식을 풀 수 있다.
- ☐ 변수가 하나인 절댓값이 들어있는 방정식을 풀 수 있다.
- ☐ 변수가 하나인 복잡한 일차 부등식을 풀고 그래프를 그릴 수 있다.
- ☐ 변수가 하나인 절댓값이 들어있는 부등식을 풀 수 있다.

단원 2 – 수학적으로 관계 나타내기

- ☐ 수식을 풀 때, 단위를 사용하고 해석할 수 있다.
- ☐ 단위 변환을 할 수 있다.
- ☐ 식의 부분을 식별할 수 있다.
- ☐ 문제와 맞는 변수가 하나인 방정식이나 부등식을 쓸 수 있다.
- ☐ 문제와 맞는 변수가 두 개인 방정식이나 부등식을 쓸 수 있다.
- ☐ 방정식에 대입할 수 있는 적절한 값을 말하고 그것이 옳다는 것을 입증할 수 있다.
- ☐ 해답을 주어진 상황의 문맥에서 해석하고 그것이 합당한지 판단할 수 있다.
- ☐ 좌표축에 방정식의 그래프를 적절한 이름을 붙이고 적절한 척도를 이용해 그릴 수 있다.
- ☐ 그래프 위 한 점의 좌표를 방정식에 대입하면 실제 방정식을 만족시킨다는 것을 증명할 수 있다.
- ☐ 두 함수의 성질을 그래프, 표, 대수적으로 비교할 수 있다.

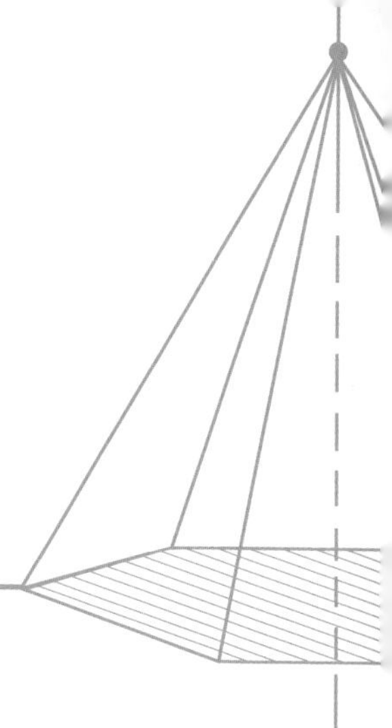

단원 3 – 함수 이해하기

- ☐ 그래프, 표 또는 순서쌍이 함수를 나타내는지 판별할 수 있다.
- ☐ 함수 표기법을 읽을 수 있으며 함수의 출력과 입력이 어떻게 짝지어지는지 설명할 수 있다.
- ☐ 정수를 입력으로 하고 주어진 수열을 출력으로 하는 함수를 만들 수 있다.
- ☐ 그래프의 주요 특징인 절편, 함수의 증감, 최댓값과 최솟값 등을 그래프와 표, 방정식을 이용해 알아낼 수 있다.
- ☐ 함수의 정의역과 공역이 그래프에서 어떻게 표현되는지 설명할 수 있다.

단원 4 – 일차 함수

- ☐ 함수의 평균 변화율을 계산하고 해석할 수 있다.
- ☐ 일차 함수의 그래프를 그리고 절편을 알아낼 수 있다.
- ☐ 좌표 평면에 일차 부등식의 그래프를 그릴 수 있다.
- ☐ 일차 함수의 평균 변화율이 상수라는 것을 증명할 수 있다.
- ☐ 등간격 구간에서 변화율이 같은 상황을 구분하고 일차 함수로 나타낼 수 있다는 것을 알 수 있다.
- ☐ 등차수열, 그래프, 표 또는 관계성을 묘사한 것으로부터 일차 함수를 만들 수 있다.
- ☐ 실제 세계의 관계가 직선으로 나타날 때, 직선의 기울기, y 절편, 직선 위의 다른 점의 의미를 설명할 수 있다.

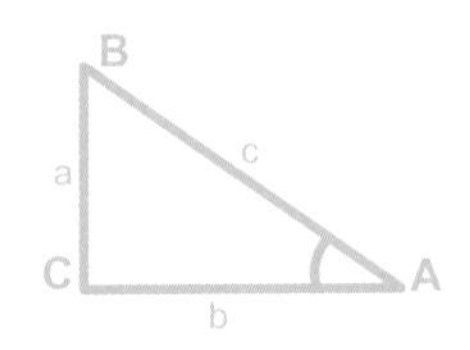

단원 5 – 연립 일차 방정식과 부등식

- ☐ 그래프를 이용해 연립 일차 방정식을 풀 수 있다.
- ☐ 대입법을 이용해 연립 일차 방정식을 풀 수 있다.
- ☐ 가감법을 이용해 연립 일차 방정식을 풀 수 있다.
- ☐ 그래프를 이용해 연립 일차 부등식을 풀 수 있다.
- ☐ 선형 프로그래밍 문제를 위한 제약 조건을 쓰고 그래프를 그릴 수 있으며 최댓값 또는 최솟값을 찾을 수 있다.

단원 6 – 통계적 모델

- ☐ 분포된 자료를 대표하는 값을 설명할 수 있다(평균 또는 중앙값).
- ☐ 자료가 분포된 정도를 설명할 수 있다(4분위수 간 영역 또는 표준편차).
- ☐ 자료를 수직선 위에 나타낼 수 있다(점으로 표현하기, 히스토그램, 상자그림).
- ☐ 두 개 또는 그 이상의 자료 집합이 같은 척도로 그려져 있을 때, 그 모양, 가운뎃값, 분포된 모양으로 그들의 분포를 비교할 수 있다.
- ☐ 문제 문맥 속에 있는 자료 집합의 모양, 가운뎃값, 분포된 모양에서의 차이를 해석할 수 있고 극단적인 자룟값이 주는 영향을 설명할 수 있다.
- ☐ 두 가지 변수에 대해 표로 표현된 자료를 읽고 해석할 수 있다.
- ☐ 문제 문맥 속에 있는 상대 도수의 의미를 해석하고 설명할 수 있다.
- ☐ 산점도와 그에 맞는 최적선을 그리고, 최적선의 방정식을 쓸 수 있다.
- ☐ 예측을 위해 최적 함수를 사용할 수 있다.
- ☐ 함수가 적절하게 맞는지 판정하기 위해 잔차그림을 분석할 수 있다.
- ☐ (기계를 이용해) 상관계수를 계산하고 해석할 수 있다.

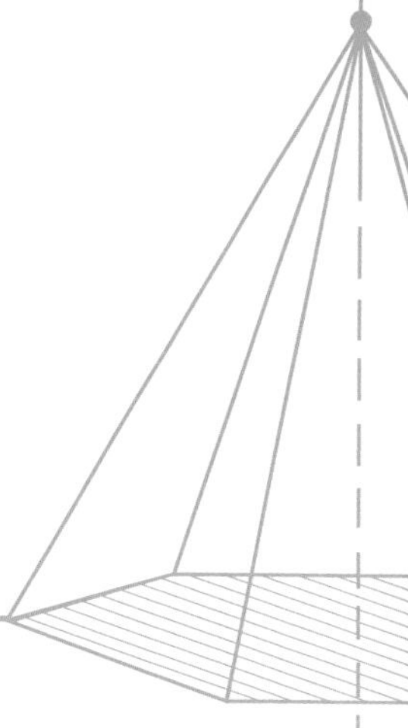

☐ 상관관계는 인과관계를 의미하지 않는다는 것과 인과관계는 산점도로 설명되지 않는다는 것을 인식할 수 있다.

단원 7 – 다항식과 함수

☐ 다항식의 덧셈, 뺄셈을 할 수 있다.
☐ 다항식의 곱셈을 할 수 있다.
☐ 다항식의 인수분해를 할 수 있다.
☐ 인수분해로 이차 방정식을 풀 수 있다.
☐ 이차 방정식의 근과 쉽게 구할 수 있는 다른 점을 이용해 이차 함수 그래프의 개형을 그릴 수 있다.

단원 8 – 이차 함수

☐ 이차식을 완전제곱식으로 바꿀 수 있다.
☐ 절편, 최댓값 또는 최솟값, 대칭 등의 주요 특징을 이용해 이차 함수 그래프를 그릴 수 있다.
☐ 공학 기계의 도움 없이 함수의 그래프를 평행이동, 대칭이동한 모습을 알아볼 수 있다.
☐ 산점도를 그릴 수 있고, 공학 기계를 이용해 최적 이차 함수를 찾고 예측에 사용할 수 있다.

단원 9 – 이차 방정식

☐ 합과 곱이 유리수이거나 무리수가 되는지 설명할 수 있다.

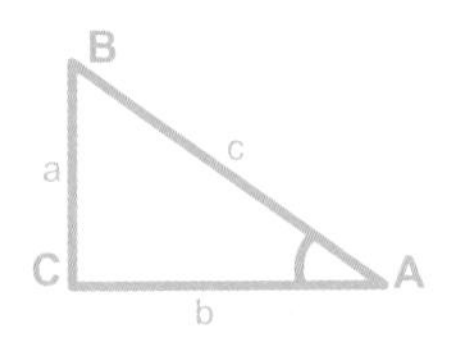

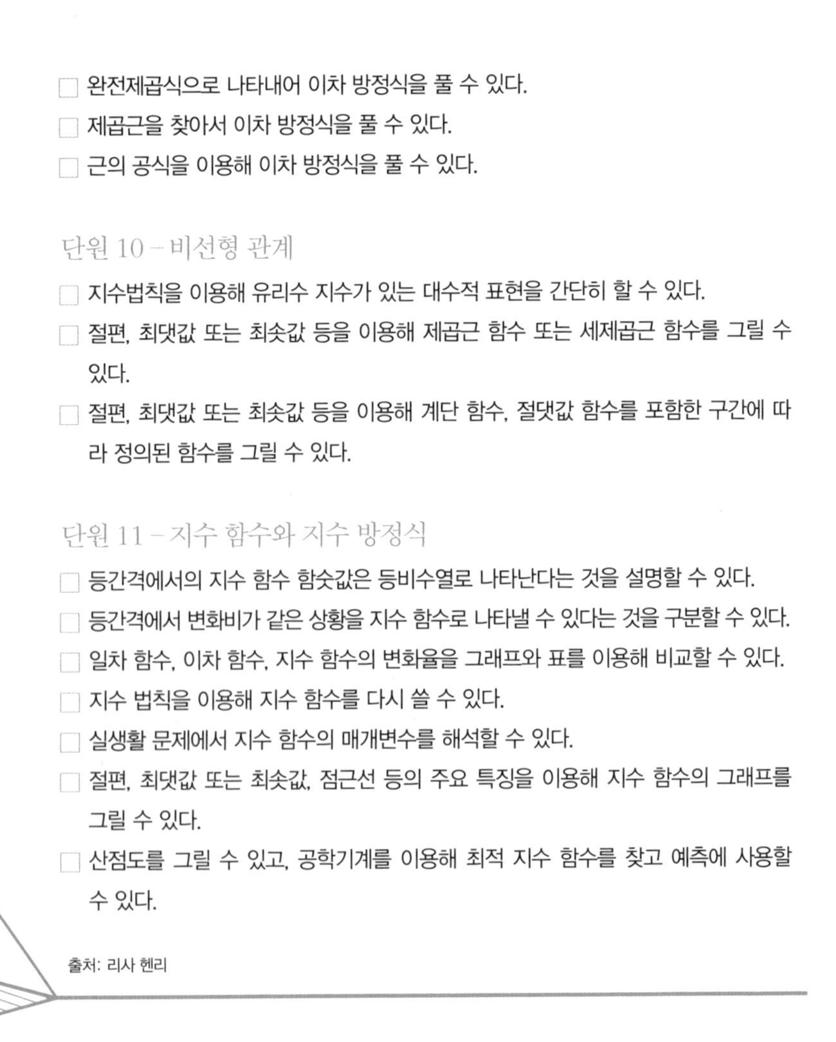

- □ 완전제곱식으로 나타내어 이차 방정식을 풀 수 있다.
- □ 제곱근을 찾아서 이차 방정식을 풀 수 있다.
- □ 근의 공식을 이용해 이차 방정식을 풀 수 있다.

단원 10 – 비선형 관계

- □ 지수법칙을 이용해 유리수 지수가 있는 대수적 표현을 간단히 할 수 있다.
- □ 절편, 최댓값 또는 최솟값 등을 이용해 제곱근 함수 또는 세제곱근 함수를 그릴 수 있다.
- □ 절편, 최댓값 또는 최솟값 등을 이용해 계단 함수, 절댓값 함수를 포함한 구간에 따라 정의된 함수를 그릴 수 있다.

단원 11 – 지수 함수와 지수 방정식

- □ 등간격에서의 지수 함수 함숫값은 등비수열로 나타난다는 것을 설명할 수 있다.
- □ 등간격에서 변화비가 같은 상황을 지수 함수로 나타낼 수 있다는 것을 구분할 수 있다.
- □ 일차 함수, 이차 함수, 지수 함수의 변화율을 그래프와 표를 이용해 비교할 수 있다.
- □ 지수 법칙을 이용해 지수 함수를 다시 쓸 수 있다.
- □ 실생활 문제에서 지수 함수의 매개변수를 해석할 수 있다.
- □ 절편, 최댓값 또는 최솟값, 점근선 등의 주요 특징을 이용해 지수 함수의 그래프를 그릴 수 있다.
- □ 산점도를 그릴 수 있고, 공학기계를 이용해 최적 지수 함수를 찾고 예측에 사용할 수 있다.

출처: 리사 헨리

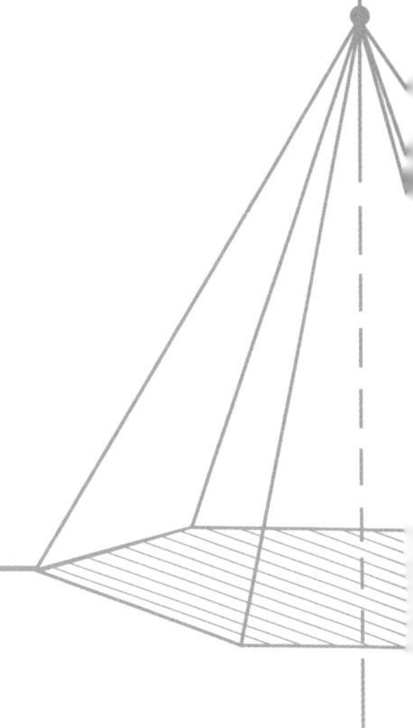

두 개의 별과 한 가지 소원

두 개의 별

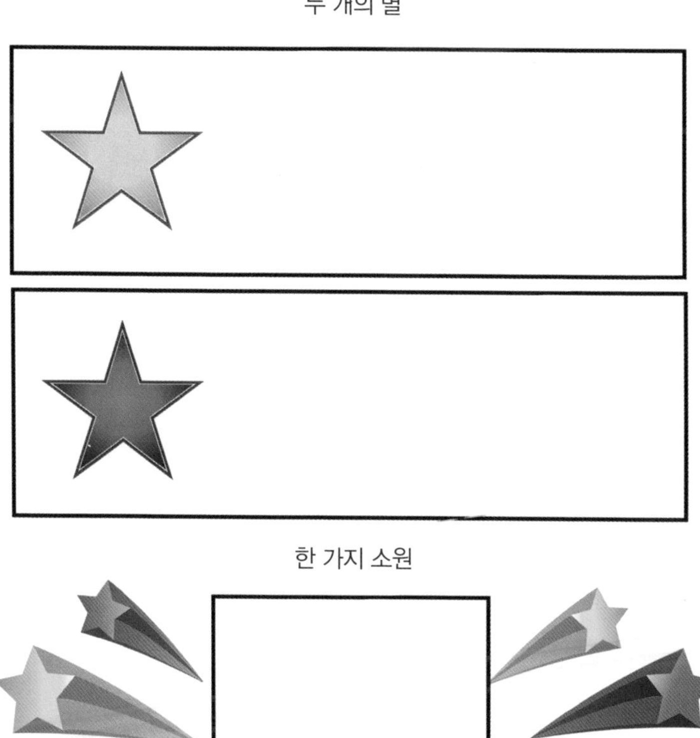

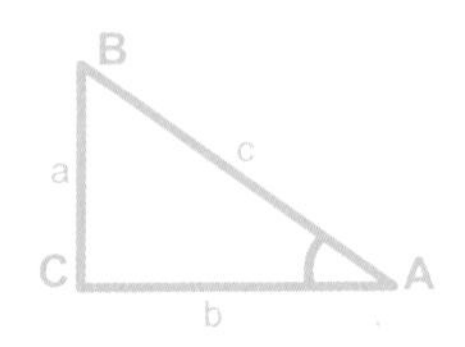

되돌아보기

오늘 우리가 공부한 중요한 아이디어는 무엇인가요?

오늘 나는 무엇을 배웠나요?

오늘 내가 떠올린 좋은 아이디어는 무엇인가요?

오늘 배운 지식을 어떤 상황에서 쓸 수 있나요?

오늘 공부한 것에 대해 질문이 있나요?

이 수업을 통해 생각하게 된 새로운 아이디어는 무엇인가요?

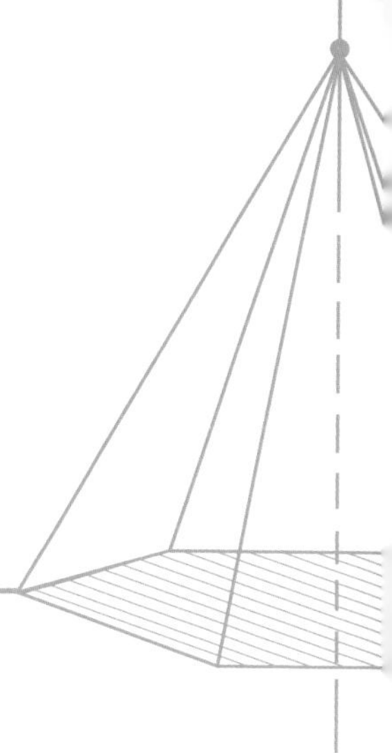

대수 조각그림 과제 A

과제 A

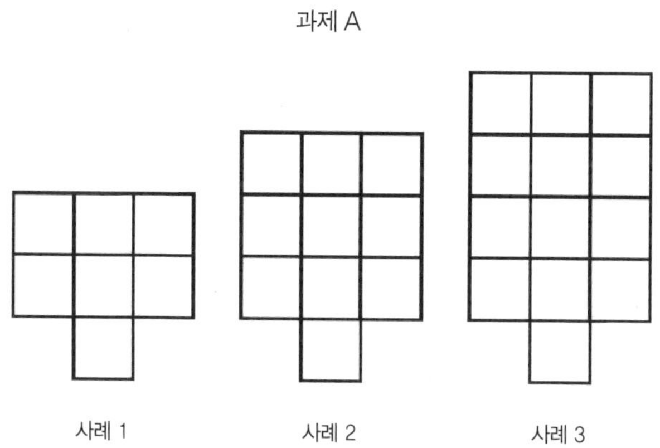

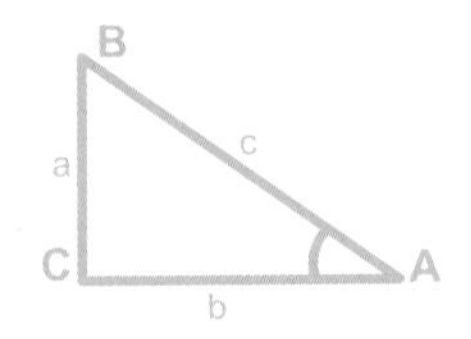

대수 조각그림 과제 B

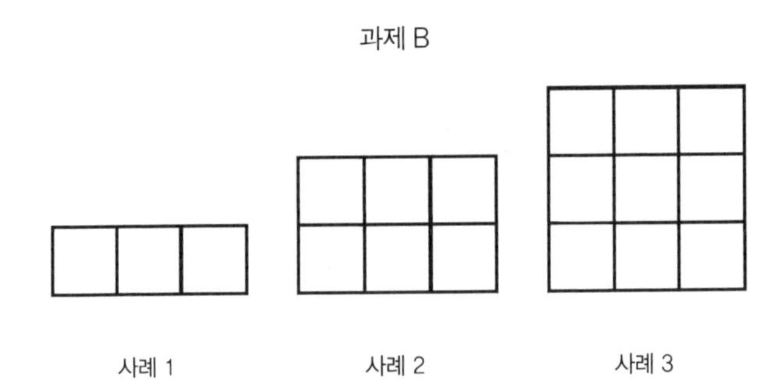

대수 조각그림 과제 C

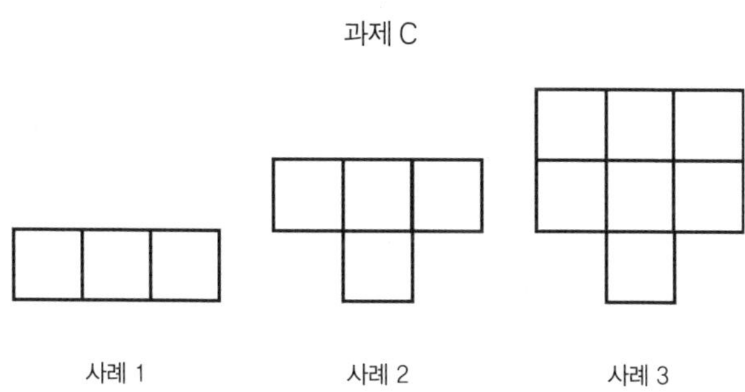

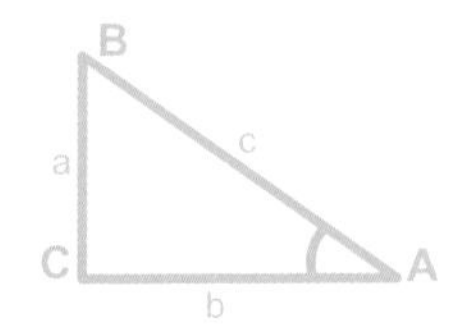

대수 조각그림 과제 D

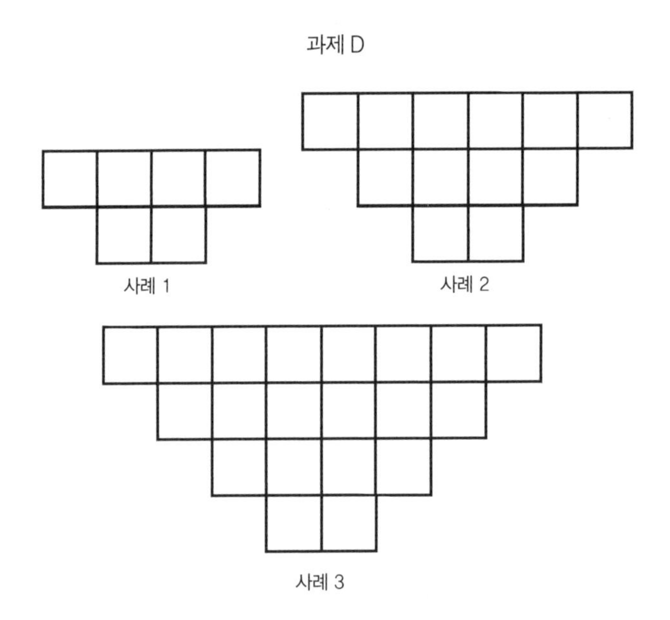

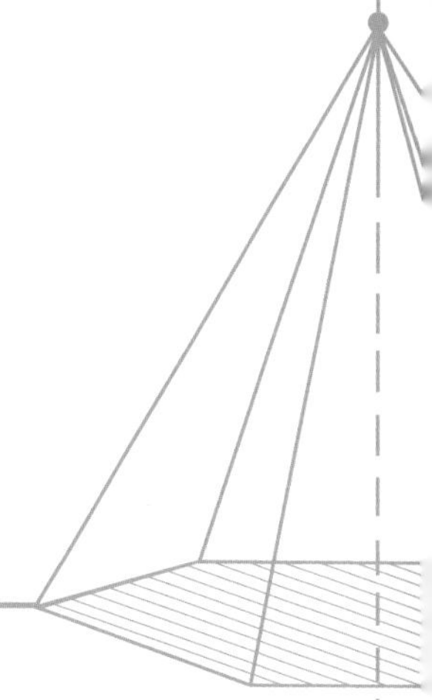

나가는 표

나가는 표		이름: 날짜:
오늘 내가 배운 세 가지	흥미로웠던 두 가지	내가 하고 싶은 질문 한 가지

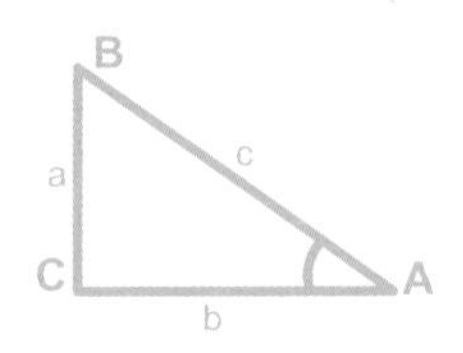

네가 할 수 있는 것을 보여줘: 자기평가

개인에게서 우리가 중요하게 여기는 것	(필요하다면) 증명하세요	
끈기 • 끝까지 했나요? • 다른 방법으로 시도했나요? • 질문했나요? • 어디서 막혔는지 설명했나요?		했습니다 확인
다양한 표현 글 그림 차트 다이어그램 그래프 하나 이상의 풀이 과정 데이터 표		했습니다 확인
명확한 예측 • 사고 과정을 설명했나요? • 어떻게 답을 구했나요? 또는 어디서 막혔나요? • 아이디어: 화살표, 색깔, 단어, 숫자		했습니다 확인
결과물 • 과제를 완성했나요? 또는 어디서 막혔나요? • 최선을 다해 과제를 했나요?		했습니다 확인

출처: 엘런 크루스

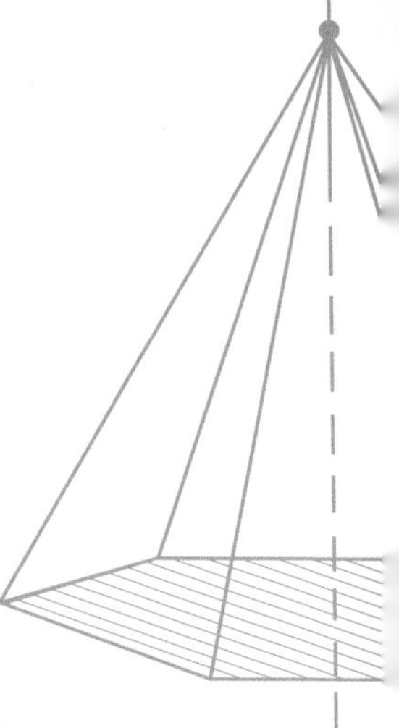

참여 퀴즈의 수학적 목표

만일 우리 그룹이 다음과 같다면, 오늘 과제를 성공적으로 해낼 것입니다.

- 패턴을 찾고 설명하기
- 생각을 입증하고 여러 방식으로 표현하기
- 다양한 접근 방식, 표현을 연결하기
- 단어, 화살표, 숫자, 색깔로 아이디어를 명확하게 전달하기
- 팀원과 선생님에게 아이디어를 명확하게 설명하기
- 다른 팀원의 생각을 이해하기 위해 질문하기
- 더 깊이 생각하게 만드는 질문하기
- 그룹 외부의 사람들이 우리 그룹의 생각을 이해할 수 있도록 발표 구성하기

이 모든 일을 다 잘하는 사람은 없지만, 누구나 잘하는 것 한 가지는 있습니다. 오늘 과제를 성공적으로 해내려면 우리 그룹 구성원 모두가 필요합니다.

출처: 카를로스 카바나

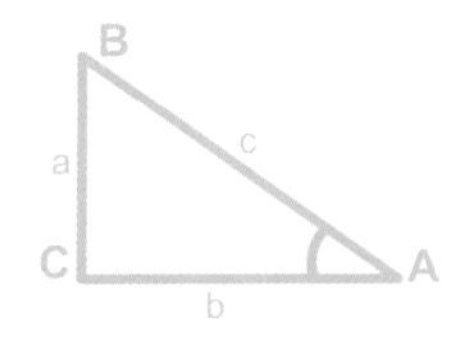

참여 퀴즈의 그룹 목표

참여 퀴즈를 하는 동안, 나(선생님)는 다음 사항을 관찰할 것입니다.

- 책상에 앉아 열심히 참여하는가?
- 발표 시간을 공평하게 분배하는가?
- 함께 문제를 해결하려고 끝까지 노력하는가?
- 그룹 구성원은 서로의 의견을 경청하는가?
- 그룹 구성원은 서로에게 질문을 많이 하는가?
- 그룹이 정한 규칙을 잘 지키는가?

출처: 카를로스 카바나

개껌 나누기

개껌 24개를 두 묶음으로 나누는 방법은 몇 가지일까요?

개껌 24개를 크기가 똑같은 묶음으로 나누는 방법은 몇 가지일까요?

모든 조합을 보여주는 시각적 표현으로 찾아낸 답을 나타내세요.

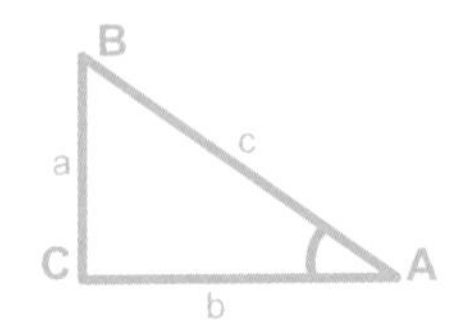

수학적 연결 강조하기

분수 3/4, 6/8, 12/16를 그래프로 나타내보세요.

위의 분수를 닮은 삼각형으로 나타내보세요.

분수들을 수, 그래프, 삼각형으로 달리 표현할 때, 같은 점과 다른 점은 무엇일까요? 각각의 다른 표현에서 같은 색깔로 표시되는 특징을 찾을 수 있나요?

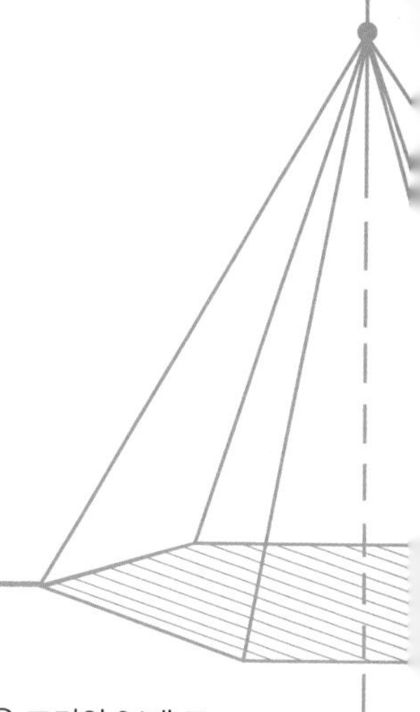

컬러 코딩 브라우니

샘은 팬 하나에 브라우니를 만들었어요. 샘은 브라우니 한 판을 똑같은 크기의 24개 조각으로 나누고 싶어요. 샘은 5명의 친구와 똑같이 나눠 먹고 싶어 합니다. 브라우니 한 판을 조각내고 색칠해 샘과 친구들이 몇 조각씩 먹을 수 있는지 보여주세요.

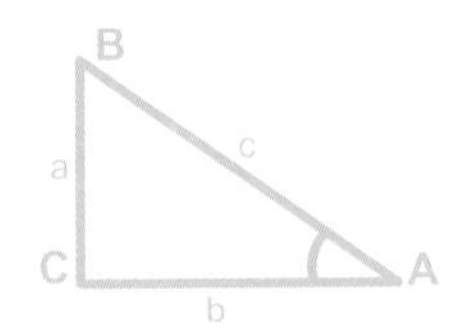

색칠된 정육면체

가로 1, 세로 1, 높이 1인 정육면체들로 이루어진 가로 5, 세로 5, 높이 5인 정육면체를 상상해 보자. 5×5×5 정육면체의 바깥 면은 파란색으로 색칠되어 있다. 다음 질문에 대해 생각해 보자.

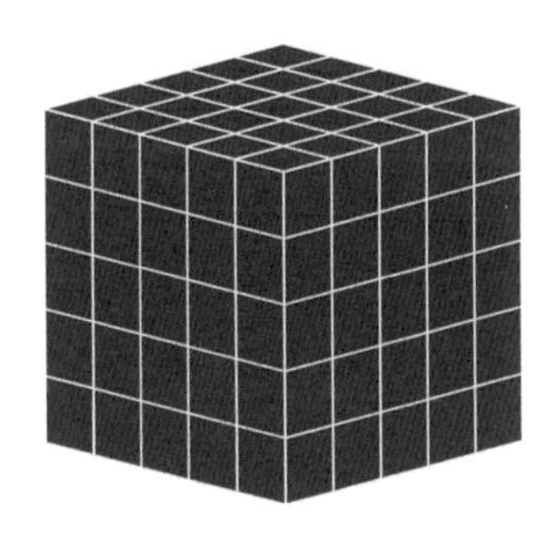

3개의 면이 파란색으로 색칠된 작은 정육면체는 몇 개인가?

2개의 면이 파란색으로 색칠된 작은 정육면체는 몇 개인가?

1개의 면이 파란색으로 색칠된 작은 정육면체는 몇 개인가?

한 면도 색칠되어 있지 않은 작은 정육면체는 몇 개인가?

묶여있는 염소

헛간 구석에 밧줄로 묶여있는 염소 한 마리를 상상해 보자. 헛간은 가로 4피트, 세로 4피트, 밧줄의 길이는 6피트이다.

이 상황에 대해 궁금한 점은 무엇인가?

이 상황을 그림으로 그려보자.

질문이 있는가?

해는 헛간 동쪽에서 떠서 서쪽으로 진다. 염소는 그늘을 좋아한다. 어디에 나무를 심어야 하는가? 어떤 나무를 심고 싶은가?

출처: 캐시 윌리엄스

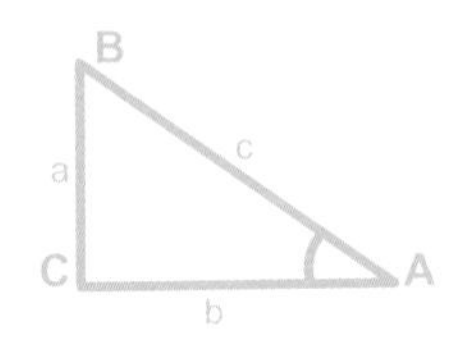

세계 자원 모의실험

1. 각 대륙에 살고 있는 세계 인구의 백분율을 찾으세요.
2. 각 비율에 해당하는 우리 학급의 인원수를 계산하세요.
3. 각 대륙의 세계 자산의 백분율을 계산하세요.
4. 각 대륙의 자산을 쿠키 개수로 계산하세요.

표 1 세계 자산 자료

대륙	2000년 인구수 (단위 : 백만 명)	인구수 백분율	자산(GDP, 단위 : 1조 달러)	자산 백분율
아프리카	1,136		2.6	
아시아	4,351		18.5	
북아메리카	353		20.3	
남아메리카	410		4.2	
유럽	741		24.4	
오세아니아/호주	39		1.8	
계	7,030	100%	71.8	100%

출처: 국제통화기금; 인구통계국 샤메인 멩그램(Charmaine Mangram)

표 2 학급 데이터

학급 인원수 ______________

전체 쿠키 개수______________

대륙	인구수 백분율	해당 대륙 학급 인원수	자산 백분율	쿠키 개수
아프리카				
아시아				
북아메리카				
남아메리카				
유럽				
오세아니아/호주				
계	~ 100%		~100%	

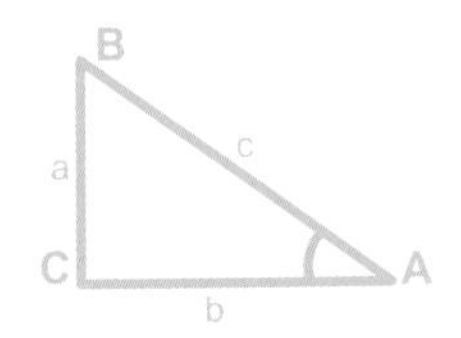

축구 골키퍼

만일 당신이 축구 골키퍼이고, 상대 팀에서 공격수 한 명이 자기 팀 선수들에게서 떨어져 당신에게 달려오고 있다면, 당신이 서 있어야 하는 가장 좋은 위치는 어디인가요? 상대 팀 공격수가 슛하는 위치에 따라 어느 위치가 가장 좋은지 세밀하게 그림으로 그려보세요.

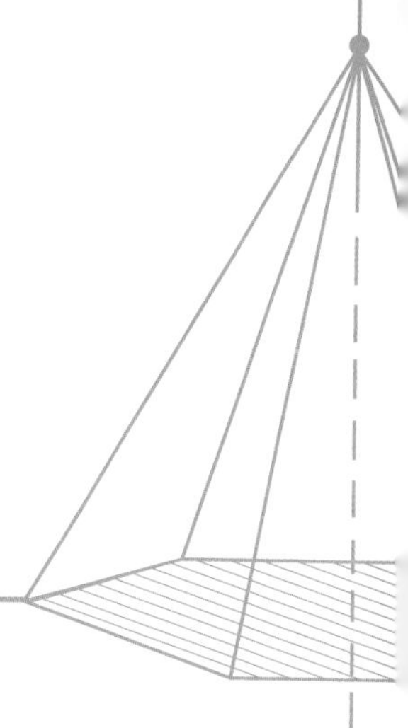

우리가 궁금한 것들

팀 구성원:

날짜:

우리가 궁금한 것들

그림이나 숫자, 글을 이용해 여러분의 질문에 어떻게 답해야 하는지 보여주세요.

우리가 연구하고 싶은 것

그림이나 숫자, 글을 이용해 여러분의 질문에 어떻게 답해야 하는지 보여주세요.

출처: 닉 푸트

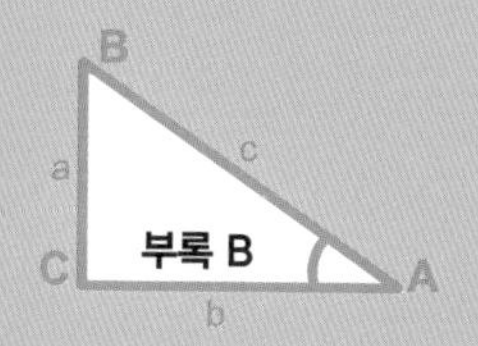

수학 수업에서 긍정적인 규칙 정하기

조 볼러

수학 수업 시간에 학생들에게 전하고 싶은 7가지 메시지와
학생들을 격려하는 방법에 대한 유큐브드의 몇 가지 제안을 소개합니다.

01
누구나 수학을
최고 수준까지
배울 수 있다.

02
실수는
소중한 것이다.

03
질문은 정말
중요하다.

04
수학은 창의력과
이해력에 관한
것이다.

05
수학은 연결과
소통에 관한
것이다.

06
깊이가 속도보다
훨씬 더 중요하다.

07
수학 수업은
성적이 아니라
학습에 관한 것이다.

**수학 수업에서
격려해야 할
긍정적인 규칙**

01

누구나 수학을 최고 수준까지 배울 수 있다.

학생들이 자기 자신을 믿도록 격려하라. 여기에는 두 가지 다른 부분이 있다. 첫째, 학생들이 수학의 어떤 수준이라도 성취할 수 있고 '수학 천재' 같은 건 없다는 것을 알게 할 필요가 있다.
둘째, 무엇이든 배울 수 있고 더 많이 노력할수록 더 똑똑해질 것이라는 '성장 마인드셋'을 학생들이 갖도록 할 필요가 있다.
성장 마인드셋을 권장하는 중요한 방법은 학생들을 사람으로서가 아니라 해낸 것, 배운 것으로 칭찬하는 것이다. "너는 참 똑똑하구나."라고 말하는 대신 "그걸 배우다니 참 대단하구나."라고 말해주는 것이다.
두뇌와 성장 마인드셋에 대한 긍정적인 메시지를 권장해서 학생들과 함께 시청하면 좋을 영상을 소개한다.

youcubed.org/teachers/from-stanford-onlines-how-to-lean-math-for-teachers-and-parents-brain-science
youcubed.org/students/boosing-messages

성장 마인드셋이란?

미국과 영국, 그리고 다른 나라에 퍼져있는 심각하게 해를 끼치는 미신이 있다. 바로 어떤 사람은 '수학 뇌'를 가지고 태어나고 어떤 사람은 그렇지 않다는 생각이다. 그렇지 않다는 것이 증명되었는데도 많은 학생과 학부모가 여전히 믿고 있다.
'성장 마인드셋' 메시지를 학생들에게 전하는 것은 무척 중요하다. 누구나 수학을 하기에 적합한 사람이며, 두뇌의 놀라운 가소성 덕분에 학생들은 수학의 모든 수준에 도달할 수 있음이 최근 연구에서 입증되었다는 것을 학생들에게 알려주어라.

02

실수는 소중한 것이다.

학생들에게 당신은 실수를 좋아하고 실수는 언제나 좋게 평가될 거라고 이야기하라. 사람은 실수할 때 두뇌가 성장하기 때문에 실수는 좋은 것이라고 말이다. 이 하나의 메시지를 받은 학생들은 놀라우리만큼 자유로워진다. 실수를 긍정적으로 생각하는 데 도움이 되는 몇 가지 방법을 제안한다.

1. 실수(특별히 개념적인 실수여야 함)를 한 학생에게 모두가 그 실수로부터 배울 수 있도록 칠판 앞에 나와서 보여달라고 요청하라.

2. 학생이 무언가를 잘못했을 때 실망하거나 동정적으로 반응하는 대신, "네 두뇌가 이제 막 커졌어! 시냅스가 활성화된 거지. 정말 좋은 일이야."라고 말한다.

3. 학생에게 두뇌와 실수에 대한 긍정적인 메시지를 읽어보라고 하고 좋아하는 것을 골라 한 해 동안 간직하라고 한다. 예를 들면, "쉬운 것은 시간 낭비다", "열심히 공부하면 두뇌가 성장한다", "실수는 정말 중요하다". 오른쪽 그림처럼 학생들에게 두뇌 그림을 그리고 이런 메시지를 함께 적어 벽에 전시하게 한다.

4. 종이 구기기: 학생들에게 종이 한 장을 구긴 다음, 실수했을 때의 감정을 담아 칠판 앞으로 던지라고 하라. 그다음 자기가 던진 종이를 다시 가져와 펼쳐 구긴 선을 따라 색칠하게 한다. 이 선들은 활성화된 시냅스와 실수로 성장한 두뇌를 나타낸다. 이 사실을 상기할 수 있도록 색칠한 종이를 학생들의 수학 노트나 파일에 보관하게 한다.

학생들이 실수할 때, 시냅스가 활성화되고 두뇌가 성장한다는 것이 연구를 통해 밝혀졌다. 특히 성장 마인드셋을 가진 사람에게서 두뇌 활동이 강하게 나타난다. 실수하는 것은 좋은 일이다.

비스타 교육구의 킴 할로웰이 학생들과 3의 방법을 시행한 결과이다.

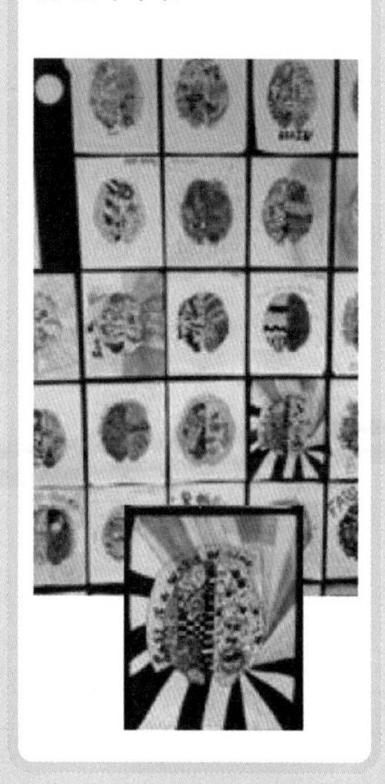

03

질문은 정말 중요하다.

당신이 수학에 관한 질문을 좋아하고 질문은 정말 중요하다고 학생들에게 이야기하라. 질문은 높은 학업 성취와 관련된다는 사실이 연구를 통해 밝혀졌다. 그러나 학생들은 어리석다고 여길까 봐 두려워서 거의 질문을 하지 않는다. 학생들의 모든 질문에 답할 필요는 없다. "너는 지금은 답을 모르지만, 찾아낼 수 있어." 라고 말하거나 그 질문에 답하고 싶어 하는 다른 학생에게 물어보라고 하는 게 더 좋다.
학생들이 질문하도록 격려하는 몇 가지 방법을 제안하겠다.

1. 좋은 질문을 했을 때, 여러 학생이 볼 수 있도록 그 질문을 포스터에 색지로 꾸며서 교실에 걸어놓는다.

2. 학생들에게 수업에서 두 가지 의무가 있다고 말한다. 하나는 질문이 있을 때 항상 질문해야 한다는 것, 다른 하나는 만일 학급 친구가 질문하면 항상 답해주어야 한다는 것이다.

3. 학생들이 질문하도록 격려하라. 당신에게서, 다른 학생들과 스스로에게서 이런 질문을 받게 하라. "왜 그게 되는 거지?", "왜 그게 말이 되는 거야?", "그걸 그려볼 수 있을까?", "그 방법을 다른 방법과 어떻게 연결할까?"

4. 자기 스스로 수학 질문을 하도록 격려하라. 학생들에게 질문하는 대신, 흥미로운 수학적 상황을 주고 어떤 질문들이 나오는지 관찰하라.

연구 조사에 따르면, 미국에서 질문하는 학생들의 수는 학년이 올라갈수록 점차 줄어든다고 한다. 이것을 그래프로 나타내면 아래와 같다.

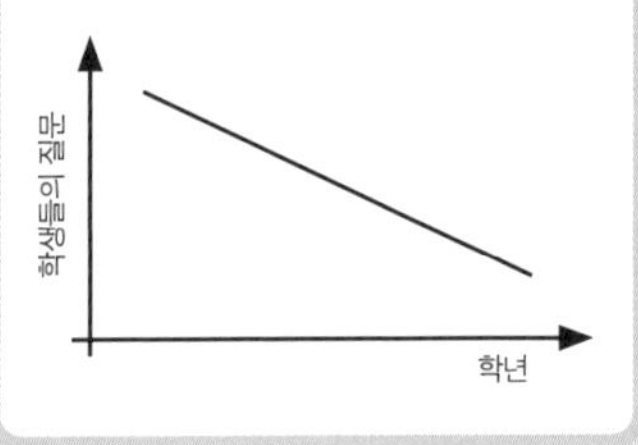

04

수학은 창의력과 이해력에 관한 것이다.

수학을 이해하는 핵심은 이치에 맞게 하는 것이다. 학생들은 수학을 외워야 하는 공식들을 모아놓은 것으로 생각한다. 이런 생각이 바로 낮은 성취도로 이어진다. 수학은 매우 창의적인 과목으로, 그 핵심은 패턴을 시각화하고 다른 사람이 보고 토론하고 비판할 수 있도록 해결책을 만드는 것이다.
이치에 맞게 하고 창의적인 수학을 권하는 몇 가지 방법은 다음과 같다.

전 세계 1,500만 명의 15세 학생들로부터 얻은 PISA 자료에 따르면 전 세계에서 가장 낮은 학업 성취도를 보이는 학생들은 암기로 수학적 성공을 이룰 수 있다고 생각한다고 한다. 미국, 영국의 많은 학생이 그렇게 믿고 있다.

1. 항상 학생들에게 질문을 던져라. "왜 그게 말이 되는 거지?" 학생들의 답이 옳든지 그르든지 이 질문을 던져라.

2. 시각적 수학을 권장하라. 학생들에게 해결책을 그림으로 나타내달라고 요청하라. 자신이 수학을 어떻게 보는지 생각해 보라고 하라. 이 영상(youtu.be/1EqrX-gsSQg)에서 캐시 험프리스는 학생들에게 1을 2/3으로 나누는 각자의 해법을 그림으로 그려 이치에 맞게 설명해달라고 한다.

3. 수학적 아이디어를 시각적 표현을 통해 보여주어라. 모든 수학은 시각적으로 표현될 수 있고, 시각적 표현은 더 많은 학생이 이해할 수 있다. 시각적 수학에 대한 많은 예가 유큐브드 사이트와 위의 영상에 있다.

4. 학생들이 수학을 보는 서로 다른 방식과 서로 다른 해결 방식을 높게 평가하는 수 이야기number talks를 사용하라. 이 영상은 수 이야기를 가르쳐주는 동시에 시각적 해결 방법을 보여준다.
   youcubed.org/teachers/2014/from-stanford-onlines-how-to-learn-math-for-teachers-and-parents-number-talks/

5. 학생들이 질문에 대한 답을 모두 낸 다음에는 새롭고 더 어려운 질문을 생각해 보라고 하라. 다른 학생들에게 질문을 던질 수도 있다. 차이를 만들기에 아주 좋은 전략이다.

05 수학은 연결과 소통에 관한 것이다.

수학은 다양한 분야와 연결된 과목이지만, 학생들은 종종 수학을 분리된 방법들을 모아 놓은 과목으로 여긴다. 우리는 연결성을 보여주는 영상을 하나 만들었다.
youcubed.org/students/a-tour-of-mathematical-connections

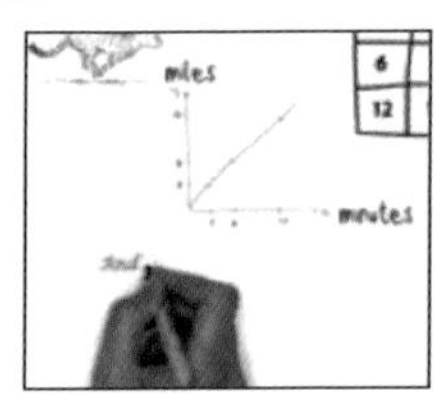

수학은 의사소통의 한 형태이며, 어떤 사람들은 수학을 하나의 언어로 생각한다. 연결하고 의사소통을 권장하는 몇 가지 전략은 다음과 같다.

1. 연결성 영상을 보여준다.

2. 학생들이 자신의 수학 결과를 여러 가지 다른 형태로 나타내도록 격려한다. 언어, 그림, 그래프, 방정식으로 표현하고 그것들을 연결하게 한다. 아래 왼쪽 그림을 참조하라.

3. 컬러 코딩을 권하라. 학생들에게 수학적 아이디어가 있는 곳을 색깔로 보여달라고 하라. 아래 오른쪽 그림을 참조하라.

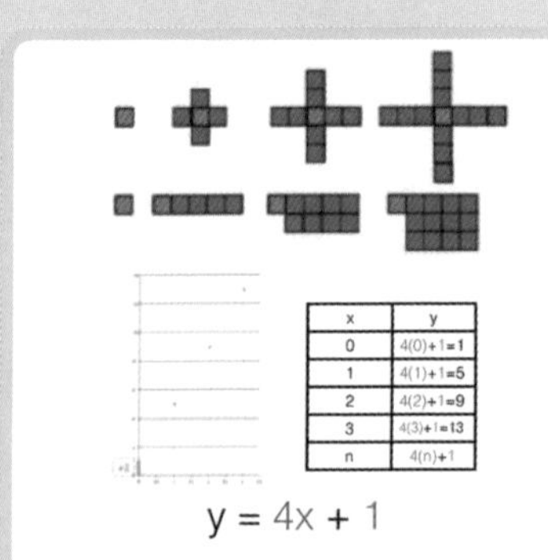

- 첫 번째 단계에는 정사각형 1개가 있다.
- 단계가 더해질 때마다 원래 정사각형의 4개의 변에 정사각형이 1개씩 더해진다.
- 도형은 계속해서 왼쪽, 오른쪽, 위, 아래로 커져서 새로운 단계마다 4개의 정사각형이 더해진다.

1	2	3	4	5	6	7	8	9	10
11	12	13	14	15	16	17	18	19	20
21	22	23	24	25	26	27	28	29	30
31	32	33	34	35	36	37	38	39	40
41	42	43	44	45	46	47	48	49	50
51	52	53	54	55	56	57	58	59	60
61	62	63	64	65	66	67	68	69	70
71	72	73	74	75	76	77	78	79	80
81	82	83	84	85	86	87	88	89	90
91	92	93	94	95	96	97	98	99	100

06

깊이가 속도보다 훨씬 더 중요하다.

수학을 잘한다는 것을 수학 계산을 잘하는 것으로 생각하는 사람들이 많다. 전혀 그렇지 않으며 수학과 속도를 분리할 필요가 있다. 많은 교실에서 그렇듯이 우리가 빠른 계산을 높이 평가하면 빨리 계산하는 학생들은 북돋우고, 수학에서 매우 중요한 깊고 천천히 생각하는 이들을 포함한 많은 다른 학생을 좌절하게 만든다(옆의 사례 참조).

빨리 계산하는 것은 전혀 중요하지 않다(빨리 계산하기 위해 컴퓨터가 있다). 필요한 것은 학생들이 깊이 생각하고, 방법들을 연결하고, 추론하고, 증명하는 것이다.

1. 빨리 계산하고 문제를 푸는 것은 중요하지 않다고 학생들에게 말한다. 수학적 사고는 속도가 아니라 깊이에 관한 것이다.
2. 가장 빠른 학생들이 수학적 토론을 이끌어가지 않도록 하라.
3. 손을 들어 답하라고 했을 때 가장 빨리 손을 든 학생들이 답하게 하지 않는다.
4. 플래시 카드를 사용하거나, 속도 경쟁을 시키거나, 시간제한을 두는 시험을 보지 않는다. 대신 사고의 깊이, 창의성, 수학에 대한 다른 방식의 사고, 다른 설명을 높이 평가하라. 다음은 시간제한이 있는 시험이 수학 불안감을 일으킨다는 것을 보여주는 연구 논문이다.
   youcubed.org/pdfs/nctm-timed-test.pdf

news & views
Research suggests that timed tests cause math anxiety

"나는 항상 나의 지적 능력을 확신하지 못했다. 내 생각에 나는 우둔했다. 그리고 과거에도 그랬지만 지금도 나는 조금 느리게 생각하는 편이다. 나는 항상 사물을 완전히 이해해야 했기 때문에 충분한 시간이 필요했다. 11학년 말 즈음, 나는 아무에게도 이야기하진 않았지만 스스로 바보라고 생각했다. 이 문제에 대해 상당히 오랫동안 걱정하고 고민했다.
나는 여전히 느리다. … 11학년 말, 나는 상황을 판단했고 민첩성과 지성 사이에는 명확한 관계성이 없다는 결론에 이르렀다. 중요한 것은 사물 그 자체와 각각의 사물들 사이의 관계를 깊게 이해하는 것이다. 바로 거기에 지성이 있다. 민첩하거나 굼뜨거나 하는 것은 정말 아무런 연관이 없다."

– 필즈상 수상자, 로랑 슈바르츠 (《시대와 맞싸운 수학자》, 2001)

07

수학 수업은 성적이 아니라 학습에 관한 것이다.

많은 학생이 수학 수업에서 자신의 역할이 학습이 아니라 과제 수행이라고 생각한다. 수학이 학습에 대한 것이며 성장하는 과목이고, 배우는 데는 시간이 걸리고 노력이 중요하다는 것을 학생들이 알아야 한다. 다음은 수학을 과제 수행이나 성적을 위한 과목이 아니라 배우는 과목으로 만들기 위한 몇 가지 전략이다.

1. 등급 매기기와 시험은 최소한으로 하라. 수학은 등급을 지나치게 많이 매기고, 시험을 지나치게 많이 보는 과목이다. 등급을 매기거나 시험을 보는 것, 둘 다 학습 증진에 도움이 되지 않는다는 사실이 밝혀졌다. 이 두 가지로 학생들은 배우는 게 아니라 성적을 내기 위해 내몰리고 있다고 느낀다. 등급을 매기면 학생들은 배운 내용에 대한 평가가 아니라 자신에 대한 평가로 생각한다.
2. 등급을 매기는 대신 진단 피드백을 주어라. 시간이 더 걸리고 매우 중요하지만, 너무 자주 주지 않아도 된다.
3. '학습을 위한 평가' 전략을 사용하라(옆 문단 참조).
4. 등급을 매겨야만 한다면, 수행이 아니라 학습을 위한 등급을 주어라. 예를 들어 질문하거나, 아이디어를 다른 방식으로 표현하거나, 다른 학생에게 학습 내용을 설명하거나, 연결을 만든 것 등에 대해 등급을 매겨라. 과정의 수행이라는 수학의 작은 부분만 평가하는 것이 아니라 폭넓은 수학을 평가하라.
5. 관리 부서에 학생의 등급을 제출해야 할 수도 있지만, 그렇다고 반드시 학생들에게 등급을 알려줄 필요는 없다. 등급은 학습에 대해 고정 마인드셋 메시지를 전달함으로써 역효과를 낸다.

총괄 평가와 등급제 대신에 '학습을 위한 평가' 전략을 사용하면, 학생의 학업 성취도가 놀라울 정도로 올라간다.
영국의 교사들이 학습을 위한 평가 전략을 사용한다고 가정했을 때, 학생들의 성취도 향상을 추정해 보면 전 세계적으로 중간 단계에 머물러있던 국가가 최상위 5위 안에 들어가게 된다(Black & Wiliam, 1998). 아래 링크에서 학습을 위한 평가 전략을 찾아볼 수 있다.
www.youcubed.org/category/assessment-and-grading/

수학 수업에서 격려해야 할 긍정적인 규칙

1. 누구나 수학을 최고 수준까지 배울 수 있다.

학생이 자신을 믿도록 격려하라. '수학 천재'는 없다. 누구나 노력하면 자신이 원하는 최고 수준에 도달할 수 있다.

2. 실수는 소중한 것이다.

실수를 통해 두뇌가 성장한다. 어려움을 겪거나 실수하는 것은 좋은 일이다.

3. 질문은 정말 중요하다.

항상 질문하라. 항상 질문에 답하라. 자신에게 물어보라. '왜 그게 말이 되는 거지?'

4. 수학은 창의력과 이해력에 관한 것이다.

수학은 매우 창의적인 과목이다. 그 핵심은 패턴을 시각화하고 다른 사람이 이해할 수 있는 해법을 만들어내고 토론하고 비평하는 것이다.

5. 수학은 연결과 소통에 관한 것이다.

수학은 다양한 분야와 연결된 과목이며 의사소통의 한 형태이다. 수학을 언어, 그림, 그래프, 방정식 등 여러 가지 다른 형태로 나타내보라. 그리고 그것들을 연결하라. 색깔로도 표현해 보라.

6. 깊이가 속도보다 훨씬 더 중요하다.

로랑 슈바르츠와 같은 최고의 수학자는 천천히, 그리고 깊이 생각한다.

7. 수학 수업은 성적이 아니라 학습에 관한 것이다.

수학은 성장을 배우는 과목이다. 배우는 데는 시간이 걸리고 노력이 필요하다.

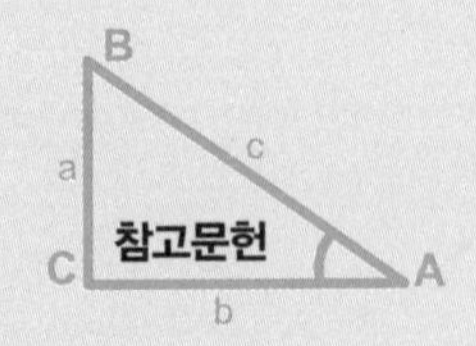

Abiola, O., & Dhindsa, H. S. (2011). Improving classroom practices using our knowledge of how the brain works. *International Journal of Environmental & Science Education, 7*(1), 71-81.

Baker, D. P., & LeTendre, G. K. (2005). *National differences, global similarities: World culture and the future of schooling*. Stanford University Press.

Ball, D. L. (1993). With an eye on the mathematical horizon: Dilemmas of teaching elementary mathematics. *The Elementary School Journal, 93*(4), 373-397.

Beaton, A. E., & O'Dwyer, L. M. (2002). Separating school, classroom and student variances and their relationship to socio-economic status. In D. F. Robitaille & A. E. Beaton (Eds.), *Secondary analysis of the TIMSS data*. Kluwer Academic Publishers.

Beilock, L. S., Gunderson, E. A., Ramirez, G., & Levine, S. C. (2009). Female teachers' math anxiety affects girls' math achievement. *Proceedings of the National Academy of Sciences, 107*(5), 1860-1863.

Beilock, S. (2011). *Choke:What the secrets of the brain reveal about getting it right when you have to*. Free Press.

Black, P., Harrison, C., Lee, C., Marshall, B., & Wiliam, D. (2002). *Working inside the black box: Assessment for learning in the classroom*. London: Department of Education & Professional Studies, King's College.

Black, P. J., & Wiliam, D. (1998a, October). Inside the black box: Raising standards through classroom assessment. *Phi Delta Kappan*, 139-148.

Black, P. J., & Wiliam, D. (1998b). Assessment and classroom learning. *Assessment in Education, 5*(1), 7 -74.

Blackwell, L., Trzesniewski, K., & Dweck, C. S. (2007). Implicit theories of intelligence predict achievement across an adolescent transition: A longitudinal study and an intervention. *Child Development, 78* (1), 246 -263.

Boaler, J. (1997). When even the winners are losers: Evaluating the experiences of "top set" students. *Journal of Curriculum Studies, 29*(2), 165 -182.

Boaler, J. (1998). Open and closed mathematics: Student experiences and understandings. *Journal for Research in Mathematics Education, 29*(1), 41 -62.

Boaler, J. (2002a). *Experiencing school mathematics: Traditional and reform approaches to teaching and their impact on student learning* (revised, expanded edition). Erlbaum.

Boaler, J. (2002b). Paying the price for "sugar and spice": Shifting the analytical lens in equity research. *Mathematical Thinking and Learning, 4*(2&3), 127 -144.

Boaler, J. (2005). *The "psychological prisons" from which they never escaped: The role of ability grouping in reproducing social class inequalities*. Paper presented at the FORUM.

Boaler, J. (2008). Promoting "relational equity" and high mathematics achievement through an innovative mixed ability approach. *British Educational Research Journal, 34*(2), 167 -194.

Boaler, J (2011). Changing students' lives through the de-tracking of urban athematics classrooms. *Journal of Urban Mathematics Education, 4(1).*

Boaler, J. (2013a). Ability and mathematics: The mindset revolution that is reshaping education. *FORUM, 55*(1), 143 -152.

Boaler, J. (2013b). Ability grouping in mathematics classrooms. In S. Lerman (Ed.), *International encyclopedia of mathematics education*. Springer.

Boaler, J. (2013c, November 12). The stereotypes that distort how Americans teach and learn math. *Atlantic*.

Boaler, J. (2014a, April 28). *Changing the conversation about girls and STEM*. Washington, DC: The White House. Retrieved from http://www.youcubed.org/wp-content/uploads/Youcubed-STEMwhite-house.pdf

Boaler, J. (2014b). Fluency without fear: Research evidence on the best ways to learn math facts. YouCubed at Stanford University. Retrieved from http://www.youcubed.org/wp-content/uploads/2015/03/FluencyWithoutFear-2015.pdf

Boaler, J. (2015a). *What's math got to do with it? How teachers and parents can transformmathematics learning and inspire success*. Penguin.

Boaler, J. (2015b, May 7). Memorizers are the lowest achievers and other Common Core math surprises. *The Hechinger Report*. http://hechingerreport.org/memorizers-arethe-lowest-achievers-and-other-common-core-math-surprises/

Boaler, J. (2019). *Limitless mind: Learn, lead and live without barriers.HarperCollins.*

Boaler, J. & Chen, L. (2016) Why kids should use their fingers in math class. *The Atlantic*. http://www.theatlantic.com/education/archive/2016/04/why-kids-should-use-their-fingers-in-math-class/478053/

Boaler, J., & Greeno, J. (2000). Identity, agency and knowing in mathematics worlds. In J. Boaler (Ed.), *Multiple perspectives on mathematics teaching and learning* (pp. 171–200). Ablex Publishing.

Boaler, J., & Humphreys, C. (2005). *Connecting mathematical ideas: Middle school video cases to support teaching and learning*. Portsmouth, NH:Heinemann.

Boaler, J., & LaMar, T. (2019). *Valuing difference and growth: A youcubed erspective on special education*. Youcubed. https://www.youcubed.org/wp-content/uploads/2019/02/SPED-paper-3.2019-Final.pdf

Boaler, J., Schoenfeld, A., Daro, P., Asturias, H., Callahan, P., & Foster, D. (2018, October 9). How one city got math right. *Hechinger Report*. https://hechingerreport.org/opinion-how-one-city-got-math-right/

Boaler, J., & Selling, S. (2017). Psychological imprisonment or intellectual freedom? A longitudinal study of contrasting school mathematics approaches and their impact on adult's lives. *Journal of Research in Mathematics Education*, 48(1), 78–105.

Boaler, J., & Sengupta-Irving, T. (2016). The many colors of algebra: The impact of equity focused teaching upon student learning and engagement. *The Journal of Mathematical Behavior*, 41, 179–190.

Boaler, J & Staples, M. (2008). Creating Mathematical futures through an equitable teaching approach: The case of Railside School. *Teachers' College Record*, 110, 608–645.

Boaler, J., & Wiliam, D. (2001). "We've still got to learn!" Students' perspectives on ability grouping and mathematics achievement. In P. Gates (Ed.), *Issues in mathematics teaching*. Routledge-Falmer.

Boaler, J., Wiliam, D., & Brown, M. (2001). Students' experiences of ability grouping—isaffection, polarisation and the construction of failure. *British Educational Research Journal, 26*(5), 631–648.

Bransford, J., Brown, A., & Cocking, R. (1999). *How people learn: Brain, mind, experience and school*. National Academy Press.

Brousseau, G. (1984). The crucial role of the didactical contract in the analysis and construction of situations in teaching and learning mathematics. In H. G. Steiner (Ed.), *Theory of mathematics education* (pp. 110 – 119). Bielefeld Germany: Institut fur Didactik der Mathematik der Universitat Bielefeld.

Brousseau, G. (1997). *Theory of didactical situations in mathematics: Didactique des mathematiques(1970–1990).* Springer.

Brown, K. (in press). The impact of tracking on mathematics identity development. Submitted manuscript.Youcubed.

Bryant, A. (2013, June 19). In head-hunting, big data may not be such a big deal. *New York Times*. http://www.nytimes.com/2013/06/20/business/in-head-hunting-big-datamay-not-be-such-a-big-deal.html

Burris, C., Heubert, J., & Levin, H. (2006). Accelerating mathematics achievement using heterogeneous grouping. *American Educational Research Journal, 43*(1), 103 – 134.

Burton, L. (1999). The practices of mathematicians: What do they tell us about coming to know mathematics? *Educational Studies in Mathematics, 37*, 121 – 143.

Butler, R. (1987). Task-involving and ego-involving properties of evaluation: Effects of different feedback conditions on motivational perceptions, interest and performance. *Journal of Educational Psychology, 79*, 474-482.

Butler, R. (1988). Enhancing and undermining intrinsic motivation: The effects of task-involving and ego-involving evaluation on interest and performance. *British Journal of Educational Psychology, 58*, 1 – 14.

Challenge Success. (2012). Changing the conversation about homework from quantity and achievement to quality and engagement. Challenge Success. http://www.challengesuccess.org/portals/0/docs/ChallengeSuccess-Homework-WhitePaper.pdf

Cohen, E. (1994). *Designing groupwork*. Teachers College Press.

Cohen, E., & Lotan, R. (2014). *Designing groupwork: Strategies for the heterogeneous classroom* (3rd ed.). Teachers College Press.

Cohen, G. L., & Garcia, J. (2014). Educational theory, practice, and policy and the wisdom of social psychology. *Policy Insights from the Behavioral and Brain Sciences, 1*(1), 13 – 20.

Common Core State Standards Initiative. (2015). Standards for mathematical practice. Common Core State Standards Initiative. http://www.corestandards.org/Math/Practice/

Conner, J., Pope, D., & Galloway, M. K. (2009). Success with less stress. *Educational*

Leadership, 67(4), 54–58.

Darling-Hammond, L. (2000). Teacher quality and student achievement. *Education Policy Analysis Archives, 8*, 1.

Deevers, M. (2006). *Linking classroom assessment practices with student motivation in mathematics*. Paper presented at the American Educational Research Association, San Francisco.

Delazer, M., Ischebeck, A., Domahs, F., Zamarian, L., Koppelstaetter, F., Siedentopf, C. M., …Felber, S. (2005). Learning by strategies and learning by drill–evidence from an fMRI study. *NeuroImage*, 839–849.

Devlin, K. (1997). *Mathematics: The science of patterns: The search for order in life, mind and the universe*: Scientific American Library.

Devlin, K. (2001). *The math gene: How mathematical thinking evolved and why numbers are like gossip*: Basic Books. (Originally published in 1997)

Devlin, K. (2006). *The math instinct:Why you're a mathematical genius (along with lobsters, birds, cats, and dogs)*: Basic Books.

Dixon, A. (2002). Editorial. *FORUM, 44*(1), 1.

Doidge, N (2007). *The brain that changes itself.* Penguin.

Duckworth, A., & Quinn, P. (2009). Development and validation of the short grit scale. *Journal of Personality Assessment, 91*(2), 166–174.

Duckworth, E. (1991). Twenty-four, forty-two and I love you: Keeping it complex. *Harvard Educational Review, 61*(1), 1–24.

Dweck, C. S. (2006a). Is math a gift? Beliefs that put females at risk. In W. W. S. J. Ceci (Ed.), *Why aren't more women in science? Top researchers debate the evidence*. American Psychological Association.

Dweck, C. S. (2006b). *Mindset: The new psychology of success*. Ballantine Books.

Eccles, J., & Jacobs, J. (1986). Social forces shapemath attitudes and performance. *Signs, 11*(2), 367–380.

Elawar, M. C., & Corno, L. (1985). A factorial experiment in teachers' written feedback on student homework: Changing teacher behavior a little rather than a lot. *Journal of Educational Psychology, 77*(2), 162–173.

Elmore, R., & Fuhrman, S. (1995). Opportunity-to-learn standards and the state role in education. *Teachers College Record, 96*(3), 432–457.

Engle, R. A., Langer-Osuna, J., & McKinney de Royston, M. (2014). Towards a model of influence in persuasive discussions: Negotiating quality, authority, and access within a student-led argument. *Journal of the Learning Sciences, 23*(2), 245–268.

Esmonde, I., & Langer-Osuna, J. (2013). Power in numbers: Student participation inmathematical discussions in heterogeneous spaces. *Journal for Research in Mathematics Education, 44*(1), 288–315.

Feikes, D., & Schwingendorf, K. (2008). The importance of compression in children's learning of mathematics and teacher's learning to teach mathematics. *Mediterranean Journal for Research in Mathematics Education, 7*(2).

Flannery, S. (2002). *In code: A mathematical journey*: Workman Publishing Company.

Fong, A. B., Jaquet, K., & Finkelstein, N. (2014). Who repeats Algebra I, and how does initial performance relate to improvement when the course is repeated? (REL 2015–59). U. S. Department of Education, Institute of Education Sciences, National Center for Education Evaluation and Regional Assistance, Regional Educational Laboratory West. http://files.eric.ed.gov/fulltext/ED548534.pdf

Frazier, L. (2015, February 25). To raise student achievement, North Clackamas schools add lessons in perseverance. *Oregonian*/OregonLive. Retrieved from http://www.oregonlive.com/education/index.ssf/2015/02/to_raise_student_achievement_n.html

Galloway, M. K., & Pope, D. (2007). Hazardous homework? The relationship between homework, goal orientation, and well-being in adolescence. *Encounter: Education for Meaning and Social Justice, 20*(4), 25–31.

Girl Scouts of the USA. (2008). Evaluating promising practices in informal science, technology, engineering and mathematics(STEM) education for girls. ESTEAM Initiative. https://esteaminitiative. weebly.com/uploads/2/6/2/1/26214991/evaluating_promising_practices_in_informal_stem_education_for_girls.pdf

Gladwell, M. (2011). *Outliers: The story of success*. Back Bay Books.

Good, C., Rattan, A., & Dweck, C. S. (2012). Why do women opt out? Sense of belonging and women's representation in mathematics. *Journal of Personality and Social Psychology, 102*(4), 700–717.

Grant, A. M. (2016). *Originals: How non-conformists move the world*. Penguin.

Gray, E., & Tall, D. (1994). Duality, ambiguity, and flexibility: A "proceptual" view of simple arithmetic. *Journal for Research in Mathematics Education, 25*(2), 116–140.

Gunderson, E. A., Gripshover, S. J., Romero, C., Dweck, C. S., Goldin-Meadow, S., & Levine, S. C. (2013). Parent praise to 1-3 year-olds predicts children's motivational frameworks 5 years later. *Child Development, 84*(5), 1526–1541.

Gutstein, E., Lipman, P., Hernandez, P., & de los Reyes, R. (1997). Culturally relevant mathematics teaching in a Mexican American context. *Journal for Research in Mathematic Education, 28*(6), 709–737.

Haack, D. (2011, January 31). Disequilibrium (I): Real learning is disruptive. A Glass Darkly (blog). http://blog4critique.blogspot.com/2011/01/disequilibrium-i-real-learning-is.html

Hersh, R. (1999). *What is mathematics, really?* Oxford University Press.

Horn, I. S. (2005). Learning on the job: A situated account of teacher learning in high school mathematics departments. *Cognition and Instruction, 23*(2), 207–236.

Humphreys, C., & Parker, R. (2015). *Making number talks matter: Developing mathematical practices and deepening understanding, grades 4–0*. Stenhouse Publishers.

Iuculano, T. et al., Cognitive tutoring induces widespread neuroplasticity and remediates brain function in children with mathematical learning disabilities. *Nature Communications 6 (2015): 8453, https://doi.org/10.1038/ncomms9453*

Jacob, W. (2015). [Math Acceleration]. Personal communication.

Jones, M. G., Howe, A., & Rua, M. J. (2000). Gender differences in students' experiences, interests, and attitudes toward science and scientists. *Science Education, 84*, 180–192.

Karni, A., Meyer, G., Rey-Hipolito, C., Jezzard, P., Adams, M., Turner, R., & Ungerleider, L. (1998). The acquisition of skilled motor performance: Fast and slow experience-driven changes in primary motor cortex. *PNAS, 95*(3), 861–868.

Khan, S. (2012). *The one world schoolhouse: Education reimagined*. Twelve.

Kitsantas, A., Cheema, J., & Ware, W. H. (2011). Mathematics achievement: The role of homework and self-efficacy beliefs. *Journal of Advanced Academics, 22*(2), 310–339.

Klarreich, E. (2014, August 13). Meet the first woman to win math's most prestigious prize. *Quanta Magazine*. http://www.wired.com/2014/08/maryam-mirzakhani-fields-medal/

Kohn, A. (1999). *Punished by rewards: The trouble with gold stars, incentive plans, A's, praise, and other bribes*. Mariner Books.

Kohn, A. (2000). *The schools our children deserve: Moving beyond traditional classrooms and "tougher standards*. Mariner Books.

Kohn, A. (2008, September). Teachers who have stopped assigning homework (blog). http://www.alfiekohn.org/blogs/teachers-stopped-assigning-homework

Kohn, A. (2011, November). The case against grades. http://www.alfiekohn.org/article/case-grades/

Koonlaba, A. E. (2015, February 24). 3 visual artists—and tricks—for integrating the arts into core subjects. *Education Week Teacher*. https://www.edweek.org/teaching-learning/opinion-3-visual-artists-and-tricks-for-integrating-the-arts-into-core-subjects/2015/02

LaCrosse, J., Murphy, M. C., Garcia, J. A., & Zirkel, S. (2021, July). The role of STEM professors' mindset beliefs on students' anticipated psychological experiences and course interest. *Journal of Educational Psychology*, 113, 949–971. https://doi.org/10.1037/edu0000620.

Lakatos, I. (1976). *Proofs and refutations*. Cambridge University Press.

LaMar, T., Leshin, M., & Boaler, J. (2020). The derailing impact of content tandards—anequity focused district held back by narrow mathematics. *International Journal of Educational Research, 1*,100015. https://www.sciencedirect.com/science/article/pii/S2666374020300157?via%3Dihub

Langer-Osuna, J. (2011). How Brianna became bossy and Kofi came out smart: Understanding the differentially mediated identity and engagement of two group leaders in a project-based mathematics classroom. *Canadian Journal for Science, Mathematics, and Technology Education, 11*(3), 207–225.

Lawyers' Committee for Civil Rights of the San Francisco Bay Area. (2013, January). Held back: Addressing misplacement of 9th grade students in Bay Area school math classes. Retrieved from www.lccr.com

Lee, D. N. (2014, November 25). Black girls serving as their own role models in STEM. *Scientific American*. http://blogs.scientificamerican.com/urban-scientist/2014/11/25/black-girls-serving-as-their-own-role-models-in-stem/

Lee, J. (2002). Racial and ethnic achievement gap trends: Reversing the progress toward equity? *Educational Researcher, 31*(1), 3–12.

Lemos, M. S., & Verissimo, L. (2014). The relationships between intrinsic motivation, extrinsic motivation, and achievement, along elementary school. *Procedia–Social and Behavioral Sciences, 112*, 930–938.

Leslie, S.-J., Cimpian, A., Meyer, M., & Freeland, E. (2015). Expectations of brilliance underlie gender distributions across academic disciplines. *Science, 347*(6219), 262–265.

Letchford, L. (2018). *Reversed: A memoir*. Acorn.

Lupton, T., Pratt, S., & Richardson, K. (2014). Exploring long division through division quilts. *Centroid, 40*(1), 3–8

Maguire, E., Woollett, K., & Spiers, H. (2006). London taxi drivers and bus drivers: A structural MRI and neuropsychological analysis. *Hippocampus, 16*(12), 1091–1101.

Mangels, J. A., Butterfield, B., Lamb, J., Good, C., & Dweck, C. S. (2006). Why do beliefs about intelligence influence learning success? A social cognitive neuroscience model. *Social Cognitive and Affective Neuroscience, 1*(2), 75–86.

Mathematics Teaching and Learning to Teach, University of Michigan. (2010). SeanNumbers-Ofala video [Online]. http://deepblue.lib.umich.edu/handle/2027.42/65013

McDermott, R. P. (1993). The acquisition of a child by a learning disability. In S. Chaiklin & J. Lave(Eds.), *Understanding practice: Perspectives on activity and context* (pp. 269–305). Cambridge University Press.

McKnight, C., Crosswhite, F. J., Dossey, J. A., Kifer, J. O., Swafford, J. O., Travers, K. J., & Cooney, T. J. (1987). *The underachieving curriculum—ssessing US school mathematics from an international perspective*. Stipes Publishing.

Mikki, J. (2006). *Students' homework and TIMSS 2003 mathematics results*. Paper presented at the International Conference, Teaching Mathematics Retrospective and Perspective.

Moser, J., Schroder, H. S., Heeter, C., Moran, T. P., & Lee, Y. H. (2011). Mind your errors: Evidence for a neural mechanism linking growth mindset to adaptive post error adjustments. *Psychological Science, 22*, 1484–1489.

Moses, R., & Cobb, J. C. (2001). *Radical equations:Math, literacy and civil rights*. Beacon Press.

Mueller, C. M., & Dweck, C. S. (1998). Praise for intelligence can undermine children'smotivation and performance. *Journal of Personality and Social Psychology, 75*(1), 33–52.

Murphy, M. C., Garcia, J. A., & Zirkel, S. (in prep). *The role of faculty mindsets in women's performance and participation in STEM*.

Nasir, N. S., Cabana, C., Shreve, B., Woodbury, E., & Louie, N. (Eds.). (2014). *Mathematics for equity: A framework for successful practice*. Teachers College Press.

Noguchi, S. (2012, January 14). Palo Alto math teachers oppose requiring Algebra II to graduate. *San Jose Mercury News*. http://www.mercurynews.com/ci_19748978

Nunez-Pena, M. I., Suarez-Pellicioni, M., & Bono, R. (2016). Gender differences in test anxiety and their impact on higher education students' academic achievement. *Procedia-Social and Behavioral Sciences, 228*, 154–160.

Organisation for Economic Co-operation and Development (OECD). (2013). *Lessons from PISA 2012 for the United States, strong performers and successful reformers in education*. (Paris: OECD.)

Organisation for Economic Co-operation and Development (OECD). (2015). The

ABC of gender equality in education: Aptitude, behaviour, confidence. A Program for International Student Assessment(PISA) Report. OECD Publishing.

Organisation for Economic Co-operation and Development (2017). *PISA 2015 results (Volume V): Collaborative problem solving*. OECD Publishing. https://doi.org/10.1787/9789264285521-en

Organisation for Economic Co-operation and Development (2018). *PISA 2018*. OECD Publishing. https://www.oecd.org/pisa/test/

Paek, P., & Foster, D. (2012). *Improved mathematical teaching practices and student learning using complex performance assessment tasks*. Paper presented at theNational Council on Measurement in Education(NCME), Vancouver, BC, Canada.

Park, J., & Brannon, E. (2013). Training the approximate number system improves math proficiency. *Psychological Science, 24*(10), 2013–2019

Parker, R. E., & Humphreys, C. (2018). *Digging deeper: Making number talks matter even more, grades 3–10*. Stenhouse Publishers.

Parrish, S. (2014). *Number talks: Helping children build mental math and computation strategies, grades K–5, updated with Common Core Connections*. Math Solutions.

Piaget, J. (1958). *The child's construction of reality*. Routledge & Kegan Paul.

Piaget, J. (1970). Piaget's theory. In P. H. Mussen (Ed.), *Carmichael's manual of child psychology*. Wiley.

Picciotto, H. (1995). *Lab gear activities for Algebra I*. Creative Publications.

Program for International Student Assessment (PISA). (2012). *PISA 2012 results in focus. What 15-year-olds know and what they can do with what they know*. OECD.

Program for International Student Assessment (PISA). (2015). Does homework perpetuate inequities in education? *PISA in Focus 46*. https://doi.org/10.1787/5jxrhqhtx2xt-en

Program for International Student Assessment. (2018). Program for International Student Assessment. https://www.oecd.org/pisa/test/

Pulfrey, C., Buchs, C., & Butera, F. (2011). Why grades engender performance-avoidance goals: The mediating role of autonomous motivation. *Journal of Educational Psychology, 103*(3), 683–700. http//doi.org/10.1037/a0023911

Reeves, D. B. (2006). *The learning leader: How to focus school improvement for better results*. Association for Supervision & Curriculum Development.

Romero, C. (2013). *Coping with challenges during middle school: The role of implicit theories of emotion*(Doctoral dissertation). Stanford University, Stanford, http://

purl.stanford.edu/ft278nx7911

Rose, H., & Betts, J. R. (2004). The effect of high school courses on earnings. *Review of Economics and Statistics, 86*(2), 497 – 513.

Schmidt, W. H., McKnight, C. C., & Raizen, S. A. (1997). *A splintered vision: An investigation of US science and mathematics education*. Kluwer Academic Publishers.

Schmidt, W. H., McKnight, C. C., Cogan, L. S., Jakwerth, P. M., & Houang, R. T. (2002). *Facing the consequences: Using TIMSS for a closer look at US mathematics and science education*. Kluwer Academic Publishers.

Schwartz, D., & Bransford, J. (1998). A time for telling. *Cognition and Instruction, 16*(4), 475 – 522.

Schwartz, L. (2001). *A mathematician grappling with his century*. Birkhauser.

Seeley, C. (2009). *Faster isn't smarter: Messages about math, teaching, and learning in the 21st century*. Math Solutions.

Seeley, C. (2014). *Smarter than we think: More messages about math, teaching, and learning in the 21st century*. Math Solutions.

Selbach-Allen, M. E., Williams, C. A., & Boaler, J. (2020). What would the Nautilus say? Unleashing creativity in mathematics! *Journal of Humanistic Mathematics, 10*(2), 391 – 414.

Selling, S. K. (2015). Learning to represent, representing to learn. *Journal of Mathematical Behavior, 41,* 191 – 209. https://doi.org/10.1016/j.jmathb.2015.10.003

Silva, E., & White, T. (2013). *Pathways to improvement: Using psychological strategies to help college students master developmental math*. Carnegie Foundation for the Advancement of Teaching.

Silver, E. A. (1994). On mathematical problem posing. *For the Learning of Mathematics, 14*(1), 19 – 28.

Sims, P. (2011, August 6). Daring to stumble on the road to discovery. *New York Times*. Retrieved from http://www.nytimes.com/2011/08/07/jobs/07pre.html?_r=0

Solomon, Y. (2007). Not belonging? What makes a functional learner identity in undergraduate mathematics? *Studies in Higher Education, 32*(1), 79 – 96.

Stanford Online Lagunita. (2014). How to learn math: For students. Stanford University. Retrieved from https://lagunita.stanford.edu/courses/Education/EDUC115-S/Spring2014/about

Steele, C. (2011). *Whistling Vivaldi: How stereotypes affect us and what we can do*. Norton.

Stigler, J., & Hiebert, J. (1999). *The teaching gap: Best ideas from the world's teachers for improving education in the classroom*. Free Press.

Stipek, D. J. (1993). *Motivation to learn: Integrating theory and practice*. New York: Pearson.

Supekar, K., Swigart, A. G., Tenison, C., Jolles, D. D., Rosenberg-Lee, M., Fuchs, L., & Menon, V. (2013). Neural predictors of individual differences in response tomath tutoring in primary-grade school children. *Proceedings of the National Academy of Sciences, 110*(20), 8230-8235.

Thompson, G. (2014, June 2). Teaching the brain to learn. *THE Journal*. http://thejournal.com/articles/2014/06/02/teaching-the-brain-to-learn.aspx

Thurston, W. (1990). Mathematical education. *Notices of the American Mathematical Society, 37*(7), 844-850.

Tobias, S. (1978). *Overcoming math anxiety*. Norton.

Treisman, U. (1992). Studying students studying calculus: A look at the lives of minority mathematics students in college. *College Mathematics Journal, 23*(5), 362-372.

Velez, W. Y., Maxwell, J. W., & Rose, C. (2013). Report on the 2012-2013 new doctoral recipients. *Notices of the American Mathematical Society, 61*(8), 874-884.

Wang, J. (1998). Opportunity to learn: The impacts and policy implications. *Educational Evaluation and Policy Analysis, 20*(3), 137-156. doi:10.3102/01623737020003137

Wenger, E. (1998). *Communities of practice: Learning, meaning and identity*. Cambridge University Press.

White, B. Y., & Frederiksen, J. R. (1998). Inquiry, modeling, and metacognition:Making science accessible to all students. *Cognition and Instruction, 16*(1), 3-118.

Wolfram, C. (2010, July). Teaching kids real math with computers. TED Talks. http://www.ted.com/talks/conrad_wolfram_teaching_kids_real_math_with_computers?language=en

Wolfram, C. (2020). *The math(s) fix: An education blueprint for the AI age*. Wolfram Media, Incorporated.

Woollett, K., & Maguire, E. A. (2011). Acquiring "The Knowledge" of London's layout drives structural brain changes. *Current Biology, 21*(24), 2109-2114.

Youcubed at Stanford University. (2015a). Making groupwork equal. Stanford Graduate School of Education. http://www.youcubed.org/category/making-groupwork-equal/

Youcubed at Stanford University. (2015b). Moving colors. Stanford Graduate School of Education. http://www.youcubed.org/task/moving-colors/

Youcubed at Stanford University. (2015c). Tour of mathematical connections. Stanford Graduate School of Education. http://www.youcubed.org/tour-of-mathematical-connections/

Youcubed at Stanford University. (2015d). Video:High-quality teaching examples. Stanford Graduate School of Education. www.youcubed.org/high-quality-teaching-examples/

Zaleski, A. (2014, November 12). Western High School's RoboDoves crushes the competition, stereotypes. *Baltimore Sun*. http://www.baltimoresun.com/entertainment/bthesite/bs-b-1113-cover-robodoves-20141111-story.html

Zohar, A., & Sela, D. (2003). Her physics, his physics: Gender issues in Israeli advanced placement physics classes. *International Journal of Science Education*, *25*(2), 261

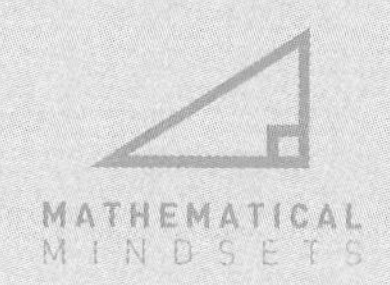
MATHEMATICAL
MINDSETS

수학이 좋아지는 스탠퍼드 마인드셋

초판 1쇄 발행 2024년 2월 20일 | 초판 4쇄 발행 2025년 1월 15일

지은이 조 볼러 | 옮긴이 송명진 · 박종하

펴낸이 신광수
출판사업본부장 강윤구 | 출판개발실장 위귀영
단행본팀 김혜연, 조기준, 조문채, 정혜리
출판디자인팀 최진아, 당승근 | 저작권 김마이, 이아람
출판사업팀 이용복, 민현기, 우광일, 김선영, 이강원, 신지애, 허성배, 정유, 정재욱, 박세화, 김종민, 정영묵, 전지현
출판지원파트 이형배, 이주연, 이우성, 전효정, 장현우

펴낸곳 (주)미래엔 | 등록 1950년 11월 1일(제16-67호)
주소 06532 서울시 서초구 신반포로 321
미래엔 고객센터 1800-8890
팩스 (02)541-8249 | 이메일 bookfolio@mirae-n.com
홈페이지 www.mirae-n.com

ISBN 979-11-6841-779-3 (03410)

* 와이즈베리는 ㈜미래엔의 성인단행본 브랜드입니다.
* 책값은 뒤표지에 있습니다.
* 파본은 구입처에서 교환해 드리며, 관련 법령에 따라 환불해 드립니다.
  단, 제품 훼손시 환불이 불가능합니다.